Baedekers
Allianz  Reiseführer

Deutschland
Die Bundesrepublik

BAEDEKER STUTTGART · FREIBURG

Titelbild: Schloß Neuschwanstein im Allgäu

Ausstattung:
144 Abbildungen
76 Karten, Pläne und Grundrisse
1 große Autokarte

Textbeiträge:
Rosemarie Arnold (Geschichte)
Walter R. Arnold (Musik)
Rudolf Rautenstrauch (Reiseziele von A bis Z)
Gerald Sawade (Klima)
Christine Wessely (Kunstgeschichte)

Bearbeitung:
Baedeker-Redaktion

Kartographie:
Ingenieurbüro für Kartographie
Huber & Oberländer, München

Umbruchlayout:
Creativ + Druck (Kolb), Stuttgart

Konzeption und Gesamtleitung:
Dr. Peter Baumgarten,
Baedeker Stuttgart

Bildnachweis:

Das Gros der Vorlagen zur Reproduktion der farbigen Abbildungen stellten die örtlichen, städtischen, regionalen, Kreis- und Landesfremdenverkehrsämter, Verkehrsvereine sowie Kurverwaltungen zur Verfügung.

Deutsche Presse-Agentur GmbH (dpa),
  Frankfurt/M. (Titelbild, S. 47, 51).
Zentrale Farbbild Agentur GmbH (ZEFA),
  Düsseldorf (S. 52, 54, 97, 103, 120, 267, 268, 271).
Bildarchiv Hans Huber KG,
  Garmisch-Partenkirchen (S. 7; 73; 115, unten; 127; 283).
Photo Hartmann, Badenweiler (S. 25, 235).
Herrmann & Kraemer,
  Garmisch-Partenkirchen (S. 40).
Herzog-August-Bibliothek, Wolfenbüttel (S. 41).
Rainer Gaertner, Bergisch Gladbach (S. 59).
Emil Bauer, Bamberg (S. 72).
Mainauverwaltung (S. 89).
M. Jeiter, Aachen (S. 95, 247).
Ars Liturgica, Maria Laach (S. 110).
Werner H. Müller, Stuttgart (S. 115, oben).
Bernward-Verlag, Hildesheim (S. 148).
Hans-Jürgen Wohlfahrt, Ratzeburg (S. 169).
Toni Schneiders, Lindau/Bodensee (S. 174).
Joachim Kinkelin, Worms (S. 182).
Leonore Ander, Ottobrunn/München (S. 194).
Peter Nahm, Ostfildern (S. 196).
Georg Quedens, Norddorf/Amrum (S. 202, 204).
Landratsamt Erbach/Odenwald (S. 210).
Nord Consulting GmbH,
  Weißenhäuser Strand (S. 215).
Ernst Baumann, Bad Reichenhall (S. 222).
Dr. Kurt Struve, Westerland/Sylt (S. 245).
W. G. Jöst, Weinheim (S. 265).
Allianz-Archiv (S. 266).
Knab-Verlag, Schonach (S. 300).
Prof. Dr. A. Herold, Gerbrunn (S. 305).

2. Auflage

Urheberschaft:
Baedekers Autoführer-Verlag GmbH
Ostfildern-Kemnat bei Stuttgart

Nutzungsrecht:
Mairs Geographischer Verlag GmbH & Co.
Ostfildern-Kemnat bei Stuttgart

Satz:
Mairs Fotosatz GmbH
Ostfildern-Kemnat bei Stuttgart

Reproduktionen:
Gölz Repro-Service GmbH
Ludwigsburg

Druck:
Mairs Graphische Betriebe GmbH & Co.
Ostfildern-Kemnat bei Stuttgart

Buchbinderarbeiten:
Spiegel Großbuchbinderei GmbH
Ulm an der Donau

Der Name *Baedeker*
ist als Warenzeichen geschützt

ISBN 3-87504-063-5

* Sternchen *(Asterisken)* als typographisches Mittel zur Hervorhebung bedeutender Bau- und Kunstwerke, Naturschönheiten, Aussichten, aber auch guter Unterkunfts- und Gaststätten hat Karl Baedeker im Jahre 1844 eingeführt; sie werden auch in diesem Reiseführer verwendet: Besonders Beachtenswertes ist durch e i n e n vorangestellten 'Baedeker-Stern', einzigartige Sehenswürdigkeiten sind durch z w e i Sternchen gekennzeichnet.

(i) Diese rote **Signatur** steht in Baedekers Allianz-Reiseführern symbolisch für **Information** und weist den Benutzer auf kompetente **Auskunftsquellen** hin.

Wenn aus der Fülle von Unterkunfts- und Gaststätten nur eine wohlüberlegte Auswahl getroffen ist, so sei damit gegen andere Häuser kein Vorurteil erweckt.

Da die Angaben eines solchen Reiseführers in der heute so schnellebigen Zeit fast ständig Veränderungen unterworfen sind, kann für die Richtigkeit keine absolute Gewähr übernommen werden. Auch lehrt die Erfahrung, daß sich Irrtümer nie gänzlich vermeiden lassen. Für Berichtigungen und Verbesserungsvorschläge ist die Redaktion stets dankbar.

Dieser Reiseführer gehört zu einer neuen Baedeker-Generation.

In Zusammenarbeit mit der Allianz Versicherungs-AG, die durch ihren Beitrag diese neue Konzeption ermöglichte, wurde in langer Vorbereitung ein Reiseführer erarbeitet, der in allen Einzelheiten auf die Wünsche und Erwartungen des Urlaubers abgestimmt ist.

Baedeker besitzt eine über 150jährige Tradition und gilt heute als Inbegriff des Reiseführers. Als Karl Baedeker um die Mitte des vergangenen Jahrhunderts seine ersten Reisehandbücher herausbrachte, schuf er etwas völlig Neues: einen Reiseratgeber mit allen notwendigen Angaben über Land und Leute, präzisen Hinweisen über Reisewege, Reiseziele und Sehenswürdigkeiten. Was er beschrieb, hatte er auf seinen Reisen und Fußmärschen durch die Länder Europas selbst erkundet.

Dieser Tradition, einen Reiseführer nicht vom grünen Tisch her, sondern aufgrund eigener Erkundungen und Erfahrungen zu schreiben, ist Baedeker bis heute treu geblieben.

Baedekers Allianz-Reiseführer zeichnen sich darüber hinaus durch Konzentration auf das Wesentliche und Handlichkeit aus. Sie enthalten eine Vielzahl neu entwickelter Karten und Pläne sowie zahlreiche farbige Abbildungen.

Zuverlässige Angaben führen zu den kulturellen Sehenswürdigkeiten und landschaftlichen Schönheiten. Der Baedeker-Tradition folgend wurden besonders wichtige Dinge durch einen oder zwei Sterne hervorgehoben.

Selbstverständlich findet der Benutzer alle praktischen Informationen für eine gute und sichere Reise. Dazu gehört auch eine übersichtliche Straßenkarte am Ende des Bandes.

Wir wünschen Ihnen mit dem neuen Baedekers Allianz-Reiseführer viel Freude und gute Fahrt!

Karl Baedeker	Dr. W. Schieren	Dr. V. Mair
Verleger	Vorsitzender des Vorstands der Allianz Versicherungs-AG	Verleger

Inhalt

Reiseland Deutschland

Achtung!

Im Jahre 1980 wird in Deutschland die **Sommerzeit** (= MEZ + 1 Stunde) eingeführt. Sie soll von Anfang April bis Ende September sowohl in der Bundesrepublik Deutschland als auch in der Deutschen Demokratischen Republik gelten.

Reiseland Deutschland

Zugspitzgruppe über Garmisch-Partenkirchen

Bundesrepublik Deutschland

Land	Fläche in qkm	Einwohnerzahl	Hauptstadt	Land	Fläche in qkm	Einwohnerzahl	Hauptstadt
Baden-Württemberg	35 751	9 119 000	Stuttgart	Niedersachsen	47 430	7 238 000	Hannover
Bayern	70 547	10 804 000	München	Nordrhein-Westfalen	34 057	17 073 000	Düsseldorf
Bremen	404	702 000		Rheinland-Pfalz	19 838	3 649 000	Mainz
Hamburg	753	1 682 000		Saarland	2 570	1 089 000	Saarbrücken
Hessen	21 112	5 550 000	Wiesbaden	Schleswig-Holstein	15 696	2 583 000	Kiel
Westberlin	480	2 028 000		Bundesrepublik	248 140	59 489 000	Bonn

Nach dem Zusammenbruch am Ende des verheerenden Zweiten Weltkrieges zerfiel das einstige Deutsche Reich zunächst in die von US-Amerikanern, Briten und Franzosen besetzten Westzonen, in die sowjetisch besetzte Ostzone und in die unter polnische bzw. sowjetische Verwaltung gestellten Ostgebiete jenseits der Oder-Neiße-Linie; die ehemalige Reichshauptstadt Berlin teilten die Alliierten analog in vier Sektoren auf. Aus den westlichen Besatzungszonen Deutschlands entstand auf der Basis des vom Parlamentarischen Rat beschlossenen 'Grundgesetzes' am 7. September 1949 die föderative **Bundesrepublik Deutschland,** deren und Westberlins vor allem touristische Sehenswürdigkeiten in diesem Buch beschrieben werden.

Der Zweite Weltkrieg hatte durch die Luftangriffe der Alliierten sowie teilweise auch durch Kampfhandlungen und eigene Sprengungen besonders in den größeren Städten, aber auch in kleineren Orten ungeheure Zerstörungen angerichtet. Der Wiederaufbau ist jedoch in den vergangenen Jahrzehnten soweit vorangeschritten, daß die Kriegsschäden heute durchweg beseitigt sind. Viele historische Bauwerke wurden im alten Stil wiedererrichtet, andere durch moderne Neubauten ersetzt. Das schon früher gut ausgebaute Verkehrsnetz ist in der Nachkriegszeit noch beträchtlich verbessert worden und bietet dem Touristen eine reiche Fülle an Möglichkeiten, alle Landschaften der Bundesrepublik Deutschland auf bequeme Weise zu bereisen.

Deutschland ist ein Reiseland von unerschöpflicher Mannigfaltigkeit. Seine vielgestaltigen Landschaften reichen vom Meer bis zum Hochgebirge, vom Tiefland an den Küsten von Nord- und Ostsee über die waldbedeckten Bergwellen der Mittelgebirge bis zu den Bayerischen Alpen. Die Siedlungsformen umfassen den Einzelhof wie das Haufendorf, die trutzige Burg und die wehrhaft ummauerte Stadt wie die neuzeitliche Industriestadt mit planmäßig angelegten Wohnsiedlungen. Manche Kleinstädte haben noch das Gesicht vergangener Jahrhunderte erhalten, viele Großstädte ihre Stadtkerne neu belebt. Im Norden zeugen alte Backsteinbauten vom Reichtum der einst die Meere beherrschenden Hanse. Zum Süden hin bewahren die alten Reichsstädte, die ehemaligen Fürstenresidenzen und die Bischofssitze noch herrliche Dome, Schlösser und Rathäuser, die in der steinernen Sprache der Baustile den Wandel der Weltanschauungen und der wirtschaftlichen Bedeutung kundtun, während für den vom naturfernen Arbeitsleben der heutigen Zeit rascher verbrauchten Menschen zahlreiche Erholungsgebiete sowie Bade- und Kurorte wirksame Heilquellen und alle anderen Mittel der Entspannung und Freizeitgestaltung bieten.

Das Meer ist die Grundlage des Lebens der norddeutschen **KÜSTENLÄNDER.** Es gab die Marschen durch seine Ablagerungen, und es fraß das Land wieder in wilden Sturmfluten, die in früheren Jahrhunderten Dollart und Jadebusen schufen. Es lockte den Menschen zur Schiffahrt und führte ihn in alle Welt. Fischfang und Seehandel bestimmen den größten Teil der Wirtschaft.

Die *Gezeiten* senken und heben den Wasserspiegel der Nordseeküste um 2–3$\frac{1}{2}$ m; ihr Eindringen in die Trichtermündungen der Elbe und Weser ermöglicht den Seeverkehr nach Hamburg bis etwa 100 km und nach Bremen bis etwa 70 km vom Meer. Im Hamburger Hafen beträgt der Unterschied zwischen Ebbe und Flut noch etwa 2 m. Der Wind bringt die Feuchtigkeit und die fast frostfreien Wintertemperaturen des Meeres tief ins Land. Als Sturm wird er zum Herrscher der Natur auf See und auf dem Lande.

Die flache Küste der Nordsee ist durch Deiche geschützt. Davor erstreckt sich das 5–30 km breite Wattenmeer, dessen Boden nur bei Ebbe über dem Meeresspiegel liegt. Küstennahe Strecken werden durch Eindeichen als Polder zu neuem Marschenland.

Die vorzeitliche Küste wird bezeichnet durch die im Kern aus Geestland bestehenden **Nordfriesischen Inseln,** deren Sand der Wind zu Dünen angehäuft hat und durch die teilweise eingedeichten Halligen, Reste ehemals zusammenhängenden Marschenlandes. Die **Ostfriesischen Inseln** sind Strand- und Dünenbildungen. 70 km vor der Elbemündung ragt **Helgoland** mit seinen roten Sandsteinfelsen annähernd 60 m über den Meeresspiegel.

Das *Tiefland zwischen Ems und Elbe* steigt 100 km weit von der Küste auf kaum 40 m an und wird nur von vereinzelten Höhen überragt. Zahlreiche Schiffahrtskanäle sind verkehrswichtig. Nordöstlich der Elbe hat der Rand der von Osten kommenden Inlandgletscher der letzten Eiszeit eine Endmoräne von Gesteinsschutt hinterlassen, die heute als eine teilweise bewaldete Hügelreihe Schleswig-Holstein von Norden nach Südosten durchzieht. Westlich ist ihr eine sandige, wenig ertragreiche Geestzone vorgelagert, während östlich Geschiebelehm fruchtbare Böden bildet. Hier hat das Eis langgestreckte Rinnen ausgefurcht, die als Seen erhalten sind oder an der Ostseeküste als Förden mit steilen, bewaldeten Ufern tief in das Land eingreifen und zur Anlage von Hafenorten führten.

Wichtig für das Gesicht der Landschaft sind die Gegensätze zwischen Marsch, Geest und Moor. Die flachen *Marschen* bilden einen fast ununterbrochenen, bis 20 km breiten Streifen an der Nordseeküste und den Flußmündungen. Dunkle, vom Meer und den Flüssen abgelagerte Tone bilden den fruchtbaren Boden, der vorwiegend Weide für die schwarzweißen Rinder trägt. Die Siedlungen liegen auf dem Geestrand oder auf künstlich aufgeworfenen Hügeln (Warften oder Wurten) vor Sturmfluten geschützt. Die *Geest* ist das wellige Land, das mit grünen und gelben Hängen über die Marsch aufragt. Es besteht aus eiszeitlichen Sanden und trägt Schafweide und Äcker, stellenweise lichten Wald oder Getreidefelder. In den flachen Mulden haben sich weite *Moore* gebildet, die teilweise urbar gemacht sind. Langgestreckte Moordörfer (Fehnkolonien) säumen die zahllosen Kanäle, auf denen der abgestochene Torf als Brennmaterial fortgeschafft wird. Die herbe Schönheit des Moores wurde erst um die letzte Jahrhundertwende von den Worpsweder Künstlern entdeckt.

Der VOLKSCHARAKTER ist bedächtig und zurückhaltend bis zur Verschlossenheit, aber beharrlich an seiner Eigenart wie am gegebenen Wort festhaltend. Die niederdeutsche Mundart (Plattdeutsch) wird auch in der gehobenen Umgangssprache und im Schrifttum gepflegt; das eigenartige alte Friesisch ist im Aussterben und hat sich nur noch in dem von Mooren umgebenen Saterland erhalten. Das BAUERNHAUS ist ursprünglich ein langgestreckter ebenerdiger Bau unter einem hohen mit Stroh oder Rohr (Reet) gedeckten Dach; es vereinigt in verschiedener Anordnung (niedersächsisches und ostfriesisches Haus) Wohn- und Wirtschaftsräume um die Diele; der 'Pesel' ist als Festraum manchmal reich ausgestattet. In der DORFFORM hat das Gebiet östlich der Weser vorwiegend Haufendörfer; westlich herrschen Einzelhöfe vor. In den Marschen und den Moorgebieten findet sich die reihenförmige Anordnung, in Ostholstein das Runddorf.

Schleswig-Holstein, das von zwei Meeren umspülte nördlichste der deutschen Länder, wendet das Gesicht der Ostsee zu: Hier greifen die Förden wie schmale Seen zwischen bewaldeten Hügelwellen tief ins Land und bilden vorzügliche Naturhäfen. An der flachen Westküste wird in mühevoller, langwieriger Arbeit durch Eindeichungen der Nordsee immer wieder neues Siedlungsland abgerungen.

Die Landeshauptstadt **Kiel,** mit dem wuchtigen Marine-Ehrenmal in Laboe, ist zugleich eine bedeutende Pflegestätte des Segelsports ('Kieler Woche'). Auf einer Fahrt zu den Seebädern an der Kieler Bucht oder an der Lübecker Bucht sollte das Hinterland, die Seen und Wälder der überaus malerischen *Holsteinischen Schweiz,* nicht übersehen werden.

Lübeck, im Mittelalter das Haupt des seegewaltigen Städtebundes der Hanse, besitzt in seinen Kirchen, dem großartigen Rathaus, dem wehrhaften Holstentor und den stattlichen Bürgerhäusern noch stolze Zeugen aus jener Zeit und zugleich eindrucksvolle Beispiele der norddeutschen Backsteinbaukunst. An der fördenartigen Schlei liegt die alte Stadt *Schleswig,* deren Dom den einzigartigen Brüggemann-Altar enthält. Von *Flensburg,* der nördlichsten Stadt Deutschlands, mit manchen schönen Bauwerken, lohnt ein Besuch des reizvollen Städtchens und Seebades *Glücksburg,* dessen Schloß eine der schönsten Wasserburgen Deutschlands ist. Im Westen sind besonders die Städte *Meldorf* (Dithmarscher Dom), *Heide* und *Husum* (Theodor Storms "graue Stadt am Meer") zu erwähnen.

In weit geschwungenem Bogen lagern die **Nordsee-Inseln** vor den Küsten von Schleswig-Holstein (Nordfriesische Inseln) und Ostfriesland (Ostfriesische Inseln). *Sylt,* die Modeinsel, durch einen Eisenbahndamm mit dem Festland verbunden, *Föhr* und *Amrum, Norderney* und *Borkum,* dazu noch viele kleinere Düneninseln und *Halligen,* zeigen allesamt im Sommer das bunte Bild des Badelebens. Lohnende Schiffsfahrten führen nach *Helgoland,* der einzigen deutschen Felsinsel, die nach schweren Zerstörungen wieder zu einem vielbesuchten Seebad ausgebaut wurde.

Die Hansestädte Hamburg und Bremen sind die wichtigsten Häfen für den Frachtverkehr nach und aus Übersee. **Hamburg,** das 'Tor zur Welt', über 100 km von der Nordsee entfernt, fesselt den Besucher durch seine Hafenanlagen und den Schiffsverkehr auf der Elbe, aber auch durch das vornehme Stadtbild um die Alsterbecken, seine eindrucksvollen Kontorhäuser, mehrere nostalgisch neu belebte Stadtviertel und das reichhaltige Aufgebot an kulturellen Einrichtungen. Zum Ausflugsgebiet der Weltstadt gehören das in der Blütezeit besuchenswerte *Alte Land,* die fruchtbaren Vierlande, der Sachsenwald mit dem Grab Bismarcks in Friedrichsruh und die Lüneburger Heide.

In **Bremen,** dessen Überseeverkehr hauptsächlich in *Bremerhaven* abgefertigt wird, ist das Gesicht der würdevollen Hansestadt noch heute im Stadtbild bewahrt. Vor dem schönen Rathaus steht der berühmte Roland, ein mittelalterliches Sinnbild für Marktrecht und Gerichtsbarkeit.

Das **NORDWESTDEUTSCHE TIEFLAND** wurde in der Eiszeit von einer mächtigen Schicht zermahlenen Gesteinsschuttes überdeckt. Nach der landschaftlichen Eigenart kann man es gliedern in den Küstenraum, die Lüneburger Heide und das westlich anschließende Heide- und Moorgebiet zwischen Weser und Ems.

Als Lüneburger Heide bezeichnet man im weitesten Sinne den Geestrücken zwischen der unteren Elbe und dem Tal von Aller und Weser. Die eigentliche **Lüneburger Heide,** eine wenig fruchtbare Geestfläche, die weithin mit Heidekraut und Wacholder bewachsen oder von schönen Laub- und Kiefernwäldern

Am Strand der Ostfriesischen Insel Spiekeroog

bedeckt ist, erstreckt sich im Westen der namengebenden Stadt Lüneburg. Den ursprünglichsten Eindruck dieser schwermütigen Naturlandschaft vermitteln die Naturschutzgebiete rings um den 169 m hohen Wilseder Berg (den höchsten Punkt der Heide mit reizvoller Rundsicht), beim Hermann-Löns-Grab nahe Fallingbostel sowie in der Südheide um Hermannsburg.

Das WIRTSCHAFTSBILD der Heide hat sich in jüngerer Zeit gewandelt. Ein Großteil der Bodenfläche ist für landwirtschaftliche Zwecke nutzbar gemacht. Neben die früher weitaus bedeutendere Zucht des Heideschafes ('Heidschnucke') und die Pferdezucht ist die Imkerei sowie die Karpfen- und Forellenzucht getreten. Hinzu kommt mit steigender Bedeutung die Industrie und der Fremden- und Naherholungsverkehr. Große Teile der Heide dienen auch als Truppenübungsgelände.

Den östlichen Teil der Lüneburger Heide nimmt das **Wendland** ein, das teils aus fruchtbarem Marschland, teils aus Sandhöhen wie der pilzreichen *Göhrde* und dem **Drawehn** besteht. Im Südwesten der Lüneburger Heide entspricht dem Elbtal das untere *Aller-Weser-Tal* mit seinen fruchtbaren Flußmarschen. – Als touristische Attraktionen besonderer Art seien der prächtige Vogelpark bei Walsrode und der große Safaripark afrikanischer Großtiere bei Hodenhagen erwähnt. Besuchenswerte Randstädte der Heide sind die alte Salz- und Handelsstadt **Lüneburg,** deren schöne Backsteinbauten von ihrer Hansezeit zeugen, und die einstige Herzogsresidenz **Celle** mit einem vielgiebeligen Schloß und einer Altstadt von Fachwerkhäusern.

An die Lüneburger Heide schließt nach Westen zwischen Weser und Ems ein ausgedehntes Heide- und Moorgebiet an, eine flache Landschaft, die nur von niedrigen Geesthöhen wie den *Dammer Bergen* oder dem Rücken der Hohen Geest überragt wird. Einst war ein Fünftel dieses Landstriches mit Mooren bedeckt, die jedoch weithin urbar gemacht sind. Man unterscheidet zwischen 'Niedermooren', bei denen stehende Gewässer langsam vom Rande aus verlanden, wie dies beim *Steinhuder Meer* und beim *Dümmer* der Fall ist, und 'Hochmooren' (die meisten Moore Nordwestdeutschlands), bei denen sich Torfmoos auf Sandstrecken bildet, sich voll Wasser saugt und nach allen Seiten wächst. Die Landschaft der Moore ist ernst und einförmig. An trockeneren

Stellen wachsen außer Heidekraut oft einzelne Birken; im Flachland beleben etliche Windmühlen das Bild. Zu nennen ist vor allem die *Ahlhorner Heide.*

Die BEVÖLKERUNG ist niederdeutschen Stammes. Der Niedersachse mißt in ruhigem zähem Wesen die eigene Kraft und setzt seinem Wollen Grenzen, führt aber Begonnenes stetig durch. An seinen Stammesgrenzen machte die hochdeutsche Lautverschiebung halt.
Den Unabhängigkeitssinn kennzeichnet auch das niedersächsische BAUERNHAUS mit seinem Strohdach und der Eichenumrahmung. Es ist ein Einheitshaus mit Wohn- und Wirtschaftsräumen unter einem Dach und der Diele in der Mitte. Westlich der Weser herrscht der Einzelhof vor, östlich das Haufendorf. Im Wendland findet sich die rings geschlossene Schutzform des Rundlings, in den Marschlanden das zeilenförmige Hufendorf.
Die alte VOLKSTRACHT sieht man fast nur noch in Bückeburg, wo die Bauersfrauen mit schwarzer Flügelhaube, rotem Rock und buntem Mieder zum Markt kommen.

In **Niedersachsen,** dem von der Küste bis zur Schwelle der Mittelgebirge reichenden Tiefland zwischen Elbe und Ems, bilden auch die größeren Städte touristische Anziehungspunkte.
Hannover, die Hauptstadt des Bundeslandes Niedersachsen, ist in seinem Gesamtbild eine neuzeitliche Stadt, zumal durch seinen großzügigen Wiederaufbau nach schweren Kriegszerstörungen; die berühmten Herrenhäuser Gärten erinnern an die Zeit der einstigen Residenz.
Zwei Städte wetteiferten einst im Reichtum an wohlerhaltenen Fachwerkbauten der Spätgotik und Renaissance wie an romanischen und gotischen Kirchen: die frühere Residenzstadt **Braunschweig,** die Stadt Heinrichs des Löwen, die im Dom die romanische Baukunst, im Altstadtrathaus die Gotik und im Gewandhaus die Renaissance in vollendeter Form zeigt, sowie **Hildesheim,** wo die romanische Kirchenkunst wie kaum an einem anderen Ort Deutschlands zur Entfaltung gekommen ist. Auch heute lohnen beide Städte einen Besuch, da die meisten bedeutenden Bauten erhalten oder wiederhergestellt sind.

Der **HARZ UND SEIN VORLAND** bilden den Nordwestrand der deutschen Mittelgebirge, die aus Ablagerungen (Sand- und Kalksteine) und Erstarrungsgesteinen (Granit und Basalt) bestehen und während der erdgeschichtlichen Entwicklung in nordwest-südöstlicher Richtung gefaltet, zu einer welligen Fläche abgetragen sowie durch die Flüsse in einzelne Gebirgsgruppen zerschnitten wurden.

Geologisch interessant ist das **Nördliche Harzvorland.** Hier liegt das gefaltete und abgetragene Gebirge tief unter der Oberfläche. Darüber breiten sich aus dem urzeitlichen Zechsteinmeer stammende Salzlager und mächtige Gesteinsschichten des darauf folgenden Erdmittelalters aus, so die ausgedehnten Eisenerzlager des Industriegebietes von *Salzgitter.* Zwischen die Mulden des Ackerbaus schieben sich wie Wellen einige aus härterem Gestein bestehende Waldrücken, z.B. der Lappwald, der Elm und die Asse. Bei *Helmstedt* dehnt sich an der DDR-Grenze ein großes Braunkohlengebiet aus.

Der **Harz** (mittelhochdeutsch 'hart' = Bergwald) schiebt sich bastionsartig über den Nordrand der Mittelgebirgsschwelle in das Flachland vor und besteht aus Schiefern, Grauwacken und Kalksteinen, die von vulkanischen Gesteinen (Graniten, Porphyr u.a.) durchsetzt und verändert worden sind. Im *Westharz* (Oberharz) hat sich die alte Abtragungslandschaft als wenig zertalte flachwellige Rumpffläche mit 600–700 m Höhe erhalten. Darüber wölben sich einige aus härterem Gestein bestehende flache Kuppen und Rücken, welche die höchsten Erhebungen der Landschaft bilden und im *Brocken* (1142 m; DDR) gipfeln. Die Ränder der Gebirgsscholle sind von tiefen Tälern zerschnitten, die z.T. großartige Felsbildungen zeigen und vielfach von 'Klippen' überragt sind.

Im Wirtschaftsleben steht neben dem Bergbau und dem Tourismus die Forstwirtschaft an erster Stelle, da zwei Drittel des Harzes mit Wald bedeckt sind. Hinzu kommt die Viehzucht (braunes Harzrind) und die Milchwirtschaft (Harzer Käse).
Der BERGBAU auf Silber-, Kupfer-, Blei-, Zink- und Eisenerze hatte im Harzgebiet zeitweilig eine überragende Bedeutung. Schon um 968 entdeckte man am Rammelsberg bei Goslar eine bedeutende Silberader, die seit etwa 990 fachmännisch ausgebeutet wurde. Bis zum 16. Jahrhundert dehnte sich der Bergbau über mehr als 30 Orte im westlichen Harz aus. In dieser Zeit entstanden die sieben freien Bergstädte Grund, Wildemann, Lautenthal, Clausthal, Zellerfeld, St. Andreasberg und Altenau sowie andere Bergorte. Nach einem Rückgang im Dreißigjährigen Krieg nahm der Bergbau zu Beginn des 18. Jahrhunderts neuen Aufschwung. Im Jahre 1775 wurde in Clausthal eine Fachschule für Bergbau (später Bergakademie; heute Technische Universität) gegründet. Im 19. Jahrhundert begann der Oberharzer Bergbau zu versiegen. Heute haben

nur noch der Rammelsberg sowie das Revier von Bad Grund eine gewisse Bedeutung.
Neben das Haufendorf in engen Tälern tritt im Harz das langgestreckte Straßendorf. Die Gehöfte haben hier die Form des fränkischen Fachwerkhauses; der Waldreichtum förderte den Holzhausbau.

Der **Harz,** der mit seinen auf engem Raum vereinten landschaftlichen Schönheiten und dem Kranz altertümlicher Städte in seinem Vorland besonders für die nordwestdeutschen Großstädte eine große Anziehungskraft besitzt, gehört nur mit seinem westlichen Teil zur Bundesrepublik Deutschland, während der Ostharz mit dem Brocken auf dem Gebiet der Deutschen Demokratischen Republik liegt. Wer die Höhenluft in *Braunlage, Hahnenklee* oder *St. Andreasberg* genießen will oder einen Kurort wie *Bad Harzburg, Bad Lauterberg, Bad Sachsa* wählt, wird auch die schönen Harzrandstädtchen mit besuchen, sei es die Stadt **Goslar** mit ihren zahlreichen sehenswerten historischen Bauten, unter denen die alte Kaiserpfalz als der größte romanische Palastbau Deutschlands besonders hervorzuheben ist, oder *Herzberg* und *Osterode* am Südwestrand des Gebirges. Der westliche Teil der aussichtsreichen Harz-Hochstraße führt zu der Bergstadt *Clausthal-Zellerfeld,* zu dem kleinen Luftkurort *Wildemann* und zu dem anmutigen *Bad Grund.*
Von den zahlreichen Flußtälern des Gebirges ist das felsige *Okertal* mit der Okertalsperre das schönste. Auch lohnt eine Fahrt von Braunlage durch das reizvolle *Odertal* zu der von schönen Waldhöhen umrahmten Odertalsperre, von der man weiter nach Herzberg gelangen kann.

Westlich vor dem Harz erstreckt sich nördlich der Linie Herzberg-Holzminden das vielgestaltige **Leinebergland,** in dem vorwiegend Ackerbau betrieben wird; regionales Zentrum ist die besuchenswerte Stadt *Einbeck.* Westlich der unteren Leine liegt die eirunde Hilsmulde, deren Ränder von dem aus Sandstein bestehenden Hils, dem Ith mit seinen malerischen Kalkfelsen und dem Külf gebildet werden. Nördlich der Hilsmulde folgt der bereits zum Weserbergland gehörende *Osterwald,* ein Hügelzug mit harten weißen Sandsteinen, nordwestlich als breiter Rücken der *Deister* mit Steinkohlenbergbau. Westlich davon die gleichfalls kohlenführenden *Bückeberge;* südlich von beiden

beginnen mit dem *Süntel* die langgestreckten Weserketten, deren nördlicher Zug als Weser-Wiehengebirge sich
nordwestlich von Osnabrück bei Bram-
sche im Flachland verliert. – Östlich der
Leine erhebt sich das mit Laubwald bestandene Kalkhochland der *Sieben
Berge;* nördlich schließt der Hildesheimer Wald an, and dessen Nordrand die
Stadt Hildesheim liegt.

Südlich der Linie Herzberg-Holzminden
dehnt sich bis an die Weser die südhan-
noversche Buntsandstein- und Muschelkalkplatte mit flach gelagerten Gesteinen aus. Im Knie der oberen Leine
liegt das um 300 m hohe, flachwellige
Untere Eichsfeld, in dem Landwirtschaft
betrieben wird. Nördlich davon zieht
sich über dem fruchtbaren Grabental
der mittleren Leine der *Göttinger Wald*
mit der Universitätsstadt **Göttingen** hin,
weiter westlich die waldreiche Hügel-
kette von *Solling* und *Bramwald.*

Das **Wesertal** quert von (Hannoversch)
Münden an das Hügelland nach Norden
und bildet hier die Ostgrenze des westfälischen Raumes; bei der Domstadt
Minden tritt der Fluß in der *Porta Westfalica* durch die Nordketten in das offene Tiefland. Das malerische vielge-
wundene Tal, mit bewaldeten bis 300 m
über die Talsohle ansteigenden Flanken, bildet eine kulturelle Einheit, die in
den alten Städtchen und Klöstern (am
bedeutendsten die ehem. Benediktinerabtei Corvey) und auch in den Formen
der sogenannten Weser-Renaissance
sichtbar wird. Das Wesertal gab seine
Eigenart auch den teils von der Legende
umrankten Personen: dem gespensti-
schen Rattenfänger von *Hameln,* dem
zugewanderten Wunderarzt Dr. Eisenbart von *(Hannoversch) Münden,* dem
alteingesessenen   Freiherrn   von
Münchhausen in *Bodenwerder,* dem
liebenswürdigen Meister der Kunst des
Aufschneidens, und dem großen hu-
morvoll-besinnlichen Erzähler Wilhelm
Raabe aus *Escherhausen.*

Das **WESERBERGLAND** umrahmt die
Tieflandsbucht von Münster im Osten
und Nordosten. Am Ostende beginnt mit
seinem höchsten Punkt, der Völmerstod
(468 m), der **Teutoburger Wald** und
zieht mit gleichlaufenden bewaldeten
Rücken über 100 km nach Nordwesten,
um im Flachland der Ems auszuklingen.
An den Ostfuß dieser Rücken, mit der

freundlichen, einstigen Residenzstadt
Detmold, dem Ausgangspunkt für den
Besuch des Hermannsdenkmals und
der *Externsteine,* und der alten Leine-
weberstadt *Bielefeld,* schließt sich unter
verschiedenen Einzelnamen ein östlich
über die Weser reichendes Hügelland,
das teils Wald teils Äcker tragend im Süden unregelmäßig gestaltet ist, am
Nordrand als *Wiehengebirge* in langen
bewaldeten Rücken von der Weser bei
Minden westlich zieht, bis es nordwestlich der alten Bischofs- und Hansestadt **Osnabrück** in der Ebene verläuft.
Dieses Hügelland hat zahlreiche Heilbäder, von denen *Bad Pyrmont, Bad
Salzuflen* und *Bad Oeynhausen* genannt seien.

Zum Bundesland **Nordrhein-Westfalen**
gehörig, schiebt sich das **MÜNSTER-
LAND** als weite Tieflandsbucht südöstlich zwischen Teutoburger Wald und
Sauerland ein. Das ebene, von wenigen
Gruppen flacher Hügel unterbrochene
Land hat fruchtbare Böden mit vorherrschender Landwirtschaft, die Westfalen
seine freundlichen Symbole gegeben
hat: den Pumpernickel, den Schinken,
den Münsterländer Korn und den Steinhäger Wacholderbranntwein. Der Bauer
sitzt auf stattlichen Einzelhöfen, die oft
durch Jahrhunderte im Besitz einer Familie sind. Von den Sitzen des Adels haben sich viele Wasserburgen (Nordkirchen, Raesfeld, Gemen u.a.) und Her-
renhöfe erhalten, von denen Haus Hülshoff Deutschland die Dichterin Annette
von Droste-Hülshoff (1797–1848) gegeben hat.

Im Westen des Münsterlandes findet
sich stellenweise Moor- und Heideland,
im Osten, nördlich der alten Bischofsstadt *Paderborn,* das ehemalige Flug-
sandgebiet der *Senne.*

In der Mitte liegt die Bischofsstadt **Münster** als wichtiger Verkehrsknoten und
Hauptort des Münsterlandes; die einstige Provinzhauptstadt zeigt durch ihren Reichtum an Kirchen schon den
geistlichen Mittelpunkt und bekommt
durch die barocken 'Höfe' des Land-
adels einen Zug ins Behagliche.
Soest ist in der Geschlossenheit seines
alten Stadtbildes und mit seinen schönen alten Kirchen ein wahres Kleinod.
Der 272 km lange *Dortmund-Ems-Kanal*
ermöglicht den Wasserweg vom Industriegebiet zum Hafen von Emden.

Westfalens landschaftliche Einheit beruht auf dem starken Gemeinschaftssinn seiner BEVÖLKERUNG ohne politisch-staatliche Einheit. Die Westfalen sind als Volksstamm hervorgegangen aus dem westlichen Teil der alten Sachsen; ihre Mundart ist niederdeutsch. Die den Südwesten bewohnenden Rheinfranken gehören zum mitteldeutschen Sprachgebiet. Der Westfale ist von Haus aus bedächtig, gerade und zuverlässig, von großer Willensstärke im zähen Festhalten und verbindet Neigung zum Grübeln mit urwüchsigem, oft derbem Humor.

Die FEMGERICHTE waren die allgemeinen Gerichte der freien Bevölkerung und sprachen Recht unter dem ihnen verliehenen Königsbann; sie gewannen um so mehr Ansehen, je mehr die landesherrlichen Gerichte infolge der territorialen Zersplitterung an Macht verloren. Nach der Femgerichtsordnung stand der Freistuhl im Freien 'auf roter Erde' (d.i. auf gerodetem Grund), ein Ausdruck, der oft für ganz Westfalen angewendet wird. Jedes Gericht bestand aus einem Freigrafen und mindestens sieben Freischöffen, die alle bei Todesstrafe zu strengster Geheimhaltung verpflichtet waren. Gegen die Urteile, die auf Todesstrafe, Landesverweisung oder Geldbuße lauten konnten, gab es keine Berufung. Seit etwa 1500 verfielen die Freigerichte.

Das **SAUERLAND** (eigentl. 'Söderland' = Südland Westfalens) nimmt den nördlichsten Teil des Rheinischen Schiefergebirges ein. Schiefer und Grauwacke sind die vorherrschenden Gesteine; in den stellenweise auftretenden Kalken des Devons finden sich besuchenswerte Höhlen (Attahöhle, Dechenhöhle). Das **Rothaargebirge,** überragt vom Kahlen Asten (841 m) bei Winterberg, bestimmt mit seinen flachen Kuppen den östlichen Teil des Sauerlandes. Nach Westen senkt sich die zur Hälfte von Wald bedeckte Landschaft und wird von malerischen gewundenen Tälern zerschnitten, deren größte das der Ruhr im Norden und das der Sieg im Süden sind. Die westlichsten, geschichtlich zum Rheinland gehörenden Gebirgsstaffeln werden **Bergisches Land** genannt. Die Wasserkraft der Flüsse, frühzeitig für das Gewerbe ausgenützt, ist heute durch zahlreiche Talsperren gebändigt, die wesentliche Zierden der Landschaft bilden. Das Sauerland ist im Sommer und Winter ein waldreiches Erholungsgebiet (Arnsberg, Brilon, Winterberg) vornehmlich für die Menschen des Industriereviers.

Westfalen und der Niederrhein nehmen den Raum zwischen der Weser von Münden bis Minden im Osten und der niederländischen Grenze im Westen ein. Sie haben teil am norddeutschen Flachland mit seinen weiten Ackerfluren, Moor- und Heidegebieten, am Mittelgebirge mit seinen Waldhöhen und

Biggesee aus der Vogelschau

den malerischen wasserreichen Tälern sowie an den breiten Talflächen des mächtigen Rheinstroms. Zu diesen Landschaften stiller Reize mit alten Städtchen steht im Gegensatz das Rheinisch-Westfälische Industriegebiet, das auf verhältnismäßig beschränktem Raum in der westlichen Mitte des Gebiets alle drei naturgegebenen Landschaften überlagert und ihnen sein eigenes Gepräge aufzwingt.

Das **RHEINISCH-WESTFÄLISCHE INDUSTRIEGEBIET**, traditionell eines der bedeutendsten Industriebezirke des europäischen Festlandes, lagert sich über den Südwestrand des Münsterlandes, den Nordwestteil des Sauerlandes und das angrenzende Rheintal bis fast zur deutsch-niederländischen Grenze. Es ballt sich in seinem Kern zu einer einige tausend Quadratkilometer bedeckenden Stadtlandschaft, in der neben den gewaltigen Industrieanlagen, den Wohnstätten der Millionen umfassenden Bevölkerung und dem überaus dichten Netz der Wege des mächtig flutenden Verkehrs die ursprünglichen Züge der Naturlandschaft noch erstaunliches Gewicht haben.

Ausgangspunkt der Großentwicklung war die Verwendung der STEINKOHLE als Energiequelle für die Industrie. Anfangs baute man die an der Ruhr zutage tretenden Kohlenflöze ab; vom 18. Jahrhundert an mußten die Zechen den nach Norden einfallenden Flözen in immer größere Tiefen folgen. Nach der Mitte des 19. Jahrhunderts gewann der Großbetrieb das Übergewicht über den Kleinbetrieb, und die Förderung stieg sprunghaft. Konkurrenzkämpfe und Wirtschaftskrisen führten zum Zusammenschluß großer Gesellschaften und Konzerne. Die EISEN- und STAHLINDUSTRIE war am unmittelbarsten mit der Kohle verknüpft. 1784 begann die Verhüttung mit Steinkohlen, um 1830 die Verwertung der Kohleneisensteinlager zwischen den Kohlenflözen. Seit Ende der 60er Jahre des 19. Jahrhunderts wurden Eisenerze aus dem Lahn-, Sieg- und Dillgebiet herangebracht, seit 1878 aus Lothringen, und der gesteigerte Bedarf führte schließlich zu Erzimporten aus den verschiedensten Ländern. Noch heute werden die Erzeugnisse der Hütten von zahllosen Unternehmen weiterverarbeitet, die von der Schwerindustrie bis zum Kleingewerbe praktisch alle Erzeugnisse der Eisenindustrie liefern. Mittelbar hängen mit dem Zechen- und Hüttenbetrieb andere Industrien zusammen, von denen die Textilindustrie Schwerpunkte in Wuppertal und westlich des Rheins hat, ferner die Werke der chemischen Industrie, der die Kohle ein hochwertiger Rohstoff ist. Seinen großen Bedarf an Arbeitskräften hat das Industriegebiet seit der Mitte des 19. Jahrhunderts aus den ehemals deutschen Ostgebieten gedeckt.

Im Rheinisch-Westfälischen Industriegebiet haben die Städte infolge ihrer späten und raschen Entwicklung fast durchweg neuzeitlichen Charakter; doch sind sie in ihrem Stadtbild keineswegs nur durch Hochöfen, Fördertürme und Schornsteine bestimmt. In **Essen,** dem Mittelpunkt des Ruhrkohlenreviers, ist eine der ältesten Kirchen Deutschlands erhalten. Auch **Dortmund,** dessen 'Westfalenhalle' eine der größten Sporthallen Europas ist, besitzt noch mittelalterliche Bauwerke.

Die mondäne nordrhein-westfälische Landeshauptstadt **Düsseldorf,** durch ihre Kunstakademie ein Mittelpunkt des Kunstlebens, bietet vielerlei Anregungen. **Duisburg** besitzt den größten Binnenhafen Europas; in *Wuppertal* verkehrt die bekannte Schwebebahn über der Wupper.

Die **NIEDERRHEINISCHE TIEFLANDSBUCHT** liegt als geologisches Einbruchsbecken zwischen der Grenze gegen Belgien und die Niederlande und dem Nordwestrand des Rheinischen Schiefergebirges. Der flachwellige lößbedeckte Boden trägt Weizen und Zuckerrüben und meist größere geschlossene Siedlungen. Im westlichen Teil hat sich das bedeutende Aachener Kohlen- und Industriegebiet entwickelt. **Aachen** selbst, die westlichste Großstadt des Bundesgebietes, empfiehlt sich wegen seines Domes, des bedeutendsten erhaltenen karolingischen Bauwerkes auf deutschem Boden, aber auch als Kurort und Kongreßzentrum.

In der nördlichen Hälfte der Bucht liegen die linksrheinischen Teile des Rheinisch-Westfälischen Industriegebiets mit Kohlengruben bei *Homberg* und *Moers* und vielseitiger Industrie, von der die Textilindustrie in *Krefeld* und *Mönchengladbach* hervorgehoben seien.

Der **Niederrhein** im engeren Sinne ist die Fortsetzung der niederrheinischen Tieflandsbucht nach Nordwesten und der Landschaft des Münsterlandes nach Südwesten. Sandige Böden tragen Kiefernwald; nur die Flußniederung selbst weist fruchtbare Marschwiesen auf. Die Siedlung hat Einzelhöfe und kleine alte Städte, von denen *Xanten*, die römische 'Colonia Ulpia Traiana' und Heimat des germanischen Siegfried, einen Besuch verdient.

Das nach dem Zweiten Weltkrieg neu gebildete Bundesland **HESSEN** reicht vom Rhein im Westen bis zur thüringischen DDR-Grenze im Osten und vom Neckartal bei Heidelberg im Süden bis zum Weserknie bei Bad Karlshafen im Norden. Hessen umfaßt einen überaus mannigfaltigen Teil der mitteldeutschen Gebirgsschwelle. Das unvermittelte Nebeneinander von kargen und großenteils bewaldeten Bergländern und fruchtbaren Senken gibt dem Landschaftsbild ein kleinräumiges und touristisch reizvolles Gepräge, das sich ebenso in der Vielfalt der Lebens- und Kulturformen seiner Bewohner ausdrückt.

Das **Hessische Bergland** wurde nicht erst durch den Tourismus erschlossen: Seit alters gilt die vom Rheinischen Schiefergebirge und den Höhenzügen um Fulda und Werra begrenzte Hessische Senke als Leitlinie des Verkehrs zwischen Norddeutschland und dem Oberrheingebiet. Nicht zuletzt wegen seiner verkehrsgeographischen Funktion entwickelte sich im Mittelalter Hessen zu einem Tummelplatz landesfürstlicher Raumpolitik. Heute hat das Hessenland, abgesehen von den höheren Zonen der Waldbergländer, einen bedeutenden Platz im deutschen Wirtschaftsraum.

Den Westen Hessens nehmen die zum Rheinischen Schiefergebirge gehörenden Höhenzüge des Taunus und Westerwaldes ein, deren Gesteinsschichten schon in der frühen Erdgeschichte in südwest-nordöstlicher Richtung aufgefaltet und dann wieder zu einer welligen Hochfläche abgetragen wurden. Der Hauptkamm des **Taunus,** ein nach Süden hin steil abfallender Härtlingszug aus grauen und weißen Quarziten, ragt hoch über die Rhein-Main-Ebene auf und gipfelt im Großen Feldberg (881 m). Gegen Norden dacht sich das Gebirge allmählich ab und bildet eine Hochebene, die von zahlreichen, der Lahn zustrebenden Flußtälern zerschnitten ist. Nördlich der Lahn schließt sich an den Taunus der **Westerwald,** eine unregelmäßig kuppige, hauptsächlich aus paläozoischen Schiefern aufgebaute Hochfläche, die nur von einigen Basaltkuppen geringfügig überragt wird. Die im Norden vom industriereichen *Siegtal* und im Süden von dem besonders zwischen Limburg und Bad Ems besuchenswerten *Lahntal* begrenzte Hochfläche hat eine mittlere Höhe von 300–600 m und gipfelt im Fuchskauten (675 m). Im westlichen Vorder- oder Unterwesterwald findet man ausgedehnte Waldungen, während der Osten ziemlich entwaldet und klimatisch rauh ist. Im südwestlichen *Kannenbäckerland* ließen reiche Tonlager ein bekanntes Töpfereigewerbe entstehen. Der Westerwald ist ein ausgesprochenes Kleinstbauernland; daneben bildet vor allem der Abbau von Basalt, Ton und Braunkohle den Lebensunterhalt der nur zu einem Teil hessischen Bevölkerung. Im Nordosten geht der Westerwald in das zum westfälischen Sauerland gehörigen Rothaargebirge über, während es mit seinen östlichen Höhen in das hessische *Wittgensteiner Land* und das *Upland* hineinragt. Zwischen dem Rothaargebirge mit seinen nördlichen Ausläufern und der Hessischen Senke erheben sich der *Burgwald,* der *Kellerwald,* die *Wildunger Berge* und das *Waldecker Bergland,* ein reich bewaldetes Gebiet, das für Ackerbau wenig geeignet ist. Die Täler sind tief eingeschnitten, was die Anlage der großen *Edertalsperre* ermöglichte.

Östlich vom Taunus, von diesem durch die Hessische Senke getrennt, erhebt sich der fast isoliert aufragende **Vogelsberg,** dessen kegelförmige Gestalt noch heute den ehemaligen Vulkan erkennen läßt. Er ist ein weltabgeschiedenes Gebirgsbauernland, mit einer fruchtbaren, aber dünnen und steinigen Bodenkrume. Die einsame herbe Landschaft ist besonders im Gebiet des 'Oberwaldes' nicht ohne Reiz. Die höchsten Erhebungen sind der *Taufstein* (772 m) und der *Hoherodskopf* (767 m).

Vom Vogelsberg führt der Landrücken östlich zur **Rhön,** einem aus Buntsandstein bestehenden, stark gegliederten Mittelgebirge, das durch vulkanische Basaltergüsse kuppenreiche Formen erhalten hat und besonders eigenartige Landschaftsbilder zeigt. Die Rhön war von jeher Grenzscheide zwischen Hessen und Franken; ihre höchste Erhebung, die bei den Segelfliegern beliebte *Wasserkuppe* (950 m) liegt auf hessischem Gebiet. Die Hochrhön zählt mit ihren ernsten Nadelwäldern und ausgedehnten Hochweiden zu den abgeschiedensten deutschen Mittelgebirgen.

Die Vorderrhön geht nach Norden in den *Seulingswald* über. Weiter nördlich

Landschaftsräume

Das Gebiet der Bundesrepublik Deutschland hat Anteil an fünf morphologischen Landschaftsräumen: Im Norden und Nordwesten erstreckt sich das weite **Norddeutsche Tiefland,** das durch die **Mitteldeutsche** **Gebirgsschwelle** begrenzt wird. Der süddeutsche Raum gliedert sich in die **Süddeutsche Mittelgebirgszone** und das **Alpenvorland,** über dem im äußersten Südosten die **Bayerischen Alpen** aufragen.

erstreckt sich das **Meißnerland,** das vielgestaltigste Gebiet Hessens. Den Kern des Landes bildet der sagenberühmte *Hohe Meißner* (750 m), ein Basalttafelberg mit steilabfallendem Rand, ebenso wie der nördlich vom Vogelsberg gelegene *Knüll* und der westlich von Kassel aufragende *Habichtswald.* Den Norden des Meißnerlandes nimmt der *Kaufunger Wald* ein, der wie der nordwestlich jenseits der Fulda gelegene *Reinhardswald* eine Fortsetzung der südhannoverschen Bundsandsteinplatte ist.

Die wirtschaftlich wichtigsten Gebiete des Hessenlandes sind seine fruchtbaren Tal- und Beckenlandschaften, denen die Verkehrslinien folgen. *Lahn* und *Fulda* bilden die bedeutendsten Flüsse, deren Gebiete ganz in hessischem Raum liegen. Die Fulda vereinigt sich in (Hannoversch) Münden mit der Werra, deren Tal die Nordostgrenze des Landes bildet, zur Weser. Der bekannteste Nebenfluß der Fulda ist die Eder, die eine der größten Talsperren Europas speist. In die Eder mündet die Schwalm, die eines der fruchtbarsten Gebiete Hessens durchfließt.

Die **Hessische Senke** erstreckt sich von Frankfurt am Main bis Bad Karlshafen an der Weser und ist eine Kette von tieferliegenden Landschaften und Flußtälern, die wegen ihrer warmen windgeschützten Lage das Hauptagrarbaugebiet Hessens sind. Den südlichsten Teil der Senke bildet die besonders fruchtbare *Wetterau* zwischen Taunus und Vogelsberg, an deren Ostabhang Bad Nauheim liegt. Dann folgt nach Norden das Gebiet der *Lahn* zwischen Gießen, von 1977 bis 1979 Teil der mit Wetzlar künstlich gebildeten und wieder aufgelösten Großstadt 'Lahn', und Marburg. Dahinter verengt sich die Senke allmählich und zieht nach Nordosten zum Tal der Schwalm, dem sie zum Fuldatal und seinen reichen Ackerfluren bei Kassel folgt; weiter zwischen Reinhardswald und Habichtswald bis Bad Karlshafen, wo man das Tal der Weser erreicht. Frankfurt am Main und Kassel sind die wichtigsten Verkehrszentren und zugleich die jeweiligen Schwerpunkte Nordhessens bzw. Südhessens.

Hessen weist eine recht unterschiedliche Bevölkerungsdichte auf; der Norden ist wesentlich dünner besiedelt als der Süden. Die Ursache für diesen Unterschied liegt in der Verschiedenheit der wirtschaftlichen Struktur in Nord- und Südhessen. In dem in erster Linie landwirtschaftlich geprägten Norden wohnt über die Hälfte der BEVÖLKERUNG in Orten unter 2000 Einwohnern, in dem stark industrialisierten Süden dagegen bereits mehr als ein Drittel in Städten von 20000-100000 Einwohnern. Die Besiedlung der ländlichen Gebiete hat jedoch nach dem Zweiten Weltkrieg durch den Zustrom von heimatvertriebenen Deutschen stark zugenommen.

Die alteingesessenen Bewohner des Gebietes zeichnen sich durch starke Bodenständigkeit und zähe Ausdauer aus. Das Festhalten am Althergebrachten ist ein wichtiger Charakterzug der Hessen, die überdies umsichtig und sparsam, zuweilen sogar herb und verschlossen sind. Die Vermischung mit fränkischen Stämmen brachte aber auch einen heiteren Zug in den Volkscharakter; der Südhesse ist eher fröhliche Natur.

Das alte Volkstum hat sich in Hessen in manchen Bräuchen und TRACHTEN erhalten. In der Schwalm gehört die Tracht noch immer zur alltäglichen Bekleidung der ländlichen Bevölkerung. Auch in der Gegend um Schlitz, im Vogelsberg und in Waldeck trifft man zuweilen schöne Trachten.

Die hessische SIEDLUNGSFORM ist im allgemeinen die des altgermanischen Haufendorfes. Nur in den klimatisch ungünstigeren hohen Lagen der Gebirge haben sich der Einzelhof und der Weiler erhalten. Als Hausform überwiegt besonders im südlichen Teil der fränkische (mitteldeutsche) Bauernhof, bei dem das mit seinem schmucken Fachwerkgiebel nach der Straße gerichtete zweistöckige Wohnhaus, die Scheune und der Stall als Einzelgebäude einen viereckigen Hof mit Hoftor umgeben. In Nordhessen war ursprünglich das niederdeutsche Haus die übliche Form, die jedoch selten geworden ist. Die zahlreichen hessischen Klein- und Mittelstädte mit ihren reizvollen Fachwerkbauten sind regelmäßig angelegt und häufig von einer als Marktplatz dienenden breiten Hauptstraße durchzogen.

Hessen ist ein altes Bauernland, in dem weite Gebiete noch heute vorwiegend agrarwirtschaftliches Gepräge haben. Etwa ein Fünftel der Wohnbevölkerung leben von der LANDWIRTSCHAFT, wobei Kleinbetriebe überwiegen. Während in den Senken und Tälern intensiver Ackerbau getrieben wird, findet sich Wiesen- und Weideland hauptsächlich in den Gebirgen. Auch die Forstwirtschaft spielt in Hessen eine große Rolle, da die Waldfläche etwa ein Drittel des Landes einnimmt.

Der größte Teil der INDUSTRIE konzentriert sich auf die Rhein-Main-Ebene, das Kasseler Becken, den Kreis Hersfeld und das Lahn-Dill-Gebiet. Doch gibt es meist auch in den ländlichen Bezirken gewerbliche und industrielle Betriebe. Annähernd die Hälfte der Bevölkerung ist in Industrie und Handwerk tätig. Große Industriezentren bilden vor allem die Städte Frankfurt am Main, Wiesbaden, Kassel, Fulda, Offenbach und Hanau, deren Metallindustrie, Maschinenbau, optische Werke sowie Leder- und Schmuckwaren Weltruf haben.

Die wichtigsten BODENSCHÄTZE in Hessen sind Eisenerz (Lahn-Dill-Gebiet), Kali (Werratal) und Braunkohle (Hessische Senke); auch die zahlreichen Mineralquellen (z.B. Selters) verdienen Erwähnung.

Die hessische Landschaft ist gekennzeichnet durch den ständigen Wechsel von breiten Flußtälern, fruchtbaren Senken und kleinen kuppigen Gebirgen.

Kassel, die Stadt der avantgardistischen 'Documenta'-Kunstausstellungen und einstige kurhessische Residenz hat außer bedeutenden Kunstsammlungen die großzügige Parkanlage von Schloß Wilhelmshöhe und in nächster Nähe das reizvolle Rokokoschloß Wilhelmsthal.

Auf dem Wege nach Süden liegt die Barockstadt **Fulda,** die auch eine der wenigen aus karolingischer Zeit erhaltenen Kirchen in Deutschland besitzt. Wer der Lahn zustrebt, versäume nicht, in der Universitätsstadt **Marburg** von der Elisabethkirche durch die traulichen Gassen zum alten Landgrafenschloß hinaufzusteigen und in *Limburg* den Dom zu besichtigen, der in eindrucksvoller Geschlossenheit aus dem Felsen über dem Lahntal herauszuwachsen scheint; ferner werden *Bad Ems* wegen seiner Quellen sowie *Nassau, Balduinstein* und *Diez* wegen ihrer Burgen gern besucht.

Frankfurt *am Main* ist der wichtigste Verkehrsknoten und die bedeutendste Handelsstadt der Bundesrepublik Deutschland. Die traditionsreiche Messestadt war im Kern stark kriegszerstört, hat aber ihren Dom erhalten und u.a. das alte Rathaus ('Römer'), die Paulskirche sowie Goethes Geburtshaus wiederaufgebaut. Etliche moderne Wolkenkratzer prägen die neue Stadtsilhouette. Nicht zuletzt die wertvolle Städelsche Gemäldesammlung, das Naturmuseum Senckenberg und der bekannte Zoo sind höchst lohnende Anziehungspunkte. Das Frankfurter Ausflugs- und Naherholungsgebiet umfaßt vor allem die Wälder des Taunus, der in der *Saalburg* ein anschauliches Beispiel eines (rekonstruierten) römischen Kastells am Limes besitzt. Altbekannte Taunusorte sind *Bad Nauheim, Bad Homburg vor der Höhe, Bad Soden* und *Bad Schwalbach* sowie die hessische Landeshauptstadt **Wiesbaden** an der Pforte zum Rheingau.

Ein klassisches Reiseziel ist das **RHEINTAL,** ein lebensfrohes Weinland, das landschaftliche Schönheiten mit baulichen Meisterwerken sowie geschichtlichen Erinnerungen verbindet und dadurch dem Besucher immer wieder in seinen Bann zieht.
Geologisch interessant ist das Gebiet des Rheindurchbruches durch das

Rheinische Schiefergebirge. Die natürliche Mauer des Rheingaugebirges zwingt den Rhein zwar nach Aufnahme des Mains bei Mainz zunächst in die ost-westliche 'Mainlinie'. Doch hinter Bingen durchbricht er im 'Binger Loch' das Gebirge und gewinnt seine Hauptrichtung von Süden nach Norden zurück. Im Kampf des Stromes wider hartes Gebirgsgestein entstand ein schluchtartiges, durch das unausgeglichene Gefälle für die Rheinschiffahrt hinderliches Tal. Seine Tiefe erklärt sich jedoch nur dadurch, daß sich der Rhein mit der Hebung der in der älteren Tertiärzeit ursprünglich niedereren Randgebiete während der jüngeren Tertiärzeit entsprechend stufenweise einschneiden mußte. Diese Gebirgserhebungen und Flußsenkungen zeichnen sich für den Rheinfahrer deutlich in dem an den Talterrassen abgelagerten Flußschotter ab.
Im weiteren Verlaufe findet der Rhein weichere Gesteine, vor allem Schiefer, die eine Talerweiterung ermöglichten. Nur dort, wo nochmals härtere Grauwacken auftreten, kommt es erneut zu einer Talverengung, so bei dem sagenumwobenen *Loreleyfelsen* und bei St. Goar. In den offeneren Talsenkungen wird durch Lößablagerungen wieder Raum für reiche Siedlungen, für Weinkulturen und Obstbau. Dadurch ergibt sich mit dem auf den steilen Talrändern thronenden Burgen und einer Reihe von Strominseln ein überaus abwechslungsreiches Landschaftsbild.

Unterhalb von Koblenz, wo der Rhein die Mosel aufnimmt, verbreitert sich das Tal zu dem kleinen *Neuwieder Becken,* einem tertiären Einbruch des Schiefergebirges, der von den Ablagerungen des Stroms und von vulkanischen Auswürfen angefüllt wurde. Die Rheinorte haben hier eine rege Industrie entwickelt (Hochöfen, Eisenerzverarbeitung), während das linksrheinische Hinterland zusammen mit dem zur Eifel überleitenden *Maifeld* das Hauptgebiet des rheinischen Kartoffelbaus ist.

Kurz vor Eintritt des Stromes in die niederrheinische Ebene erhebt sich auf dem rechten Ufer als Ausläufer des Westerwaldes das formenreiche **Siebengebirge** (460 m), das seinen Namen den sieben herausragenden Höhen verdankt und hauptsächlich aus vulkanischem Trümmergestein besteht. Es bildet den prächtigen Abschluß des mittelrheinischen Abschnitts, wie auch sein Rand das nördlichste Weinbaugebiet am Rhein ist.

Über Bonn gelangt man in den dritten Rheinlaufabschnitt, die Niederrheinische oder **Kölner Tieflandsbucht,** die durch den Einbruch eines Gebirges entstanden ist und ein ziemlich flachwelliges Land bildet. Nur südlich von Köln ergibt das sogenannte Vorgebirge eine stärkere Gliederung. Die hier in der mittleren Tertiärzeit entstandenen, nur von einer dünnen Erdschicht bedeckten und im Tagebau erschlossenen Braunkohlenlager haben mit einer Tiefe von über 100 m die größte auf der Erde bisher festgestellte Mächtigkeit. An diesem Rheinabschnitt entwickelten sich bedeutende Städte, die eine wichtige Rolle in der deutschen Kultur- und Wirtschaftsgeschichte spielen: Bonn, Köln, Neuss, Düsseldorf und Duisburg, wo der eigentliche Niederrhein beginnt. Weiterhin ist die breite Flußniederung von fruchtbaren Marschwiesen bedeckt. Die Städte werden kleiner, zeigen aber ein altehrwürdiges Gepräge. Bei Elten erreicht der Rhein dann die deutsch-niederländische Grenze.

In **Mainz,** der Hauptstadt des Bundeslandes **Rheinland-Pfalz** beginnt die Personenschiffahrt auf dem Rhein, dem schönsten deutschen Strom. Der Mainzer Dom stellt neben seinen Brüdern in Worms und Speyer einen Höhepunkt romanischer Baukunst dar. In bunter Folge gleiten die Weinstädte des sonnigen Rheingaus, die schroffen Felshänge im Durchbruchstal durch das Schiefergebirge, die Burgen, Ruinen und malerischen Städtchen vorüber. Mancher der berühmten schönen Punkte lädt zum Verweilen ein, so *Rüdesheim* am Fuß des Niederwalddenkmals, *Bingen, Assmannshausen, Bacharach* und *Kaub* mit der Pfalz im Rhein, *St. Goar* und *St. Goarshausen* mit der Loreley, *Boppard* oder *Braubach* mit der Marksburg, vor allem aber **Koblenz** mit dem 'Deutschen Eck' und der Feste Ehrenbreitstein. Weiter stromab folgen das altertümliche *Andernach,* das Siebengebirge, von dessen Aussichtsgipfeln der Blick bis zu den Kölner Domtüren schweift, gegenüber das Bonner Diplomatenviertel *Bad Godesberg* und schließlich die Universitätsstadt **Bonn** selbst, die Heimat

Beethovens, die als Bundeshauptstadt das politische Zentrum der Bundesrepublik Deutschland geworden ist.

In der im Zweiten Weltkrieg schwer getroffenen, jedoch durch einen erstaunlichen Wiederaufbau neu erstandenen alten Hansestadt **Köln** wird der Ankommende noch immer zunächst von dem majestätischen Bau des gotischen Domes gefesselt; er entdeckt aber außerdem im weiten Halbrund der Altstadt noch manche bedeutende Kirche aus romanischer Zeit und findet in den Museen Meisterwerke der Kunst sowie Zeugen aus der Römerzeit.

Unberührter und stiller ist die rheinische Landschaft in den Seitentälern und auf der Hochfläche geblieben. Der berühmteste Nebenfluß des Rheins ist die anmutige **MOSEL,** die ihren Namen Mosella (= 'kleine Maas') den Römern verdankt. Sie entspringt in den südlichen Vogesen und erreicht nach einem über 500 km langen Lauf bei Koblenz den Rhein.

Der reizvollste Teil der Mosel liegt zwischen **Trier,** der ältesten deutschen Stadt mit den bedeutendsten römischen Baudenkmälern nördlich der Alpen, und Koblenz. Nach der Trierer Talweitung beginnt der Fluß seinen bis zu Mäanderformen gewundenen Lauf durch das Rheinische Schiefergebirge zwischen den Hängen des Hunsrücks und den Moselbergen, den Ausläufern der Eifel. Die wechselvollen Landschaftsbilder werden besonders zwischen *Bernkastel* und *Cochem* durch zahlreiche auf den Talhängen oder in Seitentälern gelegene alte Burgen und eine Kette von altertümlichen Städtchen und Weindörfern ergänzt. Der Aufbau größerer Städte wurde durch den verschlungenen Flußlauf und die Talenge verhindert; doch auch das hatte seinen Segen und erhielt dem Moseltal jene anmutige Besinnlichkeit im Gegensatz zum belebten Rhein. Großangelegte Flußregulierungen gestatten nun jedoch einen regen Schiffsverkehr. Dazu schenkt die Sonne dem Moselgebiet in Sommerzeiten wohlige Wärme und läßt an den Schieferhängen die schon von den Römern besungenen Weine gedeihen.

Das Moseltal umrahmen die linksrheinischen Gebirge der Eifel und des Hunsrücks. Die **Eifel,** der östliche Teil des Ardennengebirges, war früher eines der

Zeller Hamm im Tal der mittleren Mosel

unwegsamsten und abgeschlossensten Gebiete Deutschlands, während sie heute von zahlreichen guten Straßen erschlossen wird. Die herbe Einsamkeit des nur für Waldwirtschaft und Viehzucht geeigneten Berglandes mit weiten Waldhochflächen und windungsreichen Tälern ist dennoch nicht ohne Reiz.

Erdgeschichtlich handelt es sich bei der Eifel um ein durchschnittlich 600 m hohes Rumpfgebirge von etwa 70 km Länge und 30 km Breite, das in der Tertiär- und Diluvialzeit von zahlreichen Vulkanbergen durchbrochen wurde. Die Lavaergüsse dieser Vulkane lassen sich noch heute im Landschaftsbild erkennen, besonders markant um den als Autorennstrecke weltbekannten *Nürburgring* sowie in der Gegend von Daun und Manderscheid. Die für die Eifel charakteristischen Maare sind kraterartige und jetzt meist mit kleinen Seen angefüllte vulkanische Explosionstrichter. Ein Musterbeispiel dafür bildet der 52 m tiefe *Laacher See,* der von mehr als vierzig Lavadurchbruchstellen mit vier alten Vulkanbergen umgeben ist.

Prächtig sind die Talsperren im nord-westlichen Teil der Eifel, wie etwa der große *Rurstausee Schwammenauel.*

Im Norden der Eifel muß das weingesegnete **Ahrtal** besonders gerühmt werden, das mit seinen malerischen Landschaftsbildern, seinem würzigen Wein und den Heilquellen von *Bad Neuenahr* verlockende Anziehungspunkte bietet.

Südlich der Eifel erstreckt sich zwischen Rhein, Mosel, unterer Saar und Nahe der **Hunsrück,** der südlichste Teil des linksrheinischen Schiefergebirges. Das 400-500 m hohe Bergland wird von einem langgestreckten Quarzithöhenzug überragt, mit dem *Erbeskopf* (816 m) als höchster Erhebung. Die wellige Hochfläche ist stark entwaldet und reich an kleineren Siedlungen, während der Höhenrücken eines der größten deutschen Waldgebiete bildet, vorwiegend mit schönem Laubwald. Die gut ausgebaute *Hunsrück-Höhenstraße* erschließt das Gebirge in seiner ganzen Länge.

Das **Nahetal** zeigt vor allem in *Bad Kreuznach* und in dem Schmuck- und Edelsteinstädtchen *Idar-Oberstein* mit seiner Felsenkirche malerische alte Ortsbilder.

Den schönsten Teil der zwischen Nahe und Rhein gelegenen **Pfalz** bildet der zum großen Teil unter Landschaftsschutz stehende *Pfälzer Wald,* der im westlichen Bereich auch die Haardt genannt wird und auf seinem steilen Ostabfall zahlreiche Burgen trägt.

Durch den Pfälzer Wald, von dem die alte Barbarossastadt **Kaiserslautern** mit ihrer dreitürmigen Stiftskirche umschlossen ist oder von Bingen aus im felsigen Nahetal flußaufwärts, gelangt man in das industriereiche **SAARLAND,** dessen lebhafte Hauptstadt **Saarbrükken** sehenswerte Baudenkmäler und in ihrer Umgebung nicht nur Kohlengruben und Industrieanlagen, sondern auch manche Naturschönheit besitzt.

Die Senke der 30-40 km breiten **OBERRHEINISCHE TIEFEBENE** entstand als ein Einbruch seit dem Oligozän und wird östlich vom Schwarzwald, dem Kraichgau und dem Odenwald, westlich von den Vogesen, der Haardt und dem Nordpfälzer Bergland begrenzt. Ihre Gesteine, die in den Randgebieten zutage treten, sind in der Rheinebene von Ablagerungen aus der letzten Erdentwicklungsperiode bedeckt. Diese Lößablagerungen der Diluvialzeit bilden ein fruchtbares Obst- und Weinbaugelände.

Am Oberrhein treten die Gebirge mit ihren Rebhängen und Obsthainen zurück und geben einer fruchtbaren Ebene Raum. Von der früheren hessischen Residenzstadt **Darmstadt,** einer Pflegestätte der Kunst, zieht sich die **Bergstraße,** wo der Frühling in Deutschland seinen Einzug hält, am Fuße des Odenwaldes entlang über die malerischen Städtchen *Zwingenberg* am Fuße des Melibokus, *Bensheim, Heppenheim* und *Weinheim* bis nach **Heidelberg,** der altberühmten Universitätsstadt mit ihrer unvergleichlich schönen Schloßruine. Lohnende Ausflüge führen von hier aus zu den Städten des Unteren Neckartales, zu dem industriereichen **Mannheim** mit seiner schachbrettartigen Innenstadt und seinem Barockschloß oder zu dem Schloßgarten von *Schwetzingen.* Vom linken Rheinufer grüßen die romanischen Dome der Kaiserstädte *Speyer* und *Worms* herüber, letzteres Ausgangspunkt für die Fahrten auf der Nibelungenstraße zu den Mainstädten Miltenberg und Wertheim sowie auf der Deutschen Weinstraße in die burgenreiche Pfalz.

Der **SCHWARZWALD** ist von Pforzheim bis Lörrach rund 160 km lang und im Norden etwa 20 km, im Süden ca. 60 km breit. Mit seinen schwarz-dunklen Waldbergen, seinen mattenbedeckten Gipfeln und seinen von wasserreichen Bächen durchflossenen Tälern bietet er unter allen Mittelgebirgen Deutschlands die reichste Auswahl großartiger wie lieblicher Landschaftsbilder.

Nach Westen wendet der Schwarzwald zu der etwa 800 m tiefer liegenden Oberrheinebene einen Steilabfall, der von teilweise klammartig eingeschnittenen und infolge der regenbringenden Westwinde wasserreichen Tälern zerfurcht ist. Im Westen liegen auch die höchsten Erhebungen.

Nach Osten dacht sich das Gebirge mit flacheren Rücken und breiteren Tälern sanfter gegen das obere Neckartal und das Donautal ab, die beide rund 250 m höher als die Rheinebene liegen.

Der Rücken des Schwarzwaldes ist eine wellige Hochfläche, über die sich die Gipfel nur als flache Kuppen erheben. Doch ist diese Hochfläche von zahlreichen Tälern zerschnitten, so daß sie kein eigentliches Kammgebirge bildet, sondern reich gegliedert ist, mit sehr gewundenem Verlauf der Wasserscheide. Das Tal der Kinzig greift zwischen Freudenstadt und Offenburg quer durch den ganzen Schwarzwald hindurch.

Der **Nördliche Schwarzwald,** nördlich des Kinzigtals, hat breite Buntsandsteinrücken und ist zu fast zwei Dritteln von Wald bedeckt. Die Siedlungen folgen den tiefen Tälern und zeigen vielfach noch die Form der frühmittelalterlichen Rodung (Waldhufendörfer). Erst der moderne Straßenbau hat auch die Höhen dem Verkehr erschlossen.
Mehrere in eiszeitlichen Karen ruhende kleine Bergseen (Mummelsee, Wildsee) bilden einen besonderen Schmuck der Landschaft, vor allem um die *Hornisgrinde* (1166 m), die höchste Erhebung des Nördlichen Schwarzwalds, an deren Hang die Schwarzwald-Hochstraße von Baden-Baden nach Freudenstadt vorüberführt.

Der **Mittlere Schwarzwald,** etwa zwischen dem Kinzigtal und der Höllentalstraße, besteht ebenso wie der Südliche Schwarzwald vorwiegend aus Granit und Gneis, vielfach von porphyrischen Ergüssen der Permzeit durchsetzt. Im Westen bilden abgesunkene Schollen jüngerer Gesteine Vorhöhen, wie die Buntsandsteinberge nördlich von Emmen-

dingen. Im Osten liegen flachgelagerte Schichten des Buntsandsteins und Muschelkalks als schmaler, landschaftlich weniger reizvoller Saum, der mit der rauhen, aber fruchtbaren Hochebene der *Baar* an den Schwäbischen Jura anschließt.
Die Täler des Mittleren Schwarzwalds sind im unteren Teil breit und siedlungsfreundlich. Darüber folgt meist eine eingeschnittene Steilstrecke, die z.B. bei Triberg schöne Wasserfälle bildet. In den oberen flachen Talstücken zwischen breiten Bergrücken durchsetzen schon vielfach Wiesen und Felder den zusammenhängenden Wald der Hochfläche. Die höchste Erhebung des Mittleren Schwarzwalds ist der zwischen Elztal, Simonswälder Tal und Glottertal aufragende *Kandel* (1241 m).

Der **Südliche Schwarzwald,** landschaftlich wohl der eindrucksvollste Teil, wird beherrscht von dem 1493 m hohen *Feldberg.* Von hier führt ein Rücken westlich zum *Belchen* (1414 m), der schönsten Bergform des Schwarzwalds, und weiter zum *Blauen* (1165 m), der am weitesten gegen die Rheinebene vorgeschoben ist. Vom Feldberggebiet strahlen nach allen Seiten tiefeingeschnittene Täler aus, z.B. das Höllental, das Wiesental, das Albtal und das Gutachtal bzw. das Wutachtal, deren Schönheit stellenweise infolge der ausschürfenden Tätigkeit eiszeitlicher Gletscher durch Seen wie den *Titisee,* den *Schluchsee* und das Kar des Feldsees noch vermehrt wird. Der Wald bedeckt hier knapp die Hälfte der Gesamtfläche. Die Siedlungen und Felder gehen bis in größere Höhen (Blasiwald 1190 m). Die mattenbedeckten Gipfelgebiete zeigen mit ihrer Weidewirtschaft, die sich am Feldberg und Belchen zum Sennereibetrieb entwickelt hat, ein voralpines Bild.

Östlich von Lörrach liegt die flache, etwas verkarstete Muschelkalkplatte des Dinkelberges, eine abgesunkene jüngere Gesteinsscholle. Zwischen Wutach und Hochrhein erhebt sich das bis 926 m hohe jurassische Tafelgebirge des *Randen,* der die Brücke zwischen Schwäbischem und Schweizer Jura bildet und in seinem südlichen Teil schon zur Schweiz gehört. Vom Randen gelangt man durch den eigenartigen *Hegau* mit seinen ehem. Vulkankegeln zum Bodensee, dem größten deutschen Binnensee.

Die aus Kelten, Römern, Schwaben, Alemannen und Franken gemischte BEVÖLKERUNG des Schwarzwaldes weist naturgemäß große Verschiedenheiten auf. Die Rassenmerkmale der Kelten (kleiner, dunkler Menschenschlag, verschlossen und mit starkem Selbständigkeitsgefühl) finden sich noch am meisten im Innern des Gebirges. Nördlich der Murg ist der fränkische Einschlag deutlich, das Gros jedoch schwäbisch-alemannisch.
Die VOLKSSPRACHE ist überwiegend das durch Johann Peter Hebels Gedichte allgemein bekannt gewordene Alemannisch, das im Osten ins Schwäbische, im Norden ins Fränkische übergeht.
Die malerischen TRACHTEN sind leider meist nur noch abseits der großen Verkehrswege zu sehen, auch hier vorwiegend als Festtagskleidung. Jedes einzelne Tal hatte seine besondere, auch in den Farben verschiedene Tracht. An Fastnacht ('Fas-

net') trifft man interessante Kostümierungen und z.t. kunstvolle Masken.
Das SCHWARZWALDHAUS ist eine nördlich bis zum Kinzigtal verbreitete Abart des Alpenhauses, ein auf einem Steinfundament stehender Holzbau mit zahlreichen kleinen Fenstern, der sich dem langen schneereichen Winter durch Vereinigung aller Wohn- und Wirtschaftsräume unter einem, allerdings immer seltener anzutreffenden, weit heruntereichenden Schindel- oder Strohdach anpaßt. Vielfach läuft um das obere Stockwerk eine meist mit Blumen geschmückte Galerie.

Im WIRTSCHAFTSLEBEN des Schwarzwaldes spielte einst der heute fast erloschene Bergbau auf Erze eine Rolle. Sein Niedergang im 16. Jahrhundert lenkte die Bevölkerung zur Landwirtschaft. Doch finden wir heute wegen der hohen Lage wenig Ackerbau, mehr Viehzucht, die im Sommer die Grasflächen über der Waldgrenze im Almbetrieb ausnutzt. Auch der Obstbau hat vor allem in den Tälern des westlichen Gebirgslandes erhebliche Bedeutung. Besonders häufig ist dabei der Kirschbaum (Schwarzwälder Kirschwasser) und der Zwetschgenbaum (Bühler Frühzwetschgen). Wichtig ist aber vor allem die Forst- und Holzwirtschaft. Die schönsten Stämme gingen einst als 'Holländertannen' den Rhein hinab. Doch hat die Holzflößerei auf den Schwarzwaldflüssen (Kinzig, Nagold, Enz) seit dem Bau der Eisenbahnen allmählich aufgehört. Auch die Kleingewerbe des Waldes wie Glashütten, die Köhlerei und die Pechsiederei sind verschwunden. Dafür entstanden große Sägewerke und Holzstoff-Fabriken.
Die Industrie entstand aus einer weitverbreiteten Heimindustrie, auf die sie sich teilweise auch heute noch stützt. Die berühmte Schwarzwälder UHRMACHEREI, um die Mitte des 17. Jahrhunderts eingeführt, beruhte ursprünglich ganz auf der Holzschnitzerei; doch fertigte man die Räder schon etwa seit 1750 aus Messing. Am bekanntesten sind die Uhrenfabriken in Schramberg und Villingen-Schwenningen. Daneben hat sich die Herstellung von mechanischen Musikwerken sowie Radio- und Fernsehgeräten entwickelt.
Berühmt sind die Mund- und Ziehharmonikas aus Trossingen, verbreitet auch Bürstenmacherei und Strohflechterei. Weiterhin findet sich Textilindustrie, namentlich Bandweberei, vor allem im Wiesental.
In neuerer Zeit gewann die Erzeugung elektrischer Energie durch die Anlage von Wasserkraftwerken Bedeutung. Außer dem Murgwerk bei Forbach ist vor allem das Schluchseewerk zu nennen.

Der **Schwarzwald** ist wohl das meistbesuchte Mittelgebirge in Europa. Romantisch sind seine wasserreichen Engtäler, erholsam seine dunklen Nadelwälder, aussichtsreich seine hellen Matten und Gipfel.
Die Reihe der schönen, als Eintrittspforten für das Gebirge vielbesuchten Randstädte eröffnet die ehemalige badische Landeshauptstadt **Karlsruhe,** deren fächerförmig vom Schloß ausstrahlendes Straßennetz die Fürstengründung verrät und deren Museen bedeutende Sammlungen bergen. Weiterhin folgt am Eingang ins Murgtal *Rastatt* mit seinem stattlichen Schloß und,

Schwarzwälder Tracht

schon etwas im Gebirge, der prächtig gelegene Kurort **Baden-Baden,** mit seiner altbekannten Spielbank und der Pferderennbahn im nahen Iffezheim. Er ist zugleich Ausgangspunkt der vielbefahrenen Schwarzwald-Hochstraße, die an einer Reihe von Höhenkurhäusern vorbei über den aussichtsreichen Gebirgskamm zu dem auch als Wintersportgebiet beliebten Höhenrücken des *Kniebis* führt.

Weiter im Süden liegt die Universitätsstadt **Freiburg** *im Breisgau,* deren Münsterturm wohl der vollkommenste gotische Kirchturm ist.

Reich ist die Auswahl an Kurorten, von denen hier nur im inneren Schwarzwald *Freudenstadt, Herrenalb, Triberg, Titisee-Neustadt* und *Wildbad* sowie am Westrand des Südlichen Schwarzwalds *Bad Krozingen,* das gepflegte *Badenweiler* und das aufstrebende *Bad Bellingen* genannt seien.

Als besonders schöne Täler gelten das *Höllental* bei Freiburg (Brsg.), das *Murgtal* bei Forbach und das *Gutachtal* bei Triberg, als lohnendste Aussichtsgipfel Badener Höhe, Hornisgrinde, Kandel, Feldberg, Belchen, Blauen und Hohe Möhr.

Im Südwesten klingt der Schwarzwald im weingesegneten **Markgräfler Hügelland** aus; noch bessere Weinlagen hat der vulkanische *Kaiserstuhl.*

Was die Fahrten durch das **SCHWABEN-LAND** so reizvoll und anregend macht, ist die Mannigfaltigkeit der Landschaftsbilder, das bunte Nebeneinander von Bergen und Tälern, von Wäldern und Äckern, von Obstgärten und Weinbergen. Dem aufmerksamen Auge ordnen sich aber diese wechselvollen Bilder zu einer gesetzmäßigen Folge von natürlichen Landschaften, die hier wie kaum anderswo in Deutschland den Untergrund und Bau des Bodens deutlich widerspiegelt. Wer von der Oberrheinischen Tiefebene oder vom Untermain südostwärts in das schwäbische Land hineinfährt, gelangt aus älteren in immer jüngere Ablagerungen der Erdgeschichte; er steigt in der 'süddeutschen Stufenlandschaft' wie auf einer Treppe mit gewaltig breiten Stufen aufwärts.

Im **Odenwald,** der zusammen mit dem Schwarzwald diese Stufenlandschaft im Westen begrenzt, tritt das Grundgebirge aus Granit und Gneis auf der Westseite noch zutage. Durch ein dichtes Talnetz in eine kuppige Berglandschaft aufgelöst, in buntem Wechsel von Wald und Feld überzogen und von dörflichen Siedlungen belebt, steht dieser Teil im Gegensatz zum ausgedehnten östlichen Teil des Gebirges. Hier ist der Zusammenhang des alten Gebirgsrumpfes trotz der tiefeingeschnittenen Täler noch erhalten. Die mageren Böden des rotbraunen Buntsandsteins, für den Akkerbau wenig geeignet, sind von prächtigen Buchenwäldern bedeckt. Durch den südlichen Zipfel des Odenwaldes windet sich in einem tief eingegrabenen Tal der Neckar, dessen Romantik durch den Ausbau zum Großschiffahrtsweg nur wenig geschmälert wurde. In alter Schönheit leuchten aus dem Grün der steilen Talflanken im warmen Rot des Buntsandsteins die Burgen und Ruinen, deren stolze Reihe die Schloßruine von Heidelberg eröffnet.

Das württembergisch-badische *Unterland* oder **Neckarland,** das sich südöstlich anschließt und im wesentlichen die Flächen des Muschelkalks und des Keupers umfaßt, ist die in ihrem Landschaftsbild besonders bunt gestaltete, an geschichtlichen Erinnerungen und an kunstgeschichtlichen Denkmälern besonders reiche Kernlandschaft Schwabens. Aus dem Winkel zwischen Schwarzwald und Schwäbischer Alb heraus breitet sie sich nordostwärts aus und geht ohne spürbare Grenze in die Flächen Unterfrankens über. Die weiten Muschelkalkebenen der Gäue sind fruchtbares Ackerland, weil Lößlehm darüberliegt und ein mildes Klima im

Regenschatten der westlichen Gebirge die Erträge steigert. Es ist eine helle, freundliche Landschaft mit schmucken Dörfern inmitten lichter Wälder von Apfelbäumen (Most). Scharf und kantig sind die Täler des Neckars und seiner Nebenflüsse (Enz, Kocher, Jagst) sowie der Tauber in die Platte eingesenkt. Sie gliedern das Land in die einzelnen Gaue: westlich vom Neckar das *Obere Gäu,* das *Strohgäu,* das *Zabergäu* und der *Kraichgau,* der in der breiten Gebirgslücke zwischen Odenwald und Schwarzwald den Durchgang vom Oberrhein nach Schwaben gestattet; östlich vom Neckar die *Hohenloher Ebene,* das *Bauland* und der *Taubergrund.*
So weit auch der Blick von den Gäu-Ebenen nach Süden oder Osten schweifen mag, immer trifft er irgendwo am Horizont auf die dunklen Waldkanten der Keuperhöhen. Die widerstandsfähigen Schichten des mittleren Keupers bilden überall ausgeprägte Stufen. Im Unterschied zu der geschlossenen Mauer der Jurastufe weiter im Süden ist die Keuperstufe in **Württemberg** außerordentlich stark aufgelöst. Sie springt vor und zurück und gibt dadurch dem Unterland seine vielgestaltige Geländeform. Die Oberfläche der Keuperhöhen ist durch Täler in schmale Tafeln, Bastionen oder Rücken aufgelöst. Wie im Buntsandsteingebiet nimmt auch hier der Wald wieder nahezu die ganze Fläche ein. Nur wo der schon zur Juraformation gehörende fruchtbare Lias sich ausbreitet, wie auf den *Fildern* südlich von Stuttgart und im Albvorland, entfaltet sich wieder die offene Ackerlandschaft. Infolge der starken Gliederung der Keuperhöhen fehlte diesen ursprünglich ein einheitlicher Landschaftsname, wie er in neuer Zeit in dem Begriff *Schwäbischer Wald* geschaffen wurde. Doch tragen die einzelnen Teile noch selbständige Bezeichnungen: im Südwesten liegt das alte fürstliche Jagdrevier *Schönbuch* zwischen Stuttgart und Tübingen; östlich vom Neckar folgen *Schurwald* und *Welzheimer Wald,* dann weit nach Nordwesten vorspringend die *Löwensteiner Berge,* der *Mainhardter Wald* und die *Waldenburger Berge;* von ihnen leiten die *Ellwanger Berge* hinüber zur Frankenhöhe, mit der sich die Keuperstufe nordwärts umbiegend ins fränkische Land hineinzieht. Weit nach Westen hinausgestellte

Vorposten sind die über dem Kraichgau aufragenden Keuperhöhen von *Heuchelberg* und *Stromberg.*
So unterschiedlich die beiden Landschaftstypen der Gäue und der Keuperhöhen auch sind, so tragen sie doch auch viele gemeinsame Züge und verkörpern vor allem zusammen die schwäbische Kulturlandschaft, in der das Kleinbauerntum und der landwirtschaftliche Zwergbetrieb vorherrschen. Charakteristisch sind die Obsthaine, die sich über die sanft geschwungenen Hügel hinziehen sowie die Weinberge an den Halden genannten Talhängen. Zeugen einer wechselvollen geschichtlichen Vergangenheit sind die vielen malerischen Städte, seien es einstige Residenzen kleiner Fürstentümer wie Weikersheim, Waldenburg, Öhringen, Löwenstein, seien es ehemalige Reichsstädte wie Wimpfen, Heilbronn, Schwäbisch Hall, Schwäbisch Gmünd, Esslingen, Weil der Stadt, sei es die Landeshauptstadt Stuttgart selbst, die im Grenzsaum zwischen den Gäuen und den Keuperhöhen liegt und sich zum wirtschaftlichen und kulturellen Mittelpunkt Südwestdeutschlands entwickelte. Im Unterland blüht vor allem auch eine rege Industrie auf, die mit Ausnahme der Schwerindustrie nahezu alle Zweige gewerblicher Tätigkeit umfaßt und in gesundem Gleichgewicht zu dem bäuerlichen Leben dem Lande eine beachtliche Krisenfestigkeit gegeben hat.

Krönung und Begrenzung des Unterlandes ist der eindrucksvolle Steilabfall der **Schwäbischen Alb.** Hier wird der geologische Aufbau im Landschaftsbild besonders deutlich. Aus den Liasebenen des Unteren oder Schwarzen Juras im Vorland steigen die aus Dogger (Mittlerem oder Braunem Jura) gebildeten Hänge, sanft geschwungen und nur stellenweise von einer Vorstufe durchzogen, 200 bis 300 m zum Albtrauf empor, dem aus widerstandsfähigen Kalken des Malms (Oberen oder Weißen Juras) bestehenden Stufenrand. Von fern gesehen erscheint die Stufe wie eine geschlossene Mauer, besonders gewaltig im Gegenlicht der mittäglichen Sonne. Aber beim Näherkommen löst sich die von Buchenwald bewachsene Stirn des Gebirges in einzelne, mehr oder weniger breite Bastionen auf, zwischen denen kurze, aber tiefe Täler eingreifen. Als Zeugen und Reste der einst weiter nach Nordwesten reichenden Stufe ragen isolierte Vorberge auf, wie die Geburtsstätten zweier deutscher Kaisergeschlechter, der *Hohenstaufen* und der *Hohenzollern.* Wie eine Brandung schlägt das betriebsame Leben des Unterlandes seine Wellen gegen die Steilstufe, vor der eine Reihe gewerblicher und verkehrsbelebter Städte entlangzieht von Hechingen über Tübingen, Reutlingen, Nürtingen, Kirchheim unter Teck, Göppingen und Schwäbisch Gmünd nach Aalen.

In schroffem Gegensatz zu dem milden, lieblichen Fruchtgarten des Vorlandes steht die rauhe, ernste Hochfläche der Schwäbischen Alb. Als flachwellige Ebene dacht sie sich ganz allmählich zur Donau und zum Alpenvorland ab, bedeckt mit Äckern und Weiden, arm an Wald und an Wasser. Kennzeichnend für das Gebirge, das aus wasserdurchlässigem Kalk aufgebaut ist, sind die Karsterscheinungen, die Trockentäler, die Höhlen und Dolinen, die Flußversikkerungen (Donau) und unterirdischen Wasserläufe, die in starken Quellen (Blautopf) wieder zutage treten. Weit auseinander liegen die wenigen großen, meist in Talmulden gebetteten Dörfer, deren Wassermangel erst seit dem letzten Viertel des 19. Jahrhunderts durch eine großangelegte Wasserversorgung behoben wurde. Von etwa 700 m im Nordosten steigt die Schwäbische Alb allmählich bis zu 1000 m im Südwesten an, wo sie auf dem Plateau des Heubergs im Lemberg gipfelt. In einem großartigen Felsenengtal durchbricht hier auch die *Donau* die Albhochfläche zwischen Tuttlingen und Sigmaringen.

In **Oberschwaben,** dem württembergischen Anteil des Alpenvorlandes, ändert sich das Landschaftsbild aufs neue. Die weite Ebene ist bedeckt von den Ablagerungen eines seichten Meeres der Tertiärzeit, von den Schuttmassen der in der Eiszeit weit ins Vorland hinausquellenden Alpengletscher und von den Geröllen und Sanden der Flüsse. Bilden diese Ablagerungen im nördlichen Teil Oberschwabens noch eine verhältnismäßig einförmige Oberfläche, so gestalten sie den südlichen Teil abwechslungsreicher. Hier ist die junge Endmoränenlandschaft fast unverändert erhalten; von dunklen Waldschöpfen bedeckte Kuppen in weit geschwungenen

Bögen oder in wirrem Durcheinander, dazwischen von kleinen Seen oder Mooren erfüllte Wannen und seltsam gewundene Talniederungen oder enge Tobel. Über diese unruhige und fast systemlos erscheinende 'bucklige Welt' sind die Siedlungen als Einzelhöfe verstreut. Viehwirtschaft tritt gegenüber dem Ackerbau schon vielfach in den Vordergrund.

Durch Oberschwaben, dessen vielfältige Landschaft besonders für den Kunstfreund einen längeren Aufenthalt lohnt, führen die Wege an den **Bodensee,** das 'Schwäbische Meer'. Die Lieblichkeit und der Früchtesegen der schwäbischen Landschaft leben hier noch einmal großartig auf, gesteigert durch die südliche Atmosphäre und den Blick auf die Majestät des Hochgebirges.

Mannigfach gestaltet ist das Schwabenland: tief gefurchte Täler im Unterland, langgezogene Waldrücken im Schwarzwald, weite Ebenen und buckelige Moränenzüge in Oberschwaben, dazwischen die zerrissene Steilstufe der Schwäbischen Alb als besondere Gebirgsform.

Stuttgart, die Hauptstadt des Bundeslandes Baden-Württemberg, ist eine der schönstgelegenen Großstädte Deutschlands. Aus dem Stadtkessel wächst das Häusermeer über die zum Teil noch von Reben bedeckten Hänge hinan zum Villenkranz des bewaldeten Höhenrandes mit dem bekannten Fernsehturm (dem ersten seiner Art) sowie hinaus zum Industrie- und Hafengelände am Neckar.

Aus der Fülle der übrigen sehenswerten Städte Württembergs seien herausgegriffen: am Neckar die 'Käthchenstadt' **Heilbronn** mit der bedeutenden Kilianskirche, das unberührt erhalten malerische Bauernstädtchen Besigheim, dann *Ludwigsburg,* die Fürstenstadt des 18. Jahrhunderts, mit dem größten der nach dem Versailler Vorbild in Deutschland entstandenen Schlösser, in der Nähe Schillers Heimatort *Marbach* mit dem sehenswerten Schiller-Nationalmuseum sowie das Landstädtchen Markgröningen mit einem beachtenswerten Fachwerkrathaus, neckaraufwärts die alte Reichsstadt **Esslingen** mit ihren schönen gotischen Kirchen und die am Neckarufer malerisch ansteigende Universitätsstadt **Tübingen;** am

Kocher die alte Salzstadt *Schwäbisch Hall,* mit dem prächtigen Marktplatz und der nahen Klosterfestung Comburg; im Hohenloher Land ferner die ehemals fürstlichen Residenzstädtchen Langenburg, Neuenstein und Öhringen; an der Rems die Fachwerkstadt Schorndorf und die ehem. Reichsstadt *Schwäbisch Gmünd* mit zwei bedeutenden Kirchen; an der Donau **Ulm,** dessen Münsterturm gewaltig über die Altstadt aufragt; auf der oberschwäbischen Hochfläche Biberach und das vieltürmige *Ravensburg,* in der Nähe die 'schönste Dorfkirche der Welt' in *Steinhausen* sowie das Kloster *Weingarten.* Am Steilrand der Schwäbischen Alb sind der Hohenstaufen, der einst die Burg des Kaisergeschlechts der Staufer trug, die von einer Burgruine gekrönte Teck, die mächtige Ruine Hohenneuffen, das reizvoll gelegene Städtchen *Urach,* das romantische Schloß Lichtenstein und die stolze *Burg Hohenzollern* die bekanntesten Punkte. Im felsigen oberen *Donautal* wird besonders die Benediktinerabtei Beuron und ihre burgenreiche Umgebung viel besucht.

Die freundlichen Uferorte am **BODENSEE,** dem größten deutschen Binnensee, mit ihren Weinbergen und Obstgärten, mit ihrem Strandleben und dem Blick über die weite, von Segelbooten belebte Wasserfläche zur blauen Zakkenlinie der Alpen, waren von jeher beliebte Reiseziele: das grenzstädtisch rege **Konstanz,** von dem man die Abstecher zur Blumeninsel *Mainau* und zur Gemüseinsel *Reichenau* mit ihren schönen romanischen Kirchen nicht versäumen sollte; das alte *Überlingen,* das malerisch ansteigende *Meersburg* mit seinem alten Schloß, die Zeppelinstadt **Friedrichshafen** und die Inselstadt **Lindau** *im Bodensee.* – Zum Ausflugsgebiet des Sees gehört auch der *Hegau* mit dem Hohentwiel und anderen Bergkegeln einstiger Vulkane.

Das morphologisch interessante **FRÄNKISCHE STUFENLAND** verdankt seine Entstehung der sich über viele Millionen Jahre erstreckenden Erosionsarbeit der Flüsse. Es besteht aus wechsellagernden, verschieden harten

Blick von Überlingen über den Bodensee auf die Schweizer Berge

Gesteinsschichten der Trias (Bunt-sandstein-, Muschelkalk- und Keuper-formation) und des Jura (Schwarzer, Brauner und Weißer Jura), die in der mittleren Tertiärzeit im Zusammenhang mit der Aufwölbung des Oberrheinge-bietes und dem Einbruch des Rheingra-bens leicht nach Osten gekippt wurden.

In der Folge präparierten dann vom We-sten her das Flußsystem des Rheins und vom Osten her das der Donau die harten Gesteinsschichten zu markanten Land-stufen heraus, wobei sich die Abtragung im Bereich der stärksten Hebung am in-tensivsten gestaltete und der Rhein sein Einzugsgebiet immer mehr nach Osten verlegte. Bei einer Fahrt von Westen nach Osten kommt man von den geolo-gisch älteren Gesteinen in immer jün-gere Schichten. Dieser ausgeprägte Landschaftsrhythmus verleiht dem Fran-kenland belebende Freundlichkeit und touristischen Reiz.

Die westliche Landstufe bildet der im Süden vom großen Mainviereck und im Norden von der Kinzig und der Sinn um-grenzte **Spessart.** Er ist im wesentlichen aus Bausandstein aufgebaut, der sich im Westen an die Grundgebirgsscholle des Vorderen Spessart anschließt. Die Sandsteintafel eignet sich in nur sehr geringem Maße zur Landwirtschaft, da-für trägt sie ausgedehnte Buchenwäl-der, die ein beliebtes Reiseziel erho-lungsuchender Städter sind. Außer-dem zeichnet sich der Bausandstein, wie schon sein geologischer Name sagt, als vorzüglicher Haustein aus, der mit seiner schönen fleischfarbenen Tönung das Bild der Frankenstädte mitbestimmt. Die Sandsteintafel des Spessart setzt sich jenseits der Sinn in der südlichen **Rhön** fort, über die weiter nördlich auf hessischem Gebiet die von der Basalt-lava tertiärer Vulkane bedeckte Hoch-rhön aufragt.

Ein völlig anderes Bild als die nur mäßig besiedelten Landschaften des Spessart und der Rhön zeigt die Muschelkalk-stufe der **Mainfränkischen Platte,** die sich mit einem weniger stark ausgebil-deten Stufenrand hart östlich des Main-viereckes und entlang der Fränkischen Saale an die Buntsandsteinstufe an-schließt. Die mit Löß und Lehm be-deckte Gäufläche mit dem *Marktheiden-felder Gau* im Westen, dem *Grabfeld* im Norden, dem *Gerolzhofener Gau* im Osten, dem *Ochsenfurter Gau* im Süd-osten und dem zentralen *Würzburger Gau* ist fruchtbares Agrarland. Die Ort-schaften sind von großen Obstgärten umgeben, und an den Kalksteinhängen des Maintals sowie am Stufenrand des Steigerwaldes reifen hervorragende Weine. Wirtschaftlicher und kultureller Mittelpunkt der Mainfränkischen Platte ist die ehemalige fürstbischöfliche Re-sidenz Würzburg mit ihren großartigen Werken der Architektur und Bildkünste.

Östlich der Gäufläche der Mainfränki-schen Platte erheben sich als markante Landstufe die dem mittleren Keuper an-gehörenden Sandsteinschichten der **Fränkischen Terrasse,** die im Norden mit den *Haßbergen* beginnt, dann süd-lich des breiten Maintales sich im *Stei-gerwald* fortsetzt und jenseits der Windsheimer Bucht über die *Franken-höhe* zur Keuperstufe des Schwäbi-schen Waldes überleitet. Auf der Fran-kenhöhe ist die Sandsteindecke völlig zerschnitten und in einzelne isolierte Tafeln aufgelöst, während er im Stei-gerwald noch größere zusammenhän-gende Flächen bildet und in den Haß-bergen als wenig gegliederte und weit gegen das Grabfeld vorspringende Schichtrippe erhalten ist.

Die durch breite Talböden gegliederte und großenteils bewaldete Stufenfläche der Fränkischen Terrasse fällt ganz all-mählich nach Osten ein und geht in das von der Regnitz-Rednitz entwässerte hüglige **Mittelfränkische Becken** über. Hier dominieren wiederum Ackerfluren gegenüber dem Waldland, wenn auch nicht in dem Ausmaße wie in den Gäu-landschaften der Mainfränkischen Plat-te. Als Hauptgebiete der Landwirtschaft gelten besonders der obstreiche *Bam-berger Gau* und im *Rangau* südlich von Nürnberg das durch regen Hopfenan-bau bekannte Rednitzgebiet. Lediglich auf dem sandigen Boden in der Umge-bung von Nürnberg finden sich von Heide durchsetzte ausgedehnte Wal-dungen. Die daraus erwachsene Bie-nenzucht liefert seit Jahrhunderten die Grundlage zur Herstellung der bekann-ten Nürnberger Lebkuchen, während der Holzreichtum in historischer Zeit die ebenso bekannte Spielwarenindustrie entstehen ließ. Das Mittelfränkische Becken ist das bevölkerungsreichste Gebiet Frankens, mit der einstigen Reichsstadt Nürnberg als natürlichem Mittelpunkt.

Die östlichste und mit einer relativen Höhe von etwa 250 m zugleich ausgeprägteste Landstufe bildet der **Fränkische Jura** *(Fränkische Alb)*. Über der schmalen Vorstufe des Braunen Jura ragen weithin sichtbar die hellen Kalksteinfelsen des Weißen Jura auf. Die etwa 600 m hohe Stufenfläche der Fränkischen Alb, insbesondere die in ihrem nördlichen Teil als *Fränkische Schweiz* bekannte Stufenfläche, trägt die Merkmale eines Karstlandes: starke Klüftung und kräftige Lösung des Karbonatgesteins, Bildung von Höhlen sowie Erdfällen (Dolinen), teilweise unterirdischer Verlauf der Bäche und Trockentäler an der Oberfläche, die zu den reizvollsten Stellen der Alblandschaft gehören. Von der ehemals weiterer Ausdehnung dieser Landstufe nach Westen zeugen einzelne vorgelagerte Berge, wie der Hesselberg (689 m) nördlich vom Ries und der Hahnenkamm (644 m) am Eintritt der Altmühl in den Jura. In dem malerischen Durchbruchstal der Altmühl im Süden werden die berühmten Plattenkalke von *Solnhofen* gebrochen.

Westlich von hier liegt das **Nördlinger Ries,** ein durch den Einschlag eines gewaltigen Meteoriten entstandenes kreisrundes Becken, die Grenze zwischen Fränkischem und Schwäbischem Jura.

Die Fränkische Schweiz bricht im Nordosten entlang mehrerer Bruchstufen zu dem aus Schichten der Trias- und Jurazeit aufgebauten und verhältnismäßig fruchtbaren *Obermainischen Hügelland* ab, als dessen Zentren die ehemaligen Markgrafenresidenzen Bayreuth und Kulmbach gelten.

An der nordöstlichsten Ecke Bayerns folgt schließlich die vom Flußsystem der Rodach und des Weißen Main zerschnittene und ebenfalls durch mehrere Verwerfungen vom Obermainischen Hügelland abgesetzte *Frankenwald*. Seine von Nadelwald bedeckte Hochfläche bildet morphologisch eine Brücke zwischen dem Thüringer Wald (DDR) und dem sich südöstlich anschließenden Ostbayerischen Grenzgebirge. Die in zahlreichen Steinbrüchen gewonnenen karbonischen Schiefer haben für das karge Waldbauernland wirtschaftliche Bedeutung.

Den Südrand der Alb begrenzt die **Donau,** deren Tal sich mehrmals zu weiten, jetzt urbach gemachten Überschwemmungs- und Sumpfgebieten verbreitet, etwa in dem heute wiesenbedeckten *Donauried* bei Dillingen und dem moorigen *Donaumoos* bei Ingolstadt. Nur östlich von Donauwörth treten in der Enge von Neuburg die harten Kalke des Jura näher an den Strom heran.

Südlich der Donau erstreckt sich die **Schwäbisch-Bayerische Hochebene.** Im Norden ist sie ein fruchtbares Hügelland tertiärer Mergel und Sande, zu dem das Hopfengebiet der *Holledau* (Hallertau) gehört. In ihrem westlichen Teil liegt zwischen Lech und Iller eine Zone eiszeitlicher Flußschotter, die stellenweise von Kiefernwäldern, Heide und Mooren (Mösern) bedeckt ist. Nördlich von München befinden sich das *Dachauer Moos* und das *Erdinger Moos*; im Süden geht das Gebiet in das bergighügelige Alpenvorland über.

Die alteingesessenen BEWOHNER sind vorwiegend Franken, die seit dem 5. Jahrhundert im Maingebiet ansässig sind und aus mitteldeutschem Stamm kommen. Sie zeichnen sich durch geistige Beweglichkeit, nüchterner Tatkraft sowie Unternehmungslust aus und hängen im Vergleich zu den beharrlichen oberdeutschen Altbayern weniger an der Scholle. Nach dem Zweiten Weltkrieg sind viele Heimatvertriebene (v.a. aus der Tschechoslowakei) ins Fränkische gekommen.

Im Süden reicht von Westen her das Gebiet der Schwaben bis an den Lech heran und schließt auch die alte Reichsstadt Augsburg mit ein.

Das unterfränkische Gebiet sowie Schwaben ist hauptsächlich katholisch, in Mittel- und Oberfranken überwiegt das evangelische Glaubensbekenntnis.

Das alte VOLKSTUM ist noch in manchen Bräuchen, zahlreichen Heimatspielen (Rothenburg ob der Tauber, Dinkelsbühl u.a.) sowie z.T. auch noch in eigenartigen Trachten erhalten, besonders im Ochsenfurter Gau, im Regnitzbecken bei Forchheim (Effeltrich) oder im Nördlinger Ries.

Die SIEDLUNGSFORM ist im allgemeinen die des altgermanischen Haufendorfes; nur im Gebiet der Fränkischen Terrasse und des Jura sind Einzelhöfe oder Weiler verbreitet. Bis zur Hochfläche des Fränkischen Jura steht der fränkische (mitteldeutsche) Bauernhof, bei dem das mit schmuckem Fachwerkgiebel nach der Straße gerichtete, zweistöckige Wohnhaus, Scheune und Stall als Einzelgebäude einen viereckigen Hof mit Hoftor umgeben.

Die zahlreichen altfränkischen Klein- und Mittelstädte mit ihren reizvollen Fachwerkbauten sind regelmäßig angelegt und häufig von einer als Marktplatz dienenden Hauptstraße durchzogen.

In der fränkischen LANDWIRTSCHAFT überwiegen die Mittel- und Kleinbetriebe. Fast zwei Drittel des Landes sind angebaut, meist mit Getreide. Für die Bierbrauerei ist der Anbau des Hopfens wichtig, wobei die Holledau (Hallertau) den Löwenanteil der Ernte Bayerns liefert. Weitere bedeutende Hopfengebiete liegen im Rezattal (Spalt) sowie zwischen Nürnberg und Bamberg, wo seit dem 14. Jahrhundert der Anbau guter Sorten betrieben wird. Im unteren Regnitzbecken (um Bamberg) gedeiht auch Tabak, während das Maintal Obst und gute Weine hervorbringt. INDUSTRIE und HANDWERK haben in Franken einen beträchtlichen Aufschwung genommen. Große Industriezentren bilden die Städte Nürnberg, Fürth, Erlangen, Augsburg und Schweinfurt, deren Maschinenfabriken, Kugellager und Spielwaren Weltruf haben. Im Frankenwald zwischen Hof und Bayreuth entstand aus der alten oberfränkischen Handweberei eine vielseitige Textilindustrie.

An BODENSCHÄTZEN ist in Franken nur der im Altmühltal gewonnene Solnhofener Schiefer zu nennen. Dagegen sind zahlreiche Mineralquellen vorhanden.

In **FRANKEN,** dem nördlichsten Teil des Freistaates Bayern, setzt sich die Stufenlandschaft Württembergs fort; doch werden die Ebenen hier weiter, die Kanten der Gebirgsstufen milder, die Höhen niedriger. Eindrucksvolle Stadtbilder schmücken den windungsreichen Lauf des Mains in Unterfranken: das viertürmige Renaissanceschloß in *Aschaffenburg,* die Fachwerkbauten in *Miltenberg,* die mächtige Ruine von *Wertheim,* die Mauern und Tore von Kitzingen, Iphofen und Ochsenfurt.

In gesteigertem Maße, in prunkvollerer Gestaltung vereinigt diese Schönheiten die Universitätsstadt **Würzburg,** die durch die Barockbauten der Fürstbischöfe ihr besonders architektonisches Gesicht erhielt.

Die berühmte Residenz wurde nach teilweiser Kriegszerstörung wiederhergestellt, und über der alten Mainbrücke thront wie ehedem die Festung auf dem Marienberg. Im nahen *Veitshöchheim* steht das Lustschlößchen der Fürstbischöfe mit seinem berühmten Rokokogarten.

In Oberfranken lohnt die alte Kaiser- und Bischofsstadt **Bamberg** in erster Linie wegen des Domes und seiner einzigartigen Bildwerke, aber auch wegen anderer Meisterwerke der Baukunst einen Besuch.

Bayreuth zieht durch seine Wagner-Erinnerungen und die Festspiele Musikfreunde aus allen Ländern an.

Mächtige mittelalterliche Festungen beherrschen die Stadtbilder von *Coburg, Kronach* und *Kulmbach.* Zeugen eines anderen Geistes sind die reichen Barockkirchen von *Banz* und **Vierzehnheiligen** im Maintal.

In Mittelfranken zeigen drei Städte, die kaum über ihren mittelalterlichen Kern hinauswuchsen, fast unberührt Stadt-

bild und Umfang vergangener Jahrhunderte und bilden selbst lebende Denkmäler des Mittelalters: die berühmteste unter ihnen, **Rothenburg** *ob der Tauber,* an steil abfallendem Talrand; das kleinere, aber ebenbürtige **Dinkelsbühl** auf ebener Hochfläche; das fast kreisrund angelegte *Nördlingen* im weiten Talkessel des Rieses.

Hauptziel und Höhepunkt einer fränkischen Städtefahrt wird aber noch immer **Nürnberg** sein, das in der von der alten Kaiserburg beherrschten Altstadt noch teilweise das Äußere einer mittelalterlichen Reichsstadt bewahrt hat. Kunst und Kultur deutscher Vergangenheit zeigen die Schätze des Germanischen Nationalmuseums; Erwähnung verdient auch das Verkehrsmuseum.

Zwischen Franken und Böhmen schiebt sich eine Landschaft ein, die in ihrem herben Charakter wie ein Fremdling in den sonst so heiteren und bunten süddeutschen Raum hineinragt. Es ist ein eher abgeschiedenes Waldland, das dem gestreßten Menschen von heute eine Zuflucht zu unberührter Natur gewährt.

Der Westabfall des bayerisch-böhmischen Grenzgebirges und sein Vorland bilden zwar einen natürlichen Raum und auch ein zusammenhängendes Fremdenverkehrsgebiet, aber die Verwaltungsgrenzen ziehen quer hindurch, so daß der größere Teil des Fichtelgebirges noch zu Oberfranken gehört, der Bayerische Wald mit seinem südlich über die Donau greifenden Vorland zu Niederbayern, während die Oberpfalz als Kernlandschaft des Gebietes von der Hochfläche der Fränkischen Alb über die Naabsenke bis zum ostbayerischen Randgebirge reicht.

Die **Fränkische Alb** wendet ihr Gesicht mit der steilen, zerfurchten Stirn gegen Franken hin. Ihr Rücken dacht sich unmerklich sanft als ein aus durchlässigen Kalken und Dolomiten des Weißen Jura (Malm) bestehendes Plateau von etwa 600 m nach Osten und Südosten bis zu 500 m ab, geht auf dem nördlichen Flügel, etwa zwischen Bayreuth und Schwandorf, in die Fläche des Naabgebietes über und taucht am Donauknie bei Regensburg unter das tertiäre Hügelland der bayerischen Hochebene. Die rauhe und wellige Jurahochfläche ist weithin von einer kurzrasigen Grasnarbe, in geringem Ausmaß auch von

Wald bedeckt. Nur dort, wo etwas Lehm den mageren Kalkboden bedeckt, besonders in den Tälern, breiten sich Äkker und Wiesen aus.

Die landschaftlichen Schönheiten liegen in den scharf eingeschnittenen Flußtälern wie dem der *Pegnitz* bei Hersbruck (Hersbrucker Alb), dem der *Altmühl* zwischen Beilngries und Kelheim und dem der *Donau* bei Weltenburg.

Größere städtische Siedlungen fehlen mit Ausnahme *Amberg,* dem alten Hauptort der **Oberpfalz**. Die Großstädte liegen außerhalb des Gebirges: Nürnberg im westlichen Vorland, Regensburg am Südostrand, wo Alb, Bayerischer Wald und Alpenvorland zusammentreffen.

Der eigentliche Naturraum der Oberpfalz ist das **Naabgebiet,** das sich als mäßig eingesenkte Fläche zwischen die Fränkische Alb und die ostbayerischen Randgebirge einfügt. Der geologische Unterbau zeigt sich hier ziemlich verwickelt. An der Oberfläche sieht man nur wenig, weil die flachwellige Verebnungsfläche der Tertiärzeit über alle Formationen hinwegzieht. Der Untergrund gibt sich durch die Bewachsung und Kulturen zu erkennen: undurchlässige, tertiäre Tone an den zahllosen Teichen, Sandsteine des Keupers und der Kreideformation an den Wäldern, Hügel des Rotliegenden an den Äckern. In einem bald engen, bald beckenartig weiten Tal fließt die aus zwei Quellarmen vom Fichtelgebirge (Fichtelnaab) und Oberpfälzer Wald (Waldnaab) kommende Naab mit mäßigem Gefälle zur Donau, die sie oberhalb von Regensburg erreicht. *Weiden* und *Schwandorf,* beide in weiten Talbecken gelegen, sind als Verkehrsknotenpunkte, Märkte und Standorte keramischer Industrien von wirtschaftlicher Bedeutung. Bemerkenswert und charakteristisch für das einstige Durchgangsland des Verkehrs zwischen Mitteldeutschland und der Tschechoslowakei sind die zahlreichen Burgen, die vielfach altertümliche Städtchen krönen.

Den beherrschenden Abschluß bilden für die Oberpfalz wie für Niederbayern die ostbayerischen Randgebirge. Die Urgesteine Gneis und Granit bauen ihre runden Rücken und breiten Hochflächen auf. In einzelne Schollen zerstückt, durch Längstalfurchen und breite paßartige Quertäler gegliedert, zieht sich der etwa 300 km lange Gebirgszug vom Fichtelgebirge südöstlich bis nach Österreich hinein. Die einzelnen emporgepreßten und dabei schräg gestellten Rumpfschollen kehren ihre Steilabfälle gegen Südwesten, während sie nach Nordosten mit sanfterem Abfall in die böhmischen Hochflächen der Tschechoslowakei übergehen. Obwohl sich der Charakter des langen Gebirgszuges mehrfach ändert und jeder einzelne Teil mit Recht seinen besonderen Namen trägt, fügt sich das Ganze doch wieder zu einer Einheit zusammen. Beim Ausblick von einem der Gipfel wird diese Waldeinsamkeit zu einem großen Landschaftserlebnis.

Das **Fichtelgebirge** wird nicht zum eigentlichen ostbayerischen Randgebirge gerechnet, ist aber als sein nördlicher Ansatzpunkt ein Gebirgsknoten, dem die Saale, die Eger, der Main und die Naab entspringen. Das Zusammentreffen von zwei verschieden gerichteten Gebirgszügen (Thüringer Wald in nordwest-südöstlicher, Erzgebirge in nordost-südwestlicher Richtung; beide in der DDR) bewirkte das Herausheben von nahezu rechtwinkelig aneinanderstoßenden Horsten und gab dem Fichtelgebirge eine hufeisenförmige Gestalt. Über einer flachwelligen Rumpffläche ragen granitene, bewaldete Rücken etwa 300 m auf und erreichen im Schneeberg und Ochsenkopf die 1000-m-Höhengrenze. Ausgedehnte Fichtenwälder, reizvolle Flußtäler, Felsenmeere und verwitterte Granitblöcke haben eine starke Anziehungskraft für den Fremdenverkehr. Das Innere des Hufeisens ist hauptsächlich Acker- und Wiesenland, aber auch von einer regen Industrie belebt (Keramik, Holz, Textil). Der Hauptort des Fichtelgebirges ist die zentral gelegene Kreisstadt *Wunsiedel,* der größte Ort jedoch ist die Porzellanstadt *Selb,* wo – wie in *Weiden* (Opf.) – bedeutende Fabriken für Kunst-, Gebrauchs- und Industriekeramik ihren Sitz haben. Da zwischen den einzelnen Horsten breite Lücken offen bleiben, bietet das Fichtelgebirge dem Verkehr kaum Hindernisse. Nur die Westseite fällt steil ab zur Talweitung von Bayreuth, das als Festspielstadt und Ausgangspunkt für den Besuch des Gebirges stets belebt ist.

Die breite, von zahlreichen Teichen schimmernde Hochfläche von Tirschenreuth leitet vom Fichtelgebirge über zum **Oberpfälzer Wald,** der sich mit etwa 90 km Länge bis zur Further Senke erstreckt. Er besteht aus einer Reihe gestaffelter Rumpfschollen, deren flache Gneisgipfel nur selten über 900 m aufragen. Große Rodungsflächen haben die Walddecke hier stärker als anderswo im ostbayerischen Randgebirge aufgelöst und geben der dünnen Besiedlung durch einen bei kargem Boden und rauhem Klima wenig ertragreichen Ackerbau nur eine bescheidene Lebensgrundlage; Waldarbeit, Glasbläserei und Porzellanindustrie schaffen einen gewissen Ausgleich. Altertümliche Kleinstädte und stattliche Burgruinen gewähren den Besuchern dieser abseits gelegenen Gebirgslande manche Entdeckerfreude.

Die *Further Senke* (470 m), das alte Tor zwischen Böhmen und Bayern, ist eine 15 km breite Lücke im ostbayerischen Randgebirge, durch die das auf der böhmischen Seite entspringende Flüßchen Chamb hindurchfließt.

Der **BAYERISCHE WALD** bildet das letzte, höchste und eindruckvollste Glied der ostbayerischen Randgebirge. Er beginnt jenseits der Further Senke, wird im Nordwesten von den Flüssen Chamb und Regen, im Südwesten von der Donauniederung begrenzt, reicht südöstlich bis zum Linzer Becken in Österreich und geht nordwärts in den Böhmerwald (Tschechoslowakei) über.

Auch im Bayerischen Wald sind Gneis und Granit die Bausteine des Untergrundes. Hier bilden ebenfalls einzelne herausgehobene und mit ihrem Steilabfall nach Südwesten gekehrte Schollen das Gefüge der Rücken und Längstäler. Weite Verebnungsflächen lassen breite, treppenförmig ansteigende Sockel erkennen, in die seit der erneuten Emporhebung der Gebirgsscholle die Flüsse enge Talschluchten hineingegraben haben. Ein sichtbarer Zeuge der tektonischen Vorgänge ist der *Pfahl,* der nur dort, wo ihn die Erosion freigelegt hat und er mit seiner Härte der Verwitterung länger trotzte als die weicheren Gesteine der Umgebung, im Gelände deutlich zu erkennen ist. Er bildet zugleich die Grenze zwischen den beiden Hauptzügen des Gebirges, dem Vorderen Wald und dem Hinteren Wald.

Grafenau im Bayerischen Wald

Der **Vordere Wald** (Einödsriegel 1126 m) ist eine wellige Rumpffläche, die in zwei Stockwerken von 500 m und 700 m Höhe über der Donauniederung aufsteigt und auch *Donaugebirge* genannt wird. Darüber erhebt sich bis zu 1000 m die Gipfelregion, die durch die zahlreichen zur Donau führenden Talschluchten in einzelne Bergmassive aufgelöst ist. In dem niedrigeren Westteil des Gebirges beleben Weiler und Einzelhöfe die in ihrem Wechsel von Wald, Wiese und Feld, von Kuppen und Tälern überaus vielfältige Landschaften.

Der **Hintere Wald** setzt sich ebenfalls aus mehreren, von Nordwesten nach Südosten streichenden Massiven zusammen: dem *Hohen Bogen* (1081 m) südlich von der Further Senke, dem Künischen Gebirge mit dem *Osser* (1293 m), dem Bergzug vom Kaitersberg (1134 m) bis zum *Großen Arber* (1457 m), der höchsten Erhebung des gesamten Gebirges sowie weiterhin dem Massiv von *Rachel* (1452 m) und *Lusen* (1371 m) – hier der Nationalpark 'Bayerischer Wald' – und schließlich dem Dreisesselgebirge mit dem *Dreisessel* (1312 m) und dem *Plöckenstein* (1378 m). Prachtvoller, teilweise urwaldähnlicher Hochwald überzieht als geschlossene Decke die plumpen Rücken und steilen Flanken des ganzen Hinteren Waldes, in dessen Nord- und Osthänge nahe der Gipfelregion von dunklen Seen erfüllte Kare eingebettet sind, die von einer bescheidenen Vergletscherung während der Eiszeit zeugen. Auf den breiten Kämmen dehnen sich Hochmoore (Filze) oder über der Baumgrenze Bergmatten mit dunklen Tupfen von Krummholz (Latschen) aus und ragen hier und da verwitterte Granitklippen oder Blockmeere auf. Die Besiedlung beschränkt sich auf einige Längstalzüge (Kötzting, Viechtach, Zwiesel) und auf den niedrigeren Sockel vor dem Hauptkamm, wo namentlich um Grafenau und Freyung sowie entlang dem nach Böhmen führenden 'Goldenen Steig' die Rodung größerer Lücken in das Waldkleid schnitt.

Der Feldbau ergibt aber in dem rauhen Klima und auf dem humusarmen Boden nur bescheidene Erträge an Roggen, Hafer und Kartoffeln. Da es an Bodenschätzen fehlt, bleiben die Waldnutzung und neuerdings der Fremdenverkehr die einzige Erwerbsquelle der 'Waldler', die zum Teil noch in einfachen Holzhäusern wohnen.

Ostbayern, zu dessen Erschließung die schöne 'Ostmarkstraße' beiträgt, ist ein Gebiet lohnender Waldwanderungen, ruhiger Sommerfrischen und guter Wintersportmöglichkeiten. Im Fichtelgebirge sind neben dem Hauptort Wunsiedel mit seinem Felsenlabyrinth auf der Luisenburg (Freilichtbühne) die Namen *Bad Berneck, Bischofsgrün, Warmensteinach* und *Alexandersbad* bekannt. In *Waldsassen* sind Kirche und Bibliothek des ehem. Zisterzienserstifts sehenswert.

Der Bayerische Wald besitzt als charakteristische Schönheit einen z.T. noch urwaldartig erhaltenen Hochwald. Am Fuß des vielbesuchten Arbers, des 'Königs des Waldes', liegen *Bodenmais* und *Bayerisch Eisenstein.* Daneben sind *Zwiesel* am Fuß des Rachels und *Haidmühle* am Ausgangspunkt einer Fahrstraße auf den Dreisessel als Fremdenverkehrsorte hervorzuheben.

Eine gänzlich andere Landschaft öffnet sich südlich des Bayerischen Waldes in der Donauniederung und im Tertiärhügelland von **NIEDERBAYERN.** Die bis zu 30 km breite Stromniederung der Donau zwischen Regensburg und Vilshofen ist das alte Siedlungszentrum der Bajuwaren nach ihrer Einwanderung aus dem böhmischen Raum. Zwischen den dicht liegenden Dörfern breiten sich fruchtbare Weizen-, Gerste- und Zukkerrübenfelder aus. Der landwirtschaftliche Marktmittelpunkt ist *Straubing.* Die Großstadt **Regensburg** am Westende der Niederung zeichnet sich durch eine besondere Gunst der Lage aus und

nahm eine entsprechend überragende Entwicklung.

Die sanft zur Donauniederung abfallende Platte des Tertiärhügellandes ist von zahlreichen Flüssen (Laaber, Isar, Vils, Rott) und ihren Zuflüssen in langgestreckte Riedel aufgelöst, so daß eine im ganzen einförmige, im einzelnen aber bewegte und liebliche Hügellandschaft entstanden ist. An den Hauptadern des Gewässernetzes liegen die Marktflecken und einige wenige Städte, unter denen nur Landshut als Residenz der Herzöge von Niederbayern zu größerer Bedeutung anwuchs. Die bäuerlichen Siedlungen sind als Weiler oder Einzelhöfe über das Hügelland verstreut. Hauptanbaufrucht ist Weizen, in der westlich gelegenen Holledau (Hallertau) auch Hopfen.

Am Südrand des Gebirgswalles bilden die beiden an der *Donau* gelegenen altehrwürdigen Bischofsstädte Regensburg und Passau lohnende Reiseziele. Eindrucksvoll ist in **Regensburg** der Blick über den Strom auf die steinerne Brücke und die Domtürme. In der Umgebung erinnern die *Walhalla,* der 'Ehrentempel der Deutschen', und die *Befreiungshalle* über Kelheim, dem Ausgangspunkt einer lohnenden Fahrt durch das malerische Altmühltal mit seinen Burgen und Schlössern, an die Vergangenheit.

Das jüngst zur Universitätsstadt avancierte **Passau,** beherrscht von der Veste Oberhaus, überrascht durch die ungewöhnlich reizvolle Lage auf einer schmalen Landzunge zwischen Inn und Donau, in die hier auch die Ilz mündet.

Das **ALPENVORLAND** erhielt erst durch die Wirkungen der Eiszeit sein heutiges Gesicht. Aus den großen Tälern von der Iller bis zur Salzach quollen die Gletscher heraus und verbreiterten sich auf dem Vorlande zu großen Eiskuchen. Dabei führte das Eis den ausgeschürften Schutt des Gebirges mit und lagerte ihn an seinem Rande als Endmoräne ab. Die Becken der einstigen Gletscherzungen bergen heute entweder einen See (Ammersee, Starnberger See, Chiemsee) oder ein Moor, oder sie werden von einem Fluß entwässert. Im Ausklang des Glazials machte der abschmelzende Eisrand stellenweise noch lange Rückzugspausen oder kleinere Vorstöße und verursachte so am Gebirgsrand kleinere

Becken wie etwa den Tegernsee, Kochelsee und Walchensee. So zeigt sich das Alpenvorland keineswegs als ausdruckslose Ebene. Mit den mannigfachen Bodenformen, dem Wechsel von Wald, Fluß und See vereinigen sich die behäbigen Städtchen und Dörfer mit ihren zwiebelbehaubten Kirchtürmen zu einem reizvollen Bild von ausgesprochener Eigenart.

Aus der Reihe der Städte im bayerischen Alpenvorland ragen hervor die Fuggerstadt **Augsburg,** die mit ihren gotischen Kirchen, Renaissancebauten und schönen Brunnen noch heute das Bild stolzen, weitschauenden Bürgersinnes zeigt, und *Ingolstadt,* die an kirchlichen und weltlichen Bauten reiche ehem. bayerische Herzogsresidenz.
Aber auch die Inn- und Salzachstädte *Wasserburg* und *Burghausen* mit ihrer charakteristischen südländischen Bauweise sind besuchenswert; ferner der Wallfahrtsort *Altötting,* die ehem. Residenz *Landshut* mit ihren Backsteinkirchen und der Burg Trausnitz, die bayerisch-schwäbischen Städte *Landsberg am Lech, Memmingen* und *Kempten.*
Die oft abseits gelegenen Klöster und Wallfahrtskirchen wie *Ottobeuren* und *Ettal,* die berühmte **Wieskirche** und andere werden als Meisterwerke des süddeutschen Barocks jeden Kunstfreund begeistern.
Tummelplätze für alle Arten von Wassersport sind die schimmernden Wasserflächen vom *Starnberger See, Ammersee* und *Chiemsee* mit seinem prunkhaften Königsschloß Herrenchiemsee.
Die stärksten Anziehungspunkte in Südbayern sind München und die Alpen.
München, die Hauptstadt des Freistaates Bayern, ist seit langem ein Sammelplatz für Touristen aus aller Welt, denen die lebensfrohe Kunststadt durch die Fülle an kulturellen Einrichtungen und ihre gesellige Atmosphäre vielseitige Anregungen bietet. Zudem ist sie idealer Ausgangspunkt für den Besuch der prächtigen Bergwelt Oberbayerns.

In den **BAYERISCHEN ALPEN** liegen die ältesten und widerstandsfähigsten Gesteine (triassische Wetterstein- und Dachsteinkalke) im Süden und bilden hier die höchsten Gipfel: *Zugspitze*

(2963 m), *Watzmann* (2714 m). Nördlich vor diesen wildzerklüfteten Kalkbergen liegen weicher geformte Sandsteinhöhen, z. B. der Zwiesel bei Bad Tölz. Als in der mittleren Tertiärzeit das Urmeer schon zum Süßwassersumpf verlandet war, wurde die Molasse in Form von Konglomeraten (Nagelfluh), Tonen und Kohlen abgelagert. Diese Gesteine bauen westlich der Iller z.B. den Stuiben auf, weiter östlich nur die Vorberge in der Ebene wie den Auerberg und den Hohen Peißenberg.

In den **Allgäuer Alpen** bildet der harte Kalk nur die obersten Gipfel, so daß die Täler breiter sind und nicht so steile Hänge haben wie weiter östlich. Bei den *mittleren Bayerischen Alpen* erlaubte der Wechsel harter und weicher Schichten eine regelmäßige Faltung und die Ausbildung von ostwestlichen Längstälern und Längskämmen.

In den **Berchtesgadener Alpen** widerstanden die bis 2000 m mächtigen Dachsteinkalke der Faltung, und es blieben große Schollen wie die Reiter Alpe oder der Untersberg erhalten. Die Wasserlöslichkeit der Kalke ließ dagegen Karstformen entstehen, mit Karrenfeldern, Trichtern und Mulden (z.B. im Steinernen Meer).

Im allgemeinen sind die Höhenunterschiede eine Folge der Gebirgsfaltung, die Ausbildung des Talnetzes dagegen erfolgte durch die Arbeit des fließenden Wassers, dessen Verfrachtungskraft durch manche verschotterte Talsohle (Gries) besonders anschaulich gemacht wird. Die wesentlichste Formgestaltung im einzelnen erlitt das Gebiet aber durch die Eiszeit. Örtliche Gletscher arbeiteten aus den runden Bergformen die schroffen Gipfel heraus (z.B. die Pyramiden des Watzmanns und der Schönfeldspitze im Steinernen Meer) und hobelten Nischen (Kare) in die Flanken der Kämme, die z.T. kleine Hochseen enthalten oder sich zu großartigen runden Talschlüssen auswachsen (z.B. am Obersee beim Königssee). Aus den Zentralalpen kamen mächtige Eisströme, welche die Täler noch am Gebirgsrand bis 1500 m Meereshöhe erfüllten und sie ausschürften (z.B. Leisachtal bei Garmisch, Isartal bei Mittenwald). Dadurch entstanden auch die steilen, unten schuttbedeckten Talflanken, über denen die flachere Almenzone liegt.

Ramsau im Berchtesgadener Land

Die BEWOHNER waren in den ersten Jahrhunderten unserer Zeitrechnung romanisierte Kelten, die von den Deutschen als die 'Welschen' bezeichnet wurden, ein Name, der sich in der Form 'Walchen' mehrfach findet (z.B. Walchensee). Die endgültige Besiedlung durch germanische Stämme begann am Ende der Völkerwanderung. Seit Ende des 5. Jahrhunderts drangen Teile verschiedener Stämme hauptsächlich aus Böhmen (daher Bojoarier oder Bajuwaren) in das Gebiet zwischen Bayerischem Wald und Alpen ein und festigten sich hier zu dem Stamm der Bayern. Von Westdeutschland her erreichten die Schwaben um die Mitte des 6. Jahrhunderts den Lech, der in etwa die Grenze zwischen den schwäbischen Ortsnamen auf -ingen und den bayerischen auf -ing bildet.

Neben der ruhigeren Beharrlichkeit der Bayern gegenüber dem regsameren Geiste der Schwaben hat wohl hauptsächlich die größere Einheitlichkeit der Landschaft Oberbayerns gegenüber dem mehr in Einzellandschaften zerfallenden Südwestdeutschland dazu beigetragen, daß das Land des bayerischen Stammesherzogtums im Mittelalter nie in so zahlreiche Herrschaften zersplitterte war das benachbarte Schwaben. Dies bildete das Stammesbewußtsein der Bayern früher aus als das ihrer Nachbarn und festigte es zu starkem Selbstbewußtsein. Während bei den Schwaben fast sämtliche der zahlreichen Städte ehemals freie Reichsstädte waren, unterstanden die im bayerischen Gebiet ohnedies selteneren Städte meist den Herzögen. Altbayern erhielt sich mehr als andere Landschaften die kernige Eigenart des Bauernlandes.

Die VOLKSTRACHT hat sich in Oberbayern stärker als anderswo in Deutschland erhalten und ist selbst in München der Stadtkleidung nicht restlos gewichen. Lederne Kniehose, Tuchweste mit Silberknöpfen, Lodenjoppe mit Hirschhornknöpfen, grüner Hut mit Gamsbart oder anderen Jagdtrophäen kennzeichnen die Männerkleidung, silberverschnürtes schwarzes Mieder und Brusttuch die der Frauen, wobei mancherlei örtliche Verschiedenheiten vorkommen.

Auch die VOLKSKUNST ist hier noch lebenskräftig und steht in befruchtenden Wechselbeziehungen zur Kunstentwicklung Münchens. Neben den bemalten Leichenbrettern zur Totenaufbahrung oder den Marterln für Verunglückte denke man vor allem an den verzierten Hausrat und die bemalten Häuser. Für Holzschnitzerei ist besonders Oberammergau bekannt, für Spanschachteln Berchtesgaden, für Geigenbau seit über zwei Jahrhunderten Mittenwald.

Der am Herkommen festhaltende Sinn der Bayern hat manche alte BRÄUCHE bewahrt. Altbayern ist ein Kernland der kirchlichen Prozessionen, wie der verschiedenen Georgiritte und Leonhardifahrten und der Fronleichnamsprozessionen. Sehenswert ist im Herbst der Almabtrieb mit geschmücktem Vieh. Im Hochzeitsbrauchtum begegnet man noch vielfach dem geschmückten 'Kammerwagen' mit dem Heiratsgut der Braut. Die ursprüngliche Spielbegabung der Altbayern zeigt sich allenthalben in Gesang und Tanz mit der traditionellen Zitherbegleitung. Eine beliebte Eigenart bilden dabei die Jodler und die 'Schnaderhüpferl', deren oft schlagende Vierzeiler gerne als Neckverse aus dem Stegreif gesungen werden. Der Volkstanz des Schuhplattlers stellt eine Liebeswerbung dar. Neben den berühmten Oberammergauer Passionsspielen, einem Rest mittelalterlicher Mysterien, sind hier auch die Bauerntheater von Tegernsee und Schliersee sowie die Volksbühne in Kiefersfelden zu nennen.

Die HAUSFORM ist im Gebirge meist das sogenannte Alpenhaus, mit flachem, durch Steine be-

schwertem Dach, ein Einheitshaus mit Ställen für das Vieh im Erdgeschoß. Im Vorland dagegen haben die Häuser steilere Dächer; Wohnhaus und Wirtschaftsgebäude sind getrennt und umgeben oft geschlossen den viereckigen Hof. Die Städte am Inn und an der Salzach zeigen eine eigenartige italianisierende Bauweise der Häuser, die einen geraden Dachabschluß und Laubengänge haben.
Für die SIEDLUNGSFORM ist die Häufigkeit der Einzelhöfe, besonders im Moränengebiet des Vorlandes, kennzeichnend. Die Lage der Dörfer vermeidet gerne die niederste, der Überschwemmung ausgesetzte, im Winter nebelkalte Talsohle. Im Gebirge werden der höhere Rand der Talsohle oder der Schuttkegel eines Seitenbaches aufgesucht, im Vorland die Moränenhügel und die mittleren Terrassen.

Die **Bayerischen Alpen** wirken durch den steten Wechsel der Landschaft und der Formen. Geben den *Allgäuer Alpen* die steilen Matten und schöngestalteten Gipfel ihren Charakter, so fesselt das *Wettersteingebirge* durch seine schroffen Felswände und die Zugspitze, den höchsten Berg Deutschlands, der auch dem Nichtbergsteiger durch Bergbahnen erschlossen ist. Weiter östlich stehen die milden Formen der *Tegernseer Berge* den wuchtigen Kalkmassiven der *Berchtesgadener Alpen* (Alpen-Nationalpark) gegenüber.
Aus der Fülle der Luftkurorte, Sommerfrischen und Wintersportplätzen ragen drei besonders hervor: **Garmisch-Partenkirchen** mit seinen Bergbahnen und seinen Wintersportanlagen, **Berchtesgaden** mit dem stolzen *Watzmann* und dem malerischen *Königssee,* einem Glanzpunkt der deutschen Alpen, und **Oberstdorf** mit seinem großartigen Gebirgspanorama. Daneben sind *Füssen* wegen der nahen Königsschlösser *Hohenschwangau* und *Neuschwanstein,*

Oberammergau durch seine Passionsspiele, *Ettal* durch seine berühmte Benediktinerabtei und das nahe Schloß *Linderhof,* **Mittenwald** durch seinen Geigenbau und sein schönes Ortsbild, *Bayrischzell* wegen seines vorzüglichen Skigeländes, *Bad Tölz, Bad Wiessee* und *Bad Reichenhall* als Kurorte, *Kochel, Walchensee, Tegernsee* und *Schliersee* als Uferorte stimmungsvoller Gebirgsseen besonders bekannt. Die prächtige *Deutsche Alpenstraße* von Lindau nach Berchtesgaden verbindet alle diese Punkte.

Die ehemalige deutsche Hauptstadt **BERLIN,** im Zweiten Weltkrieg schwer getroffen und danach gespalten in einen westlichen und einen östlichen Teil, hat als Brennpunkt großer weltpolitischer Auseinandersetzungen eine erstaunliche Lebenskraft bewiesen und ist noch immer die größte Stadt Deutschlands, die mehr denn je einen Besuch verdient. Die geteilte Stadt liegt heute im Gebiet der Deutschen Demokratischen Republik und ist am einfachsten mit dem Flugzeug zu erreichen; aber auch der Berlinverkehr auf dem Landwege mit der Eisenbahn oder dem Kraftfahrzeug ist relativ problemfrei geworden. **Westberlin** zeigt sich trotz der isolierten Situation als eine kosmopolitisch pulsierende Weltstadt mit großem Industriepotential, einem reichen Angebot an kulturellen Institutionen und Veranstaltungen und einer Vielzahl moderner Bauten. Empfohlen sei auch eine Rundfahrt durch *Ostberlin* (Museumsinsel, Alexanderplatz, Fernsehturm, 'Unter den Linden' u.v.a.).

Klima

Die Bundesrepublik Deutschland liegt in der gemä-
ßigten Klimazone Mitteleuropas, wobei der mil-
dernde Einfluß des Golfstroms sie gegenüber anderen Gebieten gleicher geographischer Breite zusätzlich begünstigt. Dabei erfolgt ein allmählicher
Übergang von dem mehr ozeanisch geprägten
Nordwesten, mit milden Wintern und nur mäßig
warmen Sommern, zu dem kontinentaleren Osten
und Süden, mit größeren jahreszeitlichen Gegen-
sätzen. Die Temperaturzunahme nach Süden um
$1/_3°$ C pro Breitengrad wird durch die meist größere
Meereshöhe Süddeutschlands mehr als ausgegli-
chen. Nur in der breiten Oberrheinebene und den
größeren Seitentälern kommt die südlichere Lage
voll zur Geltung, so daß hier die höchsten Jahresmittel zu verzeichnen sind. Die Lage zwischen dem
Islandtief im Nordwesten (vorherrschende regen-
bringende Nordwestwinde), dem für gutes Wetter
verantwortlichen Azorenhoch im Südwesten (im
Sommer stark nach Norden verlagert) sowie dem
besonders im Winter fast ständig über Rußland la-
gernden Hochdruckgebiet und die fortwährende
Verschiebung dieser Bereiche machen das Wetter
in Mitteleuropa so unberechenbar.

Im Hinblick auf die **Temperaturen** bestehen erhebliche Unterschiede, je nach Überwiegen der einen
oder anderen zuvor genannten Komponente. Den in
der Bundesrepublik Deutschland ausgeprägtesten
ozeanischen Temperaturgang zeigt Helgoland
(41 m; Jahresmittel 8,4° C, Januar 1,8° C, Juli
15,5° C). Die sich aus dem Mittel des kältesten und
des wärmsten Monats ergebende Jahresamplitude
von 13,7° C ist Kennzeichen dieses ausgeglichenen
Klimas. Ein gutes Beispiel für das bereits mehr kon-
tinentale Klima in der Norddeutschen Tiefebene ist
Helmstedt (139 m; Jahr 8,4° C, Januar −1° C, Juli
16,3° C, Jahresamplitude 17,3° C). Noch kontinen-
taler ist Berlin (42 m; Jahr 8,8° C, Januar −1° C, Juli
17° C, Jahresamplitude 18,7° C). Höchste Jahres-
bzw. Julitemperatur hat unter den größeren Städten
Ludwigshafen im Oberrheintal (10,5 bzw. 19° C, Januar 1,7° C, Jahresamplitude 17,3° C); mit 2,5° C besitzt Köln das höchste Januarmittel (Jahr 10,2° C,
Juli 18° C, Jahresamplitude 15,5° C). Bei den Tem-
peraturwerten der höher gelegenen Orte der Mittelgebirge und Süddeutschlands ist die Temperatur-
abnahme von etwa $1/_2°$ C pro 100 Höhenmeter im
Jahresdurchschnitt zu berücksichtigen (Abnahme
im Winter 0,3–0,5° C, im Sommer 0,5–0,7° C). Beispiel für ein mehr ozeanisches Klima in Süddeutschland ist Stuttgart (267 m; Jahr 10° C, Januar
1,5° C, Juli 16,5° C, Jahresamplitude 16,5° C) und für
ein mehr kontinentales Klima München (529 m;
Jahr 7,4° C, Januar 2,6° C, Juli 16,5° C, Jahresamplitude 19,1° C). Die wegen der vorherrschenden
Westwinde stärker unter ozeanischem Einfluß stehenden Berggipfel haben eine Jahresamplitude wie
die deutschen Nordseeorte: Zugspitze (2962 m;
Jahr −5° C, Januar −11,7° C, Juli +2° C, Jahresamplitude wie Helgoland 13,7° C). − Ein gutes Krite-
rium für die Wärmeverhältnisse ist das Datum des
Beginns der Apfelblüte und damit des Frühlings: im
Oberrheintal zwischen Basel und Freiburg etwa
zwischen 10. und 20. April, am Neckar nördlich von

Stuttgart, im unteren Maintal sowie am Mittel- und
Niederrhein zwischen 25. und 30. April, schließlich
im inneren Schwarzwald, auf der Schwäbischen Alb
und im Hochsauerland erst zwischen 20. und 31.
Mai. − Die niedrigsten gemessenen Temperaturen
betragen auf Helgoland −15,6° C, in Hamburg
−21,1° C, in Freiburg im Breisgau −21,7° C, in Stuttgart −25° C, in Münsingen (Schwäbische, früher
'Rauhe' Alb) −31° C und auf der Zugspitze −36,6° C.

Die Höhe der **Niederschläge** nimmt in der Norddeutschen Tiefebene mit wachsender Entfernung
vom Meer leicht ab: Emden 738 mm, Hamburg
712 mm, Hannover 644 mm, Helmstedt 613 mm,
Berlin 527 mm im Jahr. Im übrigen hängt die Regenmenge von der Höhe des Ortes über dem Meere,
vor allem aber von seiner Lage zu den regenbringenden Westwinden ab (Luv = windzugewandte,
Lee = windabgewandte Seite). So ist das Rheintal
zwischen den Mittelgebirgen ausgesprochen
regenarm: Köln 660 mm, Mainz 515 mm, Karlsruhe
672 mm. Aber auch hier gibt es Unterschiede zwischen der Luv- und der Leeseite: Mannheim (Lee)
528 mm, Heidelberg (Luv) 718 mm. Auch in den Mittelgebirgen bestehen bei benachbarten Orten oft
große Unterschiede (z. B. Schwarzwald): Calw/Na-
gold (350 m) 738 mm, Freudenstadt (728 m)
1471 mm, Kniebis (904 m) 1679 mm, Feldberg
(1494 m) 1929 mm. Im südlichen Bayern ist die Lage
zu den Alpen entscheidend: Regensburg (343 m)
591 mm, Landshut (400 m) 698 mm, München
(529 m) 866 mm, Trostberg (493 m) 1065 mm,
Lechbruck (732 m) 1204 mm, Ettal (884 m)
1509 mm, Urfeld am Walchensee (857 m) 1812 mm,
Untersberg (1663 m) 1912 mm, Wendelstein
(1727 m) 2869 mm. In noch größerer Höhe nimmt
der Niederschlag wieder ab: Zugspitze (2962 m)
1350 mm (in niederschlagsreichen Wintern bis über
5 m Schnee). − Regen fällt zu allen Jahreszeiten, im
allgemeinen mit einem deutlichen Maximum im
Juli, weniger im Juni oder August, und einem Minimum im Februar, z. T. im März. Beispiele: Köln
(56 m) Jahresdurchschnitt 660 mm, Minimum Februar 42 mm, Maximum Juli 77 mm; Stuttgart
(267 m) Jahr 673 mm, Minimum Februar 34 mm,
Maximum Juni 84 mm. Im Bereich der Nordsee sind
die Regenfälle im Herbst und Winter häufiger (auch
viele Nebeltage und steife Winde), im Sommer aber
ergiebiger (Maximum August). Das Frühjahr ist
sonnenreich. Auf den Inseln Helgoland und Sylt
regnet es am meisten im Oktober. Auf manchen Mit-
telgebirgshöhen gibt es ein Wintermaximum: Kahler Asten (848 m) Jahr 1438 mm, Minimum Mai
95 mm, Maximum Dezember und Januar je 150 mm;
Feldberg im Schwarzwald (1494 m) Jahr 1929 mm,
Minimum April 135 mm, Maximum Dezember
185 mm. − Bei heftigen und anhaltenden Regenfäl-
len kann gelegentlich innerhalb von 24 Stunden die
durchschnittliche Regenmenge eines ganzen Monats oder mehr fallen, wobei es nicht selten zu kata-
strophalen Überschwemmungen kommt (Ende Mai
1978 in Südwestdeutschland bis 100 mm an einem
Tag).

Bezeichnende klimatische Erscheinungen sind bei
Hochdruck die winterliche Temperaturumkehr im
Gebirge (sonnige Gipfel über einem oft im Nebel
liegenden 'Kältesee' in den Tälern und flachen Bek-
ken; oben bis 10° C wärmer als unten) sowie der
Föhn, der bei tiefem Druck in Südbayern und Ober-
schwaben als warmer trockener Fallwind von den
Alpenketten hinabstreicht und im Frühjahr den
Schnee 'frißt' (Erwärmung um 1° C auf 100 m).

Sonnenschein

Durchschnittlich

- ■ 1900–2000
- □ 1700–1900
- □ 1500–1700
- □ 1300–1500

Stunden Sonnenschein
im Jahr

Die Karte zeigt die zusammenhängenden Räume sowie Inseln mit annähernd gleicher jahresdurchschnittlicher Sonnenscheindauer in der Bundesrepublik Deutschland.

Als in dieser Hinsicht besonders bevorzugte Gegenden lassen sich daraus das Nordende des Oberrheingrabens und ein Einsprengsel in der südlichen Schwäbischen Alb ablesen.

Geschichte

Ur- und Vorgeschichte. – In der Altsteinzeit (ca. 600 000–10 000 v. Chr.) lebt der Mensch in Horden als Jäger, Sammler und Fischer; er formt sich Werkzeuge und Waffen aus Stein, Holz oder Knochen und wohnt in Zelten, Hütten oder Höhlen.

500 000–150 000 Die ältesten bekannten menschlichen Funde auf deutschem Gebiet sind der Unterkiefer des 'Homo heidelbergensis' von Mauer bei Heidelberg, der Schädel von Steinheim an der Murr und das Skelett des 'Neandertalers' aus dem Neandertal bei Düsseldorf.

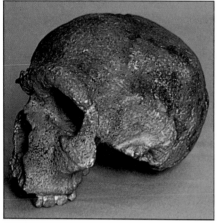

Steinheimer Schädel

8000–1800 Übergang zur Anlage von Siedlungen, Blockhütten, 'Pfahlbauten' (am Bodensee), zu Akkerbau und Viehzucht; Beginn von Handel und Verkehr; 'Hünengräber' in der Lüneburger Heide.

1800–750 Bronzezeit in Mitteleuropa; bevorzugte Werkstoffe sind Bronze, Bernstein und Gold. Hügelgräberkultur.

Um 1000 Beginn der Eisenzeit in Europa.

800–400 Erste mitteleuropäische Kultur (La-Tène-Kultur) durch die **Kelten** (zunächst im süddeutschen Raum, dann auch große europäische Wanderungen); Burgenbau (Heuneburg bei Sigmaringen).

800–70 Vordringen der **Germanen** von Schleswig-Holstein gegen keltisches Gebiet; Ausdehnung bis zur Oder, zum Rhein und nach Süddeutschland.

Um 58 v. Chr. Der Rhein wird durch die Kriege der **Römer** (erste Berichte über Germanien in Cäsars "De bello Gallico") zur Nordostgrenze des Römischen Reiches; Romanisierung der linksrheinischen Gebiete.

Nach 40 v. Chr. Sicherung der Rheinlinie durch Kastelle in Köln, Trier, Koblenz, Mainz u. a.

9 n. Chr. Niederlage der Römer unter *Varus* gegen den Cheruskerfürsten *Arminius* im Teutoburger Wald; Germanien bis zum Rhein und zur Donau befreit.

Seit 90 n. Chr. Bau des obergermanisch-rätischen LIMES (550 km langer Grenzwall zwischen Rhein und Donau) gegen Germanenvorstöße; Errichtung von zahlreichen Kastellen: Wiesbaden, Augsburg, Regensburg, Passau u. v. a.

Seit 200 Entstehung größerer westgermanischer Stämme: Alamannen, Franken, Chatten, Bayern, Sachsen, Friesen, Thüringer und Langobarden.

Um 260 Germanen durchbrechen Limes und Donaugrenze.

Von der Völkerwanderung bis zum Ende des Karolingerreiches (300–918). – Mit dem Vorstoß der Hunnen (um 375) nach Europa beginnt die eigentliche Völkerwanderung, die eine tiefgreifende Umgestaltung der Karte Europas hervorruft. Die Ostgermanen zerstören das Weströmische Reich (476), ihre Staatsgründungen auf fremdem Boden bleiben aber nur kurze Zeit erhalten. Westgermanische Völkerschaften dringen in das römische Reichsgebiet ein, ohne den Rückhalt an ihre alten Stammgebiete aufzugeben. Aus der Verschmelzung des Germanentums mit der christlichen Kirche, die zugleich mit ihrer Lehre die Kulturtradition der Antike vermittelt, entsteht die mittelalterliche Lebensform des Abendlandes.

481–511 Durch die Einigung der **Franken** und die Eroberung Galliens wird der Merowingerkönig *Chlodwig* zum Begründer des Frankenreiches; Stärkung des Zusammengehörigkeitsgefühls zwischen Germanen und Romanen.

496 Die Franken unterwerfen die Alamannen, werden katholisch und erfahren so die Unterstützung durch die Kirche.

Seit 600 Christianisierung der Germanen durch iro-schottische Mönche; Klostergründungen bei Würzburg, in Regensburg, auf der Insel Reichenau u. a.

Seit 720 Planvolle Missionspolitik im Merowingerreich durch den Angelsachsen *Bonifatius;* Klostergründungen in Fritzlar, Fulda u. a.; Errichtung von Bistümern in päpstlichem Auftrag.

751 Annahme des Königstitels durch *Pippin* (Majordomus des Merowingerreiches), Salbung durch die Kirche; Übernahme des Schutzes der Päpste durch die Frankenkönige; Beginn der Italienpolitik des Reiches.

772–814 Ausdehnung des Karolingerreiches durch **Karl den Großen** auf Oberitalien und die Gebiete aller westgermanischen Stämme (Sachsen, Bayern).

800 Bestätigung der Macht Karls d. Gr. im westlichen Europa durch die Kaiserkrönung in Rom; Erneuerung des Römerreiches. – Gliederung des Frankenreiches in Grafschaften; Sicherung nach außen durch Grenzmarken; Kaiserpfalzen (Aachen, Ingelheim, Worms, Nimwegen u. a.) werden zu wirtschaftlichen und kulturellen Zentren. Karolingische Renaissance: Wiederbelebung der griechischen und römischen Kultur; Förderung von Bildung und Wissenschaft.

Das Deutsche Reich im Mittelalter bis zur Reformation (ca. 919–1517). – In dem Kampf, der sich zwischen den höchsten geistlichen und der höchsten weltlichen Gewalt – zwischen Papst und Kaiser – entzündet, unterliegt der Kaiser; es werden aber zugleich die Grundlagen der Kirchenherrschaft untergraben, da die Päpste die Verweltlichung der Kirche herbeiführen.

843–880 Mehrmalige Teilungen des Karolingerreiches; Entstehung des Deutschen Reiches aus dem Ostfrankenreich.

919–936 Einigung der deutschen Stämme (Franken, Sachsen, Schwaben und Bayern) unter dem Sachsenherzog *Heinrich* als König; erstmalige Verwendung der Bezeichnung R e i c h d e r D e u t s c h e n ('Regnum Teutonicorum') für das ostfränkische Königreich.

936–973 *Otto der Große,* 936 in Aachen zum König gekrönt, stärkt die Königsgewalt durch Einsetzung von Bischöfen und Äbten zu Reichsfürsten; Gründung der Reichskirche.

951 Otto gewinnt die langobardische Königskrone durch Heirat mit der verwitweten Königin *Adelheid.*

955 Entscheidender Sieg über die Ungarn auf dem Lechfeld bei Augsburg; Unterwerfung der Slawen zwischen Elbe und Oder.

962 Kaiserkrönung Ottos I. in Rom; starker Einfluß auf das Papsttum. – E r s t e d e u t s c h e K u l t u r - b l ü t e unter großem Anteil der Frauen (Mathilde, Adelheid, Theophano, Hrotsvitha von Gandersheim u. a.); Klöster als Kulturzentren; Blüte der romanischen Baukunst (Mainz, Speyer, Hildesheim u. a.).

Um 1000 Erneuerung des Klosterlebens und Gründung neuer Klöster von Cluny aus (in Deutschland v. a. Hirsau im Schwarzwald).

1033 Vereinigung des Königreiches Burgund mit dem Deutschen Reich.

1039–1056 Unter *Heinrich III.* Unterstützung der cluniazensischen Kirchenreform: Gottesfrieden, Verbot von Simonie (Kauf von geistlichen Ämtern) und Priesterehe; Höhepunkt der kaiserlichen über die päpstliche Gewalt. Bau der Pfalz in Goslar.

Seit 1075 I n v e s t i t u r s t r e i t zwischen *Heinrich IV.* und *Gregor VII.* um die Besetzung der Kirchenämter.

1077 Gang Heinrichs IV. nach Canossa.

1122 Vorläufige Einigung zwischen König *Heinrich V.* und dem Papst durch das Wormser Konkordat. – Folgen des Investiturstreites sind Erschütterung des ottonischen Reichskirchensystems und Stärkung der Macht der weltlichen Fürsten in Deutschland.

1096–1291 Zeit der K r e u z z ü g e. Gründung geistlicher Ritterorden: Tempelherren, Johanniter, Deutscher Orden. Herausbildung eines an gemeinsamen Idealen und Zielen orientierten europäischen Adelsstandes (bes. des Rittertums); Kultur- und Handelsaustausch mit dem Orient.

1152–1190 Kaiser *Friedrich I.* **Barbarossa** aus dem Geschlecht der Staufer. Stärkung der Stellung des Reiches; Ausgleich zwischen Staufern und Welfen durch die Verleihung des Herzogtums Bayern an *Heinrich den Löwen;* Abtrennung Österreichs als selbständiges Herzogtum; Wiederaufnahme der ottonischen und salischen Italienpolitik und der deutschen Ostkolonisation.

1177 Aussöhnung zwischen Kaiser und Papst in Venedig.

1180 Ächtung Heinrichs des Löwen: Verleihung Bayerns an *Otto von Wittelsbach* (Wittelsbacher bis 1918 in Bayern) und Teilung Sachsens; Rückschlag für die Ostkolonisation.

1184–1186 Höhepunkte des staufischen Kaisertums unter Barbarossa sind das Reichsfest zu Mainz und die Mailänder Hochzeit seines Sohnes Heinrich mit der normannischen Königstochter Konstanze von Sizilien. – Überwindung des Feu-

dalismus durch Einsetzung von Ministerialen (Unfreie) in die Verwaltung. – Blütezeit der ritterlichen Kultur: Schwertleite, Minnedienst, höfisches Burgleben, Blütezeit der epischen Dichtung und des Minnesangs (Nibelungenlied, Wolfram von Eschenbach, Gottfried von Straßburg, Hartmann von der Aue, Walther von der Vogelweide).

1250–1450 Gotische Dombauten in Freiburg (Brsg.), Marburg, Straßburg und Köln u. a.

1212–1250 *Friedrich II.* baut einen modernen Beamtenstaat in Sizilien auf. Endgültige Überlassung wichtiger Landesherrenrechte an geistliche und weltliche Fürsten; daher Entstehung selbständiger Territorialstaaten. Kräfteverschleiß im Kampf mit dem Papsttum. – Baldiger Zusammenbruch der staufischen Herrschaft nach Friedrichs II. Tod und Interregnum im Reich (kaiserlose Zeit).

Seit 1100 Gründung neuer Städte bei Pfalzen, Burgen, Bischofssitzen, Klöstern; es entwickeln sich bürgerliche Freiheiten in der Stadt im Gegensatz zur Hörigkeit der Landbevölkerung; strikte Marktordnungen; Beherrschung der Städte durch Patrizier (Fernkaufleute); Zusammenschluß der Handwerker mit strenger Zunftordnung; Kämpfe der G i l d e n und Z ü n f t e um die Stadtherrschaft. Intensivierung des Fernhandels nach Osten und Norden; Zusammenschluß der Handelsstädte zur **Hanse** unter dem Vorsitz Lübecks; Kampf gegen Seeräuber; Niedergang der Hanse im 15. Jahrhundert. O s t k o l o n i s a t i o n deutscher Siedler (Bauern, Bürger, Ordensleute) in die dünn von Slawen besiedelten Gebiete östlich der Oder (Böhmen, Schlesien, Pommern, Polen); es entstehen Städte und Dörfer nach deutschem Recht.

Zwischen 1220 und 1235 *Eike von Repgau* verfaßt den ˙Sachsenspiegel˙, das älteste Rechtsbuch des deutschen Mittelalters (zunächst lateinisch, dann niederdeutsch).

Seite aus dem Sachsenspiegel

1226 Unterwerfung und Christianisierung Preußens durch den Deutschritterorden.

1346–1378 *Karl IV.* (von Luxemburg) erstrebt die

Erneuerung des Königtums durch eine starke Hausmacht; Ostraumpolitik.

Um 1350 Pestseuchen in Europa; Judenverfolgungen aus religiösen und wirtschaftlichen Motiven.

1356 Goldene Bulle: Übertragung der Königswahl an sieben Kurfürsten (Erzbischöfe von Mainz, Trier und Köln, König von Böhmen, Pfalzgraf bei Rhein, Herzog von Sachsen, Markgraf von Brandenburg).

1300–1648 Landverluste des Reiches an allen Grenzen (Schweiz, Schleswig-Holstein, Westpreußen, niederländische Provinzen).

1493–1519 Reichsreform unter *Maximilian I.*: Reichskammergericht, Reichssteuer, wachsender Einfluß des Reichstages; Reformen scheitern aber an der territorialen Aufsplitterung des Reiches.

Seit 1400 verarmt der Ritterstand durch das Einsetzen von Söldnerheeren und Fußtruppen; Beginn des Raubrittertums.

1300–1500 Universitätsgründungen in Prag, Wien, Heidelberg, Köln, Leipzig und Rostock.

Seit 1400 **Beginn der Neuzeit** durch tiefgreifende geistige, politische und wirtschaftliche Veränderungen. Anfänge der Naturwissenschaften; *Kopernikus* begründet die neuzeitliche Astronomie. Um 1450 erfindet *Gutenberg* in Mainz den Druck mit beweglichen Lettern.
Beginn des H u m a n i s m u s in Deutschland: Wiederentdeckung der antiken Literatur; Hinwendung zur Welt und zur Natur (deutsche Humanisten: U. von Hutten, J. Reuchlin, J. Wimpheling, Ph. Melanchthon).
R e n a i s s a n c e : Wiedergeburt der antiken Kunst (Architektur und Bildhauerei); die Schönheit in der Natur wie auch das Individuelle in der menschlichen Persönlichkeit werden entdeckt (deutsche Maler: A. Dürer, H. Holbein d. J.).
Wachsender P a r t i k u l a r i s m u s der Fürsten gegen das Übergewicht der Habsburger; soziale Unzufriedenheit der Ritter und Bauern infolge der Geldwirtschaft; Änderung des Kriegswesens durch die zunehmende Verwendung von Feuerwaffen; wirtschaftliche Macht der Städte.
Beginn des F r ü h k a p i t a l i s m u s : Aufstieg der **Fugger** durch Handel und Geldgeschäfte; Financiers geistlicher und weltlicher Fürsten.

Von der Reformation bis zum Ende des Heiligen Römischen Reiches Deutscher Nation (ca. 1517–1815). – Die R e f o r m a t i o n vernichtet die Einheit der römischen Kirche, so wie der um dieselbe Zeit erstarkende Fürstenstaat die Freiheit des Adels und des Bürgertums beseitigt. Allmählich bildet sich der fürstliche A b s o l u t i s m u s heraus, so daß die Macht des Kaisers auf seine Hausmacht beschränkt wird und das Deutsche Reich in eine Vielzahl von Territorialstaaten zerfällt.

Um 1500 Kennzeichnend für das religiöse Leben in Deutschland ist die Kritik an den Mißständen der Kirche; Wunsch nach kirchlichen Reformen; Volksfrömmigkeit gemischt mit Aberglauben.

1517 Beginn der **Reformation,** ausgelöst durch *Luthers* Anschlag von 95 Thesen in Wittenberg gegen den Mißbrauch des Ablasses.

1521 Ächtung Luthers auf dem Wormser Reichstag. Begünstigt durch die Kämpfe Kaiser Karls V. gegen Frankreich und die Türken, breitet sich die Reformation rasch aus. Luthers Bibelübersetzung wird zur Grundlage der neuhochdeutschen Schriftsprache.

1522 Kampf Luthers gegen Wiedertäufer und Bilderstürmer; vergebliche Erhebung der unzufriedenen Reichsritter unter Franz von Sickingen.

1524–1525 B a u e r n k r i e g e in Schwaben, Franken (Götz von Berlichingen, Florian Geyer) und Thüringen (Thomas Münzer) gegen Fürsten und Herren; Niederschlagung durch die Landesherren.

1546–1547 S c h m a l k a l d i s c h e r K r i e g zwischen Kaiser Karl V. und den Protestanten.

1555 Augsburger Religionsfrieden: Anerkennung des lutherischen Glaubensbekenntnisses, Bestimmung der Konfession durch den Landesherren ("cuius regio, eius religio").

1556 Abdankung Karls V.; Teilung des habsburgischen Weltreiches.

Seit 1545 Beginn der G e g e n r e f o r m a t i o n in Deutschland: Hauptträger ist der von dem Spanier Ignatius von Loyola gegründete Jesuitenorden. Mittel- und Norddeutschland fast gänzlich protestantisch, West- und Süddeutschland überwiegend katholisch.

1608–1609 Bildung der protestantischen Union und der katholischen Liga.

1618–1648 **Dreißigjähriger Krieg.** Ursachen sind der Gegensatz zwischen Katholiken und Protestanten, die Kämpfe der Reichsstände um größere Macht und das Streben des habsburgischen Kaisers nach religiöser und politischer Einheit des Reiches. Auslösung des Krieges durch die Erhebung des protestantischen Adels in Böhmen gegen den Kaiser ('Prager Fenstersturz'). Ausweitung der Auseinandersetzungen durch das Eingreifen des dänischen Königs *Christian IV.,* des Spanier, des schwedischen Königs *Gustav II. Adolf* und der Franzosen unter Kardinal *Richelieu* zu einem europäischen Krieg. Deutschland ist Hauptkriegsschauplatz und Schlachtfeld für den Endkampf zwischen Frankreich und Habsburg um die Vormacht in Europa. Zerstörung weiter Gebiete; große Bevölkerungsverluste (etwa ein Drittel); allgemeine Verarmung.

1648 Westfälischer Frieden (zu Münster und Osnabrück): Entschädigungen an Frankreich und Schweden; Ausscheiden der Niederlande und der Schweiz aus dem Reichsverband; Niedergang der kaiserlichen Macht; Aufstieg des brandenburgisch-preußischen Staates.

1678–1681 *Ludwig XIV.* erobert Teile des Elsasses und von Lothringen.

1688–1697 Erfolgloser Krieg Ludwig XIV. gegen die Pfalz; große Verwüstungen (Heidelberger Schloß, Speyer, Worms). Übernahme der französischen Sprache und Kultur an den deutschen Fürstenhöfen und beim Adel.

1683 Sieg der Deutschen und Polen über die Türken vor Wien unter *Prinz Eugen;* Wiedereroberung Ungarns; deutsche Siedlung im Banat; Aufstieg Österreichs unter den Habsburgern zur Großmacht.

1640–1688 Aufstieg Brandenburg-Preußens durch den *Großen Kurfürsten Friedrich Wilhelm.* Durchsetzung des A b s o l u t i s m u s.

1701 Krönung des Kurfürsten *Friedrich von Brandenburg* zum 'König in Preußen'.

1713–1740 Schaffung eines straff zentralisierten Beamtenstaates unter *Friedrich Wilhelm I.,* dem 'Soldatenkönig'.

18. Jahrhundert Entfaltung von Barock und Rokoko (Berliner Schloß, Dresdener Zwinger; bedeutende Musiker: Bach, Händel, Telemann, Haydn, Mozart). – Zeitalter der **Aufklärung** (Fortschrittsglauben, Toleranz, Menschenrechte); Dichter der deutschen Klassik (Herder, Goethe, Schiller).

1740–1748 *Maria Theresia* kämpft um die Anerkennung ihrer Thronfolge im Österreichischen Erbfolgekrieg. Verlust Schlesiens an **Friedrich II. den Großen** von Preußen (1740–86) in den Schlesischen Kriegen und im Siebenjährigen Krieg (1756–63).

1763 Friede von Hubertusburg zwischen Österreich, Preußen und Sachsen: Aufstieg Preußens zur europäischen Großmacht; Beginn des preußisch-österreichischen Machtgegensatzes (deutscher Dualismus).

Nach 1763 Durchsetzung des 'aufgeklärten Absolutismus' in Preußen und Österreich gegen den Widerstand der Stände (Fürst 'Erster Diener des Staates'); Wirtschaftsförderung; Ausbau des Rechtes (Abschaffung der Folter; Verbesserung der Rechtsstellung der Juden); erste Bauernbefreiungen; Förderung des Schulwesens.

1795 Friede von Basel zwischen Frankreich und Preußen: Abtretung des linken Rheinufers an das revolutionäre Frankreich; Neutralität Preußens; Fortsetzung des Kampfes durch Österreich.

1803 Reichsdeputationshauptschluß in Regensburg. Beseitigung fast aller geistlichen und kleineren weltlichen Staaten und der meisten Reichsstädte durch **Napoleon;** Bildung deutscher Mittelstaaten im Südwesten; Ausdehnung Preußens.

1806 Gründung des Rheinbundes unter dem Protektorat Napoleons; Auflösung des Heiligen Römischen Reiches Deutscher Nation. Niederlage Preußens bei Jena und Auerstedt.

1807 Friede von Tilsit: Abtretung aller preußischen Besitzungen westlich der Elbe; Errichtung des Königreiches Westfalen durch Napoleons Bruder *Jérôme.*

1808–1812 Wiederaufbau Preußens: Städteordnung, Bauernbefreiung, Gewerbefreiheit, Judenemanzipation, Heeresreform (Frh. vom Stein, Hardenberg, Scharnhorst, Gneisenau).

1813 Auslösung der Befreiungskriege durch den Untergang der Armee Napoleons in Rußland (1812); Deutschland nach der Völkerschlacht bei Leipzig befreit; Ende des Rheinbundes.

1815 Endgültiger Sieg über Napoleon bei Waterloo unter Wellington und *Blücher.*

1814–1815 **Wiener Kongreß** zur Neuordnung Europas unter Leitung des Fürsten *Metternich* (Österreich). Politische Prinzipien: Restauration, Legitimität und Solidarität der Fürsten zur Abwehr revolutionärer und nationaler Ideen. – Gründung des Deutschen Bundes (39 Staaten = 35 Fürsten und 4 freie Städte) unter Österreichs Leitung; Sitz des Bundestages in Frankfurt am Main.

Die Zeit der Restauration bis zum Ersten Weltkrieg (1815–1914). – Die Geschichte des 19. Jahrhunderts wird vor allem bestimmt durch die Auswirkungen der Französischen Revolution und der fortschreitenden Industriellen Revolution. Träger des Liberalismus und Nationalismus ist das Bürgertum. Aus der bürgerlich-kapitalistischen Welt geht die Arbeiterfrage hervor.

1817 Wartburgfest der deutschen Studenten; Verbrennung reaktionärer Schriften.

1819 Karlsbader Beschlüsse: Einführung der Zensur, Beaufsichtigung der Universitäten. 'Demagogenverfolgung' (Arndt, Jahn, Görres).

1825 Erste Dampfschiffahrt auf dem Rhein.

1833 *Gauß* und *Weber* konstruieren den ersten Telegraphen.

1834 Gründung des deutschen Zollvereins zwischen Preußen und den meisten deutschen Staaten (ohne Österreich).

1835 Erste deutsche Eisenbahn zwischen Nürnberg und Fürth.

1847/48 *Marx* und *Engels* verfassen das Kommunistische Manifest, das jedoch erst später bedeutsam wird.

1848 **Märzrevolution** in den deutschen Ländern. Im Mai tritt die Deutsche Nationalversammlung in der Frankfurter Paulskirche zur Ausarbeitung einer deutschen Reichsverfassung zusammen. – Gründung der HAPAG.

1849 Scheitern der 48er Revolution: Ablehnung der Kaiserkrone durch den König von Preußen *Friedrich Wilhelm IV.;* Auflösung des Frankfurter Parlaments und militärische Unterdrückung der Aufstände durch die Fürsten; Wiederherstellung des Deutschen Bundes.

Nach 1850 Zunehmende Kapitalbildung (Aktiengesellschaften). Aufsteigen des Bürgertums in wirtschaftlicher, politischer und sozialer Beziehung; Entstehung eines besitzlosen Proletariates.

1857 Norddeutscher Lloyd in Bremen gegründet.

1862 Fürst *Bismarck* wird preußischer Ministerpräsident.

1864 Krieg Preußens und Österreichs gegen Dänemark um Schleswig-Holstein.

1866 Preußisch-Österreichischer Krieg; Sieg der Preußen bei Königgrätz. – *Siemens* konstruiert die erste Dynamomaschine.

1867 Gründung des Norddeutschen Bundes unter Führung Preußens; Schutz- und Trutzbündnisse Preußens mit den süddeutschen Staaten; Ausscheiden Österreichs.

1870/71 Deutsch-Französischer Krieg: Nach der französischen Niederlage bei Sedan verhindert der Verlust des Elsasses und Lothringens die deutsch-französische Verständigung.

1871 **Deutsches Reich** in Schloß von Versailles als Bundesstaat gegründet (kleindeutsche Lösung).

1872–1878 'Kulturkampf' zwischen Staat und katholischer Kirche in Preußen und dem Deutschen Reich.

1875 Gründung der Sozialistischen Arbeiterpartei Deutschlands ('Gothaer Programm').

1878 Vergebliche Bekämpfung der Sozialdemokratie durch Bismarck. – Berliner Kongreß zur Erhaltung des Friedens in Europa unter Bismarck als 'ehrlichem Makler'.

1879 Zweibund Deutschlands mit Österreich-Ungarn.

1882 Dreibund Deutschland-Österreich/Ungarn-Italien.

1883–1889 Einführung der Sozialversicherungen.

1884–1885 Streben des Kaisers *Wilhelm II.* nach Weltgeltung ("ein Platz an der Sonne"); Gründung deutscher K o l o n i e n in Südwestafrika, Kamerun, Togo, Ostafrika u. a.

1885 *Daimler* und *Benz* bauen unabhängig voneinander einen Benzinmotor.

1887 Rückversicherungsvertrag zwischen Deutschland und Rußland.

1890 Entlassung Bismarcks wegen sachlicher und persönlicher Differenzen mit Kaiser Wilhelm II.

1893 *Diesel* entwickelt den nach ihm benannten Motor.

1895 Eröffnung des Kaiser-Wilhelm-Kanals zwischen Nord- und Ostsee.

Seit 1898 Am Flottenbauprogramm des Admirals *Tirpitz* scheitern die deutsch-britischen Bündnisverhandlungen. Wachsende Isolierung Deutschlands.

1900 Bürgerliches Gesetzbuch (BGB).

1907 Erste Fahrt des vom Grafen *Zeppelin* in Friedrichshafen erbauten lenkbaren Luftschiffes.

Vom Ersten Weltkrieg bis zur heutigen Zeit (1914–1978). – Die imperialistische Machtpolitik und die Überspannung nationalistischer Interessen lösen 1914 den E r s t e n W e l t k r i e g aus, der durch seine Folgeerscheinungen zur Keimzelle erneuter politischer Spannungen zwischen den europäischen Staaten wird. Unter dem Druck wirtschaftlicher Not wachsen neue Ideologien, insbesondere in Italien und Deutschland und führen durch rücksichtslose Politik der autoritären Mächte zum Z w e i t e n W e l t k r i e g, dessen katastrophale Folgen eine noch tiefer greifende Wandlung der gesamten politischen Weltsituation hervorrufen als der Erste Weltkrieg. Das politische Gewicht verschiebt sich zugunsten der USA und der UdSSR, während Europa an Bedeutung verliert. Die unüberbrückbaren G e g e n s ä t z e d e r W e l t m ä c h t e verhindern die Schaffung einer neuen politischen Ordnung und die friedliche Zusammenarbeit zwischen den Völkern.

1914–1918 **Erster Weltkrieg.** Anlaß ist die Ermordung des österreichischen Thronfolgerpaares im serbischen Sarajevo (28.6.). Ursachen sind machtpolitische Gegensätze im europäischen Staatensystem, Rüstungswettlauf, deutsch-britische Rivalität, Schwierigkeiten des österreichisch-ungarischen Vielvölkerstaates, Rußlands Balkanpolitik sowie überstürzte Mobilmachungen und Ultimaten. Am 1. August 1914 erfolgt die Kriegserklärung des Deutschen Reiches an Rußland, am 3.8. an Frankreich. – Kämpfe in West-, Süd- und Osteuropa, in Vorderasien und in den deutschen Kolonien; Stellungskrieg mit blutigen Materialschlachten im Westen; keine entscheidenden Siege im Osten; starke Auswirkungen der britischen Blockade auf die deutsche Rohstoff- und Lebensmittelversorgung.

1917 Wendepunkt des Krieges durch das Eingreifen der USA.

1918 Friedensvertrag Deutschlands mit Rußland in Brest-Litowsk. – R e v o l u t i o n i n D e u t s c h l a n d (9.11.); Abdankung des Kaisers und Rücktritt aller deutscher Fürsten; Ausrufung der **Republik** durch den Sozialdemokraten *Scheidemann*. Waffenstillstand in Compiègne (11.11.) – Parteigründungen: Kommunistische Partei Deutschlands

(KPD, Dez. 1918), Deutsche Arbeiterpartei (Jan. 1919; ab 1920 NSDAP).

28. Juni 1919 Versailler Friedensvertrag: Verlust von Elsaß-Lothringen, Eupen-Malmédy, Nordschleswig, Posen, Westpreußen, des Memelgebietes, von Oberschlesien und des gesamten Kolonialbesitzes; Besetzung der Rheinlande und des Saargebietes; Beschränkung der Landheeres (100 000 Soldaten) und der Marine; Verbot der Luftwaffe; Anerkennung der alleinigen Kriegsschuld; Reparationen in unbestimmter Höhe u. a. m.

11. August 1919 Weimarer Verfassung; *Ebert* wird erster Reichspräsident (bis 1925).

1920 Kapp-Putsch und kommunistische Unruhen in Mitteldeutschland und im Ruhrgebiet.

1922 Vertrag von Rapallo zwischen Deutschland und der Sowjetunion: Wiederaufnahme diplomatischer Beziehungen.

1923 'Passiver Widerstand' gegen die französische Besetzung des Ruhrgebietes. – I n f l a t i o n ; Erschütterung des Vertrauens in die demokratische Regierung. – Hitler-Putsch in München; Verbot der nationalsozialistischen Partei (bis 1925).

1925 Feldmarschall *Hindenburg* zum Reichspräsidenten gewählt. Vertrag von Locarno: Garantie für den Frieden gegenüber Frankreich. – Eröffnung des Deutschen Museums in München.

1926 Deutschland wird in den V ö l k e r b u n d aufgenommen.

1929 Beginn der W e l t w i r t s c h a f t s k r i s e .

1930–1932 Präsidialregierung *Brüning*: Notverordnungen; Anwachsen der Arbeitslosenzahl (über 6 Mio.) und der radikalen Parteien.

30. Januar 1933 E n d e d e r W e i m a r e r R e p u b l i k : Hindenburg ernennt *Adolf Hitler* zum Reichskanzler. Reichstagsbrand in Berlin (27.2.); Aufhebung der Grundrechte durch die 'Notverordnung zum Schutze von Volk und Staat'. 'Ermächtigungsgesetz' (24.3.): Übertragung der Gesetzgebung an Hitlers Reichsregierung; Errichtung des totalitären Führer- und Einheitsstaates (Auflösung der Länder, Parteien und Gewerkschaften); Ende des Rechtsstaates (Religions- und Kirchenfeindschaft, Judenverfolgung, Bekämpfung aller Andersdenkenden, Einrichtung von Konzentrationslagern). – Im Oktober verläßt Deutschland den Völkerbund.

1934 Erschießung von *Röhm*, SA-Führern und politischer Gegner (Juni); Beginn des SS-Staates.

1935 'Nürnberger Rassengesetze' gegen jüdische Bürger (Verbot der Eheschließung zwischen Juden und Deutschen; Verlust der deutschen Staatsbürgerschaft). – Allgemeine Wehrpflicht; offene Aufrüstung.

1936 Einmarsch deutscher Truppen in das entmilitarisierte Rheinland. Deutsch-italienischer Vertrag ('Achse Berlin – Rom'; Oktober); Antikominternpakt mit Japan (November). – Olympische Spiele in Berlin und Garmisch-Partenkirchen.

1938 'A n s c h l u ß' Österreichs an Deutschland (März). Münchener Abkommen: Abtretung der sudetendeutschen Gebiete an das Deutsche Reich (September).

1939 Unterwerfung des Restgebietes der Tschechoslowakei ('Reichsprotektorat Böhmen und Mähren'; März). Militärbündnis zwischen Deutschland und Italien ('Stahlpakt'; Mai).

Deutsch-sowjetischer Nichtangriffspakt (August).

1939–1945 Zweiter Weltkrieg. Am 1. September 'Blitzkrieg' gegen Polen.

1940 Deutsche Besetzung Dänemarks, Norwegens, der Niederlande, Belgiens, Luxemburgs und Frankreichs; Beginn der Luftschlacht um England.

1941 Deutsche Truppen in Nordafrika (Februar). Eroberung Jugoslawiens und Griechenlands (April). Deutscher Angriff auf die Sowjetunion (Juni). Wendepunkt durch den Kriegseintritt der USA (Dezember).

1941–1945 Planmäßige Ermordung von etwa 6 Mio. Juden (412 KZ); Tötung von Geisteskranken und politischen Gegnern.

1943 Kapitulation der 6. deutschen Armee in Stalingrad (Februar); Rückzug aus Rußland und Nordafrika; verheerende Luftangriffe auf deutsche Städte.

1944 Landung der Alliierten in Nordfrankreich (Juni). Vergebliches Attentat auf Hitler durch den Grafen *Stauffenberg* (20. Juli). Deutschland von Amerikanern, Engländern, Franzosen und Russen besetzt.

1945 Deutsche Kapitulation (Anfang Mai). Aufteilung Deutschlands in v i e r B e s a t z u n g s z o n e n (Juni). Übernahme deutscher Gebiete östlich der Oder-Neiße-Linie durch Polen und die Sowjetunion (Potsdamer Konferenz im August).

1945–1946 Aussiedlung der Deutschen (über 11 Mio.) aus den Ostgebieten. Nürnberger Kriegsverbrecherprozesse.

1948 Beginn der Marshallplanhilfe für Europa. W ä h r u n g s r e f o r m in den Besatzungszonen.

1948–1949 Berlin-Blockade und Teilung Groß-Berlins. Gründung der Freien Universität in Westberlin.

1949 S p a l t u n g D e u t s c h l a n d s in die *Deutsche Demokratische Republik* (DDR) und die **Bundesrepublik Deutschland.** Vorläufiges Grundgesetz; Bundespräsident *Heuss* (FDP), Bundeskanzler *Adenauer* (CDU). Wirtschaftlicher Aufschwung ('deutsches Wirtschaftswunder') durch soziale Marktwirtschaft unter Wirtschaftsminister *Erhard.*

17. Juni 1953 Aufstand im sowjetischen Sektor von Berlin und in der DDR.

1955 Beitritt der Bundesrepublik Deutschland zum westlichen Verteidigungsbündnis NATO. – Adenauer erreicht in Moskau die Freilassung der deutschen Kriegsgefangenen und die Aufnahme diplomatischer Beziehungen mit der UdSSR.

1956 Aufbau der Bundeswehr; allgemeine Wehrpflicht.

1957 Gründung der Europäischen Wirtschaftsgemeinschaft (EWG) und der Europäischen Atomgemeinschaft (EURATOM).

1958 Berlin-Krise.

1961 Verschärfung der Berlin-Krise durch die Errichtung der **Berliner Mauer** (13. August).

1963 Deutsch-französischer Freundschaftsvertrag in Paris. Staatsbesuch des US-Präsidenten *Kennedy* in der Bundesrepublik Deutschland und Westberlin.

1966 Wirtschaftskrise (steigende Preise); Strukturkrise im Ruhrbergbau. – 'Große' Koalition zwischen CDU/CSU und SPD unter *Kiesinger.*

1967 Bildung einer außerparlamentarischen Opposition (APO).

1968 Notstandsgesetze verabschiedet.

1969 Sozial-liberale Regierungskoalition unter *Brandt,* der die 'Ostpolitik' aktiviert.

1970 Gewaltverzichtsvertrag mit der UdSSR in Moskau (August) und Ausgleich mit Polen im Warschauer Vertrag (Dezember).

1971 Viermächteabkommen über Berlin.

1972 Olympische Sommerspiele in München.

1973 Grundlagenvertrag mit der DDR. Aufnahme beider deutscher Staaten in die Vereinten Nationen (UN).

Seit 1974 Infolge drastischer Erdölpreiserhöhungen entsteht eine weltweite E n e r g i e k r i s e und wirtschaftliche R e z e s s i o n; Ansteigen der Arbeitslosenzahl (über 1 Mio.). – Eskalation von politischem Radikalismus zum **Terrorismus** (Brandstiftungen, Raubüberfälle, Bombenanschläge, Entführungen, Geiselnahmen, Freipressung von Terroristen, Morde; 'Baader-Meinhof-Bande'). – Bürgerinitiativen (v. a. zum Umweltschutz).

1974 Nach Brandts Rücktritt wegen der DDR-Spionageaffäre Guillaume wird *Schmidt* Bundeskanzler; Senkung der Inflationsrate.

1975 Eröffnung der ersten Fernuniversität in Hagen.

1976 'Radikalen-Erlaß' verbietet die Betätigung politischer Extremisten im Staatsdienst.

1977 Terroristen ermorden den Generalbundesanwalt *Buback* (April) und den Bankier *Ponto* (Juli). – Die Bundesrepublik wird für zwei Jahre in den UN-Sicherheitsrat gewählt (Oktober). – Nach der Geiselbefreiung von Mogadischu (Somalia) Ermordung des entführten Arbeitgeberpräsidenten *Schleyer.*

1978 Umstrittenes Gesetz zur Bekämpfung des Terrorismus (Februar). Innenpolitische Probleme (Streiks). – Langfristiger Wirtschaftsvertrag mit der DDR-Kosmonaut *Sigmund Jähn* an Bord des sowjetischen Raumschiffes 'Sojus 31' in den Weltraum (August). – Abkommen über wissenschaftlich-technische Zusammenarbeit mit der Volksrepublik China (Oktober).

1979 Diskussionen und Auseinandersetzungen um die Problemkreise Umweltschutz und Energieversorgung (bes. Kernenergie). – CDU und CSU einigen sich (Juni) auf den bayerischen Ministerpräsidenten *Strauß* als gemeinsamen Kanzlerkandidaten der Unionsparteien für die Bundestagswahl 1980. – Mit *Pertini* besucht erstmals ein italienischer Staatspräsident die Bundesrepublik Deutschland (September). – Nach Neufestsetzung der Leitkurse wird die D-Mark im Rahmen des Europäischen Währungssystems (EWS) um rund 2 % aufgewertet (Ende September).

Kunstgeschichte

Diese Betrachtung beschränkt sich im wesentlichen auf das Gebiet der Bundesrepublik Deutschland; die geistes- und kunstgeschichtlichen Entwicklungen vollzogen sich aber über die Jahrhunderte in dem größeren Rahmen des gesamten deutschen Sprachraumes.

Von der **Kunst der Germanen** sind hauptsächlich kunsthandwerkliche Zeugnisse erhalten, aus ältester Zeit in Stein und Knochen geritzte Ornamente; später entwickelt sich mit der Bearbeitung des Metalls der Sinn für Schmuckgegenstände (Gewandfibeln u.a.). Die Grundform ist das Kreismotiv, wohl ein Symbol für die Sonnenscheibe.
In der Bronzezeit wandeln sich die anfänglich abstrakt geometrischen Formen in bewegte, 'laufende' Spiralen und Wellenbänder. Im ersten nachchristlichen Jahrhundert werden mit verbesserter Technik die Gestaltungsmöglichkeiten reicher; unter dem Einfluß anderer Völkerschaften (Kelten, Skythen) treten die ersten Tiermotive auf. Während der Völkerwanderungen gewinnt die Tiergestalt Vorrang; die verschlungenen Ornamentbänder und komplizierten Flechtmuster deutet man oft in Tierleiber um, deren Köpfe nur die Augen kennzeichnen. Diese glotzenden Fabelwesen verleihen den Ornamenten einen spukhaft-skurrilen Ausdruck.
Große plastische Werke sind nur sehr spärlich erhalten, und zwar erst aus der Völkerwanderungszeit. Auch hierbei handelt es sich in erster Linie um Tierfiguren, bei anthropomorphen Gestalten vermutlich stets um Götterdarstellungen (Figurenpaar aus Braak bei Eutin). In der vorwiegend heidnischen Kunst der skandinavischen Wikinger leben die germanischen Tier- und Dämonengestalten weiter bis ins 12. Jahrhundert; aber auch an den romanischen Kirchen des Mittelalters finden wir noch die nordischen Tier- und Dämonenornamente.

Der im Jahre 83 n.Chr. unter Domitian begonnene römische Limes mit seinen mehr als 1000 Wachttürmen und über 100 Kastellen, der gegen Ende des 3. Jahrhunderts zu verfallen begann, dessen Reste aber in Süddeutschland zwischen Rhein und Donau noch deutlich erkennbar sind, war nun ein Zeichen dafür, daß es den Römern nicht gelang, die Germanen zu unterwerfen. Dennoch finden sich in den dem Römischen Reich einverleibten Gebieten reiche Spuren der Römerzeit (Kleinplastiken, Glas- und Tonwaren, Architekturreste); als Beispiel sei die Porta Nigra in Trier genannt, das nach 316 errichtete Nordtor der einstigen römischen Stadtbefestigung.

Die kunstgeschichtlich bedeutsame Begegnung mit der Antike findet in Deutschland erst zur Zeit der 'karolingischen Renaissance' im 8. und 9. Jahrhundert statt. Die **karolingische** *(westfränkische)* **Kunst** kann sich entfalten, nachdem sich unter den Karolingern der Schwerpunkt des Abendlandes in den Raum Paris-Metz-Aachen verlagert hat. Die Christianisierung vollzieht sich unter der Idee von der Universalität der römischen Kirche. Karl der Große setzt den Kirchenbau bewußt als Sinnbild germanisch (=fränkisch)-römischer Machtpolitik ein. Odo von Metz erbaut 796–804 die Pfalzkapelle in Aachen nach dem Vorbild der byzantinischen Kaiserkirche San Vitale in Ravenna (552 nach dem Zusammenbruch des Ostgotenreiches errichtet); mit ihr will Karl d. Gr. sich als Nachfolger der Kaiser von Byzanz und Konstantins d. Gr. legitimieren. Die Oktogonform entspricht der Vorstellung von der Acht als Symbolzahl für den Himmel. Auch die Torhalle des von Karl d. Gr. gegründeten und zum Reichskloster erhobenen Benediktinerstiftes Lorsch (774 geweiht) ist erhalten. Daneben besitzen wir hauptsächlich Kleinplastiken, Elfenbeinreliefs von Bucheinbänden, meist an die christliche Spätantike gemahnend. Die Buchmalerei zeigt stark voneinander abweichende Stilrichtungen, teils auf spätantiken, syrischen oder byzantinischen Vorbildern beruhend (Handschriften der Trierer Ada-Evangeliare). Angesichts der Bilderlosigkeit der Germanen erreichen die ersten Darstellungen und Verbildlichungen im Zusammenhang mit der neuen christlichen Religion eine erstaunliche gestalterische Qualität.

Die **Romanik** (1000–1300) kennzeichnet den Beginn der eigenständigen deutschen Kunst, der zusammenhängt mit der Konsolidierung der politischen Macht unter den Ottonen. Der Kirchenbau folgt der Form der römischen Basilika, mit rhythmischer Gliederung des Innenraumes und klarer Ordnung des äußeren Baukörpers. Auf niedersächsischem Boden finden wir aus der ottonischen Zeit die Stiftskirche von Gernrode (DDR; 961 begonnen) sowie St. Michael in Hildesheim (1001–1036), wo sich unter Bischof Bernard eine beachtliche Bautätigkeit abzeichnet. Mit der beginnenden Romanik regt sich ein neuer Sinn für die Wirklichkeit. Beispiele dafür finden sich in den Elfenbeinarbeiten des Echternacher Meisters (Einband des Echternacher Codex, um 990; heute im Nürnberger Germanischen Nationalmuseum) sowie in der bronzenen 'Bernwardstür' des Domes zu Hildesheim (1050). Weitere plastische Meisterwerke der Zeit sind der ergreifende Holzkruzifixus im Kölner Dom (um 970) und die 'Goldene Maria' aus dem Essener Münsterschatz (um 1000). Die Goldschmiedekunst erreicht eine unvergleichliche Höhe (Reichskrone Ottos I. von 962; heute in der Wiener Weltlichen Schatzkammer). – Ein Mittelpunkt ottonischer Buchmalerei liegt auf der Bodenseeinsel Reichenau: Evangeliar Ottos II., Perikopenbuch Heinrichs II. (heute beide in der Bayerischen Staatsbibliothek, München), Bamberger Apokalypse (Stadtbibliothek Bamberg). Daneben gibt es wichtige Malschulen in den Klöstern Trier, Echternach, Köln, Fulda, Hildesheim und Regensburg, auf der Insel Reichenau auch Wandmalereien aus ottonischer Zeit.

Aus der Zeit der Salier stammt die Ruine der 1025 von Konrad II. gegründeten Stiftskirche von Limburg an der Haardt. Der um 1025 begonnene Kaiserdom zu Speyer ist um 1100 die erste ganz eingewölbte Basilika. Wie in fast allen großen romanischen Domen Deutschlands befindet sich unter dem Chor eine mächtige Krypta. Der Kaiserdom von Trier läßt die großartige Bautradition des römischen Kaiserreiches noch einmal deutlich werden. Der letzte der großen Kaiserdome des Rheinlandes und der zweite völlig eingewölbte, ist der Mainzer Dom, der mit seiner Dreikonchenanlage die reichste Vollendung romanischer Baukunst in Deutschland zu einer Zeit darstellt, als in Frankreich bereits die großen gotischen Kathedralen gebaut werden (Ende 12.

Mainzer Dom

bis Mitte 13. Jh.). – Wie die Kaiserdome zu Speyer und Mainz erhält auch die Klosterkirche von Maria Laach (um 1150) gewölbte Decken, während die streng durchgebildeten Kirchen der von der cluniazensischen Reform beeinflußten Hirsauer Bauschule (Ruine der Stiftskirche von Paulinzella, DDR; u. a.) wie die meisten jener Kirchen an der Flachdeckung festhalten.

In salischer Zeit verfestigen sich die Formen zu feierlich-strenger Gestaltung: Thronende Madonna des Bischofs Imad im Domschatz von Paderborn (1058), ein Werk von fast byzantinischer Starrheit; Reliefs am Portal von St. Emmeram in Regensburg; der asketische Bronzechristus von Werden (um 1060) und der gedrungerene von Minden (um 1070); die Bronzegrabplatte Rudolfs von Schwaben aus dem Merseburger Dom (DDR; nach 1080) und die Reliefs an der Holztüre von St. Maria im Kapitol zu Köln (um 1050), die fast klobig zu nennen und dennoch von starker Ausdruckskraft sind, byzantinisches Erbe mit schlichter Beseeltheit verbindend. – Die Glasmalereien des Augsburger Doms (um 1100) lassen deutlich den gefestigten salischen Figurenstil erkennen; in der Buchmalerei begegnet er uns vor allem in den Werken der Schule von Echternach.

In der Zeit der Staufer erhalten die Dome von Bamberg, Worms und Mainz (unter Heinrich IV. erneuert) ihre endgültige, Monumentalität mit Pracht verbindende Gestalt. Die vielfältige Gliederung des Außenbaues erfährt nun ihre reifsten Lösungen, wie z. B. in der Abteikirche von Maria Laach (vor 1220).

Trotz des langsamen Eindringens der Gotik bleiben die Bauten der Stauferzeit ihrem Wesen nach noch lange Zeit romanisch, was sich vor allem an den Pfalzen erkennen läßt (Wimpfen, Gelnhausen, Nürnberg), die an allen politisch wichtigen Orten des Reiches errichtet werden, da die deutschen Kaiser nicht von einer festen Residenz regieren. Romanisch ist auch noch mancher Klosterbau der Zeit (Maulbronn: Herrenrefektorium von 1225; sonst bereits z.T. gotisch!).

Die Plastik erreicht in der Stauferzeit eine Hochblüte. Rein romanisch zu nennen sind noch der Braunschweiger Löwe (1160), die Chorschranken der St. Michaelskirche in Hildesheim (um 1180) und das Grabmal Heinrichs des Löwen im Braunschweiger Dom (um 1230). Der Meister der Goldenen Pforte des Freiberger Doms (DDR) dürfte jedoch bereits französische Figurenportale gekannt haben. Die hervorragendsten Werke der sich aus dem ritterlichen Geist der Stauferzeit zu klassischem Adel formaler Gestaltung entwickelnden Bildhauerkunst finden sich neben dem Straßburger Münster im Bamberger Dom (Fürstenportal, Bamberger Reiter) und im Naumburger Dom (DDR; Stifterfiguren, Kreuzigungsgruppe). Ihre Meister haben bereits in Frankreich an den Kathedralen mitgearbeitet.

Auf dem Gebiet der Malerei wären für die staufische Zeit vor allem die bedeutenden Freskenfolgen der Klosterkirche von Prüfening bei Regensburg und der Doppelkapelle zu Schwarzrheindorf zu nennen sowie die bemalte flache Holzdecke der St. Michaelskirche in Hildesheim (Ende 12. Jh.). Als Beispiel für die bedeutende Buchmalerei der Zeit sei auf das Evangelistar im Speyerer Dom hingewiesen (um 1170; heute in der Badischen Landesbibliothek zu Karlsruhe).

Während in Deutschland die Romanik nur langsam ausklingt, steht in Frankreich die Gotik bereits in voller Blüte. Die neuen Einflüsse werden aber nur zögernd aufgegriffen, zuerst vor allem in Form von Schmuckelementen und vereinzelten Konstruktionsformen, die mit den hergebrachten romanischen Raumvorstellungen reizvolle Bauten in romanisch-gotischem Übergangsstil ergeben, etwa der Dom St. Georg in Limburg an der Lahn (nach 1215) oder die Elisabethkirche in Marburg (nach 1236).

Gotik (1300–1500): Für den Magdeburger Dom (DDR) wird 1290 erstmals das französische Kathedralensystem übernommen, der Kölner Dom (1284 begonnen, erst 1842–80 vollendet) folgt dem Vorbild der Kathedrale von Amiens. Bauten der Hochgotik sind das Freiburger Münster mit seinem nach 1311 begonnenen durchbrochenen Turm, der Dom von Regensburg (Türme 1859–69 errichtet), das Ulmer Münster (z.T. erst 1844–90 fertiggestellt) sowie die Lübecker Marienkirche (Backsteingotik), alle noch Basiliken der herkömmlichen Form.

Für die Zukunft bestimmend wird aber der sich von Westfalen ausbreitende Hallenbau, den man auch als deutsche Sondergotik bezeichnet (bereits im 13. Jh. die Dome von Paderborn und Minden; in der Hochgotik die Wiesenkirche von Soest). Der Hallenbau bildet sich zum bevorzugten Typus der Spätgotik des 14. und 15. Jahrhunderts aus, als die Kunst Deutschlands eine ihrer reichsten Blütezeiten erlebt, die vor allem in Süddeutschland mit einer großen Baulust zusammenfällt: Martinskirche in Landshut (1387 begonnen), die vollendet schönen Hallenbauten von St. Lorenz in Nürnberg (1439–72) und St. Georg in Dinkelsbühl (1448–89). Die Hallenkirchen bevorzugen gegenüber den Zweiturmfassaden des basilikalen Bautyps meist die Einturmfassade in landschaftlich verschiedenartigen Lösungen: Schwäbisch Gmünd (nach 1351), Freiburg im Breisgau (Münsterturm 1300–50), Nürnberg (St. Sebaldus, Frauenkirche).

Von den Profanbauten der Gotik ist wenig unverändert überkommen, darunter die Rathäuser von Gelnhausen, Lübeck, Aachen und Münster, die meist zugleich als Gerichts-, Kauf- und Festbauten dienten. Verbreitet finden Staffel- oder Treppengiebel Verwendung. Neben dem Steinbau entfaltet sich im 15. Jahrhundert auch der Holzbau zu reichen Formen des Fachwerkes. Aus der bereits seit dem 12. Jahrhundert verwendeten, ursprünglich aus der Lombardei nach Norddeutschland gelangten Technik des Backsteinbaues entwickelt sich die durch das Material bedingte eigene Stilrichtung der Backsteingotik, die sich vor allem in Norddeutschland durchsetzen kann (Lübecker Holstentor und Marienkirche).

Das mittelalterliche Stadtbild ist uns aus alten Darstellungen wohlvertraut: Starke, oft turmbewehrte Ringmauern umschließen die bis 30000 Einwohner zählenden Städte. Mit wachsender wirtschaftlicher Erstarkung des Bürgertums wird das Rathaus Mittelpunkt der Verwaltung. Mächtige Gildenhäuser und reiche Fachwerkwohnbauten mit Erkern und Ziergiebeln zeugen noch heute von der Wohlhabenheit und dem Kunstverständnis des spätmittelalterlichen Bürgertums.

Während auf dem Gebiet der Plastik die klassischen Werke der staufischen Periode noch dem romanisch-gotischen Übergangsstil angehören, treten uns rein gotische Formen (nach den Westportalfiguren des Straßburger Münsters) erstmals in den Pfeilerfiguren des Kölner Doms entgegen (um 1310). In der zweiten Hälfte des 14. Jahrhunderts löst ein neuer Realismus die entkörperlichten Gestaltungen ab; in Süddeutschland bildet sich der Typus der 'Schönen Madonnen' heraus (um 1400). Die Spätgotik seit der Mitte des 15. Jahrhunderts ist reich an Meisterpersönlichkeiten, wie Nikolaus Gerhaert van Leyen, Jörg Syrlin (Ulmer Chorgestühl, 1469–74), Gregor Erhart (Blaubeurer Hochaltar, 1494), Adam Krafft (Sakramentshaus in St. Lorenz zu Nürnberg, 1496) und Tilman Riemenschneider, der vor allem in Würzburg, Rothenburg ob der Tauber und Bamberg hervorragende Schnitzaltäre schafft, sowie Veit Stoß (1450–1533).

Schließlich steigert sich die Plastik im frühen 16. Jahrhundert zu fast schwülstiger Gestaltung ('spätgotisches Barock'), etwa bei dem Meister Hans Loy (Breisacher Hochaltar, 1526). In Nürnberg arbeitet der Metallgießer Peter Vischer mit seinen Söhnen (Sebaldusgrab in der Sebalduskirche, 1519), der im gotischen Stil beginnt und in seinen reifsten Werken bereits eine edle, harmonische Gestaltung in den klaren Formen der italienischen Renaissance anstrebt. Gegen die Mitte des 16. Jahrhunderts beginnt die schöpferische Kraft nachzulassen; es entstehen während der folgenden Epoche der Renaissance nur wenig große Werke, aber einige reizvolle kunsthandwerkliche Arbeiten

(etwa die Kleinplastiken des Nürnberger Goldschmiedes W. Jamnitzer).

Die Malerei der Gotik manifestiert sich in schönen Glasfenstern, die nun die durchbrochenen Wände der gotischen Kathedralen schmücken und die Innenräume mit gleichsam mystischem Halbdunkel erfüllen (Frauenkirche in München). Eine Neuschöpfung der Gotik ist die Tafelmalerei, die zunächst nur für die Tafeln der Flügelaltäre dient. Aus 'Andachtsbildern', als ikonographische Novität im frühen 14. Jahrhundert aufgenommen, spricht tiefes Glaubensempfinden. Die Kölner Malerschule, deren Werke sich durch besondere Innigkeit auszeichnen, wendet eine neue Maltechnik an und beginnt, den bisher üblichen Goldgrund durch landschaftliche Hintergrundmotive zu ersetzen. Im 15. Jahrhundert vollzieht sich der Schritt der Loslösung zum Tafelbild, nun auch oft schon weltlichen Inhalts: Stefan Lochner: "Kölner Dombild" (um 1440; im Ludwig-Museum, Köln); Konrad Witz: "Der hl. Christophorus" (im Baseler Kunstmuseum); "Paradiesgärtlein" eines mittelrheinischen Meisters (um 1410; im Städelschen Kunstinstitut, Frankfurt/Main); Meister des Marienlebens: "Verkündigung" (um 1460; in der Alten Pinakothek, München); Martin Schongauer: "Maria im Rosenhag" (1473; z. Z. in der Colmarer Dominikanerkirche).

Die **Renaissance** ist in Italien als sichtbarer Ausdruck eines neuen Lebensgefühls und als Wiedererweckung antiker Formen entstanden. Deutschland, ohne klassische Tradition, bleibt dem Mittelalter länger verhaftet. Das neue Zeitgefühl sucht hier einen Ausweg in der Weiterentwicklung spätmittelalterlichen Kunstempfindens. Durch die Reformation und die erstarkenden Kräfte des Bürgertums einerseits und der Fürsten ist allerdings die Geschlossenheit des politischen und religiösen Weltbildes in Auflösung begriffen.

Es gibt auf deutschem Boden nur wenige reine Renaissancebauten, meist Werke italienischer Wanderarchitekten. Die große Masse der Bauwerke ist jedoch von einheimischen Meistern unter Weiterverwendung gotischer Formen (Steildächer, Stufengiebel) geschaffen, wie z. B. das Hildesheimer Knochenhauerhaus von 1529 (1944 zerstört). Wie schon in der Gotik liegt ein Schwerpunkt auf der städtischen Bautätigkeit. Der bereits in der Gotik beliebte Fachwerkbau wurde weiter gepflegt, mit Renaissanceformen aufgelockert (Celle, Höxter, Goslar, Hameln, Hildesheim). In Süddeutschland bietet Rothenburg ob der Tauber ein berühmtes Beispiel einer deutschen Renaissancestadt (auch bemerkenswerte gotische Bauwerke!). Vor allem die Rathäuser erhalten durch die Vereinigung heimischer Baugedanken mit italienischen Zierformen festliches Gepräge (Lübeck; Bremen, 1608 umgebaut; Lüneburg; Paderborn). Mit dem Rathaus von Augsburg, dem bedeutendsten Profanbau der Renaissance in Deutschland, streift der Baumeister Elias Holl alle Erinnerungen an die Gotik ab und führt die 'Augsburger Renaissance' (1615–20) zur Vollendung.

Auf dem Gebiet des langsam wieder auflebenden Kirchenbaues ist der interessanteste wohl die Jesuitenkirche St. Michael in München (1583–97), ein gewaltiges Beispiel deutscher Raumkunst des späten 16. Jahrhunderts, aber bereits mit manieristischen, frühbarocken Einflüssen nach dem Vorbild der Jesuskirche in Rom.
Neben der städtischen Architektur erfährt der Schloßbau einen großen Aufschwung. Hier ist der italienische Einfluß stärker fühlbar als im Städtebau: Heidelberger Schloß (Ottheinrichsbau 1556–59, Friedrichsbau 1601); Stadtresidenz der bayerischen Herzöge in Landshut, Alte Residenz in München.

Auf dem Gebiet der Malerei führt die Auseinandersetzung mit der italienischen Renaissance, die erst im 16. Jahrhundert beginnt, zu einer Hochblüte der deutschen Malerei und Graphik. Matthias Grünewald (richtiger Mathis Gothart) bleibt noch dem Mittelalter verbunden wie teilweise auch die Meister der süddeutschen D o n a u s c h u l e, die eine innige Verschmelzung von Landschaft und Figuren anstrebt. Die Natur wird allerdings nicht als nebensächlicher Hintergrund betrachtet, sondern als dramatische Bühne für die meist kleinfigurige Darstellung. Der bedeutendste Meister der Donauschule ist Albrecht Altdorfer aus Regensburg ("Alexanderschlacht", "Donaulandschaft"). Auch der Oberfranke Lukas Cranach der Ältere wird, zumindest mit seinen Frühwerken, dieser Richtung zugerechnet ("Ruhe auf der Flucht").
Der große Meister der deutschen Malerei aber ist Albrecht **Dürer** (1471–1528) aus Nürnberg. Der große Graphiker und Holzschneider gelangt als genauer und weitgereister Kenner der italienischen und niederländischen Malerei zu höchster Meisterschaft auch als Porträtmaler. Aus der Fülle seiner eindrucksvollen Werke sei hier beispielhaft sein vielleicht eindrucksvollstes Werk genannt: die für das Nürnberger Rathaus bestimmte Darstellung der vier Apostel, von monumentaler künstlerischer Ausdruckskraft und einer für die deutsche Kunst charakteristischen Mischung aus Idealismus und realer Erdgebundenheit. – Auch Hans Holbein der Jüngere aus Augsburg gilt als ein Hauptmeister der Reformationszeit; in Basel und am englischen Hof erweist er sich als großer Porträtmaler ("Heinrich VIII.").

Die Kunstentfaltung des **Barock** der ersten Hälfte des 17. Jahrhunderts ist durch den Dreißigjährigen Krieg und die Bauernkriege sehr beeinträchtigt. Nach der Jahrhundertmitte strömen wieder viele italienische Baumeister ins Land (A. Barelli und E. Zuccalli: Theatinerkirche in München, um 1665). Aber erst zu Ende des Jahrhunderts kann sich die Baukunst erneut zu europäischem Rang erheben. Bahnbrechend wirken die großen Künstlerpersönlichkeiten, die in Österreich und im süddeutschen Raum arbeiten (J. B. Fischer von Erlach, L. v Hildebrandt) und dem Barock zum strahlenden Durchbruch verhelfen. Hinzu kommen in wachsendem Maße Einflüsse aus Frankreich, die sich bis zu den deutschen Freiheitskriegen immer mehr verstärken.
Bemerkenswerte Sakralbauten der Barockzeit sind von Johann Michael Fischer die Benediktinerkirche von Ottobeuren (1748–66) und von Balthasar Neumann die Wallfahrtskirche Vierzehnheiligen (nach 1743) mit ihrer interessanten Verbindung von Langhaus und Zentralraum. Neumann schafft auch Profanbauten von unvergleichlich ausgewogener Raumgestaltung, so die Würzburger Residenz (um 1740) mit ihrem von einem riesigen Gewölbe überdeckten Treppenhaus (Deckenfresko von Tiepolo). Das Schloß von Versailles wird zum idealen Vorbild für viele deutsche Palastbauten (Mannheim).

Durch die Bautätigkeit des aufstrebenden preußischen Staates gewinnt nun
auch Berlin kunstgeschichtlich an Bedeutung, vor allem verbunden mit dem
Namen Andreas Schlüter: Ausstattung
des Zeughauses, Reiterdenkmal des
Großen Kurfürsten (1700; heute im Hof
des Charlottenburger Schlosses), Um-
und Neubau des Berliner Schlosses
(nach 1945 abgetragen). Schlüter versucht, in seinen Werken das heroische
Ideal der Klassik durchzusetzen, mit ge-
diegener, zum Schweren neigender
Prachtentfaltung und Bezug auf die Kö-
nigsmacht und das Staatswesen.

Rokoko-Schloß Amalienburg (München)

In seiner Weiterentwicklung zum
Rokoko verändert sich der barocke
Formenkanon ins Heitere, Leichte, oft
auch Krause und Überladene. Stuckierte
Innenwände und Decken, verwirren-
de Dekorationskunst, verspielte Anmut
charakterisieren die Räumlichkeiten
der Amalienburg im Nymphenburger
Schloßpark zu München, 1755–57 umgestaltet von François Cuvilliés, der
auch das Münchener Residenztheater
(1751–53) gestaltet. Bedeutende Schloß-
bauten des Rokoko sind das Ansbacher
Schloß (um 1740) und nicht zuletzt das
1745–47 von Georg Wenzeslaus von
Knobelsdorff für Friedrich den Großen
geschaffene Schloß Sanssouci in Pots-
dam (DDR; 'Friderizianisches Rokoko').
In Bayern bringen Spätbarock und Rokoko eine Fülle an Kirchenbauten hervor, so die Klosterkirche zu Weltenburg
(nach 1717), die Nepomukkirche in
München (ab 1733), die Kirche von
Zwiefalten sowie die von Dominikus
Zimmermann errichteten Gotteshäuser
von Steinhausen und in der Wies.

Die Gartenkunst des Barock und Ro-
koko richtet sich nach dem Vorbild von
André Le Nôtre und dem von ihm gestal-
teten Park von Versailles. Sie setzt die
Repräsentation des Schlosses in der
Parkanlage fort. Bedeutende deutsche
Barockgärten sind u. a. Herrenhausen
(Hannover), Nymphenburg (München),
Schleißheim und Wilhelmshöhe (Kas-
sel).

Als Plastiker des Barock arbeiten im
17. Jahrhundert J. Glesker (Kreuzigungsgruppe im Bamberger Dom, 1648–53),
im 18. Jahrhundert vor allem Andreas
Schlüter und daneben eine Vielzahl anderer Meister, so etwa E. Bendel in
Augsburg, P. Egell in Mannheim und
Egid Quirin Asam, der auch als Baumeister mit seinem Bruder Cosmas Damian
zusammenarbeitet, u. a. an den Kirchen
von Rohr (nach 1717) und Weltenburg
(um 1725).
Die Rokokoplastik entfaltet sich vor allem in Bayern besonders reich, so durch
Johann Baptist Straub und Ignaz Günther (beide in München), Christian Wen-
zinger in Freiburg (Brsg.) und Franz Anton Bustelli, der für die Nymphenburger
Porzellanmanufaktur in München arbeitet.

Die Epoche des **Klassizismus** ist in
Deutschland durch die Schriften Johann Joachim Winckelmanns und
durch seine Ansicht von der "edlen Ein-
falt und stillen Größe" der Kunst des
klassischen Altertums geprägt. Der
spätbarocke Absolutismus und mit ihm
das höfische Rokoko versinken im
neuen Aufbruch der Französischen Revolution; das bürgerliche 19. Jahrhundert beginnt.
In Berlin baut Carl Gotthard Langhans
das Brandenburger Tor (1791) in den
strengen Formen nachempfundener
Dorik. Die reinste Verwirklichung findet
der Klassizismus aber in Friedrich
Schinkel: Neue Wache (1816), Schauspielhaus (1818), Altes Museum
(1822–28). – Der Münchener Klassizismus ist im Charakter etwas wärmer: Karl
von Fischer baut das Hoftheater und das
Prinz-Karl-Palais, Josef von Herigoien
das Tor am Alten Botanischen Garten.
Leo von Klenze (1784–1864) gestaltet
die Bauwünsche Ludwigs I.: die Residenz am Max-Joseph-Platz sowie die
Walhalla bei Regensburg; auch ist er ein
Meister eindrucksvoller Straßen- und

Platzgestaltung (Odeonsplatz, Königsplatz, Ludwigstraße). Der Romantiker Friedrich von Gärtner bedient sich schließlich zur Vollendung der Ludwigstraße der verschiedensten historischen Baustile.

Die Plastik des Klassizismus findet in Deutschland ihre stärkste Begabung in Johann Gottfried Schadow, aber auch in Christian Rauch ("Königin Luise", 1817). Im München Ludwigs I. arbeitet u. a. Ludwig Schwanthaler.

Die **Romantik** bevorzugt nach der Hinwendung zur Antike eher das (deutsche) Mittelalter, die Romanik und Gotik. Friedrich Weinbrenner baut die Basilika in Karlsruhe (1814), Georg Ziebland die Kirche St. Bonifaz in München (1835–50). – Der romantische Park revoltiert gegen die 'Unnatur' des Barockparks, der selbst die Natur dem Willen des absolutistischen Herrschers untergeordnet hatte. Aus England kommt die neue Gestaltung des Gartens als künstliche Wildnis, als Landschaft ohne Regelmäßigkeit und Symmetrie (Schwetzinger Schloßgarten, Englischer Garten in München).

Die Malerei der Romantik, die – durch die vaterländische Begeisterung der Freiheitskriege angeregt – in einer Welt von Gefühlen idealisierende Werke schafft, ist bedeutender als die des Klassizismus. Die deutsche Heldensage und das Märchen verdrängen die klassische Mythologie; Natur und Landschaft der Heimat werden entdeckt. Die genialste Begabung unter den Malern der Zeit ist Caspar David Friedrich; daneben arbeiten Philipp Otto Runge sowie die Gruppe der Nazarener um Friedrich Overbeck, die sich mit biblischen Themen in der Malweise der alten Meister befassen. Ludwig Richter ist besonders durch seine Märchenillustrationen, der Malerpoet Carl Spitzweg durch seine liebevoll-verklärten Biedermeieranekdoten bekannt.
Mit Adolf Menzel kommt ein neuer Realismus auf, der ins 20. Jahrhundert hinüberleitet. Wilhelm Leibl gestaltet Ansichten aus dem bayerischen Volksleben, Hans Thoma solche aus dem Schwarzwald. Anselm Feuerbach vertritt das klassizistische Bildungsideal des 19. Jahrhunderts; auch Hans von Marées wäre noch zu nennen.

Der **Historismus**, der in der zweiten Hälfte des 19. Jahrhunderts praktisch die gesamte Baukunst beherrscht, läßt die Nachahmung der Stile zu einem raschen, eklektizistischen Aufeinanderfolgen oft bereits ganz sinnentleerter Dekorationsformen werden. Die Bautätigkeit Ludwigs II. in Bayern (Schlösser Herrenchiemsee, Linderhof, Neuschwanstein) ist dafür beispielhaft, ebenso die zahlreichen pompösen Gebäude der Gründerzeit.

Währenddessen hat sich in der Malerei ein ganz neuer, stark von Frankreich beeinflußter Stil herausgebildet: der **Impressionismus,** der Farb- und Lichteindrücke gegenüber dem eigentlichen Gegenstand der Darstellung stark betont; seine Hauptvertreter in Deutschland sind Max Liebermann, Max Slevogt und Lovis Corinth, der bereits dem Expressionismus nahesteht.

Um die Jahrhundertwende beginnt sich der **Jugendstil** auf allen Gebieten der bildenden Kunst durchzusetzen. Man hat gelernt, mit den technischen Möglichkeiten neuer Baustoffe wie Stahl, Glas und Beton umzugehen und entwickelt ihnen gemäße architektonische Gestaltungsprinzipien. Zeugnisse der damaligen Architektur sind das von Alfred Messel geschaffene Warenhaus Wertheim in Berlin (1897–1904), von August Endell das Haus Elvira in München (1899) und als großer zusammen-

Jugendstil-Lampe

hängender Komplex die 1899 entstandene Künstlerkolonie auf der Darmstädter Mathildenhöhe.

Die Malerei und Grafik des Jugendstils zeigt eine starke Hinwendung zur Symbolik; formal ist eine weitgehende Reduktion auf klare, ornamenthafte Linienführung zu beobachten. Gebrauchskunst und Buchschmuck erreichen einen hohen Stand.

Der **Expressionismus** geht aus von der 1905 gegründeten Künstlervereinigung "Die Brücke", der Ernst Ludwig Kirchner, Karl Schmidt-Rottluff, Erich Heckel und zeitweilig auch Emil Nolde (eigentl. Hansen) angehören. Diese Maler versuchen, den Ausdruck des künstlerischen Erlebens aufs äußerste zu steigern. In München entsteht 1911 die Gruppe "Der blaue Reiter"; prominente Mitglieder sind der Russe Wassily Kandinsky, Franz Marc und Paul Klee. Sie neigen zu einer eher romantisch-lyrischen Darstellung oft traumhaften Inhalts; aus ihrem Kreis geht die abstrakte Malerei hervor.
Die Dadaisten versuchen, in willkürlichen Montagen jede Vernunftbildung der Kunst zu lösen und die Kausalität aufzuheben. Daneben arbeiten aber auch große Künstlerpersönlichkeiten der realistischen Richtung: Käthe Kollwitz, George Grosz, Otto Dix.
Im frühen 20. Jahrhundert beginnt sich die Plastik auf neue Formgesetze der Strenge und Geschlossenheit (G. Kolbe, A. Gaul). Der Expressionismus ermöglicht eine neue Intensität der Gestaltung: Wilhelm Lehmbruck, Ernst Barlach.

Der 1907 ins Leben gerufene "Werkbund" macht sich die Erneuerung des Kunsthandwerks zur Aufgabe. In Henry van de Veldes Theater auf der Werkbundausstellung in Köln (1914) findet die Ausrichtung auf die **Neue Sachlichkeit** stärksten zukunftsweisenden Ausdruck. Das 1919 von Walter Gropius gegründete "Bauhaus" (1934 aufgelöst) will eine Vereinigung der künstlerischen Kräfte in der Architektur erzielen; es beeinflußt auch die Malerei (L. Feininger, O. Schlemmer). Neben Gropius sind hier die großen Architekten Hans Bernhard Scharoun und Ludwig Mies van der Rohe zu nennen.

Wie die bildende Kunst ist auch die Architektur während des nationalsozialistischen Dritten Reiches vor allem unter dem Aspekt der Propaganda zu betrachten, dem sich im wesentlichen nur der Industriebau zu entziehen vermochte.

Nach dem Zweiten Weltkrieg ergeben sich auf dem Gebiet der Kunst bedeutende Veränderungen. Die Advantgarde, aus Deutschland in den dreißiger Jahren nach Paris emigriert, wanderte nach dessen Besetzung durch deutsche Truppen zu einem großen Teil in die USA aus, wo sie auch nach 1945 verbleibt und dem dortigen Kunstschaffen neue Impulse gibt.
Auch in der zweiten Hälfte dieses Jahrhunderts kann sich kein verbindlicher Stil entfalten, sondern es kommt zur Ausbildung zahlreicher neuer Richtungen. Der ehemalige "Bauhaus"-Meister Joseph Albers arbeitet als Farbtheoretiker in den USA, der Deutsch-Franzose Hans Hartung malt in Paris elegante Bewegungsspuren. Die kraftvollen, flächigen Holzschnitte von H(elmut) A(ndreas) P(aul) Grieshaber, anfangs noch vom Expressionismus geprägt, vertreten die gegenständliche Moderne.

In der Malerei der Nachkriegszeit finden die internationalen Kunststile des abstrakten Expressionismus oder Tachismus ("Frankfurter Quadriga": K.O. Goetz, O. Greis, H. Kreitz, B. Schultze), des Surrealismus (sein großer Meister, Max Ernst, transponiert das Verfahren der Psychoanalyse in die Kunst) und des gegenständlichen Expressionismus auch in Deutschland ihre Adepten.

Die Künstler der **Gegenwart** bevorzugen eine völlig abstrakte Gestaltungsweise, die häufig die traditionellen Grenzen zwischen Plastik und Malerei, ja durch ihr Übergreifen auf akustische und kinetische Effekte die Grenzen der bildenden Kunst überhaupt zu überwinden oder zu sprengen trachtet. Die Kunstausstellung DOKUMENTA in Kassel versucht, diese neuesten Entwicklungen an das Publikum heranzutragen.
– In Anlehnung an die Kunstprinzipien Vasarélys überträgt der 'Objektemacher' Heinz Mack die optischen Kontrastspiele der Fläche ins Relief und auf

Berliner Philharmonie

'Objekte' (z. B. im Fernsehen gezeigte Reflexspiele aus der sonnendurchfluteten Sahara). Ein Vertreter der eng miteinander verwandten Richtungen Happening – Environment – Process Art – Funk Art (=Horrorkunst) ist Joseph Beuys. In einer Ausweitung der Body Art auf das Gebiet der menschlichen Handlungen fährt Ha Schult in seiner "Aktion 20000 km" zwanzigmal zwischen München und Hamburg hin und her. Aus diesen Beispielen läßt sich ersehen, daß die Künstler immer weiter vom Sammelbaren und Betrachtbaren zum Erlebbaren zu gelangen trachten.

Auf dem Gebiet der Architektur und des Städtebaus gelingt es nach den furcht-

baren Zerstörungen des Zweiten Weltkrieges nur an wenigen Orten (etwa in Hannover), sogleich weit vorausschauend zu planen; im Theater-, Schul- und Kirchenbau kommt es jedoch zu beachtlichen Einzellösungen. Der von Jüngern der späten "Bauhaus"-Periode entwickelte Brutalismus bestimmt längere Zeit die Gebäudearchitektur.

Einer sinnvollen Wiederbelebung der verkehrsgeplagten Innenstädte nimmt man sich ernsthaft erst seit der sechziger Jahre an. Beachtlich sind heute allerdings mancherorts die Sanierungsbemühungen sowie die Anstrengungen zur Bewältigung denkmalspflegerischer Aufgaben.

Musik

Aus der urgesellschaftlichen und frühfeudalistischen Zeit fehlen authentische Quellen; aber man kann vermuten, daß es bei den Germanen Musikausübung zu magischen Zwecken sowie Arbeits- und Kriegsmusik gegeben hat (Luren). Die Musikkultur des Mittelalters ist stark von der römisch-katholischen Kirche und dem deutschen Kaiserhof beeinflußt. Die ältesten Handschriften stammen aus der Zeit zwischen 1200 und 1500 ("Carmina Burana", 13. Jh.; Glogauer oder Berliner Liederbuch, um 1470; u.a.); nach Art der französischen Troubadoure entwickeln die Ritter seit dem 11. Jahrhundert den Minnesang, dessen bedeutendste Repräsentanten *Walther von der Vogelweide* (um 1170 bis 1230) *Reinmar von Hagenau* (vor 1210) und *Neidhart von Reuenthal* (um 1240) sind. – Im 15. und 16. Jahrhundert gelangt bei den Handwerkerzünften der Meistergesang, dessen Anfänge bis ins 13. Jahrhundert zurückreichen, zu hoher Vollendung. Seine bekanntesten Vertreter sind *Michel Behaim* (1416–74) und *Hans Sachs* (1494–1576).

Mit der Entstehung des Bürgertums und den sozialen Auseinandersetzungen innerhalb der Feudalordnung erlebt die mehrstimmige Musik in Deutschland eine Blütezeit (Lieder, Motetten, Messen). Das von *Martin Luther* (1483–1546) geförderte Reformationslied erfährt als Choral Bedeutung und geht in Kantaten und Passionen ein. Als erste selbständige Instrumentalmusik entwickelt sich seit dem 15. Jahrhundert die Orgelmusik: *Adam von Fulda* (um 1445 bis 1505), *Hans Leo Haßler* (1564–1612), *Michael Praetorius* (1571–1621) u.a. – Zum wichtigsten Instrument der Hausmusik wird die Laute, für die *Hans Judenkünig* (um 1450 bis 1526) und andere komponieren. Es entstehen die eigenständigen Instrumentalformen Fantasie, Variation, Sonate und Concerto.

Der Dreißigjährige Krieg unterbricht diesen Aufschwung; Hofkapellen und Kantoreien fallen ihm zum Opfer. Die überragende Erscheinung im 17. Jahrhundert ist *Heinrich* **Schütz** (1585–1672); er schreibt Psalmen, polyphone Motetten, geistliche Konzerte und Choralpassionen, vereinigt Anregungen aus Italien mit der deutschen Tradition und wirkt als Organisator des deutschen Musiklebens.

Nach dem Dreißigjährigen Krieg erlangen die neuaufgebauten Kantoreien, Ratsmusiken, studentische und bürgerliche 'Collegia Musica' sowie die Opernhäuser Bedeutung. Nach 1660 breitet sich die Oper aus, zunächst oft mit italienischen Komponisten und Sängern an den großen Höfen (Wien, München, Dresden). Mittelpunkt der frühen deutschen Oper wird Hamburg (1678 Eröffnung des Opernhauses). *Johann Siegmund Kusser, Reinhard Keiser* und *Georg Philipp* **Telemann** (1681–1767) sind die wichtigsten Opernkomponisten dieser Zeit.

Durch *Johann Sebastian* **Bach** (1685–1750; "Matthäuspassion", "Brandenburgische Konzerte") und *Georg Friedrich* **Händel** (1685–1759; "Der Messias", "Julius Caesar", "Xerxes") erreichen die Kammermusik, die Solomusik wie auch Kantate, Passion, Oratorium und Oper eine bis dahin nicht gekannte Ausdruckstiefe. – Beeinflußt vom vorrevolutionären Frankreich findet nach 1740 eine teilweise radikale Vereinfachung der Gestaltungsmittel statt. Am Hofe Karl Theodors von der Pfalz besteht 1757–1778 die 'Mannheimer Schule', ein Kreis von Komponisten, von denen besonders *Johann Stamitz, Franz Xaver Richter* und *Christian Cannabich* zu nennen sind. Auch die frühe 'Wiener Schule' mit *Matthias Georg Monn,* den Bach-Söhnen *Carl Philipp Emanuel Bach* (1714–88) und *Johann Christian Bach* (1735–82) sowie dem Schauspielkomponisten *Johann Adam Hiller* (1728–1804) vertritt diese Stilrichtung. Neue Musikformen wie Sinfonie, Quartett, Quintett, Klaviersonate und Singspiel werden ausgebildet.

Christoph Willibad **Gluck** (1714–87; "Alceste", "Iphigenie auf Tauris") verwirklicht in seinen Spätwerken eine schon in Italien begonnene Opernreform, indem er die Musik der inhaltlichen Aussage unterordnet und die Form aus dem Inhalt entwickelt.

Durch *Joseph* **Haydn** (1732–1809) und *Wolfgang Amadeus* **Mozart** (1756–91) erhalten Sinfonie, Solokonzert, Streichquartett und Klaviersonate ihre klassische Form. Mozarts Opern ("Die Hochzeit des Figaro", "Don Giovanni", "Die Zauberflöte") sind Glanzpunkte im Musiktheater des 18. Jahrhunderts. Die Vorstellungen der Französischen Revolution haben das Weltbild und Schaffen von Ludwig van Beethoven (1770–1827) geprägt; in seiner Oper "Fidelio" und der "Neunten Sinfonie" drückt er das Streben nach Freiheit und Menschlichkeit aus.

Mit der Musik der Romantik erlebt Deutschland eine neue kulturelle Blütezeit. Carl Maria von Weber (1786–1826) löst sich in seiner Oper "Der Freischütz" von fremden Einflüssen; neben Weber sind noch Louis Spohr, Heinrich Marschner und Otto Nicolai zu nennen. Albert Lortzing widmet sich hauptsächlich dem Singspiel ("Zar und Zimmermann", "Der Wildschütz").

Das deutsche Kunstlied begründet Franz Schubert (1797–1828; Zyklen "Die Winterreise" und "Die schöne Müllerin"); auf seinen Werken basiert das Liedschaffen sowohl des 19. als auch des 20. Jahrhunderts (Robert Schumann, Johannes Brahms, Hugo Wolf, Hans Pfitzner, Richard Strauss, Arnold Schönberg, Anton v. Webern).

Durch Richard Wagner (1813–83) erreicht die deutsche romantische Oper ihren Höhepunkt; seine Gesamtkunstwerke stellen eine neue Opernform dar, deren klangreiche Tonsprache zum Realismus überleitet ("Lohengrin", "Tristan und Isolde", "Die Meistersinger von Nürnberg", "Der Ring des Nibelungen", "Parsifal" u. a.; alljährlich Bayreuther Festspiele). In direkter Nachfolge ist Richard Strauss (1864–1949) zu sehen ("Salome", "Der Rosenkavalier", "Capriccio" u. a.).

Die Instrumentalmusik der ersten Hälfte des 19. Jahrhunderts – Felix Mendelssohn-Bartholdy (1809–47), Robert Schumann (1810–56) – folgt vorwiegend dem klassischen Vorbild. Eine allmähliche Auflösung der Sonatenform erfolgt vor allem durch Franz Liszt (1811–86), Anton Bruckner (1824–96) und Johannes Brahms (1833–97). Die Generation um Gustav Mahler (1860–1911), Hans Pfitzner (1869–1949), Richard Strauss und Max Reger (1873–1916) zeigt in ihren Kompositionen bereits den Übergang zur modernen Musik.

Im 19. Jahrhundert wird erstmal die Trennung in ernste und heitere Musik deutlich. Den Anregungen von Jacques Offenbach (1819–80; "Orpheus in der Unterwelt", "Pariser Leben") folgen vor allem Josef Lanner, Johann Strauß (Vater und Sohn), Franz von Suppé und andere. – In Berlin pflegen um 1900 Paul Lincke und Walter Kollo eine mehr der Posse und der Ausstattungsrevue verwandte Richtung.

Arnold Schönberg (1874–1951) gelangt im Streben nach Objektivierung der Musik, wie vor ihm schon Joseph Matthias Hauer (1883–1959), zum System der Zwölftonmusik (Dodekaphonie) und weist damit der gesamten Musikentwicklung neue Wege. Aus seinem Schülerkreis treten vor allem Alban Berg (1885–1935) und Anton von Webern (1883–1945) hervor.

Paul Hindemith (1895–1963) wendet sich mit seiner Oper "Mathis der Maler" wieder mehr der Tradition zu. – Kurt Weill (1900–50) versucht, die Unterhaltungsmusik zu sozialkritischen Zwekken umzugestalten ("Die Dreigroschenoper"). – Rhythmus und Wort kennzeichnen das Schaffen von Carl Orff (geb. 1895), dessen szenisches Oratorium "Carmina Burana" wie seine Oper "Die Kluge" weltweit bekannt wurde. – Als Opernkomponisten treten Werner Egk (geb. 1901; "Der Revisor") und Gottfried von Einem (geb. 1918; "Dantons Tod") hervor. Ernst Křenek (geb. 1900), Hans Jelinek (geb. 1901) und Karl Amadeus Hartmann (1905–63) folgen dem Schönbergschen Weg, wie auch Wolfgang Fortner (geb. 1907) und sein Schüler Hans Werner Henze (geb. 1926; "Der junge Lord"), die erst nach dem Zweiten Weltkrieg zur Zwölftonmusik übergehen.

Der völlige Bruch mit der Tradition kennzeichnet das Schaffen von Karlheinz Stockhausen (geb. 1928), der am konsequentesten im Bereich der experimentellen und seriellen Musik arbeitet. Ein internationales Forum für neueste Musik ist in Deutschland das 1951 gegründete Studio für elektronische Musik in Köln.

Reiseziele von A bis Z

Achtung!

Im Jahre 1980 wird in Deutschland die **Sommerzeit** (= MEZ + 1 Stunde) eingeführt.

Sie soll von Anfang April bis Ende September sowohl in der Bundesrepublik Deutschland als auch in der Deutschen Demokratischen Republik gelten.

Kölner Dom

Aachen

Bundesland: Nordrhein-Westfalen.
Kfz-Kennzeichen: AC.
Höhe: 180 m ü.d.M. – Einwohnerzahl: 245000.
Postleitzahl: D-5100. – Telefonvorwahl: 0241.

(i) **Kur- und Verkehrsamt der Stadt Aachen,**
Markt 39-41; Telefon: 33491 und 472301.
Verkehrsverein Bad Aachen, Bahnhofplatz 4;
Telefon: 30600 und 25312.
Informationsstellen an den Autobahn-Grenz-
übergängen Lichtenbusch (Aachen-Süd) und
Vetschau (Aachen-Nord).

HOTELS. – *Parkhotel Quellenhof,* Monheimsallee 52, 200 B., Thermal-Hb., Sauna; *Trawigo,* Jülicher Str. 91 a, 48 B.; *Buschhausen,* Adenauer-
allee 215, 130 B., Hb., Sauna; *Central,* Römerstr. 7-9,
75 B; *Danica* (garni), Franzstr. 36-38, 45 B.; *Hindenburg,* Jülicher Str. 141, 80 B.; *Danmark* (garni),
Lagerhausstr. 21, 30 B.; *Hotel am Marschiertor,*
Wallstr. 1, 80 B.; u. a. – *Relais Königsberg,* Schlei-
dener Str. 440, 12 km südöstlich, an der B 258, 33 B.
– JUGENDHERBERGE: *Colynshof,* Maria-There-
sia-Allee 260, 178 B. – CAMPINGPLATZ: Paßstr. 87,
beim Stadtgarten.

RESTAURANTS. – *Ratskeller,* am Markt; *Heidekrug,*
Friedrich-Wilhelm-Platz 5-6; *Zum Postwagen*
(kleine histor. Gaststätte; 1657), Krämerstr. 1-2; *Eli-
senbrunnen,* Friedrich-Wilhelm-Platz 13 a; *China-
Restaurant,* Kleinmarschierstr. 78; *Zum Schiffgen,*
Hühnermarkt 21-23; *Belvedere,* Drehrestaurant im
Aussichtsturm auf dem Lousberg; *Schloß Friesen-
rath* (gediegene Einrichtung), Pannekoogweg 46.

Internationales Spielkasino Bad Aachen (Roulette, Baccara, Black Jack; täglich 15-2, Fr. und Sa.
bis 3 Uhr), Monheimsallee 44.

VERANSTALTUNGEN. – Verleihung des *Internationalen Karlspreises* für Verdienste um die Vereinigung Europas; Überreichung des *Karnevalsordens*
'Wider den tierischen Ernst'; Offizielles Internationales *Reit-, Spring- und Fahrturnier* (CHIO) für die
Bundesrepublik Deutschland.

**Aachen, die westlichste Großstadt
Deutschlands, historisch eine der bedeutendsten Städte Europas, liegt in
Nordrhein-Westfalen nahe der niederländischen und der belgischen Grenze
in einem waldumkränzten Talkessel an
den Ausläufern der Eifel und der Ar-
dennen.**

Aachen ist Sitz der Rheinisch-Westfälischen Technischen Hochschule und
anderer Fachhochschulen sowie ein
Wirtschaftszentrum, in dem weithin bekannte Industrieerzeugnisse wie Na-
deln, Tuche, Glas, Maschinen, Wag-
gons, Glühlampen, Fernsehröhren, Au-
toreifen, Schirme und Chemikalien pro-
duziert werden. Bekannt sind auch die
Aachener Printen, eine Art Honigkuchen. – Die heißen, schwefelhaltigen
Kochsalzquellen von Bad Aachen sind

besonders gegen Gicht, Rheuma und
Ischias wirksam. – Alljährlich ist das
Reitstadion im Stadtteil Soers Austragungsort internationaler Reit-, Spring-
und Fahrturniere.

GESCHICHTE. – *Aquae Granni,* die heißesten Quellen Europas (37-75°C), wurden schon von den Römern zu Kurzwecken benutzt. Im Mittelalter war
Aachen eine der führenden deutschen Städte:
mehrfach Residenz fränkischer Könige, Lieblings-
pfalz Karls des Großen und von der Zeit Ottos I.
(936) bis zu Ferdinand I. (1531) Stätte von 32 deutschen Königskrönungen sowie zahlreicher Reichstage und Kirchenversammlungen. Im 18. und 19. Jh.
'Bad der Könige'. Im Zweiten Weltkrieg wurde die
Stadt zum überwiegenden Teil zerstört. Der Wiederaufbau nach 1945 hat jedoch alle Schäden beseitigt, bedeutende Kulturdenkmäler wiederhergestellt und eine moderne Stadt entstehen lassen.

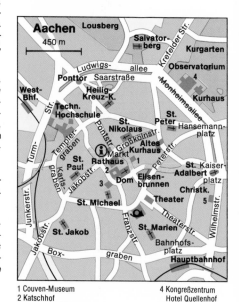

1 Couven-Museum
2 Katschhof
3 Stadtarchiv (Grashaus)

4 Kongreßzentrum
  Hotel Quellenhof
5 Suermondt-Museum

SEHENSWERTES. – Am Marktplatz
steht das um 1350 auf den Grundmauern der karolingischen Kaiserpfalz errichtete **Rathaus** (Turmhelme 1979
nach einem Entwurf Dürers erneuert)
mit dem bemerkenswerten Krönungs-
saal (Karlsfresken von A. Rethel). Nahebei, am Hühnermarkt 17, in einem alten
Bürgerhaus, das *Couven-Museum*
(Alt-Aachener Wohnkultur von 1740 bis
etwa 1840). Pontstraße 13 das *Internationale Zeitungsmuseum* (Erst- und
Letztausgaben von rund 100000 Titeln).
Südlich vom Rathaus bezeichnet der
Katschhof die Stelle des karolingischen
Palasthofes.

Der **Dom* besteht aus dem um 800 als
Pfalzkirche Karls des Großen errichte-

ten achteckigen Mittelbau (Oktogon) und der 1414 vollendeten gotischen Chorhalle; im Inneren unter der Kuppel ein von Friedrich I. Barbarossa gestifteter Radleuchter, auf der Empore ein Marmorthron Karls des Großen, im Chor der goldene *Karlsschrein (13. Jh.) mit den Gebeinen des Kaisers; kostbarer *Domschatz. Nahe dem Dom, wo sich heute die Nachbildung eines römischen Portikus erhebt, wurden 1967/68 Reste römischer Badeanlagen und Tempel freigelegt. Südwestlich vom Dom, im sog. 'Grashaus' (1267; ältestes Rathaus der Stadt), das Stadtarchiv.

Am Friedrich-Wilhelm-Platz der **Elisenbrunnen,** das Wahrzeichen des Bades Aachen, mit dem Trinkbrunnen. Wenige Schritte entfernt steht das Stadttheater (1825) für Oper, Operette und Schauspiel. Etwa 500 m nordöstlich vom Elisenbrunnen, an der Komphausbadstraße, im Alten Kurhaus die Neue Galerie-Sammlung Ludwig (bes. Kunst des 20. Jh.; wechselnde Ausstellungen).

Östlich der Fußgängerzone der Kaiserplatz mit der Kirche St. Adalbert; unweit südlich von hier das **Suermondt-Museum** (Skulpturen, Gemälde; Neubau im Kurpark geplant). – Östlich vom Hauptbahnhof in der Burg Frankenberg das **Städt. Heimatmuseum.** Im Norden der Stadt liegen das **Neue Kurhaus** (gesellschaftl. Mittelpunkt, Tagungs- und Kongreßzentrum), das Parkhotel Quellenhof und der Kurpark. Weiter westlich, am Ende der Ludwigsallee, das trutzige Ponttor mit Vorburg (um 1320). Vom Drehturmrestaurant Belvedere auf dem 264 m hohen Lous-

berg schöner Rundblick auf die alte Kaiserstadt und ihre Umgebung.

UMGEBUNG von Aachen. – Im Südosten und Süden erstreckt sich bis in die Eifel der grenzüberschreitende **Deutsch-Belgische Naturpark.**

Ahrtal

Bundesland: Rheinland-Pfalz.

ⓘ **Fremdenverkehrsverband Rheinland-Pfalz,** Hochhaus, Bahnhofstraße 54/56, D-5400 Koblenz; Telefon: (02 61) 3 50 25.

Das weingesegnete Ahrtal im Norden der Eifel ist eines der schönsten Nebentäler des Rheins. Die 89 km lange Ahr entspringt bei Blankenheim und mündet unterhalb von Sinzig in den Rhein.

Landschaftlicher Höhepunkt ist das wildromantische Flußstück der mittleren Ahr zwischen Altenahr und Bad Neuenahr. Hier erzwingt sich der Fluß in zahlreichen Windungen seinen Weg durch zerklüftete Schieferfelsen – besonders eindrucksvoll die hohe Felswand Bunte Kuh bei Walporzheim. Burgruinen grüßen von den Höhen. Wald und Rebstöcke besetzen die Hänge. Im engen Tal drängen sich die Weinorte: Altenahr, Mayschoß, Rech, Dernau, Marienthal, Walporzheim, Bachem, Ahrweiler. Hier reifen Deutschlands beste Rotweine, köstliche Spätburgunder, aber auch spritzige Weißweine.

Schon seit der Römerzeit (etwa seit 260 n.Chr.) wird in diesem nördlichsten deutschen Anbaugebiet WEINBAU betrieben. Das mittelalterliche Ahrweiler, seit 1969 mit Bad Neuenahr zu einer Stadt vereint, ist ein bekanntes Zentrum des Rotweinhandels. In Bad Neuenahr sprudeln warme Heilquellen aus vulkanischem Boden, die zu Trink- und Badekuren genutzt werden.

Weinseligkeit für jeden Geschmack bietet das Ahrtal. Der stille Genießer kehrt in der Weinstube St. Peter in Walporzheim ein. Wer lebhafte Fröhlichkeit sucht, findet sie in der vielbesuchten 'Lochmühle' bei Mayschoß. Der Wanderer erschließt sich diese reizvolle Rebenlandschaft auf dem 30 km langen Rotwein-Wanderweg von Lohrsdorf bis Altenahr.

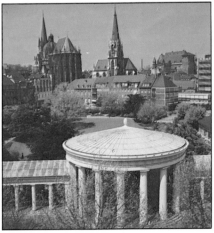

Elisenbrunnen in Bad Aachen

Alfeld

Bundesland: Niedersachsen.
Kfz-Kennzeichen: ALF.
Höhe: 93 m ü.d.M. – Einwohnerzahl: 25 000.
Postleitzahl: D-3220. – Telefonvorwahl: 05181.
ⓘ **Verkehrsverein,** Ständehausstraße 1;
Telefon 4051.

HOTELS. – *Deutsches Haus,* Holzerstr. 25, 30 B.;
Berghotel Schlehberg, Am Schlehberg 1, 14 B. – In
Hörsum: *Zur Eule,* Horststr. 46, 45 B.

RESTAURANT. – *Ratskeller,* Markt 1.

Die Kreisstadt auf dem rechten Ufer der Leine am Fuße der Sieben Berge ist Mittelpunkt des Leineberglandes. Die Altstadt zeigt noch ein prachtvolles mittelalterliches Gepräge. Alfeld besitzt bekannte Alpenveilchenzüchtereien und eine vielseitige Industrie (Papierfabrik, Schuhleistenherstellung, metallverarbeitende Industrie).

GESCHICHTE. – Alfeld, 1020 erstmals als *Alevellon* urkundlich erwähnt, erhielt um 1250 Stadtrecht durch den Bischof von Hildesheim. Dieser besaß hier eine Burg zum Schutz der Leinefurt und der wichtigen Handelsstraße vom Wesertal nach Hildesheim. Im Mittelalter war Alfeld Mitglied der Hanse. 1846 verheerte ein schwerer Brand die Stadt. Mit Fertigstellung der Eisenbahn Hannover-Kassel 1854 setzte die industrielle Entwicklung ein.

SEHENSWERTES. – Die Altstadt wird beherrscht von den Zwillingstürmen der Pfarrkirche **St. Nikolai,** einer dreischiffigen gotischen Hallenkirche des 15. Jh. (Triumphkreuz, Taufstein, Sakramentshäuschen). Am Kirchhof steht die *Alte Lateinschule* (1610) mit reichem Figurenschmuck. Heute ist hier das *Heimatmuseum* untergebracht. Nahebei das **Gildehaus der Schuhmacher,** ein stolzer Fachwerkbau von 1570. Das älteste Fachwerkhaus der Stadt findet sich an der Seminarstraße 3: Es stammt aus dem Jahre 1490. – Das **Rathaus,** nördlich der Kirche, mit dem malerischen Treppenturm, wurde 1584-1586 erbaut. Um den Blauen Stein (am Eingang links) rankt sich die Sage der vom Räuber Lippold entführten Alfelder Bürgermeisterstochter. – Die sagenumwobene *Lippoldshöhle* versteckt sich im Wald 1,5 km südwestlich des noch zu Alfeld gehörenden Ortsteils Brunkensen. Sie besteht aus mehreren in den Fels gehauenen Kammern und Gängen und ist der Rest einer Felsenburg des Raubritters Lippold von Rössing (um 1300).

Allgäu

Bundesländer: Bayern und Baden-Württemberg.
ⓘ **Fremdenverkehrsverband Allgäu / Bayerisch Schwaben,**
Fuggerstraße 9, D-8900 Augsburg;
Telefon: (0821) 33335.

Das zum Voralpenland gehörende *Allgäu, ein freundliches Hügel- und Bergland aus Molasserücken und Moränenwällen, erstreckt sich als der südliche Teil von Bayerisch Schwaben zwischen Bodensee und Lechtal und greift im Nordwesten auch ins württembergische Schwabenland über. Die hochalpine Gebirgskette der Allgäuer Alpen, ein Teil der Nördlichen Kalkalpen, bildet mit bizarren Gipfelformen die Grenze zwischen Bayern und den österreichischen Bundesländern Vorarlberg und Tirol. Die höchste Erhebung ist der Große Krottenkopf (2657 m) in Nordtirol.

Die Allgäuer Landschaft mit dem tiefgestaffelten Vorgebirge, prächtigen Seen (Alpsee, Grüntensee, Weißensee, Hopfensee, Forggensee u.a.), stillen Weihern und Mooren, ausgedehnten Wäldern, satten Bergwiesen und sauberen Bergdörfern vor der imposanten Hoch-

Attlesee bei Nesselwang im Allgäu

gebirgskulisse ist von besonderem Reiz und zieht sowohl im Sommerhalbjahr als auch zur Schneesaison eine große Zahl von Urlaubern an. Eine Besonderheit bilden die Allgäuer 'Grasberge', deren steile Böschungen dem Bergtouristen gefährlich werden können (z. B. die Höfats, 2258 m). Mit seinen hochgelegenen, schneesicheren Tälern und guten Abfahrtsmöglichkeiten ist das Allgäu auch eine gern besuchte Wintersportregion.

Das für seine intensive Viehzucht (Allgäuer Rind) und hochentwickelte Weidewirtschaft (Milch-, Butter- und Käseerzeugung) bekannte Allgäu präsentiert sich zudem als ein Land der Bäder und Heilquellen. Die Kneippsche Wasserkur ist in Bad Wörishofen entstanden und wird auch in vielen anderen Kur- und Erholungsorten angewendet. Hinzu kommen Moorbäder und verschiedene Mineralquellen. Sonnenschein und Höhenluft tun ein übriges, etwa in Oberstdorf und Hindelang – Bad Oberdorf oder in anderen heilklimatischen Kurorten.

Von den touristischen Schwerpunkten im Allgäu seien besonders hervorzuheben: die regionale Hauptstadt **Kempten** (s. dort) und das weitbekannte **Oberstdorf** (s. dort), der Ausgangspunkt für den Besuch des österreichischen *Kleinwalsertals* (deutsches Zollgebiet); *Sonthofen* und *Immenstadt* im Tal der Iller; der Kurort *Hindelang - Bad Oberdorf* an der kehrenreichen Jochstraße; *Pfronten* mit der Sonnenterrasse auf dem Breitenberg und dem Skigelände Hochalpe; **Füssen** mit dem Forggensee und **Schwangau** mit den 'Märchenschlössern' *Neuschwanstein* (s. Titelbild dieses Reiseführers) und *Hohenschwangau*. Im westlichen Allgäu liegen *Oberstaufen* (Dreiländerblick vom 'Paradies'), das Zentrum der Allgäuer Hutindustrie *Lindenberg,* das malerische **Wangen** (s. dort), die einstigen Reichsstädte *Isny* und *Leutkirch;* ferner im Norden *Ottobeuren* mit einer berühmten Benediktinerabtei, *Memmingen, Mindelheim, Bad Wörishofen, Kaufbeuren* und *Marktoberdorf* sowie randlich die Fuggerstadt **Augsburg** (s. dort).

Quer durch den südlichen, gebirgigen Teil des Allgäus führt die äußerst lohnende *Deutsche Alpenstraße,* weiter nördlich ein Zweig der Oberschwäbischen Barockstraße.

Alsfeld

Bundesland: Hessen. – Kfz-Kennzeichen: ALS. Höhe: 264 m ü.d.M. – Einwohnerzahl: 18 000. Postleitzahl: D-6320. – Telefonvorwahl: 06631.
ⓘ Städtisches Verkehrsbüro, Rittergasse 3-5; Telefon: 4300.

HOTELS. – *Krone,* Schellengasse 2, 42 B.; *Klinghöffer,* Hersfelder Str. 47, 55 B.; *Zum Schwalbennest,* Pfarrwiesenstr. 14, 34 B. – *Autobahn-Rasthaus Pfefferhöhe,* an der Autobahn-Ausfahrt Alsfeld-West, 105 B.

Alsfeld, die reizvolle Kreisstadt an der oberen Schwalm zwischen Vogelsberg und Knüll, wurde wegen ihrer gut erhaltenen *Fachwerk-Altstadt Europäische Modellstadt für Denkmalschutz. Ihr Wirtschaftsleben prägen Textil- und holzverarbeitende Industrie. Die günstige Verkehrslage an der Autobahn Kassel - Frankfurt am Main macht die Stadt zum Konferenz- und Tagungsort.

GESCHICHTE. – Alsfeld wurde erstmals um 1076 als Teil der Landgrafschaft Thüringen erwähnt. 1247 kam es an Hessen. Im 13. Jh. war die Stadt Mitglied des Rheinischen Städtebundes. Ende des 14. Jh. war sie zeitweilig Residenz des Landgrafen Hermann des Gelehrten von Hessen, der das einheimische Zunftwesen förderte. Schon früh schloß sich die Stadt der Reformation an. Auf der Hin- und Rückreise vom Reichstag in Worms nahm Luther hier Quartier. 1871 bekam Alsfeld Anschluß an die Eisenbahn, 1938 an das Autobahnnetz.

Marktplatz in Alsfeld

SEHENSWERTES. – Mittelpunkt der Altstadt ist der Marktplatz, dessen Ostseite das freistehende spätgotische *Rathaus (1512-16) mit seinen helmbekrönten Erkern schmückt, das zu den bedeutendsten Fachwerkbauten Westdeutschlands gehört (sehenswerter Ratssaal und Gerichtsstube); an der Nordseite des Platzes rechts das *Weinhaus* (1538), ein Steinbau mit Staffelgiebel, links das *Bückingsche Haus* (Ende 16. Jh.) mit hübschem Erker; westlich, gegenüber dem Rathaus, das *Koossche*

Haus (1609) mit reicher Schnitzerei und Bemalung; in der Südecke des Marktes das *Hochzeitshaus,* ein stattlicher Renaissancebau von 1565 (Weinkeller u.a.). – In der nahen Rittergasse das *Neurathsche Haus,* ein Fachwerkbau von 1688, und daneben das *Minnigerode-Haus,* ein steinerner Barockbau von 1687 mit freitragender Wendeltreppe; in beiden Häusern ist das *Regionalmuseum* eingerichtet. – Hinter dem Rathaus links, am Anfang der ebenfalls an Fachwerkhäusern reichen **Fuldergasse,** die **Walpurgiskirche** (13. bis 15. Jh.; spätgotische Wandmalereien, schöne Grabmäler); am Ende der Gasse der *Leonhardsturm* (1368). – Am Roßmarkt die *Dreifaltigkeitskirche* (13. Jh.), daneben Reste eines Klosters.

UMGEBUNG von Alsfeld. – *Schloß Altenburg* (18. Jh.) mit Schloßkirche, auf einem Hügel über der Schwalm (2 km südlich).

Altes Land

Bundesland: Niedersachsen.
ⓘ **Gemeindeverwaltung Jork**
D-2155 Jork; Telefon: (0 41 62) 3 23.
Tourist Information Hamburg, Bieberhaus am Hauptbahnhof, D-2000 Hamburg 1; Telefon: (0 40) 24 12 34 und 32 69 17.

Das *Alte Land an der Unterelbe zwischen Süderelbe und Stade, 2-7 km breit und 32 km lang (157 qkm), ist die reichste und schönste aller Elbmarschen. Es ist das nördlichste geschlossene Obstanbaugebiet, von besonderem Zauber, wenn die Kirschblüte die Landschaft am Strom in ein weißes Blütenmeer verwandelt. Dann empfiehlt sich eine Wanderung auf den hohen Deichen der dunklen Moorflüsse oder der Elbe mit Blick auf die tiefer liegenden Obstbaumplantagen. Auch Äpfel, Birnen, Pflaumen und Zwetschen werden in diesem ausgedehnten Obstgarten angebaut. Holländische Einwanderer haben im 12. und 13. Jh. das Alte Land besiedelt und eingedeicht. Bis 1832 besaß dieser Raum sogar eine eigene Verfassung.

Beeindruckend sind die stattlichen, farbenprächtigen *Altenländer Bauernhäuser* mit Ziegelmustern zwischen dem weißen Fachwerk und hohem Reetdach. Die Fenster sind dunkel-, Wandbretter und Konsolen hellgrün gestrichen.

Altenländer Bauernhaus

Kunstvoll gestaltete Schwanenhälse zieren den Giebel. Da und dort führt noch eine reichgeschnitzte Prunkpforte hinter der Grabenbrücke auf den Hof. Ein besonders schönes Altländer Bauernhaus mit bunt bemalter Prunkpforte von 1683 präsentiert sich im langgezogenen Straßendorf Ninkoperport.

Zentrum des Alten Landes ist **Jork** mit Obstbauversuchsanstalt und barocker Backsteinkirche. Die Kirchen von *Neuenfelde* und *Steinkirchen* besitzen wertvolle Arp-Schnitger-Orgeln. In Neuenfelde besaß der berühmte Orgelbauer einen Hof. In der Kirche liegt er begraben.

Gegenüber *Frankop* liegt jenseits der Alten Süderelbe die Insel Finkenwerder mit den großen Helligen der Deutschen Werft. Vom Ausflugsort *Lühe* an der Elbe besteht eine Fährverbindung nach Schulau mit Schiffsbegrüßungsanlage. Zwischen Lühe, Schulau und St.-Pauli-Landungsbrücken verkehren übrigens die Schiffe der HADAG – ein Hinweis für den, der sich auf dem Wasserwege dem Alten Land nähern möchte.

Altötting

Bundesland: Bayern. – Kfz-Kennzeichen: AÖ. Höhe: 402 m ü.d.M. – Einwohnerzahl: 11000. Postleitzahl: D-8262. – Telefonvorwahl: 0 86 71.
ⓘ **Verkehrsverein,** Kapellplatz 2 a; Telefon: 61 10.

HOTELS. – *Schex,* Kapuzinerstr. 11, 70 B.; *Scharnagl,* Neuöttinger Str. 2, 120 B; *Plankl,* Schlotthammer Str. 4, 72 B.

RESTAURANT. – *Bräu im Moos,* in Moos (mit Biergarten).

Altötting ist der älteste und berühmteste Wallfahrtsort Bayerns. Jährlich

kommen über **600 000 Pilger** in die **Kreisstadt im Innviertel im Kreuzungspunkt zweier Bundesstraßen. Altötting ist Sitz des Zentralklosters der Kapuziner.**

GESCHICHTE. – 748 wurde der Ort erstmals urkundlich bezeugt, 877 die Heilige Kapelle. Ein örtliches Wunder gab 1489 den Anstoß zur Wallfahrt. Vor allem unter Kurfürst Maximilian I. (1598-1654) erlebte die Altöttinger Marienverehrung eine hohe Blüte.

SEHENSWERTES. – Die **Heilige Kapelle** auf dem weiten Kapellplatz ist ein achtseitiger frühromanischer Zentralbau mit einem spätgotischen Anbau (1464) im Westen. In der östlichen Nische des Zentralbaus steht in einem silbernen Tabernakel (1645) das holzgeschnitzte, rußgeschwärzte *Gnadenbild ('Schwarze Madonna', um 1300); silberne Urnen bewahren die Herzen von 21 bayerischen Herrschern und des kaiserlichen Feldherrn Tilly. An der Südseite des Platzes die **Stiftskirche,** eine bis auf den zweitürmigen spätromanischen Westbau 1499–1511 neu aufgeführte spätgotische Hallenkirche, Grablege König Karlmanns und des Feld-

'Goldenes Rößl' in der Altöttinger Schatzkammer

herrn Tilly. Die *Schatzkammer* ist überaus reich an Kostbarkeiten: Hauptstück das *Goldene Rößl', ein Meisterwerk spätgotischer französischer Hofkunst (um 1400).

Amberg

Bundesland: Bayern. – Kfz-Kennzeichen: AM. Höhe: 374 m ü.d.M. – Einwohnerzahl: 47 000. Postleitzahl: D-8450. – Telefonvorwahl: 0 96 21.
ⓘ **Städtisches Kulturamt,** Waisenhausgasse 4; Telefon: 1 02 31.

HOTELS. – *Heiner Fleischmann,* Wörthstr. 4, 50 B.; *Brunner* (garni), Batteriegasse 3, 70 B.; *Gall,* Sulzbacher Str. 89, 40 B.; *Bahnhof-Hotel,* Batteriegasse 2, 65 B.

RESTAURANT. – *Casino,* Schrannenplatz 8 (Altdeutsche Stube).

Amberg, die frühere Hauptstadt der Oberpfalz, im Osten des Fränkischen Jura, bettet sich in das breite fruchtbare Tal der Vils, die mitten durch die Altstadt fließt. Ringmauern mit Türmen und Toren umschließen heute noch den mittelalterlichen Stadtkern. Grünanlagen kennzeichnen den Verlauf der einstigen Wälle. – Die Luitpoldhütte, eines der größten Eisenunternehmen Bayerns, folgt alten Standortgesetzen: Sie nutzt die traditionellen Erzvorkommen im Norden der Stadt.

GESCHICHTE. – Amberg wurde als Geschenk Kaiser Konrads II. an das Bistum Bamberg 1034 erstmals urkundlich erwähnt. 1269 an den bayerischen Herzog Ludwig den Strengen zu Lehen gegeben, fiel es 1329 an die Söhne des Pfalzgrafen Rudolf und wurde der Rheinpfalz einverleibt. Im Jahre 1628 kam die Stadt mit der Oberpfalz an Maximilian I. von Bayern. Die günstige Lage an der Handelsstraße Nürnberg-Prag und der Erzbergbau verhalfen Amberg zu einer wirtschaftlichen Blüte bis zum Dreißigjährigen Krieg. Überdies war die schiffbare Vils für Erz- und Salztransporte wertvoll.

SEHENSWERTES. – Zentrum des mauerumwehrten Altstadtovals ist der Marktplatz mit dem gotischen **Rathaus** (14.-16. Jh.; im Erdgeschoß Stadtarchiv, im ersten Stock Großer und Kleiner Ratssaal mit schönen kassettierten Holzdecken) und der spätgotischen Pfarrkirche *St. Martin,* nach dem Regensburger Dom der bedeutendste gotische Kirchenbau der Oberpfalz (1421-83) erbaut, 98 m hoher Westturm später angefügt; Hochgrab des Pfalzgrafen Ruprecht Pipan, 1397. – Hinter der Kirche das ehem. *Pfalzgrafenschloß* (13-14. Jh.; Heimatmuseum). Südwestlich vom Markt das einstige *Kurfürstliche Schloß* (17 Jh.; jetzt Landratsamt). Vom Schloß geht ein gedeckter Wehrgang mit zwei Bögen über die Vils (sog. "Stadtbrille"). – Am Schrannenplatz im Nordwesten der Altstadt die **Schul-**

Rathaus in Amberg

kirche, 1693-99 von Wolfgang Dientzenhofer erbaut (prunkvolle Rokokoausstattung). – Die Georgenstraße (Hauptgeschäftsstraße) führt vom Marktplatz westwärts zum Malteserplatz mit dem ehem. **Maltesergebäude** (1665-89 von Georg Dientzenhofer erbaut; sehenswerter Kongregationssaal, barocker Bibliothekssaal mit Stukkaturen von Johann Schmuzer). Hinter dem Maltesergebäude die wehrhafte gotische *St.-Georgs-Kirche* (barockes Inneres), die älteste Pfarrkirche der Stadt.

UMGEBUNG von Amberg. – *Wallfahrtskirche Mariahilf* (Stuckausstattung von Giovanni Battista Carlone, Deckengemälde von Cosmas Damian Asam) auf aussichtsreicher Höhe (3 km nordöstlich).

Ammersee

Bundesland: Bayern.
ⓘ **Verkehrsamt Dießen,** Mühlstraße 4; D-8918 Dießen; Telefon: (08807) 244.

Der Ammersee liegt 35 km südwestlich von München im Alpenvorland. Seine Entstehung verdankt er der letzten Eiszeit, die aus dem Loisachtal einen mächtigen Gletscher nach Norden vorschob. Ursprünglich war die grüne Wasserfläche fast doppelt so groß wie heute. Anschwemmungen der Ammer ließen sie im Norden und Süden immer mehr verlanden.

Bewaldete Moränenhügel umgeben den 47 qkm großen See, der 16 km lang, 3-6 km breit und bis zu 81 m tief ist. Schöne Ausflugs- und Urlaubsorte säumen die Seeufer. Boote der Ammersee-Schiffahrt (darunter noch ein Old-

timer) verbinden sie. Strandbäder laden zum Schwimmen ein. Zahlreich sind die Gelegenheiten zu Ruder- und Segelsport. Auch der Angler findet reiche Beute (Felchen, Renken, Zander). Dennoch ist der Ammersee an den Wochenenden nicht so überlaufen wie der benachbarte Starnberger See.

Dießen bietet mit seiner ehem. Augustiner-Chorherren-Stiftskirche, von Johann Michael Fischer erbaut, ein Meisterwerk des bayerischen Rokoko. Bei Herrsching ragt die Wallfahrtskirche **Andechs** mit hohem Zwiebelturm über dem Kiental auf. Johann Baptist Zimmermann schmückte sie mit Deckenfresken und Stukkaturen. Die nahe Klostergaststätte lädt zu Bier und Brotzeit ein. Andechser Bier ist seit altersher berühmt.

Im Süden begrenzen Ammergebirge und Benediktenwand die reizvolle Seelandschaftsszenerie. Bei klarem Wetter kann man bis zur Zugspitze im Wettersteingebirge sehen.

Ansbach

Bundesland: Bayern. – Kfz-Kennzeichen: AN. Höhe: 409 m ü.d.M. – Einwohnerzahl: 40000. Postleitzahl: D-8800. – Telefonvorwahl: 0981.
ⓘ **Städtisches Verkehrsamt,** im Rathaus, Martin-Luther-Platz 1; Telefon: 51241.

HOTELS. – *Am Drechselsgarten,* Am Drechselsgarten 1, 76 B.; *Christl* (garni), Richard-Wagner-Str. 41, 30 B.; *Platengarten,* Promenade 30, 22 B.; *Schwarzer Bock,* Pfarrstr. 31, 36 B.; *Windmühle,* Rummelsberger Str. 1, 41 B.

RESTAURANT. – *Café-Restaurant Orangerie,* im Hofgarten.

VERANSTALTUNGEN. – Alle zwei Jahre (1979, 1981 usw.) *Internationale Bachwoche* (Ende Juli-Anfang August); alljährlich *Rokoko-Festspiele* (Ende Juni-Anfang Juli).

Ansbach, im waldumgebenen Tal der Fränkischen Rezat, ist die 'Stadt des fränkischen Rokoko', die ihr Gepräge den hier einst residierenden Markgrafen von Brandenburg-Ansbach verdankt. Heute ist Ansbach Hauptstadt des Regierungsbezirks Mittelfranken und ein wichtiger Bahnknotenpunkt. Die rege Industrie erzeugt Kunststoffartikel, Möbel, Werkzeuge, Fleischwaren, Posamenten und Bekleidung.

GESCHICHTE. – Ansbach (früher Onoldsbach) ist aus einem vom hl. Gumpert im Jahre 748 gegründeten Benediktinerkloster entstanden. Die 1221 als Stadt erwähnte Siedlung kam 1331 durch Kauf an die Burggrafen von Nürnberg, von 1460-1791 war sie Residenz der Markgrafen von Brandenburg-Ansbach, die im 18. Jh. südlich der Altstadt den Stadtteil "Neue Auslage" mit Barockhäusern im Potsdamer Stil anlegten. Im Jahre 1791 fiel Ansbach an Preußen, 1806 an Bayern.

SEHENSWERTES. – Am Rande der Altstadt liegt am Ende der Promenade das *Markgrafenschloß, nach der Würzburger Residenz der bedeutendste Schloßbau des 18. Jh. in Franken, jetzt Sitz der Bezirksregierung von Mittelfranken (Großer Saal und *Spiegelkabinett im anmutigen Frührokokostil; Ansbacher Porzellansammlung). – Südöstlich vom Schloß der **Hofgarten** mit der 102 m langen *Orangerie* (1726-34, restauriert) und einem Gedenkstein für den 1833 hier erstochenen rätselhaften Findling Kaspar Hauser.

In der ALTSTADT am Johann-Sebastian-Bach-Platz die dreitürmige **St.-Gumbertus-Kirche** (evang.) mit der *Schwanenritter-Ordenskapelle* und romanischer Krypta; am Martin-Luther-Platz die spätgotische *St.-Johannis-Kirche* (evang.) mit der markgräflichen Gruft.

Aschaffenburg

Bundesland: Bayern. – Kfz-Kennzeichen: AB.
Höhe: 130 m ü.d.M. – Einwohnerzahl: 59 000.
Postleitzahl: D-8750. – Telefonvorwahl: 060 21.
ⓘ **Verkehrsamt**, im Rathaus, Dalbergstr. 15;
Telefon: 302 30.
Verkehrsverein, Weißenburger Str. 1;
Telefon: 304 26.

HOTELS. – *Post*, Goldbacher Str. 19, 116 B.; *Aschaffenburger Hof*, Frohsinnstr. 11, 100 B.; *Kolping*, Treibgasse 26, 40 B.; *Wilder Mann*, Fischergasse 1, 80 B.; *Mainperle*, Weißenburger Str. 42 a, 60 B.; *Elbert* (garni), Frohsinnstr. 23, 24 B. – In A.-Schweinheim: *Dümpelsmühle*, Gailbacher Str. 80, 28 B. – JUGENDHERBERGE: Beckerstr. 47.

RESTAURANTS. – *Ratskeller*, Dalbergstr. 15; *Schloßweinstuben*, im Schloß Johannisburg.

Die unterfränkische Stadt Aschaffenburg liegt auf dem hügeligen rechten Ufer des Mains am Rande des Spessarts. Die Altstadt wird beherrscht vom mächtigen Renaissancebau des Schlosses, der ehem. Residenz der Mainzer Kurfürsten. Aschaffenburg ist ein Hauptort der westdeutschen Oberbekleidungsindustrie und ein wichtiger Umschlagplatz für die Mainschiffahrt.

GESCHICHTE. – Aschaffenburg entwickelte sich in Anschluß an ein fränkisches Kastell und kam mit dem Mitte des 10. Jh. gegründeten Kollegiatsstift wohl um 957 an das Erzstift Mainz, bei dem die Stadt bis 1803 verblieb. Als Brückenstadt und wichtige Zollstätte gelangte Aschaffenburg, seit 1122 befestigt, zu hoher Blüte und wurde seit Ende des 13. Jh. neben Mainz Residenz der Kurfürsten, 1803-10 war es Hauptstadt des für Karl von Dalberg neu gebildeten Fürstentums Aschaffenburg, das nach der napoleonischen Zeit 1814 zu Bayern geschlagen wurde. Das 19. und 20. Jh. brachte die Industrie zur Entfaltung. Im Zweiten Weltkrieg wurde die Stadt von schweren Luftangriffen heimgesucht, denen zahlreiche schöne Fachwerkhäuser zum Opfer fielen.

SEHENSWERTES. – An der Westseite der Altstadt erhebt sich über dem Main das *Schloß Johannisburg, ein 1605-14 errichteter Spätrenaissancebau, der ehemals neben Mainz Residenz der Kurfürsten war; im Innern die Staatliche Gemäldegalerie, die fürstlichen *Prunkräume*, das *Schloßmuseum* und die *Schloßbibliothek*. Nordwestlich vom Schloß der *Schloßgarten*, dahinter das *Pompejanum*, eine 1842-49 errichtete Nachbildung der in Pompeji ausgegrabenen 'Villa des Castor und Pollux'.

In südöstlicher Richtung führt die Schloßgasse zur *Stiftskirche St. Peter und Alexander (12. und 13. Jh.); im Innern bedeutende Kunstwerke (u. a. 'Be-

Schloß Johannisburg in Aschaffenburg

weinung Christi' von Matthias Grünewald), romanischer Kreuzgang. Im
ehem. Stiftskapitelhaus das sehenswerte **Stadtmuseum** (kirchliche Kunst,
Bilderhandschriften, Fayencesamm-
lung). Gegenüber dem Museum das
moderne *Rathaus* (1957). – Die Sand-
gasse führt zum *Park Schöntal*, östlich
der Altstadt, der 1780 im englischen Stil
angelegt wurde.

UMGEBUNG von Aschaffenburg. – *Park Schönbusch mit frühklassizistischem Lustschlößchen
(3,5 km südwestlich).

Augsburg

Bundesland: Bayern. – Kfz-Kennzeichen: A.
Höhe: 496 m ü.d.M. – Einwohnerzahl: 245 000.
Postleitzahl: D-8900. – Telefonvorwahl: 0821
ⓘ **Verkehrsverein**, Bahnhofstraße 7;
Telefon: 3 60 26.

HOTELS. – *Steigenberger-Hotel Drei Mohren*, Maximilianstr. 40, 140 B. (altbekannte Augsburger
Fürstenherberge); *Holiday Inn*, Imhofstr. 12, 300 B.
(Hb., Solarium, Sauna; Grillrestaurant im 35. Stock-
werk); *Post*, Fuggerstr. 7, 80 B.; *Ost* (garni), Fug-
gerstr. 4-6, 100 B.; *Riegele*, Viktoriastr. 4, 60 B.;
Dom-Hotel, Frauentorstr. 8, 60 B.; *Augsburger Hof*,
Auf dem Kreuz 2, 40 B.; *Fischertor*, Pfärrle 14-16,
35 B. – In A.-Haunstetten: *Gregor*, Landsber-
ger Str. 62, 60 B. – In A.-Oberhausen: *Alpenhof*,
Donauwörther Str. 233, 251 B. – JUGENDHER-
BERGE: Beim Pfaffenkeller 3, 192 B. – CAMPING-
PLÄTZE: *Ludwigshof Mühlhausen*, unweit nördlich
der Autobahnausfahrt Augsburg-Ost.

RESTAURANTS. – *Ratskeller*, Rathausplatz 2 (Terrasse); *Fuggerkeller*, Maximilianstr. 38 (im Fuggerhaus); *Parkrestaurant bon appétit*, Kongreßhalle,
Gögginger Str. 10; *Bertele*, Philippine-Welser-
Str. 4; *Ecke-Stuben*, Elias-Holl-Platz (Künstlerlokal); *Sieben-Schwaben-Stuben*, Bürgermeister-Fi-
scher-Str. 12 (schwäb. Spez.); *Frundsberg-Keller*,
Gögginger Str. 39; *Fuggerei-Stube*, Jakoberstr. 26.

Augsburg

500 m

Pfärrle
Georgenstr.
Mozart-
haus
Eis-
stadion
Am Katzenstadel
Aufm Kreuz
Frauentorstr.
Unterer Graben
Stadtgraben
Klinker
Hl.-Kreuz-Str.
Volkhartstr.
Karlstr.
Karolinenstr.
Dom
berg
Grottenau
Fuggerstr.
Pilgerhausstr.
Perlach-
turm
Fröhlichstraße
Prinzreg.-str.
Schaezlerstr.
St.
Anna
Rat-
haus
Fuggerei
Museum
Bahnhofstr.
Königs-
St.
Moritz
Maximilianstr.
Oberer Graben
Haupt-
bahnhof
Halderstr.
platz
Fugger-
haus
Röm.
Museum
Hallstr.

Kongreßhalle   St. Ulrich
1 St. Georg   3 Stadttheater   5 Barfüßerkirche
2 Hl. Kreuzkirche   4 St. Max   6 Schaezler-Palais

WEINSTUBEN. – *Badische Weinstuben*, im Rathaus; *Alt-Augsburg*, Maximilianstr. 60; *Bürgermeister*, Maximilianstr. 45.

CAFÉS. – *Bertele*, Philippine-Welser-Str. 4; *Eickmann*, Prinzregentenstr. 1; *Trexl*, Maximilianstr. 18;
Parkcafé, im Stadtgarten, Gögginger Str. 10.

VERANSTALTUNGEN. – *Mozart-Sommer*-Festkon-
zerte im Schaezlerpalais.

**Augsburg, nach München und Nürn-
berg die drittgrößte Stadt Bayerns,
liegt nördlich des Lechfeldes am Zusammenfluß von Wertach und Lech.
Die altberühmte Reichsstadt, im Mittelalter Sitz der Kaufmannsgeschlech-
ter der Fugger und Welser, ist heute
Hauptstadt des Regierungsbezirks
Bayerisch-Schwaben.
Schon zur Römerzeit war Augsburg
durch die Via Claudia mit Verona verbunden; die günstige Verkehrslage
förderte die Entwicklung von Handel
und Industrie. Vor allem bedeutende
Unternehmen der Textil- und Maschi-
nenbauindustrie haben in der Stadt ihren Sitz. Überaus rege ist auch das kulturelle Leben. 1970 nahm die Universität Augsburg ihren Betrieb auf. Augsburg ist an das bundesdeutsche Autobahnnetz angeschlossen. Einer der
beliebtesten deutschen Touristenstraßen, die Romantische Straße,
führt vom Maintal über Augsburg nach
Füssen.**

GESCHICHTE. – Die Siedlung Augsburg entstand
aus einem 15 v. Chr. von Drusus errichteten Militär-
lager, im 1. Jh. n. Chr. als *Augusta Vindelicorum*
Hauptstadt der Provinz Rätien. Bald nach 400 zer-
brach die römische Herrschaft. Schon früh war
Augsburg christliche Gemeinde und Bischofssitz.
955 setzte König Otto I. in der Schlacht auf dem benachbarten Lechfeld den wiederholten Ungarnein-
fällen ein Ende. Im 10. Jh. wurde südlich der Bischofsstadt eine Siedlung von Fernkaufleuten bezeugt, die im 11. Jh. zur Bürgerstadt wurde. 1276
verlieh ihr Rudolf von Habsburg reichsstädtische
Freiheit. Mauerring und Türme schützten die aufstrebende Stadt, die in der zweiten Hälfte des 15.
und im 16. Jh. als bedeutendster Umschlagplatz des
Handels zwischen Süddeutschland, Italien und dem
Orient ihre größte wirtschaftliche Blüte erreichte.
Fugger und Welser zählten zu den reichsten Kaufherren der Erde. Augsburg wurde Schauplatz zahlreicher Reichstage. Auf dem Reichstag von 1530
überreichten die protestantischen Fürsten dem
Kaiser Karl V. die 'Augsburgische Konfession', die
grundlegende Bekenntnisschrift der lutherischen
Kirche. Der Dreißigjährige Krieg brachte wirtschaft-
liche und kulturelle Rückschläge. 1805 verlor
Augsburg die Reichsfreiheit, 1806 kam es an das
junge Königreich Bayern. Mit dem industriellen
Zeitalter brach eine neue Blütezeit an. Im Zweiten
Weltkrieg wurden über 50 % der Stadt zerstört. 1972
führten Eingemeindungen zu einer beachtlichen
Erweiterung des Stadtgebietes.

SEHENSWERTES. – Im Mittelpunkt der Stadt, deren Hauptachse Karolinen- und Maximilianstraße bilden, steht das *Rathaus, ein machtvoller Renaissancebau des Stadtbaumeisters Elias Holl (1615-20). Daneben der 78 m hohe *Perlachturm* (Rundsicht) und der *Augustusbrunnen* (1589-94). – Östlich des Rathausplatzes in der 'Jakobervorstadt' die von den Fuggern gestiftete *Fuggerei,* eine durch vier Tore abgeschlossene ''Stadt in der Stadt'' für arme Augsburger Bürger, die älteste Sozialsiedlung der Welt (1519; die Jahresmiete für eine $2^1/_2$-Zimmer-Wohnung beträgt heute noch 1 rhein. Gulden = DM 1,71; Museum). – Nördlich des Rathausplatzes führen Karolinenstraße und Hoher Weg zum *Dom (9.-14. Jh.) mit Bronzetür am südlichen Seitenschiff (35 Relieftafeln des 11. Jh.); im Innern, auf der Südseite des Mittelschiffs, fünf Fenster, die ältesten figürlichen Glasmalereien Deutschlands (wohl vor 1100), sowie Altargemälde von Hans Holbein d. Ä. Östlich vom Dom, im Springergäßchen, das ehem. Wohnhaus von *Rudolf Diesel* (1858-1913), dem Erfinder des Dieselmotors (1892). Nördlich vom Dom, in der Frauentorstraße, das *Mozarthaus,* Geburtshaus von Leopold Mozart, dem Vater des Komponisten (Gedenkstätte).

An der vom Rathaus nach Süden ziehenden Maximilianstraße, Anfangsstück der alten römischen Kaiserstraße zwischen Deutschland und Italien, steht vor der gotischen *St.-Moritz-Kirche* der *Merkurbrunnen* von 1599; nördlich gegenüber der Kirche das *Weberhaus,* eines der vielen Zunfthäuser. – Südlich das **Fuggerhaus,** die 1512-15 erbaute Stadtresidenz der Fürsten Fugger von Babenhausen, die sich im 15.-16. Jh. von Webergesellen zu den reichsten Kaufherren der Erde emporgearbeitet haben (Damenhof von 1516; Naturwissenschaftl. Museum). Weiterhin rechts das *Schaezler-Palais, ein Rokokobau mit großem Festsaal, den *Städt. Kunstsammlungen* ('Deutsche Barockgalerie') sowie der *Staatsgalerie* (Altdeutsche Meister, u.a. Holbein d.Ä., H. Burgkmair d.Ä., Dürer); davor der *Herkulesbrunnen* von Adriaen de Vries (1602). – Unweit östlich in der ehem. *Dominikanerkirche* (16.-18. Jh.) das *Römische Museum.* – Am Ende der Maximilianstraße das *St.-Ulrich-Münster (St. Ulrich und St. Afra, 1500; kath.), das

Rathaus in Augsburg

mit der kleinen evang. *Ulrichskirche* (1458) eine prächtige Baugruppe darstellt. – Südöstlich von der Ulrichkirche das *Rote Tor* (Turm von Elias Holl, 1622); dabei ein Freilichttheater mit 2400 Plätzen.

Südwestlich vom Rathaus in der Philippine-Welser-Straße das *Maximilian-Museum,** das ein anschauliches Bild der geschichtlichen, künstlerischen und kulturellen Vergangenheit Augsburgs bietet, sowie an der Annastraße die evang. *St.-Anna-Kirche* (14.-17. Jh.); im Innern die *Grabkapelle der Familie Fugger, das erste größere Werk der Renaissance in Deutschland (1509-12). – Weiter südwestlich am Königsplatz das Geschäftshochhaus *Kaiserhof 2000.* – Südlich vom Hauptbahnhof im Stadtgarten die **Kongreßhalle** (1974; Parkrestaurant) und der *Hotelturm* (117 m). – Seit den Olympischen Spielen 1972 besitzt Augsburg ein *Kanu-Slalom-Stadion* am Hochablaß.

Baden-Baden

Bundesland: Baden-Württemberg.
Kfz-Kennzeichen: BAD.
Höhe: 183 m ü.d.M. – Einwohnerzahl: 50000.
Postleitzahl: D-7570. – Telefonvorwahl: 07221.
ⓘ **Kurdirektion** *(Tourist-Information),* Augustaplatz 1; Telefon: 275200.

HOTELS. – *Brenner's Parkhotel,* Schillerstr. 6, 172 B. (Rest. Schwarzwald-Grill), Hb.; Sauna, Solarium; *Bellevue,* Maria-Viktoria-Str. 22, 150 B. großer Park, Hb., Sauna, Solarium; *Steigenberger-Hotel Europäischer Hof,* Kaiserallee 2, 184 B.;

*Steigenberger-Hotel Badischer Hof, Lange Str. 47, 140 B.; *Badhotel zum Hirsch, Hirschstr. 1, 140 B.; Holland-Hotel (garni), Sofienstr. 14, 90 B.; Atlantic, Lichtentaler Allee, 85 B.; Park-Villa Kossmann, Kaiser-Wilhelm-Str. 3, 83 B.; Müller (garni), Lange Str. 34, 47 B.; Alleehaus, Lichtentaler Allee 10, 30 B. – Außerhalb der Stadt: *Golfhotel, Fremersbergstr. 113, 150 B., Hb., Sauna, Golfplatz; *Waldhotel Der Selighof, Fremersbergstr. 125, 84 B., Hb., Tennisplätze; Waldhotel Fischkultur, Gaisbach 91, 60 B. – JUGENDHERBERGE: Aussichtsweg 25.

RESTAURANTS. – *Kurhaus-Restaurant, Kaiserallee 1; *Stahlbad, Augustaplatz 2; L'Auberge, Gernsbacher Str. 10; Sinner-Eck, Leopoldsplatz.

WEINSTUBEN: Schloß Neuweier, im Stadtteil Neuweier (12 km südwestlich); Zum Bocksbeutel, im Stadtteil Umweg (8 km südwestlich).

CAFÉS: *König, Lichtentaler Str. 12; Löhr, Augustaplatz; Dietsch, Lichtentaler Str. 74. – Mehrere Bars und Nachtklubs.

Internationale Spielbank (Roulette, Baccara, Black Jack; täglich 14-2, Sa bis 3 Uhr; Baccara bis 7 Uhr) im rechten Flügel des Kurhauses.

VERANSTALTUNGEN. – Große Woche (im August) mit internationalen Pferderennen in Iffezheim.

Baden-Baden im Talkessel der Oos am Westabfall des Nördlichen Schwarzwaldes in der Oberrheinebene ist ein vielbesuchter internationaler Kurort. Die günstige Lage, das milde Klima und die radioaktiven Kochsalzquellen (68°C; tägliche Schüttung 800 000 Liter) bilden dazu die Voraussetzung. Die Eingemeindung des Städtchens Steinbach hat Baden-Baden auch zu einer Weinbaustadt gemacht. Die Schwarzwald-Hochstraße berührt das ausgedehnte Waldgebiet der Stadt. Baden-Baden ist Sitz der Zentrale des Südwestfunks.

GESCHICHTE. – Die Heilkraft der Thermalquellen war schon den Römern bekannt. Römische Meilensteine bezeugen den Namen Aquae Aureliae. Die Franken errichteten auf dem Schloßberg eine Königspfalz. Gegen Ende des 12. Jh. wurde das Alte Schloß Sitz der Zähringer. Zu Füßen des Schloßberges entstand die mittelalterliche Stadt. Markgraf Christoph I. erbaute 1479 das Neue Schloß, umgab die Stadt mit Mauern und erließ 1507 eine Stadtordnung für das Bäder- und Herbergswesen. 1689 wurde die Stadt von den Franzosen niedergebrannt. 1771 kam Baden-Baden durch Erbvertrag an Baden-Durlach. Anfang des 19. Jh. wurde es zur Sommerresidenz des von Napoleon geschaffenen Großherzogtums Baden-Baden. Die Gründung der Spielbank (1838) und die Pferderennen von Iffezheim (seit 1858) ließen den aufstrebenden Kurort bald zu einem Treffpunkt der eleganten Welt und zur 'Sommerhauptstadt Europas' werden, in der sich vor allem der europäische Adel traf. Im 20. Jh. erweiterte sich das Stadtgebiet durch umfangreiche Eingemeindungen.

SEHENSWERTES. – Mittelpunkt des eleganten Kurlebens ist der Kurgarten vor dem 1821-24 von Weinbrenner erbauten **Kurhaus** (Café-Restaurant); Spielbank, Führungen täglich 10-12 Uhr). Nördlich vom Kurhaus im Kurpark die 1839-42 erbaute Trinkhalle (Fresken von Schwarzwaldsagen); nordwestlich über der Trinkhalle am Michaelsberg die 1863-66 von Leo v. Klenze erbaute griechisch-rumänische Kapelle (Aussicht) mit Grabmälern der Bojarenfamilie Stourdza. Südlich vom Kurhaus das Kleine Theater und die Kunsthalle. – Hier beginnt die berühmte *Lichtentaler Allee, die belebte Promenade Baden-Badens; sie führt am linken Ufer der Oos zur 1245 gestifteten **Zisterzienserinnen-Abtei Lichtental** (Fürstenkapelle).

Die enggebaute ALTSTADT zieht sich am Schloßberg hinan. Auf halber Höhe die gotische **Stiftskirche** (kathol.; Grabmal des als 'Türkenlouis' bekannten Markgrafen Ludwig Wilhelm, † 1707; Sandsteinkruzifix des Nikolaus von Leyden von 1467). Nordöstlich am Abhang des Schloßberges die Thermalquellen, die im Friedrichsbad (1869-77) Verwendung finden. Am Römerplatz das 1670 gegründete Kloster zum Heiligen Grab (1698 nach einem Brand neu errichtet); unter dem Platz römische Badruinen. Östlich das neue Kurmittelhaus ('Neues Augustabad'; 1966) und die spätgotische Spitalskirche. – Auf der Höhe (Auffahrt) das 1479 von Markgraf Christoph I. erbaute **Neue Schloß** (212 m; zeitweilig Wohnsitz der vorm. großherzogl. Familie) mit dem Zähringer Museum (Porzellan u. a.; Voranmeldung); im ehem. Marstall die Stadtgeschichtliche Sammlung; vom Schloßgarten schöne Aussicht.

Rennbahn Iffezheim

UMGEBUNG von Baden-Baden. – Aussichtsberg *Merkur (670 m, Seilbahn; 4 km östlich). – *Altes Schloß (Hohenbaden; 403 m), ehem. Residenz der Markgrafen von Baden, jetzt Ruine; prachtvolle Aussicht vom Turm (4,5 km nördlich, Straße).

Bamberg

Bundesland: Bayern. – Kfz-Kennzeichen: BA.
Höhe: 262 m ü.d.M. – Einwohnerzahl: 74 000.
Postleitzahl: D-8600. – Telefonvorwahl: 09 51.
ⓘ Städtisches Fremdenverkehrsamt,
Hauptwachstraße 16;
Telefon: 2 64 01.

HOTELS. – Bamberger Hof-Bellevue, Schönleinsplatz 4, 70 B.; Altenburgblick (garni), Panzerleite 59, 50 B.; Graupner (garni), Lange Str. 5, 32 B.; Gästehaus Graupner, Kapellenstr. 21 a, 21 B.; Evangelisches Hospiz (garni), Promenade 3, 58 B.; Alt Bamberg, Habergasse 11, 31 B.; National, Luitpoldstr. 37, 68 B.; Straub, Ludwigstr. 31, 60 B.; Alte Post, Heiliggrabstr. 1, 62 B.; Anita, Kleberstr. 39, 22 B.; Bergschlößchen, Am Bundleshof 2, 24 B.; Weierich, Lugbank 5, 53 B.; Wilde Rose, Keßlerstr. 7, 46 B. – JUGENDHERBERGEN: Stadion, Pödelsdorfer Str. 178, 125 B.; Wolfsschlucht, Oberer Leinritt 70, 120 B. – CAMPINGPLATZ: Insel, im Stadtteil Bug, 4 km südlich der Stadtmitte, an der Regnitz.

RESTAURANTS. – Messerschmitt, Lange Str. 41 (Gartenterrasse); Theaterrose, Schillerplatz 7 (Gartenterrasse); Alte Post, Heiliggrabstr. 1; Steinernes Haus, Lange Str. 8 (Flußfische); Domterrassen, Unterer Kaulberg 36; Schlenkerla, Dominikanerstr. 6 (Rauchbier).

WEINSTUBEN. – Würzburger Weinstube, Zinkenwörth 6; Scheiners Weinstuben, Katzenberg 2.

CAFÉS. – Rosengarten, Neue Residenz (Mai-Okt.); Café am Dom, Ringleinsgasse 2.

VERANSTALTUNGEN. – Calderón-Festspiele (Juli).

Bamberg, die alte fränkische Kaiser- und Bischofsstadt und bedeutendste Stadt Oberfrankens, liegt am Westrand einer Talweitung der hier in zwei Arme geteilten Regnitz, die 7 km unterhalb in den Main mündet. Ältester Teil ist die Bischofsstadt auf dem hohen Westufer des linken Flußarmes mit dem Dom und der ehem. Benediktinerabtei Michaelsberg. Die seit dem 12. Jh. entstandene Bürgerstadt erstreckt sich auf dem flachen Gelände zwischen den beiden Regnitzarmen. Bamberg ist Sitz einer Gesamthochschule (PH und kath. Theologie). Die Bamberger Symphoniker genießen Weltruf. Die Stadt ist Binnenhafen am Main-Donau-Kanal. Im Osten der Stadt hat sich Industrie angesiedelt, vor allem Maschinen-, Textil- und Elektroindustrie. Bamberg besitzt zahlreiche Bierbrauereien. Eine

lokale Spezialität ist das Rauchbier. Man bekommt es u. a. im 'Schlenkerla'.

GESCHICHTE. – 902 wurde Bamberg als Sitz des Geschlechts der Babenberger (castrum Babenberh) genannt. 1007 gründete Kaiser Heinrich II. das Bistum. Er ließ auch den ersten Dom erbauen (1012 vollendet). Im 16. Jh. unter Fürstbischof Georg III. Schenk von Limpurg war Bamberg eine Hochburg des Humanismus. Im Dreißigjährigen Krieg stand die Stadt auf seiten der Katholischen Liga. 1648-1802 war sie Sitz einer Universität. Unter den Fürstbischöfen Franz und Friedrich Carl von Schönborn erlangte Bamberg eine hohe kulturelle Blüte. Das Barock hielt seinen Einzug. 1818 wurde das Bistum zum Erzbistum erhoben. Der Zweite Weltkrieg ließ das Bild der Stadt weitgehend unzerstört. Heute genießt Bamberg neben Lübeck und Regensburg die besondere Pflege des Denkmalschutzes.

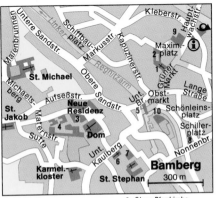

1 St. Martin
2 Gesamthochschule
3 Alte Hofhaltung
4 Domherrenhöfe
5 Altes Rathaus
6 Obere Pfarrkirche
7 Böttingerhaus
8 E.-T.-A.- Hoffmann-Haus
9 Neues Rathaus
10 Rathaus II

SEHENSWERTES. – In der zwischen zwei Armen der Regnitz gelegenen Bürgerstadt an dem langgestreckten Grünen Markt, der Hauptverkehrsader der inneren Stadt, die 1686-91 im Barockstil erbaute St.-Martins-Kirche; unweit nördlich beim Neuen Rathaus (1733-36) in der Fleischstr. 2 das reichhaltige Naturkunde-Museum. – Vom Grünen Markt gelangt man südlich über den Obstmarkt zu der 1453-56 erbauten Oberen Brücke, mit hübschem Blick rechts auf 'Klein-Venedig' (Regnitz-Fischerhäuschen); in der Mitte der Brücke das 1744-56 von J. M. Küchel umgebaute *Alte Rathaus, das seine einzigartige Lage seiner gemeinsamen Bedeutung für die durch den Fluß getrennte Bürger- und Bischofsstadt verdankt.

Am hochgelegenen *Domplatz der viertürmige **Dom, eines der herrlichsten Denkmäler des deutschen Mittelalters, aus dem Anfang des 13. Jahrhunderts. Am nördlichen Seitenschiff das als Hauptportal dienende *Fürstentor* mit den auf den Propheten fußenden Aposteln; im Bogenfeld das Jüngste Gericht. An der Südseite des Ostchors die *Adamspforte* (ihre sechs Standbilder jetzt im Diözesanmuseum). An der Nordseite des Ostchors die *Marien*- oder *Gnadenpforte* mit den ältesten Bildwerken (um 1210).

Im INNERN des Domes vor dem Georgen- oder Ostchor des 1499-1513 von Riemenschneider gearbeitete *Hochgrab Kaiser Heinrichs II. und seiner Gemahlin Kunigunde* († 1024, 1038), dahinter der **Bamberger Reiter** (um 1240; nach alter Überlieferung König Stephan der Heilige von Ungarn, Schwager Kaiser Heinrichs II.). An den Außenseiten der steinernen Chorschranken je zwölf *Reliefgestalten der Apostel und Propheten vom Meister des Georgenchors; zwischen den Propheten am Pfeiler **Maria und Elisabeth; auf der Apostelseite die Allegorien der Kirche und der Synagoge (vom Reitermeister). In der Ostkrypta der neuzeitliche Sandsteinsarkophag König Konrads III. († 1152 in Bamberg), im Peters- oder Westchor das Marmorgrab des Papstes Clemens II. († 1047), eines Bischofs von Bamberg, das einzige Papstgrab in Deutschland (um 1235). An der Westwand des südlichen Querschiffs der sog. *Bamberger Altar von Veit Stoß (1520-23; unvollendet). – Das *Diözesanmuseum* im Domkapitelhaus bewahrt den reichen Domschatz, wertvolle Gewänder (u. a. Kaisermantel Heinrichs II.) und die Standbilder der Adamspforte.

Bamberger Reiter

An der Westseite des Domplatzes die 1571-76 als bischöflicher Sitz erbaute *Alte Hofhaltung (Alte Residenz), eine der besten Schöpfungen der deutschen Renaissance; im Innern das *Historische Museum* (Kunstgewerbe u. a.; Biermuseum); im Hof Calderón-Festspiele. – An der Nordseite des Platzes erhebt sich die *Neue Residenz (1695-1704), das Hauptwerk von L. Dientzenhofer, mit den alten fürstbischöflichen Wohnräumen, einer beachtenswerten Gemäldegalerie (Werke des 15.-18. Jh.) und wechselnden Ausstellungen; im Hof ein schöner Rosengarten mit prächtigem Ausblick.

Auf der Höhe die weithin sichtbare ehem. Benediktinerabtei *Michaelsberg (1009-1803) mit der *St.-Michaels-Kirche* (12.-15. Jh.); nördlich und westlich der Kirche die 1696-1702 von J. L. Dientzenhofer und 1742 von Balthasar Neumann neu errichteten Abteigebäude.

Im südlichen Teil der Altstadt am Kaulberg die **Obere Pfarrkirche,** das bedeutendste gotische Bauwerk der Stadt (14. Jh.). Unweit östlich das *Böttinger*-

haus, ein vornehmer Barockbau von 1707-13; weiter, an der Regnitz, die *Concordia,* ein schöner Barockpalast von 1716-22. – Am Schillerplatz Nr. 26, gegenüber dem Stadttheater, das *E.-T.-A.-Hoffmann-Haus,* in dem der Dichter 1809-13 wohnte. Am südöstlichen Stadtrand (E.-T.-A.-Hoffmann-Str. 2) das *Karl-May-Museum.*

UMGEBUNG von Bamberg. – **Altenburg** (3 km südwestlich) auf 387 m hohem Bergkegel (schöner Blick auf Bamberg). – *Schloß **Pommersfelden** (Weißenstein; 20 km südwestlich), 1711-18 von J. Dientzenhofer errichteter prunkvoller Barockbau mit berühmtem Treppenhaus und Gemäldegalerie.

Bayerische Alpen

Bundesland: Bayern.
ⓘ **Fremdenverkehrsverband München-Oberbayern,** Sonnenstraße 10, D-8000 München 2; Telefon: (089) 59 73 47.

Die **Bayerischen Alpen umfassen mit ihrem Vorland etwa das Gebiet von München südlich bis zur Grenze gegen Österreich und vom Bodensee östlich bis in die Nähe von Salzburg. Sie gehören zu den Nördlichen Kalkalpen, hinter denen sich jenseits einer Schieferzone mit gerundeten Formen die höheren Zentralalpen aufbauen.

Das Gebirge ragt in der *Zugspitze* fast bis 3000 m auf, während seine Haupttäler 700-1000 m hoch liegen. Das von zahlreichen Seen belebte Vorland bildet eine Hochfläche, die sich von etwa 700 m am Gebirgsfuß gegen Norden bis etwa 500 m abdacht und von 50-200 m tiefen Tälern gegliedert ist.

Erdgeschichtlich sind die Kalkalpen ein verhältnismäßig junges Gebirge. Sie wurden im Tertiär (vor rund 70 Millionen Jahren) aufgefaltet. Die tiefen Taleinschnitte, die die Gebirgsstöcke voneinander trennen, verdanken ihre Entstehung den Gletschern der Eiszeit, die auch das hügelige Alpenvorland durch Schotterablagerungen und Moränen prägten. Beim Abschmelzen des Eises entstanden die zahlreichen Seen.

Die Alpen bieten die mannigfaltigsten Fahrtenziele. Die Voralpen, zu denen die *Ammergauer Alpen,* die Berge des hübschen *Isarwinkels* zwischen Bad Tölz und Walchensee, die anmutigen *Tegernseer Berge* und *Schlierseer Berge* gehören, gestatten prächtige Waldwanderungen, leichte Gipfelbesteigungen und lohnende Rundsichten auf Ebene und Hochgebirge. Großartiger sind die *Allgäuer Alpen,* in denen durch das Zurücktreten des Waldes der Formenreichtum der Berge mehr zur Geltung kommt sowie die Kalkstöcke der *Berchtesgadener Alpen* (Nationalpark), deren Plateaus (Untersberg und Steinernes Meer) zu freien Höhenwanderungen verlocken. Die eindrucksvollsten Felslandschaften findet man im *Wettersteingebirge,* mit der Zugspitze als höchstem Gipfel Deutschlands (2963 m), sowie in dem wild zerrissenen *Karwendelgebirge.*

ALPENTIERE. – Das charakteristische Alpentier ist die flinke *Gemse,* mit nach hinten gekrümmten Hörnern und schwarzem Rückenstreifen auf dem im Sommer rotbraunen, im Winter dunkelbraunen bis schwarzen Fell. Sie lebt vor allem im oberen Waldgürtel, im Sommer aber auch im Felsgebiet. – Das *Murmeltier,* mit fahlgrauem, in der Mitte graubraunem Rücken, stößt bei Gefahr schrille Warnpfiffe aus und verschwindet dann in selbstgegrabenen Erdhöhlen, wo es auch seinen Winterschlaf hält. – Den *Schneehasen,* der einen graubraunen bis grauen Sommerpelz und einen weißen Winterpelz besitzt und in Höhen über 1300 m lebt, erkennt man an seiner handähnlichen Trittspur. – Die bis zur Schneegrenze heimische *Alpenwühlmaus,* mit weißem Schwanz und hellbräunlich grauem Rücken, springt, klettert und schwimmt gut und hält sich fast stets in der Nähe von Alpenrosen auf. – Der *Steinadler,* mit 2 m Flügelspannweite und meist schwebendem Flug, ist selten und horstet auf Felsvorsprüngen. Noch seltener ist der *Gänsegeier,* mit weißem Kopf, hellbraunem Körper und schwarzem Schwanz. – Die gelbschnäbelige *Alpendohle* ist auf Felsgipfeln und Matten verbreitet. – Das *Alpenschneehuhn,* in Rebhuhngröße, im Sommer mit weißen Flügeln, im Winter mit gänzlich weißem Federkleid, lebt gern gesellig auf Matten über 2000 m und ist am niederen, surrenden Flug zu erkennen.

ALPENPFLANZEN. – Nachstehend werden die wichtigsten Alpenpflanzen genannt, die in ihrem Bestand gefährdet und daher unter Naturschutz gestellt sind:
Akelei, Alpenrose, Alpenveilchen, Anemone (Berghähnlein, Teufelsbart, Großes Windröschen), Aurikel, Bergwohlverleih, Christrose oder Nieswurz, Edelweiß, Eibe, Eisenhut, Enzian, einige Farne (u. a. Hirschzunge), Federgras, Gelber Fingerhut, Him-

Geroldsee (Wagenbrüchsee) mit Blick auf das Karwendelgebirge

melschlüssel, Küchenschelle, Leberblümchen, Gelbe Narzisse, sämtliche Orchideenarten (u. a. Frauenschuh, Kohlröschen, Händelwurz, Ragwurz, Knabenkraut), Schwertlilie (Iris), Seidelbast, Silberdistel, Steinbrech, Trollblume, Türkenbund. **Man beachte,** daß in Naturschutzgebieten auch solche Pflanzen nicht gepflückt werden dürfen, die üblicherweise nicht geschützt sind.

Bayerischer Wald

Bundesland: Bayern.

ⓘ **Fremdenverkehrsverband Ostbayern,**
Landshuter Straße 13,
D-8400 Regensburg;
Telefon: (0941) 57186.

Als *Bayerischer Wald wird der bayerische Anteil des Böhmerwaldes bezeichnet, der an der Further Senke an den Oberpfälzer Wald anschließt. Das hauptsächlich aus Gneis und Granit bestehende Mittelgebirge erstreckt sich etwa parallel der Donau bis zur tschechoslowakischen und österreichischen Grenze unterhalb von Passau.

Kleiner Arbersee

In der Nähe der Donau liegt der *Vordere Wald,* ein etwa bis 1100 m hohes welliges Bergland, in dem nur die höchsten Teile und die steileren Hänge noch bewaldet sind. Dahinter erhebt sich als Hauptzug des Gebirges der *Hintere Wald,* der im *Arber* (1457 m) bei Bayerisch Eisenstein gipfelt. Weitere bedeutende Höhen sind der *Osser* (1293 m) bei Lam, im etwa 120 qkm großen Nationalpark Bayerischer Wald der *Rachel* (1452 m) und *Lusen* (1371 m) bei Grafenau, schließlich der *Dreisessel* (1378 m) im Südosten des Gebirges. – Zwischen dem Vorderen und Hinteren

Wald verläuft der *Pfahl,* ein riffartig aus Granit und Gneis herausgewitterter 50-100 m breiter Quarzgang, der sich 140 km weit verfolgen läßt und von bizarren Felsen überragt wird.

Die charakteristische Schönheit des Gebirges bildet der von Adalbert Stifter geschilderte und in einigen Naturschutzgebieten (u. a. am Arber, am Falkenstein und am Dreisessel) urwaldartig erhaltene Hochwald (Buchen, Tannen und Fichten). Unterhalb der Gipfel liegen meist einsame Seen, die aus eiszeitlichen Gletschern entstanden sind.

Die Bevölkerung des 'Waldes' lebt großenteils von der Forstwirtschaft und Holzverarbeitung; erwähnenswert sind auch die Glasfabrikation und die hier angesiedelten modernen Industriebetriebe. Auch der Fremdenverkehr spielt heute eine große Rolle. Der Bayerische Wald ist ein noch verhältnismäßig ruhiges und preiswertes Reisegebiet.

Bayreuth

Bundesland: Bayern. – Kfz-Kennzeichen: BT. Höhe: 342 m ü.d.M. – Einwohnerzahl: 70000. Postleitzahl: D-8580. – Telefonvorwahl: 0921.
ⓘ **Fremdenverkehrsverein,** Luitpoldplatz 9;
Telefon: 22011.

HOTELS. – *Bayerischer Hof,* Bahnhofstr. 14, 100 B. (Hb., Sauna); *Goldener Anker,* Opernstr. 6, 41 B.; *Reichsadler,* Bahnhofstr. 23, 60 B. (Sauna); *Am Hofgarten* (garni), Lisztstr. 6, 30 B.; *Goldener Hirsch,* Bahnhofstr. 13, 70 B.; *Haus Weihenstephan,* Bahnhofstr. 5, 35 B.; *Kolpinghaus,* Kolpingstr. 5, 50 B. – In der Umgebung: *Jagdschloß Thiergarten,* 6 km südöstlich, bei Wolfsbach, 16 B. (Gartenterrasse); *Waldhotel Stein,* 8 km östlich, in B-Seulbitz, 70 B. (Hb., Fb., Sauna). – JUGENDHERBERGE: Universitätsstr. 28.

RESTAURANTS. – *Eule,* Kirchgasse 8; *Wolffenzacher,* Badstr. 1; *Postei,* Friedrichstr. 15.

CAFÉS. – *Dippold,* Maximilianstr. 69; *Jahn am Opernhaus,* Opernstr. 10; *Jean Paul,* Richard-Wagner-Platz.

VERANSTALTUNGEN. – *Fränkische Festwochen* (Juni); **Richard-Wagner-Festspiele** (Juli/August).

Bayreuth liegt im weiten Tal des Roten Main zwischen Fichtelgebirge und Fränkischer Schweiz. Barockbauten und Rokokopaläste bestimmen heute noch das Bild der ehem. Markgrafenresidenz. Seit 1975 ist Bayreuth Sitz einer Universität. Weltruf erlangte es als dem Werk Richard Wagners verpflichtete Festspielstadt.

GESCHICHTE. – Bayreuth war von 1604 bis 1768 Residenz der Markgrafen von Brandenburg-Kulmbach, bis 1791 der Markgrafen von Ansbach. Eine hohe bauliche Blüte erlebte die Stadt unter dem Markgrafen Friedrich (1753-63) und seiner Gemahlin Wilhelmine, der Lieblingsschwester Friedrichs des Großen. 1874 bezog Richard Wagner mit seiner Frau Cosima das Haus Wahnfried, 1872-76 wurde das Richard-Wagner-Festspielhaus errichtet.

SEHENSWERTES. – Unweit südöstlich vom Sternplatz, dem Verkehrsmittelpunkt der Stadt, steht das 1745-48 erbaute *Markgräfliche Opernhaus* mit prächtiger *Barockausstattung (Fränkische Festwochen). – An der Maximilianstraße das **Alte Schloß** (17. Jh.; 1945 ausgebrannt, jedoch wiederaufgebaut); in der ehem. *Schloßkirche* (1753/54; kath.) das Grabmal des Markgrafen Friedrich und seiner Gemahlin Wilhelmine. – Südwestlich die evang. *Stadtpfarrkirche* (15. Jh.) mit der Fürstengruft. – Friedrichstraße 5 das Wohn- und Sterbehaus des Dichters *Jean Paul* (eigentlich Jean Paul Friedrich Richter; 1763-1825); südlich davon die *Stadt-*

halle (1965; ehem. markgräfl. Reithalle). An der Ludwigstraße das 1753-59 erbaute **Neue Schloß** mit den sehenswerten markgräflichen Wohnräumen, Museen (u. a. Staatl. Gemäldesammlung, Stadtmuseum mit Keramiksammlung, 'Klingendes Museum') und der *Richard-Wagner-Gedenkstätte,* nahebei das *Jean-Paul-Museum;* dahinter der *Hofgarten* (Freimaurer-Museum; Zoo).

An der Richard-Wagner-Straße 48 das 1873 erbaute **Haus Wahnfried** (heute Museum), in dem Richard Wagner gelebt hat; hinter dem Haus das Grab Wagners und seiner Gattin Cosima (Tochter von Franz Liszt). Ecke Wahnfried- und Lisztstraße das Sterbehaus von *Franz Liszt* (1811-86).

Auf einer Anhöhe nördlich vor der Stadt (1 km vom Bahnhof) erhebt sich das 1872-76 errichtete **Richard-Wagner-Festspielhaus** (1800 Sitzplätze), für die fast alljährlich im Juli und August stattfindenden Richard-Wagner-Festspiele.

UMGEBUNG von Bayreuth. – *Eremitage (5 km östlich) mit *Altem Schloß* (1715-18) und *Neuem Schloß* (1749-53), schönem Park und Wasserkünsten.

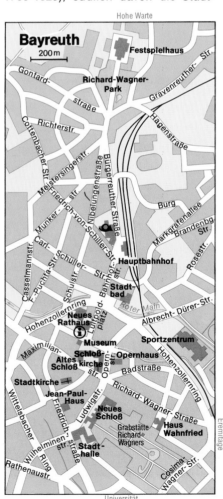

Berchtesgadener Land

Bundesland: Bayern.
ⓘ **Fremdenverkehrsverband   München-Oberbayern,** Sonnenstraße 10, D-8000 München 2; Telefon: (089) 597347.

Das *Berchtesgadener Land, einst Besitz des reichsunmittelbaren Augustinerklosters Berchtesgaden, im südöstlichsten Winkel Bayerns, stößt keilförmig in österreichisches Gebiet vor. Hohe, zum Teil schroffe Alpengipfel umschließen es.

König der Berge ist hier mit 2713 m der *Watzmann, dessen bei den Bergsteigern berühmt-berüchtigte Ostwand steil zum idyllischen *Königssee* abfällt. Die gesamte Umgebung des Sees bis zur Grenze nach Österreich bildet den **Alpen-Nationalpark Berchtesgaden.**

Am See die malerische kleine Wallfahrtskirche *St. Bartholomä,* beliebtes Ausflugsziel einer Motorbootfahrt vom Dorf *Königssee* aus. Rennrodler aus aller Welt schätzen dessen schnelle Ro-

Berchtesgaden mit Watzmann

delbahn. Auf den 1874 m hohen *Jenner* führt eine Gondelbahn. Von **Berchtesgaden** aus, mit seinem Augustiner-Chorherrenstift einst Zentrum der Propstei, heute vielbesuchter Mittelpunkt des heilklimatischen Kurgebietes Berchtesgadener Land (Wappenmuseum), führt eine steile Bergstraße über den *Obersalzberg* (ab hier für private Kraftfahrzeuge gesperrt; Postbus) auf den 1885 m hohen *Kehlstein,* auch er ein prachtvoller Aussichtsberg. Vom Obersalzberg aus erreicht man auch die 9,5 km lange *Roßfeldstraße,* eine schöne Panorama-Höhenringstraße, bekannt als Bergrennstrecke. Eine Gaudi ist die Einfahrt ins Berchtesgadener *Salzbergwerk:* in zünftiger Bergknappenkluft geht es auf Rutschen hinunter. Eine 600 m lange Grubenbahn erschließt das Bergwerk. – Am Eingang zum Berchtesgadner Land liegt **Bad Reichenhall** (s. dort). Hier sprudeln 48 Solquellen aus der Erde, darunter eine der stärksten Europas.

Bergisches Land

Bundesland: Nordrhein-Westfalen.
(i) **Landesverkehrsverband Rheinland,** Rheinallee 69, D-5300 Bonn 2 (Bad Godesberg); Telefon: (02221) 362921/22.

Das Bergische Land, die ehemalige Grafschaft Berg, zwischen Ruhr und Sieg, **Rhein und Sauerland, wird geprägt von Bergen, Wäldern, Wiesen und Flußläufen. Einst trieb die Wasserkraft hier Hammerwerke und Mühlen; es entwickelte sich eine für dieses Gebiet typische Kleineisenindustrie. Heute sind zahlreiche Flüsse durch Talsperren aufgestaut: Bever-, Neye-, Sengbach-, Wahmbach-Stausee und wie sie alle heißen.**

An der Aggertalsperre

Zentrum des Rheinisch-Bergischen Kreises ist *Bergisch Gladbach,* bekannt durch seine Papierindustrie. *Solingen* wurde durch seine Schneidwaren weltberühmt. *Remscheid* ist Hauptsitz der Werkzeug-, *Wuppertal* der Kunstseidenindustrie. Im Remscheider Ortsteil Lennep wurde 1845 Wilhelm Konrad Röntgen geboren, der Entdecker der Röntgenstrahlen. Die Stadt prunkt noch mit schönen Schieferhäusern. Das typische bergische Haus zeigt schwarz-weißes Fachwerk mit grünen Fensterläden und Schieferdach. In den Ortschaften sind häufig auch die Seitenwände mit Schiefer verkleidet.

In *Bensberg* ließ Kurfürst Johann Wilhelm von der Pfalz 1705-1716 ein repräsentatives Schloß erbauen. Im Wald- und Wiesental der Dhünn versteckt sich die von Adolf von Berg 1133 gegründete ehem. Zisterzienserabtei *Altenberg* mit dem 'Bergischen Dom' (13.-14. Jh.), dem Wahrzeichen des Bergischen Landes, einem Meisterwerk der Hochgotik.

Bergstraße

Bundesländer: Baden-Württemberg und Hessen.

ⓘ **Landesfremdenverkehrsverband Baden-Württemberg,** Bussenstr. 23, D-7000 Stuttgart 1; Telefon: (0711) 481045.
Hessischer Fremdenverkehrsverband, Abraham-Lincoln-Straße 38-42, D-6200 Wiesbaden; Telefon: (06121) 73725 und 73726.

Die Bergstraße, die 'strata montana' der Römer, begleitet den Oberrheingraben am Westabhang des Odenwalds von Darmstadt bis Heidelberg. Bekannt ist dieser Landschaftsstrich wegen seines milden Klimas. Im Frühling, der hier früher einzieht als sonst in Deutschland, verwandelt sich die Landschaft in ein Meer von Blüten. Ende März und Anfang April erlebt die Bergstraße ihren größten Besucherstrom. Neben Obst, Wein und Gemüse reifen Feigen und Mandeln. In den Parks findet man exotische Bäume.

Die burgenbestandenen Höhen bieten schöne Ausblicke. Glanzpunkt ist der 315 m hohe *Melibokus* bei Zwingenberg. Im malerischen *Bensheim* kreuzt die Nibelungenstraße die Bergstraße. *Lorsch* ist nah, mit seiner Torhalle aus karolingischer Zeit, einem der ältesten

Blütenpracht an der Bergstraße (Ruine Windeck)

deutschen Baudenkmäler. Die Kreisstadt *Heppenheim,* überragt von der Ruine Starkenburg (11. Jh.; Sternwarte), präsentiert einen reizvollen fachwerkgesäumten Marktplatz. Das alte *Weinheim,* überragt von der Ruine Windeck (12./13. Jh.), bietet als Superlativ Europas älteste und größte Zeder im von Berckheimischen Schloßpark. Beim Weinstädtchen *Schriesheim* schließlich ragt die Ruine der Strahlenburg auf. Sie erinnert an den Ritter von Strahl aus Kleists allerdings nicht historischem Schauspiel "Käthchen von Heilbronn".

Berlin (West)

Kfz-Kennzeichen: B (Westberlin). – Anreise S. 274/6. Höhe: 35-50 m ü.d.M. – Einwohnerzahl: 2000000. Postleitzahl: D-1000. – Telefonvorwahl: 030.
ⓘ **Verkehrsamt,** im Europa-Center, Berlin 30; Telefon: 21234 und 7823031.

HOTELS. – Nahe dem Kurfürstendamm und Bahnhof Zoologischer Garten: *Kempinski,* Kurfürstendamm 27, Bln. 15, 520 B (Hb., Sauna); *Palace,* im Europa-Center, Budapester Str. 42, Bln. 30, 250 B.; *Inter-Continental,* Budapester Str. 2, Bln. 30, 680 B.; *Berlin Excelsior,* Hardenbergstr. 13-14, Bln. 12, 500 B.; *Berlin Ambassador,* Bayreuther Str. 42, Bln. 30, 180 B. (Hb., Sauna); *Schweizerhof,* Budapester Str. 21, Bln. 30, 700 B. (Hb., Fb., Sauna); *Parkhotel Zellermayer,* Meinekestr. 15, Bln. 15, 250 B.; *Berlin,* Kurfürstenstr. 62, Bln. 30, 285 B. (mit Rest. 'Berlin-Grill'); *Hamburg,* Landgrafenstr. 4, Bln. 30, 330 B.; *Sylter Hof,* Kurfürstenstr. 116, Bln. 30, 180 B.; *Savoy,* Fasanenstr. 9, Berlin 12, 180 B.; *Arosa,* Lietzenburger

Str. 79, Bln. 15, 200 B. (mit Spez.-Rest. 'Relais Suisse'); Am Zoo, Kurfürstendamm 25, Bln. 15, 185 B.; Franke, Albrecht-Achilles-Str. 57, Bln. 31, 100 B. (Hb.); Alsterhof, Würzburger Str. 1, Bln. 30, 130 B. (mit Rest. 'Hanseaten-Grill'); Savigny (garni), Brandenburgische Str. 21, Bln. 31, 70 B.; Astoria (garni), Fasanenstr. 2, Bln. 12, 51 B. – Hotelschiff Spree-Berlin, Hansabrücke, Bln. 30, 262 B. In Charlottenburg: *Seehof, Lietzensee-Ufer 11, Bln. 19, 110 B. (Hb., Seeterrasse); Europäischer Hof (garni), Messedamm 10, Bln. 19, 260 B.; Excellent (garni), Kaiserdamm 3, Bln. 19, 100 B.; Apartement Hotel Heerstraße (garni), Heerstr. 80, Bln. 19, 60 B. (Hb., Sauna); Am Studio (garni), Kaiserdamm 80, Bln. 19, 93 B. – In Dahlem: Apartments Hotel, Clayallee 150, Bln. 33, 30 B. – In Grunewald: *Schloßhotel Gehrhus, Brahmstr. 4, Bln. 33, 50 B.; Belvedere, Seebergsteig 4, Bln. 33, 31 B. – In Kreuzberg: *Hervis International (garni), Stresemannstr. 97, Bln. 61, 118 B.

JUGENDHERBERGEN. – Ernst Reuter, Hermsdorfer Damm 48, Bln. 28 (Hermsdorf), 136 B.; Bayernallee, Bayernallee, Bln. 19 (Charlottenburg), 94 B.; Jugendgästehaus Berlin, Kluckstr. 3, Bln. 30 (Tiergarten), 435 B. – CAMPINGPLÄTZE: Deutscher Camping-Club: Kohlhasenbrück, am Griebnitzer See; Kladow, Krampnitzer Weg 111, unweit des Großglienicker Sees. – Berliner Camping-Club: Spandau, Bürgerablage, an der Overhavel; Breitehorn, in Gatow, Kladower Damm 55, am Westufer der Havel; Heckelhorn, am Großen Wannsee.

RESTAURANTS. – *Ritz, Rankestr. 26, Bln. 30 (Spez. aus aller Welt); Mampes Gute Stube, Kurfürstendamm 14, Bln. 15 (Alt-Berliner Lokal); Conti-Fischstuben, Sybelstr. 14, Bln. 12 (Fischspez.); Heckers Deele, Grolmanstr. 35, Bln. 12 (westf. Spez.); Alexander, Kurfürstendamm 46, Bln. 15 (internationale Spez.); Heinz Holl, Damaschkestr. 26, Bln. 31 (Künstlerlokal); Hardtke, Meinekestr. 26, Bln. 15 (Berliner Spez.); Funkturm-Restaurant, in 55 m Höhe, Bln. 19 (Aussicht); Silberterrasse im Ka-De-We, Tauentzienstr. 21, Bln. 30; Alt-Berliner Schneckenhaus, Kurfürstendamm 37, Bln. 15 (Alt-Berliner Atmosphäre); Puvogel, Pestalozzistr. 8, Bln. 12 (Studentenlokal); Alter Krug Dahlem, Königin-Luise-Str. 52, Bln. 33 (eine der ältesten Dorfgaststätten Berlins); Wannsee-Terrassen, Wannseebadweg, Bln. 38.
Ausländische Küche: *Maître, Meinekestr. 10, Bln. 15 (Frz. Küche); *Tessiner Stuben, Bleibtreustr. 33, Bln. 33 (Schweizer Spez.); Bacco, Marburger Str. 5, Bln. 30 (italien. Gerichte); Kopenhagen, Kurfürstendamm 203, Bln. 15 (dän. Küche); Zlata Praha, Meinekestr. 4, Bln. 15 (tschech. Spez.); Palinka Czarda, Kurfürstendamm 227, Bln. 15 (ungar. Gerichte); Tai-Tung, Budapester Str. 50, Bln. 30 (chines. Spez.).

WEINSTUBEN. – Knaack, Steinplatz 4, Bln. 12, Hardy an der Oper, Bismarckstr. 100, Bln. 12; Kurpfalz, Wilmersdorfer Str. 93, Bln. 12; Weinkrüger, Kurfürstendamm 25, Bln. 15. – BIERLOKALE: Schultheiß Bräuhaus, Kurfürstendamm 220, Bln. 15; Schultheiß an der Gedächtniskirche, Kurfürstendamm, Bln. 30; Alt-Berliner Biersalon, Kurfürstendamm 225, Bln. 15.

CAFÉS. – Kranzler, Kurfürstendamm 18, Bln. 15 (altberühmt); Café des Westens, Kurfürstendamm 227, Bln. 15; Möhring, Kurfürstendamm 213, Bln. 15; Royal, Wittenbergplatz 1, Bln. 30; Huthmacher, Hardenbergstr. 290, Bln. 12 (Konzert); i-Punkt, im Europa-Center (20. Stock, Aussicht).

VERANSTALTUNGEN. – *Internationale Grüne Woche (Januar); Internationale Tourismus-Börse (März); Internationale Filmfestspiele (Juni); Berliner Festwochen (September); Deutsche Meisterschaften im Reiten (alle zwei Jahre im September); Sechstagerennen (Oktober); Berliner Jazztage (November); Weihnachtsmarkt am Funkturm (Dezember); Fest der Sportpresse (Dezember).

STADTRUNDFAHRTEN durch West- und Ostberlin.

Berlin an der schiffbaren Spree, die in Spandau in die Havel mündet, ist trotz Teilung immer noch die größte deutsche Stadt, ein Brennpunkt des politischen und kulturellen Lebens und die bedeutendste Industriestadt Deutschlands. Von seinen 3,1 Millionen Einwohnern leben 2 Millionen in Westberlin und 1,1 Millionen in Ostberlin. Von den 883 qkm Gesamtfläche entfallen 481 qkm auf Westberlin und 402 qkm auf Ostberlin.

Westberlin zeigt das Flair einer pulsierenden Weltstadt. Die Deutsche Oper Berlin hat wie die Berliner Philharmoniker Weltruf. Die Museen in Dahlem, Charlottenburg und am Tiergarten besitzen internationalen Rang. Filmfestspiele und Funkausstellung, Grüne Woche in den Messehallen und Sportveranstaltungen im Olympiastadion geben beredtes Zeugnis vom ungebrochenen Lebenswillen dieser 'Inselstadt'.

Westberlin hat zwei Universitäten (Freie Universität und Technische Universität) und zahlreiche weitere Hochschulen und Forschungsinstitute (u.a. das Hahn-Meitner-Institut für Kernforschung und fünf Institute der Max-Planck-Gesellschaft). Die Stadt ist Sitz eines evangelischen und eines katholischen Bischofs.

Das Wirtschaftsleben ruht auf den traditionellen Säulen Elektroindustrie (u.a. Siemens, AEG, IBM), Bekleidungsindustrie und Maschinenbau (u.a. Borsig). Namhaft ist auch die chemische Industrie, die Nahrungsmittelindustrie sowie die graphische Industrie mit großen Verlagshäusern. Seine Tradition als Messestadt hat Berlin mit dem Wiederaufbau des Ausstellungsgeländes (88 000 qm überdachte Fläche) am Funkturm erneuert. 'Berliner Chic' ist zum internationalen Qualitätsbegriff für Berlin als Modezentrum geworden.

GESCHICHTE. – Ursprung Berlins waren die beiden Fischerdörfer Kölln und Berlin, die sich 1307 vereinigten. 1443 legte der Hohenzollerngraf Friedrich II.

den Grundstein zum Bau eines festen Schlosses. Berlin wurde zur Residenz des Landesherrn. Nach dem Dreißigjährigen Krieg hatte die Stadt nur noch 5000 Einwohner. Die zielbewußte Regierung des Großen Kurfürsten (1610-88) brachte der Stadt und der Mark Brandenburg einen neuen Aufschwung. Berlin wurde zur Festung ausgebaut und erfuhr im Westen durch die Städte Friedrichswerder und Dorotheenstadt die ersten planmäßigen Erweiterungen, die dann der Sohn des Großen Kurfürsten, Preußens erster König Friedrich I., noch um die Friedrichstadt vermehrte. 1709 wurden alle fünf Städte zur Haupt- und Residenzstadt Berlin vereinigt. Unter Friedrich dem Großen wurde Berlin zur Stadt der Manufakturen und zur führenden Industriestadt Preußens. Zahlreiche repräsentative Bauten (Forum Fridericianum) verschönten das Stadtbild. Die 1810 von Wilhelm von Humboldt gegründete Universität machte die Hauptstadt Preußens zu einem Zentrum geistigen Lebens. Zugleich wurde die Stadt Hauptsitz der Industrie und in der zweiten

Gedächtniskirche am Kurfürstendamm

Hälfte des 19. Jh. zum Knotenpunkt des europäischen Eisenbahnverkehrs und zur Handelsmetropole Deutschlands. 1871 wurde Berlin Hauptstadt des neugegründeten deutschen Kaiserreichs. Nach dem Ersten Weltkrieg entstand durch den Zusammenschluß Berlins mit sieben umliegenden bisher selbständigen Städten, 59 Landgemeinden und 27 Gutsbezirken die neue Stadtgemeinde Groß-Berlin. Diese hatte vor dem Ausbruch des Zweiten Weltkriegs, der der Stadt schwere Zerstörungen und Verluste an Menschenleben brachte, 4,3 Millionen Einwohner. 1945 wurde auf der Konferenz von Jalta ein Viermächte-Status für Berlin beschlossen. Differenzen zwischen den Besatzungsmächten führten 1948 (sowjetische Blockade) zu einer Spaltung der Stadt, die durch den Mauerbau vom 13. August 1961 noch vertieft wurde.

SEHENSWERTES. – Im Osten des Bezirks CHARLOTTENBURG steht am verkehrsreichen Breitscheidplatz als Wahrzeichen des Berliner Westens die Turmruine der neuromanischen *Kaiser-Wilhelm-Gedächtniskirche (1891-95), daneben ihr nach Plänen von Prof. Ei-

ermann 1959-61 errichteter achteckiger flachgedeckter Neubau. Östlich das 1963-65 erbaute **Europa-Center,** ein Geschäftskomplex mit 22geschossigem Hochhaus (86 m; Ladenstraßen, Restaurants, Planetarium, Kunsteisbahn, Dachbad, Spielkasino u. a.) – Hier beginnen zwei große Geschäftsstraßen: die ladenreiche Tauentzienstraße führt südöstlich zum Wittenbergplatz mit dem großen *KaDeWe* ('Kaufhaus des Westens'; *Lebensmittelabteilung); östlich, Kleiststr. 13, die 'Urania' mit *Verkehrsmuseum* und *Postmuseum;* am Nollendorfplatz die Superdisco 'Metropol'. Der nach Westen führende $3^1/_2$ km lange ***Kurfürstendamm** zieht mit seinen Geschäften, Restaurants und Cafés sowie zahlreichen Kinos und Theatern den Fremden immer wieder an; Nr. 227 das *Berliner Panoptikum* (Wachsfiguren). – Nördlich vom Breitscheidplatz die *Kunsthalle* und an der Budapester Straße der *Zoologische Garten** mit etwa 13000 Tieren (über 2000 Arten; große Löwenfreianlage) und berühmtem *Aquarium.*

Im nördlich angrenzenden Bezirk TIERGARTEN liegt der altbekannte gleichnamige Park, heute wieder eine schöne Anlage. Von Westen nach Osten durchzieht ihn die Straße des 17. Juni, mit dem Großen Stern, einem runden Platz, auf dem die 67 m hohe **Siegessäule** für die Feldzüge 1864, 1866 und 1870/71 steht (von der Plattform weite Rundsicht). Im Nordteil des Parks der als Englischer Garten angelegte Bellevuepark mit dem *Schloß Bellevue,* dem Berliner Wohnsitz des Bundespräsidenten; westlich an den Bellevuepark anschließend das 1955-57 von führenden Architekten der Welt (u. a. Aalto, Düttmann, Eiermann, Gropius, Niemeyer) als Musterwohnstadt erbaute ***Hansaviertel** mit interessanten Beispielen modernen Kirchenbaus, u. a. *Kaiser-Friedrich-Gedächtniskirche* und *St.-Ansgar-Kirche.* Südlich der Tiergartenstraße, am Herkulesufer, das *Bauhaus-Archiv* (Walter Gropius, 1979). – Am Südostrand des Tiergartens beim Kemperplatz die **Philharmonie** (1960-63, von H. Scharoun); unweit südlich, Potsdamer Straße 50, die *Neue Nationalgalerie* (1965-68, von L. Mies van der Rohe; Gemälde und Skulpturen des 19. und 20. Jh.); gegenüber die **Staatsbibliothek** (1978; 3 Mio. Schriften) und das *Ibero-Amerikanische Institut* (1976).

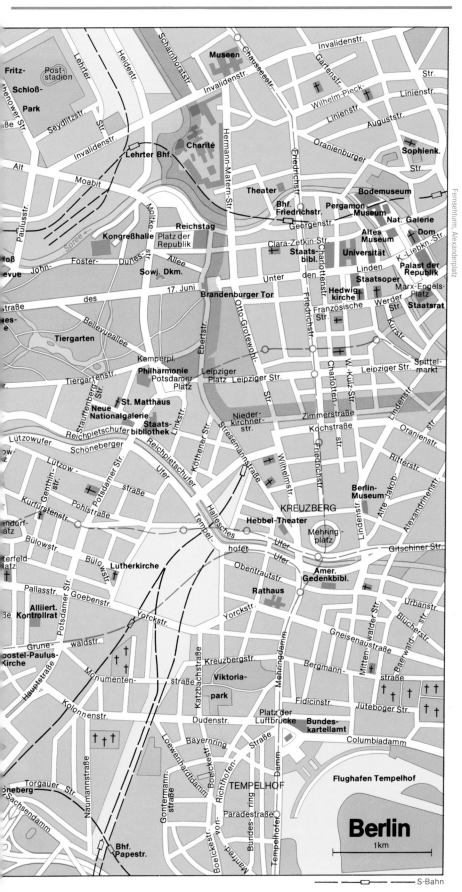

– Am Ostende der Straße des 17. Juni links das *Sowjetische Ehrenmal* (1945). Das seit 1961 unzugängliche ***Brandenburger Tor** (1788-91; neue Quadriga von 1958) steht an der Grenze nach Ostberlin (DDR). – Am Platz der Republik liegt das ehem. **Reichstagsgebäude,** 1884-94 von Paul Wallot im Stil der italienischen Hochrenaissance erbaut, nach starker Zerstörung bis 1969 neu ausgebaut. Westlich vom Platz der Republik die **Kongreßhalle** (1957). Südöstlich vom Kemperplatz der Bezirk KREUZBERG, mit zahlreichen Eckkneipen (viele Türken).

Die Hardenbergstraße führt von der Gedächtniskirche nordwestlich am **Bahnhof Zoo** vorbei in das ausgedehnte HOCHSCHULVIERTEL. Hier liegen die *Technische Universität* und die *Hochschule der Künste.* Am nordöstlichen Ende der Hardenbergstraße der von modernen Verwaltungshochbauten umrahmte schön gestaltete **Ernst-Reuter-Platz** (Wasserspiele). Nahebei am Anfang der Bismarckstraße das 1950-51 erbaute *Schillertheater;* westlich davon die 1961 eröffnete ***Deutsche Oper Berlin.**

Im Herzen der alten Stadt Charlottenburg liegt das ***Charlottenburger Schloß,** ein langgestreckter Kuppelbau aus dem 17. und 18. Jh. (wiederhergestellt); im Ehrenhof vor dem Mittelbau das ***Reiterstandbild des Großen Kurfürsten,* 1697-1700 von Schlüter und Jacobi geschaffen; im Mittelbau des Schlosses (Nehring- und Eosanderbau) *historische Räume;* im Ostflügel (Knobelsdorff-Flügel; davor Denkmal Friedrichs I., Schlüter 1698, Abguß) im Erdgeschoß weitere historische Wohnräume und das *Kunstgewerbemuseum* (u. a. *Welfenschatz), im Obergeschoß ehem. Wohnräume Friedrichs d. Gr. mit Gemälden und die 'Goldene Galerie'; im Langhausbau das *Museum für Vor- und Frühgeschichte.* Im Schloßpark steht das schlichte *Mausoleum* für die Königin Luise († 1810) und ihren Gemahl König Friedrich Wilhelm III. († 1840), wo auch Kaiser Wilhelm I. († 1888) mit seiner Gemahlin Kaiserin Augusta († 1890) ruht. Die edlen Marmorbildwerke schufen Ch. Rauch und E. Encke. – Gegenüber vom Schloß der sog. Stülerbau (1850): im Westbau die *Westberliner Antikensammlung;* im Ostbau, auf der anderen Seite der Schloßstraße, die *Ägyptische Abteilung* der Staatlichen Museen (u. a. die weltberühmte bemalte ****Kalksteinbüste der Königin Nofretete,** um 1360 v. Chr.). In der Sophie-Charlotten-Straße 41/43 ein beachtenswertes *Automobilmuseum.*

Im Stadtteil Westend, der zu Charlottenburg gehört, erstreckt sich das **Messe- und Ausstellungsgelände,** das mit seinen Hallen und Pavillons der Schau-

Schloß Charlottenburg

platz aller großen Berliner Ausstellungen ist. – Ein Wahrzeichen Berlins ist der 138 m (mit Antenne 150 m) hohe **Funkturm** (Aussichtsrestaurant in 55 m, Aussichtsplattform in 125 m Höhe; Fahrstuhl), der 1924-26 zur Funkausstellung errichtet wurde; an seinem Fuß das *Deutsche Rundfunkmuseum.* Am Messedamm das 1979 fertiggestellte *I**nternationale Congress-Centrum** *(ICC;* 300 m lang, 85 m breit, 40 m hoch; 80 Säle, 24000 qm Nutzfläche, 20300 Plätze). – Nahebei südöstlich das Nordende der 1921 angelegten **Avus** *(Automobil-Verkehrs- und Übungs-Straße)* sowie die **Deutschlandhalle** (Sportveranstaltungen u. a.).

Nordwestlich vom Theodor-Heuss-Platz liegt das ***Olympiastadion,** eine der größten und schönsten Sportanlagen Europas, 1936 nach Plänen von Werner March für die XI. Olympischen Spiele angelegt. Das 300 m lange und 230 m breite ovale Stadion faßt 100000 Zuschauer. Unmittelbar nordwestlich die vielbesuchte **Waldbühne** (25000 Plätze; Freilichtveranstaltungen). Südlich des Olympiastadions, am Heilsberger Dreieck, erhebt sich das 17geschossige *Corbusierhaus* (1957), ein riesiges Wohnhochhaus für 1400 Menschen.

Südöstlich von Charlottenburg die Stadtteile SCHÖNEBERG und STEGLITZ mit belebten Geschäftsstraßen wie der Schloßstraße. Das **Schöneberger Rathaus** am J.-F.-Kennedy-Platz ist der Amtssitz des Regierenden Bürgermeisters; im Turm seit 1950 die von den USA gestiftete *Freiheitsglocke.* – In Steglitz zwei neue markante Bauwerke, der *Steglitzer Turm* (nördl. Schloßstraße; Restaur.) und der umstrittene *Steglitzer Kreisel* (südl. Schloßstraße). Unweit südwestlich der 42 ha große ***Botanische Garten** (Victoria-Regia-Haus, Tropenhäuser, Flora-Gebirgsbogen, Botan. Museum).

Zum Bezirk ZEHLENDORF gehört der Stadtteil DAHLEM mit Auditorium Maximum der **Freien Universität Berlin,** Instituten der *Max-Planck-Gesellschaft* und dem ***Museum Dahlem:* Gemäldegalerie (weltberühmte Meisterwerke, u. a. 26 Gemälde Rembrandts), Skulpturenabteilung, Kupferstichkabinett, Museum für Völkerkunde (reiche Sammlungen aus allen Erdteilen), Museum für Indische Kunst und Museum für Ostasiatische Kunst.

Der Stadtteil Zehlendorf zieht sich mit hübschen Landhaussiedlungen am Schlachtensee und Nikolassee entlang zur Havel, die hier als große Ausbuchtung den **Wannsee** bildet, das beliebte Wassersportparadies der Berliner mit Strandbad und Segelsport. Einer der reizvollsten Punkte des Havelgebiets: die 1500 m lange ***Pfaueninsel** mit einem 1794 im Stil einer Ruine erbautem Schloß und schönem englischem Park.

Weite grüne Lunge Westberlins ist der 3149 ha große **Grunewald** mit *Grunewaldsee, Krummer Lanke, Schlachtensee, Hundekehlensee* und *Teufelssee* – hier entstand nach dem Kriege aus Trümmerschutt der 115 m hohe *Teufelsberg,* die höchste Erhebung Westberlins. Das **Jagdschloß Grunewald,** 1542 als Renaissancebau errichtet, erhielt seine heutige Gestalt im 18. Jh. Es birgt ein kleines Jagdmuseum und eine interessante Gemäldesammlung.

Nördlichster der Havelseen ist der 408 ha große **Tegeler See.** Das klassizistische **Schloß Tegel** schuf 1821-23 Schinkel für Wilhelm von Humboldt durch Umbau eines ehem. Jagdschlosses (Erinnerungen an den Gelehrten und Staatsmann; im Park das Humboldtsche Familiengrab). Der ***Flughafen Tegel** mit sechseckigem Flugsteigring löste 1976 den alten *Zentralflughafen Tempelhof* als Zivilflughafen ab. Vor dessen Flughafengebäude steht als Erinnerung an die sowjetische Berlin-Blockade 1948/49 das **Luftbrückendenkmal,** Symbol der Solidarität der westlichen Welt mit der ehem. deutschen Hauptstadt. Nördlich vom Flughafen der altbekannte **Volkspark Hasenheide** mit einem 69,5 m hohen Trümmerberg.

Bielefeld

Bundesland: Nordrhein-Westfalen.
Kfz-Kennzeichen: BI.
Höhe: 115 m ü.d.M. – Einwohnerzahl: 313000.
Postleitzahl: D-4800. – Telefonvorwahl: 0521.
ⓘ **Presse- und Verkehrsamt,**
Am Bahnhof 6;
Telefon: 512116 und 512717.
Verkehrsbüro, Bahnhofstraße 47;
Telefon: 512143.

HOTELS. – **Bielefelder Hof,* Am Bahnhof 3, 75 B.; **Kaiserhof,* Düppelstr. 20, 160 B; *Waldhotel Brands Busch,* Furtwänglerstr. 52, 68 B.; *Stadt Bremen* (garni), Bahnhofstr. 32, 60 B.; *Brede,* Gadderbaumer Str. 5, 20 B. – In Gadderbaum: *Emmer-*

manns Hotel Habichtshöhe, Bodelschwinghstr. 79, 16 B., Hb. – In Hillegossen: Schweizerhaus, Christophorusstr. 23, 26 B.; Berghotel Stiller Friede, Selhausenstr. 12, 40 B. – In Hoberge: Hoberger Landhaus, Schäferdreesch 9, 45 B., Hb.; Waldhotel Peter auf'm Berge, Bergstr. 45, 25 B. – In Sennestadt: Niedermeyer, Paderborner Str. 290, 80 B. – JUGENDHERBERGE: Oetzer Weg 25, Bielefeld-Sieker, 168 B. – CAMPINGPLATZ: Bielefeld-Quelle, am Teutoburger Wald unterhalb der Hünenburg (Fernsehturm).

RESTAURANTS. – Ratskeller, Niederwall 25; Löwenhof-Rauchfang, Niederwall 43; Haus des Handwerks, Papenmarkt 11; China, Herforder Str. 29 (chines. Spez.). – In Hillegossen: Beograd, Hillegosser Str. 349 (jugoslaw. Spez.).

CAFÉS. – Ratscafé, Niederwall; Knigge, Bahnhofstr. 13. – Mehrere Tanzlokale und Nachtklubs.

VERANSTALTUNGEN. – Leineweberfest (im Mai).

Bielefeld, an einem wichtigen Gebirgspaß des Teutoburger Waldes, ist der wirtschaftliche und kulturelle Mittelpunkt von Ostwestfalen-Lippe. Während sich das Kerngebiet mit der Altstadt nördlich des Gebirges ausbreitet, greifen der Industrie-Stadtteil Brackwede und die moderne Wohnstadt Sennestadt auf den Raum südlich des Gebirgszuges über. Bielefeld ist nicht nur eine 'Stadt des Leinens' und der Nahrungsmittelindustrie, hier werden auch Nähmaschinen, Fahrräder, Registrierkassen, Buchungs- und Werkzeugmaschinen sowie pharmazeutische Artikel hergestellt. Auch das Druckerei- und Verpackungsgewerbe spielen eine wichtige Rolle. Seit 1969 ist Bielefeld Universitätsstadt. Bekannt sind die Anstalten der Inneren Mission in Bethel, die 'Stadt der Barmherzigkeit' des Pastors Friedrich von Bodelschwingh.

GESCHICHTE. – 1015 wurde Bielefeld erstmals urkundlich erwähnt. 1214 wurde es von Graf Hermann von Ravensberg zur Stadt erhoben. Seit dem Ende des 14. Jh. war es Mitglied der Hanse. 1647 fiel das Ravensberger Land an Preußen. Der Große Kurfürst ließ die alte Burg der Ravensberger Grafen verstärken und errichtete 1678 in Bielefeld eine Leinenschauanstalt (Legge). Durch seine Förderung des Leinenhandels legte er die Grundlage für die spätere industrielle Entwicklung.

SEHENSWERTES. – Zentrum der Altstadt ist der Markt. Seine Südseite ziert das Batig-Haus (1680) mit schönem Renaissancegiebel. Gegenüber das Theater am Alten Markt (Schauspiel). Westlich, am Eingang zur Obernstraße, einer der Hauptgeschäftsstraßen, steht das um 1530 erbaute **Crüwell-Haus** mit prachtvollem spätgotischen Treppen-

giebel. Nördlich vom Markt die im Zweiten Weltkrieg zerstörte, jedoch wiederaufgebaute **Altstädter Kirche** (Nikolaikirche). Östlich der Kirche der Leineweberbrunnen (1909).

An der Obernstraße liegt etwas versteckt die spätgotische **St.-Jodokus-Kirche** (1511 geweiht; mit 'Schwarzer Madonna' von 1220); südlich davon, Welle 61, das Kulturhistorische Museum. An der Artur-Ladebeck-Straße, im Zuge der Ringstraße, welche die Altstadt umgibt, die moderne **Kunsthalle** (1966-68) mit bedeutenden Sammlungen zur Kunst des 20. Jh.; davor die Plastik Der Denker von Auguste Rodin.

An der Kreuzstraße Spiegels Hof, ein ehem. Adelshof des 16. Jh. (heute Standesamt) mit schönem Kleeblattgiebel und die doppeltürmige spätgotische **Neustädter Kirche** (Marienkirche) aus dem 14. Jh. (beachtenswerte Grabmäler). Weiter im Süden die **Sparrenburg** (um 1240), die alte Burg der Ravensburger Grafen (unterirdische Verteidigungsanlagen, 37 m hoher Aussichtsturm); südwestlich der Sparrenburg die von Pastor Friedrich von Bodelschwingh (1831-1910) gegründete Anstalt Bethel.

Im Nordwesten der Stadt Bauernhausmuseum (bäuerlicher Hausrat, Gerät, Trachten), Botanischer Garten und Tierpark Olderdissen (850 Tierarten) sowie Rudolf-Oetker-Halle (Konzerthalle) und Universität.

Bochum

Bundesland: Nordrhein-Westfalen.
Kfz-Kennzeichen: BO.
Höhe: 104 m ü.d.M. – Einwohnerzahl: 409 000.
Postleitzahl: D-4630. – Telefonvorwahl: 0234.
ⓘ **Verkehrsverein,** Hauptbahnhof;
Telefon: 13031.
Informationszentrum Ruhr-Bochum, Rathaus;
Telefon: 693975.

HOTELS. – Savoy (garni), Huestr. 11, 68 B.; Plaza, Hellweg 20, 40 B.; Bundesbahn-Hotel, im Hauptbahnhof, 54 B.; Haus Oekey, Auf dem Alten Kamp 10, 35 B.; Ostmeier, Westring 35, 54 B. – In Gerthe: Borgmann, Lothringer Str. 13, 35 B. – In Stiepel: Waldhotel Lottental, Grimbergstr. 52, 30 B. – In Wattenscheid: *George, Höntroper Str. 40, 24 B.

RESTAURANTS. – Stammhaus Fiege, Bongardstr. 23; Humboldt-Eck, Marienstr. 2; Stadtpark, Bergstr. 68; Bochumer Brauhaus, Rathausplatz 5; Goldenes U, Brüderstr. 13; Asia, Brüderstr. 2 (chines. und indones. Küche); Peking, Viktoriastr. 51

(chines. Küche). – In Sundern: *Haus Waldesruh*, Papenloh 8 (Gartenlokal). – In Wattenscheid: *Casa Blanca*, Jung-Stilling-Str. 61.

CAFÉ. – *Döhmann*, Große Beckstr. 2.

Bochum im Herzen des Ruhrgebiets ist ein Musterbeispiel für den wirtschaftlichen Strukturwandel in diesem Raum. Die Stadt zwischen Emscher und Ruhr, die ihren Aufschwung einst der Kohle und dem Stahl verdankte, besitzt heute keine Zeche mehr. Neue Industrie- und Handelsunternehmen hielten ihren Einzug. So finden sich heute neben der traditionellen Stahlindustrie (Krupp) Automobilbau (Opel), Radio- und Fernsehgerätebau. Ruhruniversität (1965 eröffnet), Institut für Weltraumforschung und Schauspielhaus setzen wissenschaftliche und kulturelle Akzente. Zudem ist die Stadt Sitz der Deutschen Shakespeare-Gesellschaft.

Bochumer Sternwarte

GESCHICHTE. – Ursprung Bochums war ein karolingischer Reichshof, der 1041 urkundlich erwähnt wurde. 1321 verlieh Graf Engelbert von der Mark dem Ort Stadtrechte. Mit der Grafschaft Mark kam Bochum 1609 an Brandenburg (später Preußen). Mit der industriellen Entwicklung (Bergbau, Stahlindustrie) Mitte des 19. Jh. begann der Aufstieg zu einer der wirtschaftlich bedeutendsten Städte des Ruhrgebiets.

SEHENSWERTES. – Im Zentrum stehen das *Rathaus* (1931, Glockenspiel) und die **Propsteikirche** (14. Jh.; roman. Perpetuaschrein). Nördlich das *Bergbaumuseum (Vödestr. 28; Schaubergwerk, Fördertum) und das *Geologische Museum* (Herner Str. 45). Auf dem Gelände einer alten Zeche (Querenburger Str.) im Süden der Stadt wurde 1972 ein *Geolo-*

gischer Garten eröffnet, der einen guten Einblick in den örtlichen Gebirgsaufbau gibt. – Beachtenswert sind außerdem das **Planetarium** (Castroper Str.), das über Bewegungen der Himmelskörper und Flugbahnen künstlicher Weltraumkörper informiert, die *Städt. Kunstgalerie* (Kortumstr. 147), das *Schauspielhaus* (Königsallee), die *Ruhrlandhalle* (Gersteinring), der *Stadtpark* (Aussichtsturm, Tierpark, Aquarium, Restaurant) und das *Eisenbahnmuseum* in Dahlhausen. – Im Südosten die **Ruhruniversität** mit guten *Kunstsammlungen* (Antikenmuseum; moderne Malerei); nahebei der *Botanische Garten* mit Freilandanlagen und Gewächshäusern.

UMGEBUNG von Bochum. – 10 km südöstlich in *Stiepel* die spätromanische Marienkirche (um 1200; Fresken); am linken Ruhrufer das *Haus Kemnade*, eine Wasserburg von 1664 (Museum für bäuerliche Kultur, Musikinstrumente). – 7 km südlich in Sundern die *Sternwarte Bochum mit dem bekannten *Institut für Satelliten- und Weltraumforschung.*

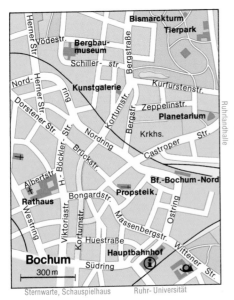

Sternwarte, Schauspielhaus   Ruhr-Universität

Bodensee

Bundesländer: Baden-Württemberg und Bayern. Anrainerstaaten: Schweiz und Österreich.

ⓘ **Fremdenverkehrsverband Bodensee-Oberschwaben und Internationaler Bodensee-Verkehrsverein,** Schützenstraße 8, D-7750 Konstanz; Telefon: (07531) 22232.

WISSENSWERTE DATEN. – Geographische **Lage:** Konstanz 47° 39' nördlicher Breite und 9° 10' östlicher Länge; Bregenz 47° 30' nördlicher Breite und 9° 44' östlicher Länge.
Mittlerer **Wasserspiegel:** auf 395 m ü.d.M.
Fläche: insgesamt 545 qkm (Ober- und Überlinger See zus. 480 qkm, Untersee 65 qkm).
Größte Länge: zwischen Bregenz und Stein am

Rhein 76 km (Luftlinie 69 km), zwischen Bregenz und der Mündung der Stockacher Aach 63 km; 'RMK'-Linie (längste gerade Wasserlinie: von Hard, vorüber an *Rohrspitz, Meersburg* und *Klaushorn*, bis nahe der Mündung der Stockacher Aach) 60 km. Größte **Breite:** zwischen Kreßbronn und Rorschach (rechtwinklig zur 'RMK'-Linie) 14,8 km.

Größte **Tiefe:** im Tiefen Schweb des Obersees (zwischen Fischbach und Uttwil) 252 m, im Überlinger See 147 m, im Untersee 46 m (Zeller See 26 m, Gnadensee 22 m).

Umfang (Uferlinie bei Mittelwasserstand): insgesamt 263 km, davon 168 km (64 %) auf deutschem (150 km baden-württ., 18 km bayer.), 69 km (26 %) auf schweizerischem, 26 km (10 %) auf österreichischem Territorium.

Mittlere **Wassermenge:** insgesamt 48,43 Mrd. cbm (Ober- und Überlinger See zus. 47,6 Mrd. cbm, Untersee 830 Mio. cbm).

Wasserstand (am Konstanzer Pegel): Mittleres Jahreshochwasser Ende Juni/Anfang Juli mit 440 cm (höchster bisher registrierter Stand Anfang September 1817 mit 623 cm); mittleres Jahresniedrigwasser Ende Februar mit 280 cm (absolut niedrigster Stand dieses Jahrhunderts Ende März 1972 mit 237 cm).

Sichttiefe: im Jahresmittel ca. 7,50 m (im Januar bis 12 m).

Farbe des Wassers: im Überlinger See und westlichen Obersee blaugrün, nach Osten infolge des einströmenden trüben Rheinwassers zunehmend gelblich.

Der Verlauf der STAATSGRENZEN IM BODENSEE zwischen den drei Anrainern ist weithin unbestimmt. Lediglich für den Untersee wurde in einem 1855 zwischen dem Großherzogtum Baden und dem Kanton Thurgau geschlossenen Vertrag die Grenze auf der Längsmittellinie festgelegt. Der auf drei Seiten von deutschem Territorium begrenzte Überlinger See gehört bis zu der Linie Meersburg-Eichhorn (Konstanz) zum deutschen Bundesland Baden-Württemberg. Im Obersee ist der Grenzverlauf nur für den Bereich des Konstanzer Trichters etwa in der Längsmitte der Konstanzer Bucht durch eine badisch-schweizerische Vereinbarung fixiert.

Für den gesamten restlichen Obersee fehlt ein völkerrechtlich verbindliches Abkommen über die Gebietshoheit. Seit dem Ende des Ersten Weltkrieges wird jedoch meist in allseitig stillschweigender Duldung ein aus der Praxis erwachsener Grenzverlauf angenommen.

NAMEN. – Natürlicher Name: *Rheinsee.* – Im Altertum: lateinisch **Lacus Venetus** (illyrisch) oder **Lacus Brigantinus** (keltisch; 'Bregenzer See'). – Im frühen Mittelalter: lateinisch *Lacus Acronius* oder *Lacus Moesius;* deutsch *Kostnizer See* (= Konstanzer See). – Seit der Karolingerzeit: *Podmensee, Bodmensee, Bodamer See, Bodmer See* und andere ähnliche Formen (nach der Pfalz Bodman), um 900 in St. Gallen als *Lacus Podamicus* bzw. *Lacus Potamicus* latinisiert. Wolfram von Eschenbach schreibt um 1220 *Bodemsê.* – Erster bekannter Beleg für die heute übliche Bezeichnung **Bodensee** in einer St. Galler Urkunde von 1438. – Bildhafte Umschreibungen: **Schwäbisches Meer** (urspr. fränkisch; seit dem 16. Jh. häufig); *Teutsches Meer* (im 18. Jh.). – In anderen Sprachen: englisch *Lake Constance,* französisch *Lac de Constance,* italienisch *Lago di Costanza* (auch in den übrigen roman. Sprachen 'Konstanzer See'); russisch dagegen *Bodenskoje Osero.*

Der vor dem nördlichen Alpenrand gelegene *Bodensee, Deutschlands bei weitem größter Binnensee, mit der Schweiz und Österreich als weiteren Anrainern, steht nach dem ungarischen Plattensee und dem Genfer See an dritter Stelle in der Rangfolge der ausgedehntesten Seen Mitteleuropas und an zweiter Stelle der Alpenrandseen. Er gliedert sich, von Südosten nach Nordwesten verlaufend, in den Obersee, das sich von der Bregenzer Bucht bis zum Konstanzer Eichhorn erstreckende große und tiefe Hauptbek-

Jachthafen Unteruhldingen am Bodensee

ken, sowie die beiden wesentlich schmäleren, kürzeren und viel weniger tiefen Zweigbecken von Überlinger See, zwischen Bodanrück und Linzgau, und Untersee, der vom Hauptbecken durch eine bei Konstanz vom Rhein durchschnittene Landbrücke getrennt ist und in seinem nördlichen Teil die beiden 'Finger' von Gnadensee, zwischen der Insel Reichenau und dem Bodanrück, und Zeller See, in der Bucht von Radolfzell zwischen den Halbinseln Höri und Mettnau, bildet.

In jedem der drei Seebecken befindet sich eine größere Insel: gegen das Ostende des Obersees die Inselstadt Lindau im Bodensee, beim Südende des Überlinger Sees die Blumeninsel Mainau und inmitten des Untersees die Gemüseinsel Reichenau mit ihren kunst- und kulturgeschichtlich bedeutenden Denkmalen.

Das einzigartige Landschaftsbild ist geprägt von der majestätisch weiten Wasserfläche des Sees, die ein belebender Kranz alter Uferstädte und freundlicher Ortschaften umschließt.

Den großen Rahmen geben im Süden bewaldete Berge, darüber in der Ferne die Kette der Appenzeller Alpen mit dem Säntis (2504 m), weiter östlich, jenseits des breiten Alpenrheintals, die Vorarlberger Alpen und darüber der Rätikon mit der Schesaplana (2964 m) sowie im Osten der Bregenzer Wald mit dem Pfänder (1064 m) und die Allgäuer Alpen.

Das oberschwäbische Vorland im Norden des Bodensees, nach Westen der Linzgau, ist ein von vielen Flüssen durchzogenes Hügelland, das im Höchsten bis 837 m ansteigt und durchsetzt ist von Streusiedlungen, Wäldern, Feldern und Obstkulturen.

Die Ufer des meerartigen Obersees sind weithin flach und besonders im Bereich des Mündungsdeltas von Rhein, Dornbirner und Bregenzer Ach durch große Buchten gekennzeichnet. Das alte Kulturland des durch Bodanrück, Mettnau und Höri reich gegliederten westlichen Seebeckens, mit dem fjordähnlichen Überlinger See, setzt sich nach Westen ohne Unterbrechung im Hegau fort, der mit seinen kühnen Bergformen zu den reizvollsten deutschen Vulkanlandschaften zählt.

Die GEOLOGISCHE ENTSTEHUNG des Bodenseebeckens ist auf die gewaltigen Kräfte des Rheingletschers zurückzuführen, der hier ein tiefes Zungenbecken ausgeformt hat, das sich – anders als die übrigen von Süden nach Norden verlaufenden des deutschen Alpenvorlandes – in SO-NW-Richtung erstreckt. Diese ungewöhnliche Diagonallage läßt die Einwirkung tektonischer Bewegungen vermuten. Wenngleich das Seebecken und der Hegau mit seinen Vulkankegeln dem Jungmoränengürtel angehören, bilden sie doch eine Landschaft für sich, die weitgehend innerhalb des jüngsten Endmoränenkranzes liegt und nur noch sanfte Drumlins (Geröllhügel in Schubrichtung des Eises) aufweist. Beredte Zeugen der eiszeitlichen Überformung sind neben alten Schmelzwasserrinnen und Moränenseen (Mindelsee) auch die Moränensporne zwischen den kleinen Mündungsebenen der Zuflüsse. Der See ist eingebettet in die große Molassemulde zwischen Jura und Alpen, die im Osten bis in Ufernähe herantreten (Pfänder, 1064 m); im Norden wird er von einem Tertiärrücken, im Süden von Molassehügeln begrenzt.

Schweizer Geologen haben kürzlich fast zweifelsfrei nachgewiesen, daß vor etwa 15 Mio. Jahren, als das Nördlinger Ries und das Steinheimer Becken durch den Einschlag gewaltiger Meteoriten entstanden sind, auch im Bodenseegebiet, vermutlich im Seebecken selbst, ebenfalls ein Meteorit niedergegangen ist. Dieser soll etwa 2000 m tief in die Erdoberfläche eingedrungen sein, wie man aus dem Umstand schließt, das Kalkbrocken bis ins Sittertal nordwestlich von St. Gallen geschleudert worden sind, die man dort bereits 1945 gefunden, ihre Herkunft aber zunächst nicht erklären konnte.

Um von der Zivilisation noch verhältnismäßig wenig berührte Gebiete, besonders an den Mündungen der größeren Zuflüsse, auch weiterhin in diesem Zustand zu erhalten, sind verschiedene Uferzonen unter staatlichen Landschafts- oder gar Naturschutz gestellt worden. Die bedeutendsten Naturschutzgebiete am Bodensee sind das Wollmatinger Ried beim Übergang des Seerheins in den Untersee, der südöstliche Teil der Halbinsel Mettnau, verschiedene Uferabschnitte der Halbinsel Höri, der Mindelsee und sein sumpfiges Umland, die Mündung des Stockacher Aach, das Nordufer des Bodanrück um die Marienschlucht sowie etwa zwischen Litzelstetten und Wallhausen, das Mündungsgebiet der Seefelder Aach zwischen Seefelden und Unteruhldingen, das Eriskircher Ried zwischen Rohrspitz und Friedrichsspitz (Mündung des Alten Rheins).

In diesen vor dem Zugriff des Menschen bewahrten Zonen, aber auch in anderen abgelegenen Uferpartien gewähren die Schilffelder und Riede der Vogelwelt ruhige Nistplätze. Von den am Bodensee vorkommenden Vogelarten seien genannt: Wasser- oder Bläßhühner, Enten, Schwäne, Möwen, Fischreiher, Kormorane, Haubentaucher, Zwergtaucher, Seeschwalben, Gabelweihen, Rote und Schwarze Milane, Kiebitze, Brachvögel, Regenpfeifer, Alpenstrandläufer, Drosselrohrsänger und Teichrohrsänger ('Rohrspatzen').

Von den rund 30 heimischen Fischarten sind die wichtigsten: Blaufelchen (der 'Brotfisch' der Fischer, zugleich eine gastronomische Spezialität), Sandfelchen (Weißfelchen), Gangfisch (ähnlich dem Blaufelchen), Kilch (weniger häufig), Äsche (vorwiegend in fließendem Wasser); Barsch (Kretzer, Egli, Bärschling); Brachsen (Brassen; karpfenartiger Weißfisch); Hecht (bis 1,40 m lang und 20 kg schwer); Zander; Trüsche (eine Dorschart; wohlschmeckende Leber); Seeforelle (Lachsforelle; bis 15 kg schwer), Bachforelle (nur vereinzelt an Bachmündungen), Saibling (Röteli; selten); Karpfen, Schleie, Barbe, Gründling (Greßling); Wels (Weller; bis 2 m lang und 60 kg schwer), im Bodensee äußerst selten, eher in den Hinterlandseen (z. B. im Mindelsee); Aal.

Unter den Dienstleistungsgewerben genießt der Fremdenverkehr am Bodensee eine Vorzugsstellung. Sein Umfang hat in den vergangenen Jahrzehnten stark zugenommen. Das günstige Klima, die vielfältige Schönheit der Landschaft und Orte sowie der Reichtum an alten Kulturgütern bilden die Voraussetzung für einen lebhaften Tourismus, dessen Ströme sich während der saisonalen Sommermonate über die dicht besiedelten Seeufer ergießen. Zu dem herkömmlichen Ferienbetrieb mit längeren Aufenthalten hat sich in letzter Zeit der Wochenendverkehr gesellt, so daß der Bodensee auch zu einem beliebten Naherholungsgebiet geworden ist, was allerdings die örtliche Verkehrslage auf den Straßen in der Hochsaison stark belastet.

Das Angebot an **Übernachtungsmöglichkeiten** wurde erheblich gesteigert: Derzeit stehen in Hotels, Gasthöfen, Pensionen, Ferienwohnungen und Privatzimmern wie auch auf Bauernhöfen am deutschen Bodenseeufer rund 25 000 Fremdenbetten bereit, ergänzt durch eine Kette zumeist schön gelegener und gut ausgerüsteter Campingplätze. Vielerorts wurden Apartmenthäuser mit Ferien- oder Zweitwohnungen erstellt.

Allerorten sind reichlich **Erholungs- und Freizeiteinrichtungen** entstanden. Mannigfaltig bieten sich Gelegenheiten zum Spazieren und Wandern, aber auch zu Sport, Spiel und Freizeitgestaltung sowie zu Kur- und Heilzwecken.

Große Attraktion übt die Möglichkeit zur Ausübung von **Wassersport** aus: Um die Badesaison zu verlängern, sind eine Vielzahl großzügiger Badeanlagen (beheizbare Freibäder, Hallenbäder, Badestrände) gebaut worden. Die Zahl der Sportboote – v. a. der Segelboote aller Klassen, aber auch immer größerer Motorboote – nimmt ständig zu, das Angebot an Bootsliegeplätzen in den Häfen wird laufend erhöht; etliche neue Jachthäfen sind eingerichtet worden, weitere

sollen folgen. Das seit einigen Jahren auch in Europa eingeführte *Windsurfing* (Wellenreiten auf einem Brett mit kleinem Segel) hat am Bodensee besonders viele Anhänger gefunden. Ebenso bestehen Möglichkeiten zum *Wasserskilauf, Tauchen* oder *Fischen*. Entsprechende Schulen und Verleihfirmen sind überall anzutreffen.

Zahllose **Kulturdenkmäler** wurden restauriert und in den Städten und Ortschaften z. T. hervorragende Sanierungs- und Renovierungsarbeiten geleistet.

Dem an der Kunstgeschichte Interessierten bietet der Bodenseeraum mannigfaltige Zeugnisse künstlerischen Schaffens aus allen großen Stilepochen. Wer den Besuch der Landschaften um den 'Dreiländersee' mit einer kleinen Kunstreise verknüpfen möchte, sei auf folgende Sehenswürdigkeiten ausdrücklich hingewiesen:

Die hervorragendsten Beispiele der **Romanik** findet man auf der Klosterinsel Reichenau (Münster in Mittelzell, St. Georg in Oberzell, St. Peter und Paul in Niederzell), aber auch in Konstanz (Münster) und Lindau (St. Peter).
Ungleich zahlreicher sind die Zeugen der **Gotik**, die sich sowohl in sakraler als auch in profaner Baukunst manifestiert: Konstanz (St. Stephan, Mauritiusrotunde beim Münster; Kaufhaus/Konzilsgebäude); Meersburg (Grethgebäude); Überlingen (Münster); Lindau (Diebsturm); Eriskirch (Pfarrkirche); Radolfzell (Münster); Markdorf (St. Nikolaus; Stadtschloß); Salem (Klosterkirche); Ravensburg (St. Jodok; Rathaus, Waaghaus).
Eindrucksvolle Bauten der **Renaissance** sind die Schlösser Heiligenberg und Wolfegg wie auch die Rathäuser von Lindau und Konstanz.
Aus dem **Frühbarock** stammen das Alte Schloß in Meersburg, die Schloßkirche in Friedrichshafen und das Ritterschaftshaus in Radolfzell.
Aus der Zeugenreihe des **Hochbarock** und **Rokoko** stechen vor allen die Abteikirche Weingarten und die Wallfahrtskirche Birnau hervor; daneben seien genannt das Neue Schloß in Meersburg, der Kaisersaal im ehem. Kloster Salem, das Neue Schloß in Tettnang, die ehem. Klosterkirche Weißenau (bei Ravensburg), die Kirchen St. Martin in Langenargen und St. Marien in Lindau sowie das Schloß und die Schloßkirche auf der Insel Mainau.
Mit der neuen Universität Konstanz hat die **moderne Architektur** der Nachkriegszeit einen beachtlichen Baukomplex geschaffen.

LINIENSCHIFFAHRT (bei Auslandsfahrten ist Personalausweis oder Reisepaß erforderlich!): Die Vereinigten Schiffahrtsverwaltungen für den Bodensee, Untersee und Rhein betreiben von April bis Ende September die Schiffahrt auf dem Bodensee. Regelmäßiger Linienverkehr besteht auf folgenden Strecken (meist zahlreiche weitere Zwischenstationen: z. T. zusätzlicher Verkehr auf Teilstrecken): Konstanz-(Mainau)-Meersburg-Friedrichshafen-

Blumeninsel Mainau im Bodensee – Blick über den Rosengarten zur Universität Konstanz

Lindau-Bregenz. – Konstanz-Meersburg-(Mainau)-Überlingen. – Überlingen-Ludwigshafen-Bodman. – Kreuzlingen-Konstanz-Reichenau-Radolfzell oder Schaffhausen. – Lindau-Bad Schachen-Wasserburg-Rorschach.

Fähren (für Kfz und Personen: ganzjährig) zwischen Friedrichshafen und Romanshorn sowie zwischen Konstanz-Staad und Meersburg (letztere Tag und Nacht durchgehend). – Lokale Personenfähre zwischen Bahnhof Allensbach und der Insel Reichenau (Mittelzell) sowie über den Seerhein in Konstanz.

Ausflugsfahrten. – Im Sommer werden oft nur bei schönem Wetter von den größeren Bodenseeuferorten in verschiedensten Kombinationen zahlreiche Ausflugsfahrten angeboten (ganztägig, halbtägig oder auch kürzer als Frühstücks-, Kaffee- oder abendliche Tanzfahrten; Fahrten ins Blaue sowie Sonderfahrten zu bes. Veranstaltungen).

Wie jeglicher Verkehr auf dem Bodensee unterliegt auch die **Sportschiffahrt** der Bodensee-Schiffahrtsordnung (BSO), die jeder Schiffsführer kennen muß.

Das **Segeln** auf dem See ist nicht einfach. Zwar weht der Wind meist stetig von Osten oder Westen, doch ist er in Ufernähe nicht selten böig. Gefährlich sind die plötzlich aufziehenden Gewitter, deren Herannahen Sturmwarnleuchten am Ufer ankündigen.

Wer dem **Angeln** auf dem offenen See oder vom Ufer aus frönen möchte, muß neben einem Jahresfischereischein auch einen Erlaubnisschein der jeweils zuständigen Ortsbehörde erwerben (Auskunft bei Verkehrsämtern, Gemeindeverwaltungen oder Anglervereinen). Besonders gute Angelgründe sind die Fußacher Bucht, der Seerhein und der ganze Untersee. Aber auch in den Gewässern rings um

den See darf gemäß der örtlichen Vorschriften geangelt werden.

Bodensee-Rundwanderweg. – Rings um den Bodensee führt mit wechselndem Abstand vom Seeufer und in wechselnder Höhenlage ein mit einem gebogenen, schwarzen Pfeil um einen blauen Punkt markierter, insgesamt 272 km langer Rundwanderweg. Er benutzt auf deutscher Seite häufig dieselbe Strecke wie die Wanderwege des Schwarzwaldvereins (blau-gelbe Raute), auf dem südlichen Seeufer zwischen Konstanz und Bregenz verläuft er gemeinsam mit dem Europäischen Fernwanderweg Nr. 5 (Bodensee-Adria; weiße Schrifttafeln).

Bonn

Bundesland: Nordrhein-Westfalen.
Kfz-Kennzeichen: BN.
Höhe: 64 m ü.d.M. – Einwohnerzahl: 286000.
Postleitzahl: D-5300. – Telefonvorwahl: 02221.
(i) **Werbe- und Verkehrsamt der Stadt Bonn,** Rathaus Bonn - Bad Godesberg, Kurfürstenallee 2-3; Telefon: 8301.
Informationsstelle Bonn, Cassius-Bastei (gegenüber dem Hauptbahnhof); Telefon: 77466/7.
Informationspavillon Bonn - Bad Godesberg, Moltkestraße 66; Telefon: 830548/662.

HOTELS. – In der Nähe des Hauptbahnhofs: *Bristol*, Poppelsdorfer Allee, 200 B. (mit Rest. 'Majestic'), Hb., Sauna, Solarium; *Schwan* (garni, Mozartstr. 24-26, 31 B.; *Kurfürstenhof*, Baumschulallee 20, 43 B. – In der Innenstadt: *Königshof*, Adenauer-Allee 9-11, 110 B. (Rheinterrasse); *Beet-*

hoven, Rheingasse 24-26, 83 B. (Rheinterrasse); *Bergischer Hof*, Münsterplatz 23, 43 B.; *Sternhotel*, Markt 8, 102 B.; *Rheinland* (garni), Berliner Freiheit 11, 31 B.; *Haus Hofgarten* (garni), Fritz-Tillmann-Str. 7, 20 B. – Außerhalb der Innenstadt: *Steigenberger Hotel Bonn*, Am Bundeskanzlerplatz, 320 B. (mit Atrium-Restaurant und Ambassador-Club), Hb.; *Am Tulpenfeld*, Heussallee 2-10, 154 B. (erstklass. gleichnamiges Rest.; Freiterrasse); *Schloßpark-Hotel*, Venusbergweg 27, 100 B., Hb., Sauna; *Kölner Hof* (garni), Kölnstr. 502, 62 B.; *Altes Treppchen*, Endenicher Str. 308, 26 B.; *Casselsruhe*, Venusberg, 20 B. – In Bad Godesberg: *Rheinhotel Dreesen*, Rheinaustr. 1-3, 150 B. (Rheinterrassen; im Sommer Konzert und Tanz); *Zum Adler*, Koblenzer Str. 60, 45 B.; *Arera*, Austr. 48-50, 100 B. (Rheinterrasse); *Godesburg-Hotel*, Auf dem Berg 1, 22 B. (Panoramablick); *Insel-Hotel*, Theaterplatz 5-7, 100 B.; *Park-Hotel*, Kaiserstr. 1, 81 B.; *Rheinland*, Rheinallee 17, 59 B.; *Schaumburger Hof*, Ützstr. 10, 47 B. (Rheinterrassen); *Cäcilienhöhe*, Goldbergweg 17, 32 B.; *Zum Löwen*, Von-Groote-Platz 1, 60 B.; *Flora* (garni), Viktoriastr. 16, 15 B.

JUGENDHERBERGE: *Hermann-Ehlers-Haus*, Haager Weg 42, Bonn-Venusberg, 285 B.; *Landes-*

hauptmann-Horion-Haus, Horionstr. 60, Bonn-Bad Godesberg, 100 B.

RESTAURANTS. – *Chez Loup*, Oxfordstr. 18 (frz. Spez.); *Gourmet*, Josefstr. 19 (Fischspez.); *Schaarschmidt*, Brüdergasse 14; *Grand Italia*, Bischofsplatz 1 (italien. Spez.); *Pancho Villa*, Rheindorfer Str. 35-39 (lateinamerikan. Gerichte); *Hongkong*, Brassert-Ufer 1 (chines. Küche); *Beethovenhalle*, Theaterstr. 3 (Rheinterrasse); *Bundeshaus-Restaurant*, Görresstr. 5 (Rheinterrasse); *Em Höttche*, Markt 4 (histor. Rest. mit origineller Ausstattung); *Im Stiefel*, Bonngasse 30 (altdeutsches Bierhaus und Studentenlokal). – In Bad Godesberg: *St. Michael*, Brunnenallee 26 (gediegenes Spez.-Rest.); *Maternus*, Löbestr. 3 (bekannter Treffpunkt); *La Redoute*, Kurfürstenallee 1; *Stadthalle*, Koblenzer Str. 80 (Freiterrassen).

WEINSTUBEN. – *Weinkrüger*, Mauspfad 6-10 (histor. Weinhaus); *Jacobs*, Friedrichstr. 18. – In Bad Godesberg: *Weinhaus Maternus*, Löbestr. 3; *Weinhäuschen*, Fährstr. 26 (in Mehlem an der Fähre); *Weinkrüger im Ännchen*, Ännchenplatz 1.

CAFÉS. – *Krimmling*, Poststr. 9; *Dahmen*, Poststr. 20; *Müller-Langhardt*, Markt 36; *Ritters-*

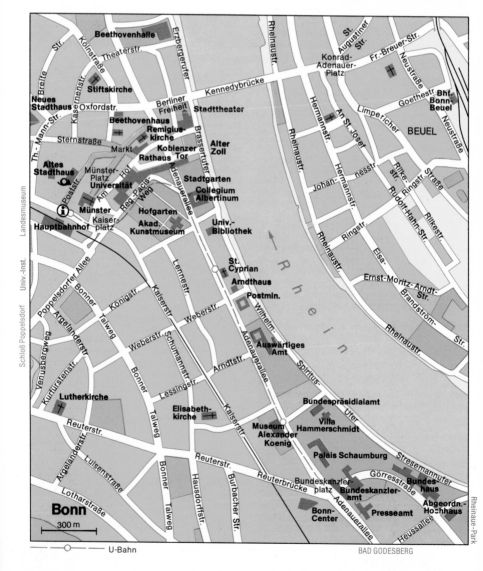

Bonn
300 m

―――○――― U-Bahn

Bonn am Rhein – Regierungsviertel der Bundeshauptstadt aus der Vogelschau

haus, Kaiserstr. 1 a; *Bonner Kaffeehaus*, Römerplatz 5. – In Bad Godesberg: *Kranzler*, Theaterplatz 7; *Schöner*, Brunnenallee 10; *Pohl*, Koblenzstr. 83.

VERANSTALTUNGEN. – *Karneval* mit Rosenmontagszug; *Bonner Sommer* – Kunst auf Straßen und Plätzen (Juli/August); *Pützchens Markt* – größter, über 600 Jahre alter rheinischer Jahrmarkt (September); *Internationales Beethovenfest* (alle drei Jahre im September, 1980); *Bundespresseball* (November).

Die Hauptstadt der Bundesrepublik Deutschland liegt an beiden Ufern des Rheins, der hier nach seinem Durchbruch durch das Rheinische Schiefergebirge die Kölner Tieflandsbucht erreicht. Die kulturelle Ausstrahlung der altbekannten Universität, das politische Fluidum des sich um die Adenauer-Allee gruppierenden Regierungsviertels, reges Geschäftsleben und das reizvolle Landschaftsbild – besonders am Rheinufer mit Blick auf das nahe Siebengebirge – geben Bonn sein besonderes Gepräge. Seit der Eingemeindung von Bad Godesberg zählt die Stadt auch ein renommiertes Heilbad in ihren Grenzen. In Bonn wurde Ludwig van Beethoven geboren.

GESCHICHTE. – Bonn war als *Castra Bonnensia* eines der ersten Römerkastelle am Rhein. 1238-1794 war es Residenz der Erzbischöfe von Köln. Am 10. 5. 1949 wurde die Stadt zum Sitz der Bundesregierung gewählt.

SEHENSWERTES. – Mittelpunkt der ALTSTADT ist der Marktplatz mit dem 1737-38 errichteten *Rathaus;* Rathausgasse 7 die Städtischen Kunstsammlungen (deutsche Malerei und Plastik des 20. Jh.). Unweit nördlich die Remigiuskirche (13. und 14. Jh.); in der Bonngasse 20 das *Beethovenhaus,* das als Museum eingerichtete Geburtshaus Ludwig van Beethovens (1770-1827). Südwestlich vom Markt am Münsterplatz das altehrwürdige *Münster (St. Cassius und Florentinus), eine der schönsten romanischen Kirchen am Rhein (11.-13. Jh.; Ostkrypta des 11. Jh.); südlich anschließend ein stimmungsvoller Kreuzgang aus dem 12. Jh. – Am Anfang der Adenauer-Allee das *Koblenzer Tor* durch den Ostflügel der weitläufigen Gebäudegruppe der Universität, die 1697-1725 von Enrico Zuccali und Robert de Cotte als kurfürstliches Schloß errichtet wurde; dahinter der *Hofgarten.* Weiterhin an der Adenauer-Allee zahlreiche Bundesbehörden: Nr. 135 die *Villa Hammerschmidt,* der Amtssitz des Bundespräsidenten, Nr. 139-142 das *Palais Schaumburg* sowie das neue *Bundeskanzleramt* (1975-77; 95 m lange Front), Nr. 150 das *Zoologische Museum Alexander König*, eine schöne Tiersammlung (Vogel-Schausammlung). Am Bundeskanzlerplatz des *Bonn-

Center. Östlich an der Görresstraße das **Bundeshaus** mit Rückfront zum Rhein; das 30stöckige *Abgeordneten-Hochhaus* ('Langer Eugen'). Dahinter der neue ***Rheinaue-Park** (Bundesgartenschau 1979). – Östlich vom Koblenzer Tor am Rhein der *Stadtgarten* und der **Alte Zoll,** eine ehemalige Bastei mit altberühmter *Aussicht auf Rhein und Siebengebirge; oben ein Denkmal für *Ernst Moritz Arndt* (1769-1860), dessen rheinaufwärts gelegenes Wohn- und Sterbehaus (Adenauer-Allee 79) als Museum eingerichtet ist. Nördlich vom Alten Zoll, vor der Rheinbrücke, das *Theater der Stadt Bonn* (1963-65). Unterhalb der Rheinbrücke am linken Rheinufer die *Beethovenhalle* (1957-59).

Im Südwesten der Stadt steht am Ende der Poppelsdorfer Allee das **Poppelsdorfer Schloß** (1715-30); dahinter der *Botanische Garten.* Südwestlich vom Poppelsdorfer Schloß (20 Min.) der **Kreuzberg** (125 m) mit einem Franziskanerkloster und einer weit sichtbaren Barockkirche (1627-37; die östlich angebaute "heilige Stiege" von Balthasar Neumann, 1746-51). – Westlich vom Bahnhof das ***Rheinische Landesmuseum** mit reicher Altertümersammlung (röm. u. fränk. Kunst), mittelalterlichen Kunstwerken und Gemälden.

Im südlichen Stadtteil BAD GODESBERG, Sitz zahlreicher diplomatischer Vertretungen, die *Burgruine Godesburg* (Bergfried von 1210, Hotel), die *Redoute* (früher kurfürstliches Rokokoschloß, heute Schauplatz von Staatsempfängen) und die ehem. *Deutschherrenkommende* (jetzt Botschafter-Residenz). – Im Stadtteil SCHWARZ-RHEINDORF auf dem rechten Rheinufer die einzigartige romanische *Doppelkapelle* (12. Jh.).

UMGEBUNG von Bonn. – **Siebengebirge** mit *Burgruine Drachenfels* (20 km südöstlich). – ***Schloß Augustusburg** in Brühl (20 km nordwestlich), 1725-28 von J. C. Schlaun begonnen, ein Kleinod des Rokoko, mit berühmtem Treppenhaus von Balthasar Neumann; dient heute Repräsentationszwecken der Bundesregierung.

Braunschweig

Bundesland: Niedersachen. – Kfz-Kennzeichen: BS.
Höhe: 80 m ü.d.M. – Einwohnerzahl: 265000.
Postleitzahl: D-3300. – Telefonvorwahl: 0531.
ⓘ **Städtischer Verkehrsverein,** Hauptbahnhof und Bohlweg; Telefon: 79237 bzw. 46419.

HOTELS. – **Atrium,* Berliner Platz 3, 195 B.; **Deutsches Haus,* Ruhfäutchenplatz 1, 120 B.; **Lessinghof,* Okerstr. 13, 74 B.; *Gästehaus Braunschweig,* Zuckerbergweg 2, 24 B.; *Forsthaus,* Hamburger Str. 72, 60 B.; *Frühlingshotel* (garni), Bankplatz 7, 90 B.; *Fürstenhof,* Campestr. 12, 45 B.; *An der Stadthalle* (garni), Leonhardstr. 21, 36 B.; *Lorenz,* Friedrich-Wilhelm-Str. 2, 50 B.; *Zur Oper* (garni), Jasperallee 21, 65 B.; *Elch* (garni), Wolfenbütteler Str. 67, 41 B.; *Thüringer Hof,* Sophienstr. 1, 35 B. – In Buchholz: *Aquarius,* Ebertallee 44g (an der B1), 56 B. – JUGENDHERBERGE: Broitzemer Str. 42, 120 B.

CAMPINGPLATZ: Werkstättenweg.

RESTAURANTS. – *Gewandhauskeller,* Altstadtmarkt 1; *Haus zur Hanse,* Güldenstr. 7 (Fachwerkhaus von 1567); *Stadthalle,* Leonhardplatz; *Das Alte Haus,* Alte Knochenhauerstr. 11 (seit 1470); *Wolters am Wall,* Fallersleber Str. 35; *Hongkong,* Friedrich-Wilhelm-Str. 30 (chines. Küche).

WEINSTUBEN. – *Gewandhaus,* Altstadtmarkt 1; *Zum Fallstaff,* Bohlweg 67; *Zum Stillen Winkel,* An der Katharinenkirche 14; *Weinkrüger,* Kohlmarkt 10.

CAFÉS. – *Tolle,* Bohlweg 70; *Wagner,* Bohlweg 41; *Haerti,* Steinweg 22.

Die alte Welfenstadt, die zweitgrößte Stadt des Landes Niedersachsen, liegt in einer fruchtbaren Ebene an der Oker im Norden des Harzvorlandes. In der Altstadt legen einige Traditionsinseln beredtes Zeugnis ab von der reichen Geschichte der im Zweiten Weltkrieg stark zerstörten Stadt. Braunschweigs 1745 gegründete Technische Hochschule (heute Universität) ist die älteste Deutschlands. Die Stadt ist ferner Sitz der Kant-Hochschule für Lehrerbildung, einer Kunsthochschule sowie verschiedener Forschungs- und Bundesanstalten (u.a. die Physikalisch-Technische Bundesanstalt). Die bunte

1 Hagenmarkt 2 Altstadtmarkt 3 Kohlmarkt 4 Stadtmuseum

Palette seiner Industrie reicht von der Herstellung von Maschinen und Lastkraftwagen über feinmechanische Werke bis zu Gemüsekonservenfabriken. Nördlich der Stadt zieht der Mittellandkanal vorüber.

GESCHICHTE. – Im 12. Jh. war Braunschweig Lieblingsaufenthalt Heinrichs des Löwen (1129-1195), der den Ort zur Stadt erhob. 1247 trat diese der Hanse bei und wurde durch ihre günstige Lage am Kreuzungspunkt wichtiger Handelsstraßen zu einem bedeutenden Binnenhandels-Umschlagsplatz. 1753-1918 war Braunschweig Residenz des gleichnamigen Herzogtums. Im Zweiten Weltkrieg wurde der alte Stadtkern fast gänzlich zerstört. Bis auf die 'Traditionsinseln' trägt die Stadt deshalb ein modernes Gesicht.

Stadtkern von Braunschweig aus der Luft

SEHENSWERTES. – In der Mitte der Stadt erhebt sich am *Burgplatz die wiederhergestellte **Burg Dankwarderode,** um 1175 von Heinrich dem Löwen erbaut (der zweigeschossige Saalbau stammt von 1887; im Erdgeschoß der Knappensaal mit einer Ausstellung mittelalterlicher Kunst). Westlich vor der Burg steht ein in Erz gegossener prachtvoller *Löwe, den Heinrich der Löwe als Zeichen seiner Macht 1166 aufrichten ließ. An der Nordseite des Platzes das 1902 hierher versetzte *Huneborstelsche Haus (1536; jetzt Gildehaus).

Der romanische *Dom, der erste große Gewölbebau Niedersachsens, wurde 1173-95 unter Heinrich dem Löwen erbaut; im Mittelschiff das *Grabmal Heinrichs des Löwen und seiner Gemahlin Mathilde (ein Hauptwerk der spätromanischen sächsischen Bildhauerschule; um 1250); vor dem Chor ruhen unter einer Messingplatte von 1707 Kaiser Otto IV. († 1218) und seine Gemahlin Beatrix; im Hochchor, der ebenso wie das südliche Querschiff mit romanischen Wandmalereien geschmückt ist, ein 4,5 m hoher, von Heinrich dem Löwen gestifteter siebenarmiger Leuchter. Ältestes und kunstgeschichtlich bedeutendstes Stück der Ausstattung ist das vom ersten Dom übernommene romanische *Imerward-Kruzifix von 1150. – Östlich gegenüber vom Dom das **Rathaus** (1886-1900; Erweiterungsbau von 1969).

Nördlich vom Burgplatz der große Hagenmarkt mit einem Brunnendenkmal Heinrichs des Löwen (1874) und der stattlichen **Katharinenkirche** (12.-14. Jh.; ev.; Barockorgel von 1623).

Unweit westlich die im 12. Jh. erbaute und im 13. und 14. Jh. gotisch umgestaltete *Andreaskirche.* – Nördlich der Innenstadt die aus der 1745 gegründeten 'Collegium Carolineum' hervorgegangene **Technische Universität.**

Der südwestlich vom Burgplatz gelegene Altstadtmarkt ist das Herzstück der alten Handels- und Hansestadt. Er entstand aus einem Straßenmarkt des 11. und 12. Jh. An seiner Westseite das gotische **Altstadt-Rathaus,** ein Festsaalbau des 14. Jh. mit vorgelagertem zweigeschossigen Laubengang. Gegenüber die ev. **Martinikirche** (12.-14. Jh.; wiederhergestellt). An der Südseite des Platzes das mittelalterliche *Gewandhaus* (wiederhergestellt; Restaurant), dessen *Ostgiebel (1591) das Hauptwerk der Renaissance in Braunschweig ist. – Unweit südwestlich vom Altstadtmarkt die kleine 1157 geweihte **Michaeliskirche** (ev.), ein gotischer Hallenbau des 14. Jh.; in der Nähe mehrere erhaltene *Fachwerkhäuser* des 15.-17. Jh.: an der Alten Knochenhauerstr. 11 Braunschweigs älteste Fachwerkfassade, Güldenstr. 7 das stattliche *Haus zur Hanse* von 1567.

Südlich vom Burgplatz ist um die gotische Kirche **St. Ägidien** (kath.; Chor 13., Langhaus 14. Jh.) noch der malerische Fachwerkwinkel *Ottilienteil* erhalten. Neben der Ägidienkirche wurde im Paulinerchor (14. Jh.) des einstigen Dominikanerklosters das *Braunschweigische Landesmuseum für Geschichte und Volkstum* untergebracht.

Südöstlich vom Burgplatz die eindrucksvoll wiederhergestellte **Magnikirche** (1031 geweiht; ev.; moderne

Skulpturen). Hinter der Magnikirche blieb ein Stück fachwerkschönes Alt-Braunschweig erhalten. Auf dem *Magnifriedhof* (ca. 700 m südöstlich) das *Graf G. E. Lessings* (1729-1781); an der Ostseite des Friedhofs die **Stadthalle** (1965; Restaurant).

Am Ostrand der inneren Stadt am Museumspark das **Herzog-Anton-Ulrich-Museum** (Museumstr. 1) mit Kunst und Kunstgewerbe (u.a. Kaisermantel Ottos IV. und Rembrandts um 1668 geschaffenes *Familienbildnis*). Etwa 200 m südlich das interessante *Städtische Museum* (Steintorwall 14; Volks- und Völkerkunde, sakrale Kunst, Kunstgewerbe, Wohnkultur). – Im östlichen Vorort RIDDAGSHAUSEN, jenseits vom Prinz-Albrecht-Park, die beachtenswerte *Kirche* eines ehem. Zisterzienserklosters (13. Jh.).

Im Süden der Stadt, an den Bürgerpark anschließend, das anmutige *Schloß Richmond* (1768-69).

Bremen

Freie Hansestadt Bremen (Bundesland).
Kfz-Kennzeichen: HB.
Höhe: 5 m ü.d.M. – Einwohnerzahl: 563000.
Postleitzahl: D-2800. – Telefonvorwahl: 0421.

ⓘ **Verkehrsverein,** *Tourist-Information* am Bahnhofsplatz;
Telefon: 321212.

HOTELS. – *Parkhotel,* im Bürgerpark, 220 B. (Gartenterrasse); *Columbus,* Bahnhofsplatz 5, 150 B.; *Bremer Hospiz,* Löningstr. 17, 120 B.; *Zur Post,* Bahnhofsplatz 11, 260 B., Hb., Sauna; *Bahnhofshotel* (garni), Bahnhofsplatz 8, 60 B.; *Überseehotel,* Wachsstr. 27, 250 B., Sauna; *Konsul-Hackfeld-Haus* (garni), Birkenstr. 34, 82 B.; *Schaper-Siedenburg,* Bahnhofstr. 8, 110 B. – In Horn: *Landhaus Louisenthal* (garni), Leher Heerstr. 105, 45 B. – In Schwachhausen: *Bremen Crest Hotel,* August-Bebel-Allee 4, 212 B.; *Heldt,* Friedhofstr. 41, 80 B.; *Zur Vahr,* Schwachhauser Heerstr. 276, 28 B. – In Vegesack: *Strandlust,* Rohrstr. 11, 35 B. (Weserterrassen mit Schiffsansage). – JUGENDHERBERGEN: *Haus der Jugend,* Kalkstr. 6, 160 B.; *Rönnebeck,* Weserstrandstr. 31, Bremen-Blumenthal, 54 B. – CAMPINGPLÄTZE: *Juliusplate,* Berne/Weser; *Hammestrand,* Worpswede; *Rethbergsee,* Tarmstedt; *Otterstedter See,* Otterstedt; *Hachetal,* bei Syke; *Steller See,* Stelle; *Groß-Ringmar,* 3 km südl. Bassum.

RESTAURANTS. – *Deutsches Haus – Ratsstuben-Bürgerstuben,* Am Markt 1; *Schnoor 2,* Schnoor 2 (originelle Einrichtung); *Haus St. Petrus-Flett/Robinson,* Böttcherstr. 3; *Ratskeller,* Am Markt (berühmter Weinkeller); *Das Kleine Lokal,* Besselstr. 40 (rumän. Küche); *Le Bistro,* Sögestr. 54; *Martini,* Böttcherstr. 2 (Grill-Rest.); *Kaffeehaus Emmasee,* Bürgerpark; *Alt-Bremer Brauhaus,* Katharinenstr. 32 (Bremer Gerichte); *Rolf Diehl,* H.-H.-Meier-Allee 2, Bremen-Schwachhausen; *Borgfelder Landhaus,* Warfer Landstr. 73, Bremen-Borgfeld (Ausflugslokal); *Fährhaus Meyer-Farge,* Berner Fährweg 8, Bremen-Farge (Schiffsbegrüßungsanlage).

CAFÉS. – *Knigge,* Sögestr. 42; *Jacobs,* Knochenhauerstr. 4; *Raths-Konditorei,* Am Markt 11; *Subtropica,* Vahrer Str. 239, Bremen-Vahr (Tropengewächse; Unterhaltungsmusik, Tanz). – Mehrere Tanzlokale und Nachtklubs.

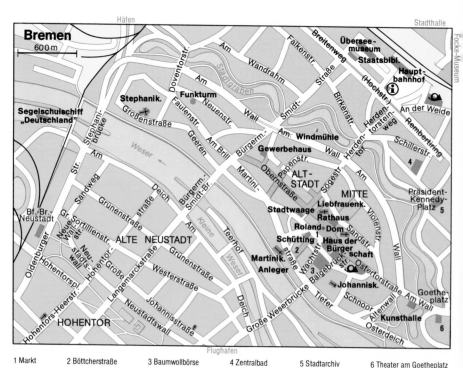

1 Markt   2 Böttcherstraße   3 Baumwollbörse   4 Zentralbad   5 Stadtarchiv   6 Theater am Goetheplatz

Bremen – Rathaus, Dom und Haus der Bürgerschaft am Markt

VERANSTALTUNGEN. – *Bremer Eiswette* (6. Januar, mit späterem Festessen); traditionelle *Schaffermahlzeit* (Anfang Februar); *Vegesacker Herbstmarkt* (September); *Bremer Freimarkt* (seit 1035) auf der Bürgerweide (zweite Oktoberhälfte); *Weihnachtsmarkt* um die Liebfrauenkirche (Dezember).

Die Freie Hansestadt an der Unterweser (57 km von Bremerhaven entfernt) und Hauptstadt des Bundeslandes Bremen ist der zweitgrößte Seehafen und Seehandelsplatz der Bundesrepublik, ein wichtiger Umschlagplatz für Getreide, Baumwolle und Tabak. Zwischen Domhügel und Weser erstreckt sich mit Marktplatz, Böttcherstraße und Schnoor der älteste Teil Bremens.

Richtungsweisend für die modernen Wohn- und Schlafstädte unserer Zeit wurde die Neue Vahr im Osten der Stadt. Seit 1970 ist Bremen Sitz einer Universität. Werften, Stahlhütte, Ölraffinerie, Elektroindustrie, Kraftfahrzeugbau, Textilfabriken, Kaffeeröstereien und Bierbrauerei prägen das Wirtschaftsbild der Stadt.

GESCHICHTE. – Die Stadt wurde 787 von Karl d. Gr. zum Bischofssitz erhoben. Seit 845 Erzbistum, dehnte Bremen unter Erzbischof Adalbert (1043–1072) seine politische Macht bis nach Grönland aus. 1358 trat die Stadt der Hanse bei, 1646 wurde sie Freie Reichsstadt. 1827 gründete der rührige Bürgermeister Smidt Bremenhaven. 1886-1895 wurde durch großzügige Korrektur der Fahrrinne die Schiffbarkeit der Weser für Seeschiffe bis Bremen gesichert. Der Wiederaufbau nach den schweren Zerstörungen des Zweiten Weltkriegs hat das Gesicht der Stadt vielerorts verändert.

SEHENSWERTES. – Auf dem malerischen *Markt steht vor dem Rathaus der berühmte 5,4 m hohe *Roland (1404), das Sinnbild der hohen Gerichtsbarkeit oder der Stadtfreiheit. – Das *Rathaus ist ein 1405-10 errichteter gotischer Backsteinbau, dem 1609-12 eine prächtige Renaissancefassade vorgelegt wurde; im Inneren die 40 m lange, 13 m breite und 8 m hohe *Große Halle, einer der vornehmsten Festsäle Deutschlands, mit großem Wandgemälde "Das Salomonische Urteil" von 1537. Hier findet alljährlich die Schaffermahlzeit statt, das älteste Brudermahl der Welt; an der Marktseite neben der 'Güldenkammer' eine reichgeschnitzte Wendeltreppe. – An der Westseite des Alten Rathauses der Eingang zum wegen seines reichhaltigen Weinkellers (nur deutsche Weine; ältester Wein ein Rüdesheimer von 1653) berühmten *Ratskeller; im Hauffsaal Fresken (1927) von Max Slevogt zu Wilhelm Hauffs 1827 entstandenen "Phantasien im Bremer Ratskeller". Unter dem Nordwestturm die Bronzeplastik *Die Bremer Stadtmusikanten* von Gerhard Marcks (1953).

Der **Dom** (St. Petri; ev.) stammt aus dem 11., 13. und 16. Jh.; das Äußere mit den 98 m hohen Türmen wurde 1888-98 erneuert; die reichgeschmückte Barockkanzel (1638) ist ein Geschenk der Königin Christine von Schweden; im Bleikeller einige unverweste lederartig eingetrocknete Leichen. – Gegenüber dem Dom das moderne *Haus der Bürger-*

schaft (1966); westlich der *Schütting* (1537-38), das alte Gildehaus der Kaufmannschaft, seit 1849 Sitz der Handelskammer. Hinter dem Schütting der Eingang in die schmale *Böttcherstraße, die 1926-30 auf Kosten des Bremer Kaffeekaufmanns Dr. L. Roselius aus einer alten Handwerkergasse zu einer Museumsstraße umgestaltet wurde; links das *Paula-Becker-Modersohn-Haus* (mit Werken der 1907 verstorbenen Worpsweder Malerin), rechts das *Hag-Haus,* dann links das *Roselius-Haus* (1588; mit Werken niederdeutscher Kunst von der Gotik bis zum Barock), ferner das *Haus des Glockenspiels* und das *Robinson-Crusoe-Haus.* – Hinter der *Baumwollbörse* (Wachstraße) das reizvolle *Schnoorviertel, Künstler- und ältestes Wohnviertel Bremens mit Bürgerhäusern aus dem 15.-18. Jh. und gemütlichen alten Schenken.

Südöstlich der von Wallanlagen und Stadtgraben umgebenen Altstadt am Ostertor die *Kunsthalle (niederländische Malerei des 17. Jh., altdeutsche Meister, französische und deutsche Malerei des 19. und 20. Jh., Werke der Worpsweder Malerkolonie). – Im Norden der Altstadt, an der Westseite des Bahnhofsplatzes, das interessante *Überseemuseum mit völker-, natur- und handelskundlichen Sammlungen (Olympisches Sportmuseum geplant); im Kellergeschoß ein Aquarium und Terrarium. Nordöstlich der 1866 im englischen Stil angelegte 200 ha große *Bürgerpark.* – In der nordöstlichen Vorstadt SCHWACHHAUSEN das **Focke-Museum** (Schwachhauser Heerstr. 240), das Bremische Landesmuseum für Kunst- und Kulturgeschichte, das u. a. bremische Altertümer, Sammlungen zur Wohnkultur und niederdeutschen Kulturgeschichte und eine Schiffahrtsabteilung (Hansekogge) enthält. Östlich der große *Rhododendronpark* und der *Botanische Garten.* – Weiter südöstlich im Stadtteil VAHR die moderne Wohn- und Schlafstadt **Neue Vahr** (1957-63; rd. 32000 Einw.).

Im Nordwesten der Altstadt liegen die **Häfen** (15 seeschifftiefe Hafenbecken; Hafenrundfahrten vom Martinianleger bei der Großen Weserbrücke), allen voran *Übersee-, Europa-* und *Neustädter Hafen* mit Container-Terminal (Freihäfen).

UMGEBUNG von Bremen. – **Worpswede** (23 km nordöstlich), bekannte Malerkolonie (Vogeler, Modersohn, Mackensen, Hans am Ende u. a.; ständige Kunstausstellungen) am Teufelsmoor. – **Bremerhaven** (57 km nördlich) mit der *Columbuskaje* für den Überseeverkehr, dem größten *Fischereihafen* des Kontinents (werktags 7-8.30 Uhr interessante Fischauktionen; Nordseemuseum) und dem *Deutschen Schiffahrtsmuseum* (Bremer Kogge von 1380; historische Schiffe im Alten Hafen).

Celle

Bundesland: Niedersachsen.
Kfz-Kennzeichen: CE.
Höhe: 40 m ü.d.M. – Einwohnerzahl: 75000.
Postleitzahl: 3100. – Telefonvorwahl: 05141.
ⓘ **Verkehrsverein,** Schloßplatz 6a;
   Telefon: 23031.

HOTELS. – *Parkhotel Fürstenhof,* Hannoversche Str. 55, 100 B. (mit Rest. 'Endtenfang'), Hb.; *Celler Hof,* Stechbahn 11, 90 B. (mit Rest. 'Heid'rose'); *Hannover* (garni), Wittinger Str. 56, 30 B.; *Hotel Atlantik,* Südwall 12a, 40 B.; *Schifferkrug,* Speicherstr. 9, 30 B.; *Sattler am Bahnhof,* Bahnhofstr. 46, 36 B. – In Altencelle: *Schaperkrug,* Braunschweiger Heerstr. 85, 56 B. – In Groß-Hehlen: *Celler Tor,* Celler Str. 13. JUGENDHERBERGE: Weghausstr. 2, Celle-Klein Hehlen, 148 B. – CAMPINGPLÄTZE: *Strandbad Silbersee,* Celle-Vorwerk; *Alvern,* Celle-Garßen.

RESTAURANTS. – *Ratskeller,* im Rathaus, Am Markt 14; *Städtische Union,* Thaerplatz 1; *Schwarzwaldstube,* Bergstr. 14; *Schweine-Schulze,* Neue Str. 36 (altes Juristenlokal).

CAFÉS. – *Kieß,* Großer Plan 16-17; *Kraemer,* Stechbahn 7. – Mehrere Bars.

VERANSTALTUNGEN. – *Frühlingsfest* auf dem Schützenplatz (Anfang April); *Celler Hengstparade* (letzter September-Sonntag und erster Oktober-Sonntag); *Oktoberfest* auf dem Schützenplatz.

Die alte Herzogsstadt an der Aller am Südrand der Lüneburger Heide hat bis heute ihren Residenzcharakter bewahrt. Das Rechteck der malerischen Fachwerkstraßen der Altstadt ist auf das Schloß bezogen. Aber auch das Landgestüt hat Celle bekannt gemacht. Das Wirtschaftsbild wird von Fernsehgerätebau, Feingebäckherstellung, Farbenfabriken, Maschinen- und Textilindustrie bestimmt. Überdies besitzt die Stadt eine der größten Orchideenzuchten Europas. Seit altersher ist Celle Garnison, heute für deutsche und britische Truppen.

GESCHICHTE. – Um 990 taucht in einer Urkunde Ottos III. der Name *Kellu* auf, was 'Siedlung am Fluß' bedeutet. Aus ihm wurde später Zelle (latinisiert Celle). Im 12. Jh. verlieh Heinrich der Löwe der Siedlung an der Allerfurt Privilegien als Stapelplatz für den einsetzenden Fernhandel. Otto das Kind erhob sie 1248 zur Stadt. 1292 gründete Herzog Otto der Strenge aus Gründen der Flußschiffahrt 3 km flußabwärts eine neue Stadt mit einer Burg und siedelte die Bewohner der alten um. 1378 machte Herzog Albrecht Celle zur Residenz des Herzogtums Lüneburg. Unter seinem letzten Herzog Georg Wilhelm erlebte Celle eine hohe künstlerische Blüte. Schloß und Stadtkirche wurden umgebaut, der Französische Garten angelegt und das Schloßtheater gegründet. 1705 wurde das Fürstentum Lüneburg mit dem Kurfürstentum Hannover vereint. 1711 wurde die Stadt, quasi als Entschädigung für den Verlust der Residenz, Sitz des höchsten Gerichtes, des Oberappellationsgerichtes (später Oberlandesgericht). 1735 erhielt sie das Königliche Landgestüt. Während der Franzosenzeit war Celle Hauptstadt des Aller-Departements. Der Zweite Weltkrieg ließ die Celler Altstadt unversehrt.

SEHENSWERTES. – Das **Schloß**, teils in spätgotischer Zeit, teils in der zweiten Hälfte des 17. Jh. im Barockstil aufgeführt, war 1292-1866 Residenz der Herzöge zu Braunschweig und Lünbeburg. Es enthält sehenswerte Prunkräume sowie das älteste fürstliche Theater in Deutschland (1674); in der Schloßkapelle eine prächtige Renaissance-Ausstattung. Umweit nördlich das *Oberlandesgericht*. Gegenüber dem Schloß das reichhaltige **Bomann-Museum** für hannoversche Heimatgeschichte, u.a. niedersächsisches Bauernhaus von 1571.

Östlich vom Schloß die ALTSTADT mit ihren malerischen Fachwerkstraßen und -gassen. Besonders schön die Kalandgasse mit der alten *Lateinschule*. An ihrem südlichen Ende die Stechbahn, ein alter Ritterturnierplatz. – Auf dem Markt erhebt sich die **Stadtkirche** (14. und 17. Jh.; Epitaphien und Grabplatten der letzten Celler Herzöge; Fürstengruft, u.a. Grabmal der dänischen Königin Caroline Mathilde, † 1775). Das **Rathaus** wurde 1530-81 im Spätrenaissancestil erbaut. Unter den Häusern der Altstadt verdienen vor allem das *Hoppener-Haus* (1532; Poststr. 8) und das *Stechinelli-Haus* (17. Jh.; am Großen Plan 14) Beachtung. – Südlich der Altstadt der *Französische Garten* mit einem Denkmal der Königin Caroline Mathilde (1784) und dem Niedersächsischen Landesinstitut für Bienenforschung. – Weiter im Süden, beiderseits der Fuhse, das von Georg II., Kurfürst von Hannover und König von England 1735 gegründete *Landgestüt* (Hengst-Nachzuchtanstalt; im Herbst Hengstparaden).

UMGEBUNG von Celle. – *Kloster Wienhausen** (10 km südöstlich), ehemaliges Zisterzienserinnenkloster (13.-14. Jh.; jetzt ev. Damenstift) mit bedeutenden Kunstschätzen (u.a. Nonnenchor mit *Wand- und Gewölbemalereien aus dem 14. Jh. und *Heiligem Grab von 1445; berühmte **Wandteppiche aus dem 14. und 15. Jh. – sie werden nur einmal jährlich um Pfingsten ausgestellt).

Chiemsee

Bundesland: Bayern.
(i) **Verkehrsverband Chiemsee,** Rathausstraße 11, D-8210 Prien; Telefon: (08051) 4368.

Der 82 qkm umfassende *Chiemsee ist der größte bayerische See (zum Vergleich: Bodensee 545 qkm). Er hat 5-15 km Durchmesser und bis 73 m Tiefe. Er füllt die Mitte eines eiszeitlichen Gletscherzungenbeckens aus und erstreckte sich einst südlich über das jetzt durch Anschwemmungen der Tiroler Ache vermoorte Gelände bis Grassau. Im Sommer beleben zahlreiche Segelboote die weite Seefläche.

Drei Inseln liegen im Chiemsee: die 250 ha umfassende, größtenteils bewaldete **Herreninsel** mit dem 1878-85 nach dem Vorbild von Versailles für König Ludwig II. erbauten *Schloß Herrenchiemsee* (Prunkräume, u.a. 98 m langer Spiegelsaal; im Sommer abendliche Konzerte bei Kerzenlicht), die 8 ha große *Fraueninsel* mit lindenumstandenen, im 8. Jh. von Herzog Tassilo III. gegründeten Benediktinerinnenkloster (Kirche mit spätromanischen Wandmalereien) und malerischem Fischerdörfchen und die zwischen Herren- und Fraueninsel gelegene, unbewohnte kleine *Krautinsel*. Von der Seemitte schöner Blick auf den gezackten Ge-

Rathaus in Celle

Fraueninsel im Chiemsee

birgskamm der Chiemgauer Alpen mit Kampenwand (1669 m) und Hochfelln (1670 m).

Am Seeufer reihen sich vielbesuchte Ferienorte. Größter und bedeutendster Fremdenverkehrsort am Chiemsee ist der Luft- und Kneippkurort **Prien** am Westufer (Prien-Stock ist Haupthafen der Chiemsee-Motorschiffahrt; Oldtimer-Zug), einer der beliebtesten Badeorte ist *Chieming* am Ostufer (kilometerlange Strandzone).

Coburg

Bundesland: Bayern. – Kfz-Kennzeichen: CO. Höhe: 297 m ü.d.M. – Einwohnerzahl: 47000. Postleitzahl: D-8630. – Telefonvorwahl: 09561. ⓘ **Fremdenverkehrsamt,** Herrengasse 4; Telefon: 92929.

HOTELS. – *Stadt Coburg,* Lossaustr. 12, 48 B.; *Goldener Anker,* Rosengasse 14, 90 B., Hb., Sauna; *Der Festungshof,* Festungshof 1, 32 B.; *Haus Blankenburg,* Rosenauer Str. 30, 65 B.; *Coburger Tor,* Ketschendorfer Str. 22, 30 B.; *Goldenes Kreuz,* Herrngasse 1, 46 B. – In Neu-Neershof: *Schloß Neuhof,* Neuhofer Str. 10, 34 B. – JUGENDHERBERGE: *Schloß Ketschendorf,* Parkstr. 2, 120 B.

RESTAURANTS. – *Alt-Coburg,* Steinweg 45; *Loreley,* Herrngasse 14; *Kongreßhaus,* Berliner Platz 1; *Ratskeller,* Markt 1.

CAFÉS. – *Schilling,* Mohrenstr. 23; *Schubart,* Seifartshofstr. 38.

Die ehemalige Herzogsresidenz liegt an der dem Main zufließenden Itz am Südabhang des Thüringer Waldes und wird von einer stattlichen Veste überragt. Der wirtschaftliche Ruf der oberfränkischen Stadt gründet sich auf die Herstellung von Korb- und Spielwaren sowie Wurstwaren (Coburger Bratwurst).

GESCHICHTE. – Im Laufe der Jahrhunderte war Coburg mit verschiedenen thüringischen Gebieten

verbunden, kam jedoch 1920 durch Volksabstimmung an Bayern.

SEHENSWERTES. – An dem hübschen Markt stehen das 1579 erbaute *Rathaus* und das ehem. *Regierungsgebäude* (jetzt Stadthaus), ein reichgeschmückter Spätrenaissancebau von 1599. – Südöstlich vom Markt die **Morizkirche** (14.-16. Jh.; im Chor das 12 m hohe Grabmal Johann Friedrichs des Mittleren von Sachsen, † 1595). Gegenüber der Morizkirche das von Herzog Johann Casimir gestiftete *Gymnasium Casimirianum,* ein Renaissancebau von 1601-04.

Am Ostrand der Altstadt der Schloßplatz mit der 1816-38 von Schinkel umgebauten **Ehrenburg** (ehem. Residenzschloß), die jetzt neben sehenswerten Sälen und Gemächern die Coburger Landesbibliothek enthält. In den Westflügel ist die barocke *Hofkirche* integriert. – Hinter einer vom ehem. Ballhaus stammenden Arkadenreihe der schöne Hofgarten, der am Berghang zur Veste hinaufzieht; auf halber Höhe des Hofgartens das *Naturwissenschaftliche Museum* (bedeutende Vogelsammlung).

Die *Veste Coburg** (464 m), im wesentlichen aus dem 16. Jh. (im 19. und 20. Jh. wiederhergestellt), ist eine der größten Burgen Deutschlands; im Fürstenbau die ehem. Wohnräume der herzoglichen Familie; in der Lutherstube fand der Reformator 1530 während des Augsburger Reichstags Unterschlupf, Lutherkapelle; *Kunst- und Waffensammlungen, Münzkabinett. – Im Süden der Stadt, am Nordende des *Rosengartens,* das *Kongreßhaus* (1962).

Darmstadt

Bundesland: Hessen. – Kfz-Kennzeichen: DA. Höhe: 146 m ü.d.M. – Einwohnerzahl: 140000. Postleitzahl: D-6100. – Telefonvorwahl: 06151. ⓘ **Städtisches Verkehrsamt,** Luisenplatz 5; Telefon: 132071. **Tourist-Information,** am Hauptbahnhof; Telefon: 132782.

HOTELS. – *Parkhaus-Hotel,* Grafenstr. 31, 140 B.; *Mathildenhöhe* (garni), Spessartring 53, 44 B.; *Prinz Heinrich,* Bleichstr. 48, 80 B. *Weinmichel,* Schleiermacherstr. 8, 94 B.; *City-Hotel* (garni), Adelungstr. 44, 54 B.; *Ernst Ludwig* (garni), Ernst-Ludwig-Str. 14, 30 B.; *Bockshaut,* Kirchstr. 7, 49 B. – In Eberstadt: *Schweizerhaus,* Mühltalstr. 35, 25 B. – In Kranichstein: *Jagdschloß Kranichstein,*

22 B. – JUGENDHERBERGE: Landgraf-Georg-Str. 119, 120 B.

RESTAURANTS. – *Ratskeller,* Marktplatz 8; *Rustica,* Annastr. 2; *Datterich-Klause,* Steinackerstr. 2; *Da Marino,* Heinrichstr. 39 (italien. Küche); *Alexis Sorbas,* Adelungstr. 10 (griech. Gerichte); *China-Restaurant,* Mühlstr. 60.

CAFÉS. – *Bormuth,* Marktplatz 5; *Schwarz,* Rheinstr. 32.

Die ehemalige Hauptstadt des Großherzogtums Hessen liegt am Rand der Oberrheinebene an den Ausläufern des Odenwaldes. Hier nimmt die Bergstraße ihren Ausgang. Darmstadt ist Sitz einer Technischen Hochschule, des Deutschen Rechenzentrums, des Europäischen Datenverarbeitungszentrums, aber auch der Deutschen Akademie für Sprache und Dichtung sowie des Deutschen PEN-Zentrums. Das Wirtschafts- und Verkehrszentrum Südhessens besitzt eine bedeutende chemische und elektronische Industrie.

GESCHICHTE. – Im Mittelalter war Darmstadt die Residenz der Grafen von Katzenelnbogen. 1330 erhielt es Befestigungs- und Marktrecht. 1479 fiel Darmstadt mit der Grafschaft Katzenelnbogen an Hessen. 1597 entstand die Landgrafschaft Hessen-Darmstadt, seit Ende des 18. Jh. Großherzogtum. Unter Großherzog Ludwig I. (1790-1830) erlebte die Stadt eine große kulturelle Blüte, das Großherzogtum einen erheblichen Gebietszuwachs. 1899 gründete Großherzog Ernst Ludwig die Künstlerkolonie Mathildenhöhe. 1918 ging die Zeit des Großherzogtums zu Ende. 1949 wurde Darmstadt Sitz der Deutschen Akademie für Sprache und Dichtung.

SEHENSWERTES. – Stadtmittelpunkt ist der **Luisenplatz** mit der 33 m hohen *Ludwigssäule,* gekrönt von einem Bronzestandbild des Großherzogs Ludwig I. (von Schwanthaler; 1844). An der Nordseite des Luisenplatzes das ehem. Kollegiengebäude (1780), jetzt *Regierungspräsidium.* – Westlich am Steubenplatz die *Kunsthalle* (1957; wechselnde Ausstellungen). – Südlich am Wilhelminenplatz die klassizistische *St.-Ludwigs-Kirche,* eine Nachbildung des Pantheons in Rom. – Östlich vom Luisenplatz das **Schloß,** eine umfangreiche Gebäudegruppe aus dem 16., 18. und 19. Jh.; im Innern die *Landes- und Hochschulbibliothek* und das *Schloßmuseum.*

Südlich vom Schloß der *Weiße Turm,* ein Rest der mittelalterlichen Stadtbefestigung, das wiederaufgebaute *Alte Rathaus* (Renaissancebau mit vorgesetztem Treppenturm) und die *Stadtkirche* und dem 15.-18. Jh. (Fürstengruft mit Grabmälern hessischer Landgrafen).

Nördlich vom Schloß am Friedensplatz das ***Landesmuseum** mit Gemäldegalerie, Skulpturen- und Graphiksammlung, kunstgewerblicher Abteilung und reichhaltiger Jugendstilsammlung. Nördlich dahinter der *Herrngarten* mit dem Grabhügel der 'großen Landgräfin' Henriette Caroline (1721-74). Am Ostrand des Gartens die *Technische Hochschule,* am Nordrand das *Prinz-Georg-Palais* (17. Jh.) mit wertvoller Porzellansammlung und Rokokogarten.

Im Osten der Stadt die ***Mathildenhöhe,** auf der 1899 von Großherzog Ernst Ludwig die 'Künstlerkolonie' ins

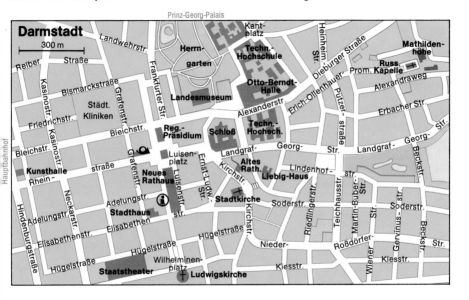

Prinz-Georg-Palais

Leben gerufen wurde (Jugendstil-Wohn-häuser mit Ateliergebäuden); in der Mitte das *Ausstellungsgebäude* (wechselnde Kunstausstellungen) und der 48 m hohe *Hochzeitsturm* (Aussicht). Daneben die *Russische Kapelle* sowie in der Nähe das *Ernst-Ludwig-Haus* (Deutsche Akademie für Sprache und Dichtung).

UMGEBUNG von Darmstadt. – **Jagdschloß Kranichstein** (5 km nordöstlich), ein eindrucksvoller Renaissancebau mit interessantem Jagdmuseum. – **Melibokus** (515 m; 25 km südlich; *Aussicht).

Detmold

Bundesland: Nordrhein-Westfalen.
Kfz-Kennzeichen: DT.
Höhe: 134 m ü.d.M. – Einwohnerzahl: 65000.
Postleitzahl: D-4930. – Telefonvorwahl: 05231.
ⓘ **Städtisches Verkehrsamt,** Rathaus, Lange Straße; Telefon: 77327/8.

HOTELS. – *Detmolder Hof,* Lange Str. 19, 40 B.; *Gästehaus Am Wall* (garni), Wall 8, 20 B., Sauna; *Gästehaus Echterhölter* (garni), Richthofenstr. 24, 19 B. – In Berlebeck: *Kanne,* Paderborner Str. 155, 45 B. – In Heiligenkirchen: *Friedenshöhe,* Paderborner Str. 6, 27 B. – In Hiddesen: *Hiddeser Hof,* Friedrich-Ebert-Str. 86, 30 B. – In Pivitsheide: *Parkhotel Berkenhoff,* Stoddartstr. 48, 20 B. – JUGENDHERBERGE: Schirrmannstr. 49, Detmold-Hiddesen, 120 B. – CAMPINGPLÄTZE: *Fischerteich* und *Weidmanns Ruh* im Ortsteil Pivitsheide.

RESTAURANTS. – *Alte Mühle,* Allee 32; *Fürst Leopold,* Paulinenstr. 65; *Schloßwache,* Langestr. 58.

CAFÉS. – *Wortmann,* Lange Str. 33; *Elbing,* Allee. – Mehrere Tanzlokale.

Die alte Residenz- und Garnisonstadt des ehemaligen Fürstentums Lippe-Detmold bettet sich am Nordabhang des Teutoburger Waldes in eine Talmulde der Werre. Das Gesicht der malerischen Altstadt prägen heute noch Fachwerkhäuser des 16. und 17. Jahrhunderts. Detmold ist Hauptstadt eines Regierungsbezirks und Sitz der Nordwestdeutschen Musikakademie. Die Getränkeindustrie hat hier ein bedeutendes Zentrum. Als Ausgangspunkt für Touren zum Hermannsdenkmal und zu den Externsteinen hat die Stadt einen regen Fremdenverkehr.

GESCHICHTE. – Detmold, erstmals 783 als *Theotmalli* als Schauplatz eines Sieges Karls des Großen über die Sachsen erwähnt, erhielt im 13. Jh. durch lippische Edelherren Stadtrechte. Bereits im 14. Jh. bestand eine Burg, die 1447 in der Soester Fehde zerstört wurde. Von 1501 bis 1918 (mit kurzer Unterbrechung von 1585 bis 1613, als Simon VI. in

Schloß Brake bei Lemgo residierte) war Detmold Residenz einer Linie des Hauses Lippe.

SEHENSWERTES. – Mittelpunkt der ALTSTADT ist der Markt mit dem klassizistischen *Rathaus* (1830), der reform. *Erlöserkirche* (16. Jh.; Orgel von 1795) und dem *Donopbrunnen.* Nördlich der *Hofgarten* (Zugang von der Lange Straße) mit dem ehem. fürstl. **Schloß,** einer Vierflügelanlage im Stil der Weserrenaissance, 1548-57 von

Ehem. Residenzschloß in Detmold

Jörg Unkair und Cord Tönnis erbaut (älterer Rundturm von 1470; prachtvolle Innenräume mit wertvoller Gobelin- und Porzellansammlung); weiter nördlich das 1914-18 erbaute *Landestheater;* nordwestlich vom Hofgarten, an der Ameide, das **Lippische Landesmuseum** (natur-, völkerkundliche und kulturgeschichtliche Sammlungen). – Westlich vom Markt, Wehmstr. Nr. 5, das Geburtshaus des Dichters *Ferd. Freiligrath* (1810-76), Nr. 7 das Sterbehaus des Dramatikers *Ch. D. Grabbe* (1801-36).

Am Südrand der Stadt an der schönen Allee das 1708-18 erbaute ehem. *Neue*

Palais mit der Nordwestdeutschen Musikakademie; hinter dem Palais der hübsche *Palaisgarten.* ¹/₂ km südlich das *Westfälische Freilichtmuseum.* Auf dem 80 ha großen Gelände am Königsberg stehen Hausgruppen verschiedener westfälischer Landschaften.

UMGEBUNG von Detmold. – *Vogelpark* im Ortsteil Heiligenkirchen (4 km südlich) mit 320 verschiedenen Vogelarten. – *Adlerwarte* im Ortsteil Berlebeck (5 km südlich) mit über 80 Greifvögeln aus aller Welt. – *Hermannsdenkmal* (8 km südwestlich) auf der 386 m hohen Grotenburg, 1838-75 von Ernst von Bandel errichtet, zur Erinnerung an die Schlacht im Teutoburger Walde im Jahre 9 n. Chr., in der Cheruskerfürst Hermann (Arminius) das römische Heer vernichtend schlug. – *Externsteine* (12 km südlich), wildzerklüftete, bis zu 37,5 m hohe Sandsteinfelsen, ursprünglich heidnisches Heiligtum, das später zu einer christlichen Wallfahrtsstätte wurde (monumentales Steinrelief *Kreuzabnahme Christi, um 1120).

Deutsche Weinstraße

Bundesland: Rheinland-Pfalz.

ⓘ **Außenstelle des Fremdenverkehrsverbandes Rheinland-Pfalz,** Hindenburgstraße 12, D-6730 Neustadt an der Weinstraße; Telefon: (0 63 21) 24 66.

Die 83 km lange *Deutsche Weinstraße* zieht an dem burgengekrönten Ostabfall des Pfälzer Waldes (Haardt) entlang durch eines der größten geschlossenen Weinbaugebiete Deutschlands (rd. 21 000 ha). Sie beginnt bei Bockenheim und endet am Weintor bei Schweigen.

Schon die Römer bauten hier Reben an, und zur Zeit Karls des Großen war die Rheinpfalz ein bedeutender Lieferant der kaiserlichen Tafel- und Krönungsweine. Das milde Klima läßt neben Wein Pfirsiche, Aprikosen, Mandeln, Feigen, Edelkastanien und Zitronen reifen. Groß ist die Zahl gemütlicher Weinschenken, in denen neben Pfälzer Zwiebelkuchen auch 'weißer Käs' zum Wein gereicht wird. Zum jungen Wein ißt man gern Nüsse und Kastanien. Eine Pfälzer Spezialität ist Saumagen mit Weinkraut. Dazu trinkt man ein Glas herzhaft-duftigen Riesling.

Wie an einer Perlschnur reihen sich die Weinorte: *Bockenheim* im Norden, dann *Grünstadt, Kallstadt* und *Bad Dürkheim,* dessen Wurstmarkt im September Deutschlands größtes Weinfest ist. Weiter *Deidesheim* (hier steht das älteste Gasthaus der Pfalz, die 'Kanne'), *Wachenheim, Gimmeldingen* – alles dem

Weinkenner wohlvertraute Namen. *Neustadt an der Weinstraße,* beherrscht von der doppeltürmigen Stiftskirche, ist das Zentrum des pfälzischen Weinhandels. Auf dem nahen *Hambacher Schloß* wurde 1832 beim Hambacher Fest ein Bekenntnis zur Reichseinheit abgelegt.

In *Maikammer* beginnt die Südliche Weinstraße, deren Weinmetropole die Gartenstadt *Landau* ist. *Edenkoben, Rhodt, Burrweiler* und *Siebeldingen* sind weitere Wegstationen der Deutschen Weinstraße, die nun immer mehr zu einer Straße der Burgen wird; berühmt die über dem etwas abseits gelegenen Städtchen Annweiler aufragende Stauferburg *Trifels,* einst Aufbewahrungsort der Reichskleinodien und Staatsgefängnis von König Richard Löwenherz. *Bergzabern* ist ein bekannter heilklimatischer und Kneippkurort. *Schweigen,* Endpunkt der Deutschen Weinstraße, liegt bereits nahe der Grenze zum Elsaß. Ein interessanter Weinlehrpfad unterrichtet hier über die verschiedenen in der Rheinpfalz angebauten Rebsorten.

Dinkelsbühl

Bundesland: Bayern. – Kfz-Kennzeichen: AN (DKB). Höhe: 440 m ü.d.M. – Einwohnerzahl: 10500. Postleitzahl: D-8804. – Telefonvorwahl: 0 98 51.

ⓘ **Verkehrsamt,** Marktplatz; Telefon: 30 13.

HOTELS. – *Goldene Rose,* Marktplatz 4, 36 B.; *Eisenkrug,* Dr.-Martin-Luther-Str. 1, 20 B.; *Deutsches Haus,* Weinmarkt 3, 23 B. (mit 'Altdeutschem Restaurant'); *Goldene Kanne,* Segringer Str. 8, 36 B. – JUGENDHERBERGE: *Haus der Jugend,* Koppenstr. 10, 180 B. – CAMPINGPLATZ: *Auf der Bleiche,* neben dem Wörnitz-Strandbad.

CAFÉS. – *Bayer,* Weinmarkt 10; *Rohe,* Segringer Str. 48.

VERANSTALTUNGEN. – Heimatfest **Kinderzeche** (zur Erinnerung an die Bewahrung der Stadt vor schwedischer Plünderung im Dreißigjährigen Krieg) mit Festspiel und Umzug (im Juli).

Die alte fränkische Reichsstadt in der fruchtbaren Ebene der Wörnitz ist mit ihren Mauern und Türmen des 13. bis 16. Jh., ihren Stadtgräben und Giebelhäusern ein Kleinod deutschen Mittelalters. Bekannt sind die musikalischen Sendboten der Stadt: die Dinkelsbühler Knabenkapelle in Unifor-

men des Rokokos. **Die Romantische Straße verbindet Dinkelsbühl mit Rothenburg ob der Tauber und Nördlingen.**

GESCHICHTE. – Die Ursprünge von Dinkelsbühl reichen bis in das 7. oder 6. Jh. zurück. Schon früh war die Stadt durch Wall und Graben gesichert; die heute noch lückenlos erhaltene Stadtbefestigung stammt aus dem 14./15. Jahrhundert. Die Blütezeit der Stadt begann mit der Erlangung der Reichsunmittelbarkeit gegen Ende des 13. Jahrhunderts. Seit 1806 gehört die Stadt zu Bayern.

SEHENSWERTES. – Am Marktplatz steht die 1448-99 im spätgotischen Stil erbaute *Kirche **St. Georg** (kath.), eine der schönsten Hallenkirchen Deutschlands, mit sehenswertem Innern (am Hochaltar Kreuzigung aus der Schule von Hans Wolgemut, Sakramentshäuschen von 1480). – Am **Weinmarkt**, der sich nördlich an den Marktplatz anschließt, das *Deutsche Haus,* ein schöner Fachwerkbau des 15. und 16. Jahrhunderts. Rechts daneben

Deutsches Haus in Dinkelsbühl

die *Kornschranne,* wo alljährlich das Festspiel 'Die Kinderzeche' aufgeführt wird. – Die vom Markt nach Westen führende **Segringer Straße** ist in der Geschlossenheit ihrer alten Giebelfronten von besonderem Reiz. – Südlich vom Marktplatz das *Deutschordenshaus* (1761-64) mit sehenswerter Hauskapel-

le. – Vier Stadttore öffnen den Zugang zur Stadt: *Rothenburger Tor* im Norden, *Nördlinger Tor* im Süden, *Segringer Tor* im Westen und *Wörnitztor* im Osten. Lohnend ist ein Spaziergang außen um die mittelalterliche *Stadtmauer* (1 St.).

UMGEBUNG von Dinkelsbühl. – **Feuchtwangen** (12 km nördlich) mit ehem. Stiftskirche (12.-13. Jh.) und sehenswertem Heimatmuseum (u. a. Handwerksstuben). – **Ellwangen** (22 km südwestlich) mit ehem Stiftskirche (13. Jh.), einstigem Schloß der Fürstpröpste (17. und 18. Jh.; Schloßmuseum) und *Wallfahrtskirche St. Maria* (17. Jh.) auf dem 522 m hohen Schönenberg.

Donaueschingen

Bundesland: Baden-Württemberg.
Kfz-Kennzeichen: VS (DS).
Höhe: 675 m ü.d.M. – Einwohnerzahl: 18000.
Postleitzahl: D-7710. – Telefonvorwahl: 0771.
ⓘ **Städtisches Verkehrsamt,** Karlstraße 41; Telefon: 3834.

HOTELS. – *Öschberghof,* nordöstlich beim Golfplatz, 90 B., Hb., Sauna; *Zur Sonne,* Karlstr. 38, 30 B.; *Ochsen* (garni), Käferstr. 18, 30 B.

RESTAURANTS. – *Parkrestaurant,* Parkanlage 8; *Donau-Stuben* (Donauhalle), Marktstr. 2; *Fürstenberg-Bräustüble,* Postplatz 1.

FREIZEIT. – Golfplatz (18 Löcher); Parkschwimmbad.

VERANSTALTUNG. – Internationale *Donaueschinger Musiktage* (Oktober).

Die auch als Luftkurort besuchte Stadt Donaueschingen liegt am Ostrand des Schwarzwaldes an der Brigach, die mit der 'Donauquelle' beim Schloß und der unterhalb einmündenden Breg die Donau bildet. Donaueschingen ist seit 1723 Sitz der Fürsten zu Fürstenberg, deren Gebiet 1806 an Baden und Württemberg fiel.

SEHENSWERTES. – An der Ostseite der Stadt das **Schloß** (1772 und 1893 umgebaut; im Sommer Besichtigung möglich). Westlich gegenüber die 1724-47 erbaute katholische *Stadtkirche.* Unweit südöstlich im Schloßpark die sog. **Donauquelle** ("bis zum Meer 2840 km").

Nördlich oberhalb des Schlosses der *Karlsbau* mit den **Fürstlich Fürstenbergischen Sammlungen** (u.a. vorzügliche *Gemälde der schwäbischen und fränkischen Schulen des 15. und 16. Jh.; Natur- und Volkskunde).

In der Haldenstraße die *Hofbibliothek* mit vielen altdeutschen Handschriften; darunter der Codex C des Nibelungenliedes (um 1200; unter Verschluß).

UMGEBUNG von Donaueschingen. – 5 km südöstlich, bei Pfohren, die **Entenburg.** – 15 km südwestlich die *Wutachschlucht.*

Donautal

Bundesländer: Baden-Württemberg und Bayern.
ⓘ **Landesfremdenverkehrsverband Baden-Württemberg,** Bussenstr. 23, 7000 Stuttgart 1; Telefon: (0711) 481045.
Fremdenverkehrsverband   Allgäu / Bayerisch Schwaben, Fuggerstraße 9, 8900 Augsburg; Telefon: (0821) 33335.
Fremdenverkehrsverband Ostbayern, Landshuter Straße 13, 8400 Regensburg; Telefon: (0941) 57186.

Die Donau ist mit 2840 km Länge nach der Wolga Europas zweitgrößter Strom. Ihrem Lauf folgt eine uralte Völkerstraße. Auf ihr zogen die Nibelungen, dem Untergang entgegen, zum Hofe König Etzels. An ihren Ufern errichteten die Römer Kastelle und Siedlungen. Später entstanden hier Klöster und Fürstensitze. Heute erschließen von Regensburg bis Passau (und weiter bis zum Schwarzen Meer) Motorschiffe dem Touristen die Schönheiten des Donautals.

Im Schloßpark von **Donaueschingen** befindet sich die steingefaßte sog. 'Donauquelle'. Hier vereinigen sich die Schwarzwaldflüßchen Brigach und Breg zur Donau, wovon die Breg der eigentliche Quellfluß ist. Schon nach kurzer Wegstrecke, bei *Immendingen,* versickert ein Teil des Donauwassers im durchlässigen Kalkgestein (Donauversickerung) und tritt 12 km südlich als Aachquelle wieder zutage. Beim *Kloster Beuron* (im 11. Jh. gegr.; Pflegestätte des Chorgesangs, der Wissenschaft und Künste; sehenswerte Barockkirche) durchbricht der Fluß in zahlreichen Windungen die Schwäbische Alb, ein erster landschaftlicher Glanzpunkt.

Bei *Sigmaringen* erhebt sich das stattliche Hohenzollernschloß über dem Strom. Zwischen Riedlingen und Ehingen stehen prachtvolle Brockkirchen am Flußufer: *Zwiefalten,* eine Schöpfung Johann Michael Fischers, und *Obermarchtal,* von Michael Thumb er-

Donaudurchbruch bei Weltenburg

baut mit reichen Stukkaturen von Josef Schmuzer. Bald ist die alte Münsterstadt **Ulm** erreicht. Sehenswert ist die Frauenkirche in *Günzburg,* 1736-41 von Dominikus Zimmermann erbaut. *Neuburg an der Donau* ragt auf hohem Jurafelsen auf, ein hübsches ehem. Residenzstädtchen. Das Gesicht von **Ingolstadt,** einst bayerische Herzogs- und Universitätsstadt, wird heute stark von der Industrie mitgeprägt.

Ein weiterer landschaftlicher Höhepunkt ist der *Donaudurchbruch* bei Weltenburg. Bizarre steile Felsen säumen den Fluß, der hier den Jurakalk durchbricht. Die *Klosterkirche Weltenburg* erbaute 1717-21 Cosmas Damian Asam, einer der Hauptmeister des süddeutschen Barock. Bei Kelheim rückt die *Befreiungshalle* ins Blickfeld. König Ludwig I. ließ den Rundbau 1842-63 zur Erinnerung an die Befreiungskriege von 1813-15 errichten.

Walhalla bei Donaustauf

Bei der Domstadt **Regensburg,** dem alten Castra Regina der Römer, erreicht die Donau den nördlichsten Punkt ihres Laufs. Die *Walhalla* bei Donaustauf ähnelt dem Parthenontempel der Athener Akropolis. Ludwig I. ließ sie als 'Ruhmestempel der Deutschen' 1830-42 aus Marmor erbauen.

In zahlreichen Windungen durchzieht der Fluß nun die Niederung am Südrande des Bayerischen Waldes. **Straubing** hält die Erinnerung wach an die Augsburger Baderstochter Agnes Bernauer, die Albrecht III. zur Gemahlin nahm. Sein zürnender Vater, Herzog Ernst von Bayern, aber ließ sie der Zauberie anklagen und in der Donau ertränken. Hebbel setzte ihr ein literarisches Denkmal.

Metten und *Niederalteich* bei Deggendorf sind altberühmte Benediktinerabteien mit sehenswerten Barockkirchen. Bei der alten Bischofsstadt **Passau** – Alexander von Humboldt zählte sie zu den sieben schönsten Städten der Welt – münden Inn und Ilz in die Donau, die östlich der Stadt das Gebiet der Bundesrepublik verläßt.

Dortmund

Bundesland: Nordrhein-Westfalen.
Kfz-Kennzeichen: DO.
Höhe: 86 m ü.d.M. – Einwohnerzahl: 617000.
Postleitzahl: D-4600. – Telefonvorwahl: 0231.
ⓘ **Verkehrspavillon,**
Königswall 18;
Telefon: 140341.

HOTELS. – *Römischer Kaiser,* Olpe 2, 140 B.; *Drees,* Hohe Str. 107, 164 B.; *Consul,* Gerstenstr. 1, 51 B.; *Esplanade* (garni), Bornstr. 4, 63 B.; *Stadthotel* (garni), Reinoldistr. 14, 34 B.; *Ophoff,* Märkische Str. 147, 42 B.; *Fürst* (garni), Beurhausstr. 57, 28 B.; *Union* (garni), Arndtstr. 66, 40 B.; *City Hotel* (garni), Silberstr. 37, 80 B.; *Merkur* (garni), Milchgasse 5, 30 B. – In Brünninghausen: *Rombergpark,* Am Rombergpark, 40 B. – In Kirchhörde: *Haus Mentler,* Schneiderstr. 1, 24 B. – In Syburg: *Landhaus Syburg,* Westhofener Str. 1, 30 B. – JUGENDHERBERGE: Richard-Schirrman-Weg 1, Dortmund-Höchsten. – CAMPINGPLÄTZE: Hohensyburg, beim Gasthof Weitkamp, Syburg.

RESTAURANTS. – *Union-Bräu,* Hoher Wall 38; *Krone,* Markt 10; *Mövenpick,* Kleppingstr. 11; *Dorfstadl,* Ostwall 29; *Hövelpforte,* Hoher Wall 5; *Reinoldi,* Reinoldistr. 7; *Churrasco,* Westenhellweg 51 (argentin. Steakhaus); *Turmrestaurant,* im Westfalenpark (in 138 m Höhe) – In Syburg: *Ruhrterrassen,* Hohensyburgstr. 202 (mit Aussicht auf den Hengsteysee).

CAFÉS. – *Kranzler,* Betenstr. 18; *Schwarzkopf,* Ostenhellweg; *Orchidee,* im Rombergpark. – Bars und Nachtklubs.

VERANSTALTUNGEN. – *Reit- und Springturnier* in der Westfalenhalle (März); *Maikonzerte* auf dem Alten Markt; *Laienspiele* auf der Freilichtbühne Syburg (Juli/August); *Sechstagerennen* in der Westfalenhalle (Ende Oktober); *Weihnachtsmarkt* auf dem Alten Markt.

Dortmund, die größte Stadt Westfalens, liegt am Ostrand des Ruhrgebiets in der von der oberen Emscher durchflossenen fruchtbaren Landschaft des Hellwegs. Seine wirtschaftlichen Fundamente sind Eisenindustrie und Maschinenbau. Die Jahreserzeugung seiner Großbrauereien stellt selbst die Bierstadt München in den Schatten. Universität und Max-Planck-Institute, Stadttheater und Museum machen Dortmund aber auch zu einer Stadt der Wissenschaft und Kunst, Westfalenhalle, Westfalenstadion, Kampfbahn Rote Erde, insgesamt fast 100 Sportanlagen zu einer Hochburg des Sports. Die Fußgängerzone von Westen- und Ostenhellweg ist ein geschätztes Einkaufszentrum. Nach Norden schiebt sich das Stadtgebiet fast bis zur Lippe vor. Im Süden reicht es, durch Grünanlagen wie Volkspark und Westfalenpark aufgelockert, bis zum schönen Hengsteysee am Fuß der Hohensyburg. Durch den Dortmund-Ems-Kanal ist der Dortmunder Hafen, einer der größten Binnenhäfen der Bundesrepublik, mit der Ems, durch Emscher und Lippe-Seitenkanal mit dem Rhein verbunden.

GESCHICHTE. – Dortmund, um 885 erstmals als *Throtmani* urkundlich erwähnt, entstand aus einem karolingischen Königshof zum Schutz des Hellwegs. Im 10.-13. Jh. war es mehrmals Stätte kaiserlicher Hoftage und kirchlicher Versammlungen. Seit 1220 freie Reichsstadt, später auch Hansestadt, erhielt es um 1240 einen starken Befestigungsring, der 1388-90 selbst einer 21monatigen Belagerung des Kölner Erzbischofs standhielt. Die Stadt wuchs durch Fernhandel, aber den Dreißigjährige Krieg vernichtete den Wohlstand der etwa 8000 Bürger. Als die Stadt 1815 an Preußen kam, hatte sie nur noch 4000 Einwohner. Seit der Mitte des 19. Jh. entwickelte sich Dortmund zur Schwerindustrie- und Bergbaustadt. Der Aufstieg zum Brauereizentrum ging Hand in Hand mit dieser Entwicklung. Der Zweite Weltkrieg traf die Stadt schwer, die Altstadt wurde völlig zerstört. Dortmund bekam ein modernes Gesicht und wurde durch die Bundesgartenschauen von 1959 und 1969 als Stadt im Grünen weithin bekannt.

SEHENSWERTES. – Die fast ganz wiederaufgebaute ALTSTADT ist im Verlauf des ehem. Befestigungsringes von Wallstraßen umgeben. Mittelpunkt der Innenstadt ist der Alte Markt mit der 1957 erbauten *Stadt- und Landesbiblio-*

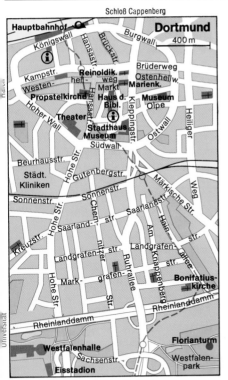

Schloß Cappenberg

Dortmund 400 m

Hauptbahnhof · Königswall · Hansastr. · Brückstr. · Burgwall
Kampstr. · Reinoldik. · Westen- · hell- · weg · Markt · Marienk. · Brüderweg · Ostenhellw.
Propsteikirche · Haus d. · Bibl. · Kleppingstr. · Museum · Olpe
Höher Wall · Theater · Stadthaus · Museum · Südwall · Ostwall · Heiliger
Beurhausstr. · Städt. · Kliniken · Hohe Str. · Gutenbergstr.
Sonnenstr. · Sonnenstr. · Saarländstr. · Märkische Str.
Kreuzstr. · Hohe Str. · Saarland- · str. · Chem- · nitzer · str. · Ruhrallee · Landgrafen · str. · Am Hahn · Weg
Landgrafen- · zer · str. · grafen- · Bonifatius- · kirche · Knappenberg
Hohe Str. · Mark- · str. · Rheinlanddamm
Rheinlanddamm
Westfalenhalle · Sachsenstr. · Eisstadion · Florianturm · Westfalen- park

Universität

– – – – O – – – – U-Bahn (in Bau)

thek. – Nordöstlich vom Markt die **Reinoldikirche** (ev.), eines der hervorragendsten Bauwerke Westfalens (13. Jh., spätgotischer Chor des 15. Jh.); ihr 104 m hoher Turm (mit dem schwersten Geläut Westfalens) ist das historische Wahrzeichen Dortmunds. Die gegenüberliegende **Marienkirche** (ev.; 12. und 14. Jh.) bewahrt als große Kostbarkeit einen *Marienaltar des Dortmunder Meisters Konrad von Soest. – Die hier beginnenden Westenhellweg und Ostenhellweg sind die Hauptgeschäftsstraßen der Stadt (Fußgängerzone). – Nördlich vom Westenhellweg die **Petrikirche** (14.-15. Jh.) mit wertvollem großen *Antwerpener Schnitzaltar (um 1521; 633 vergoldete Schnitzfiguren). Südlich vom Westenhellweg die kath. *Propsteikirche* (14. Jh.; mächtiger Hochaltar des 15. Jh.). Weiter südwestlich am Hiltropwall das 1958-66 erbaute **Stadttheater** (3 Hauptbauten, u. a. für Oper, Operette, Schauspiel, Konzerte). In der nahen Balkenstraße das *Museum für Naturkunde.* – Am Ostwall das **Museum am Ostwall** (Kunst des 20. Jh.).

Im Nordwesten der Stadt Hafenanlagen für den 272 km langen *Dortmund-Ems-Kanal.* Im Nordosten das witterungsunabhängige Freizeitzentrum 'Tropa Mare'. – Im Südwesten der

Volkspark mit der **Westfalenhalle** (24000 Plätze; 4 Trabantenhallen), dem *Eisstadion,* der Kampfbahn 'Rote Erde' und dem *Westfalenstadion* (54000 Plätze). 3 km südwestlich die Bauten der 1968 gegründeten *Universität.* – Im Süden der Stadt der 70 ha große **Westfalenpark** (Gelände der Bundesgartenschauen 1959 und 1969) mit dem 220 m hohen *Fernsehturm* 'Florian' (Drehrestaurant in 138 m Höhe) und dem *Deutschen Rosarium.* Weiter südlich der **Rombergpark** mit *Botanischem Garten* (Tropenhäuser, Arboretum) und *Tierpark.*

UMGEBUNG von Dortmund. – **Hohensyburg** (12 km südlich) mit Kaiser-Wilhelm-Denkmal und Vincke-Turm (Rundsicht) sowie Restaurant östlich der Burgruine, auf einem vorspringenden Felsen des Ardeygebirges oberhalb des 4 km langen Hengsteysees (Ruhr-Stausee). – **Cappenberg** (18 km nördlich) mit *Schloß* (einst Alterssitz des Reichsfreiherrn vom und zum Stein, jetzt Museum für Kunst und Kulturgeschichte der Stadt Dortmund und Freiherr-vom-Stein-Archiv) und ehem. Stiftskirche (12. und 14. Jh.; reich geschnitztes Chorgestühl des 16. Jh.; Kirchenschatz mit berühmtem *Kopfreliquiar nach dem Bildnis Kaiser Friedrich Barbarossas, ein Geschenk des Kaisers an seinen Taufpaten Otto von Cappenberg, um 1165).

Duderstadt

Bundesland: Niedersachsen.
Kfz-Kennzeichen: GÖ (DUD).
Höhe: 175 m ü.d.M. – Einwohnerzahl: 24000.
Postleitzahl: D-3428. – Telefonvorwahl: 05527.
ⓘ **Verkehrsbüro**, im Rathaus;
Telefon: 2011.

HOTELS. – *Zum Löwen,* Marktstr. 30, 60 B.; *Deutsches Haus,* Hinterstr. 29, 45 B.; *Zur Tanne,* Marktstr. 20, 20 B. (Fachwerkhaus von 1698).

Die mittelalterliche Stadt in fruchtbarer Tallandschaft der ehem. 'Goldenen Mark' im südwestlichen Harzvorland drängt sich mit ihren Fachwerkhäusern im Kranz eines über 3 km langen Stadtwalles. Zwei touristische Straßen berühren den Ort an der Grenze zur DDR: die Deutsche Ferienstraße Alpen-Ostsee und die Harz-Heide-Straße.

GESCHICHTE. – Duderstadt, im Schnittpunkt bedeutender mittelalterlicher Verkehrswege, wurde erstmals 929 urkundlich erwähnt. In das 13. Jh. fällt die Stadtgründung. 1334 wurde die Stadt von Herzog Heinrich von Braunschweig-Grubenhagen an Kurmainz verpfändet. Bis 1802 blieb es Landstadt des mainzischen Fürstentums Eichsfeld. Dann kam es an Preußen, 1816 an Hannover.

SEHENSWERTES. – Mittelpunkt der Stadt ist der Obermarkt mit dem von drei Türmchen gekrönten **Rathaus** (13.-16. Jh.; Glockenspiel), einem stattlichen Fachwerkbau mit doppelgeschossiger Sandsteinlaube, und der kath. *Propsteikirche St. Cyriakus* (14.-16. Jh.; auch Oberkirche genannt). Einen Kontrapunkt dazu bildet die am Untermarkt gelegene ev. *Pfarrkirche St. Servatius* (oder Unterkirche; 15.-16. Jh.). An der Marktstraße fallen einige schöne *Fachwerkhäuser* auf (u. a. Nr. 20 von 1698 und Nr. 91 von 1752). – Nördlich des Untermarktes der *Westerturm* (1424), das einzige erhalten gebliebene Stadttor Duderstadts; davor eine Sandsteinmadonna von 1752. – An der Gasse Hinter der Mauer das *Heimatmuseum des Eichsfeldes*. – Lohnend ist ein Spaziergang rund um die Stadt über den mittelalterlichen Ringwall (1 St.).

UMGEBUNG von Duderstadt. – **Rhumesprung** (15 km nordöstlich), etwa 25 m breites Quellbecken der Rhume; nächst der Aachquelle (Baden) die stärkste Quelle in Deutschland (5000 l pro Sek.).

Duisburg

Bundesland: Nordrhein-Westfalen.
Kfz-Kennzeichen: DU.
Höhe: 27 m ü.d.M. – Einwohnerzahl: 572000.
Postleitzahl: D-4100. – Telefonvorwahl: 0203.
ⓘ **Stadtinformation,** im Hochhaus am Hauptbahnhof, Friedrich-Wilhelm-Str. 96; Telefon: 28132189.

HOTELS. – *Steigenberger-Hotel Duisburger Hof,* Neckarstr. 2, 150 B.; *Bundesbahn-Hotel,* im Hauptbahnhof, 54 B.; *Plaza* (garni), Dellplatz 1, 37 B.; *Haus Reinhard* (garni), Fuldastr. 31, 32 B.; *Haus Werth* (garni), Siegstr. 12, 36 B. – In Buchholz: *Sittardsberg* (garni), Sittardsberger Allee, 47 B. – In Homberg: *Rheingarten,* Königstr. 78, 52 B. – In Huckingen: *Haus Angerhof,* Düsseldorfer Landstr. 431, 16 B. – JUGENDHERBERGEN: Kalkweg 148E, Duisburg-Wedau, 136 B.; Rheinanlagen 12, Duisburg-Homberg, 42 B.

RESTAURANTS. – *Mercatorhalle,* König-Heinrich-Platz; *Gambrinus,* Königstr. 36. – In Kaiserberg: *Dante,* Mülheimer Str. 213 (italien. Küche); *Wilhelmshöhe,* Am Botanischen Garten; *Zoo-Terrassen,* Mülheimer Str. 277. – In Rahm: *Haus Kornwebel,* Am Rahmer Bach 88. – In Rumeln-Kaldenhausen: *Kuckeshof,* Düsseldorfer Str. 109.

CAFÉS. – *Dobbelstein,* Sonnenwall 8; *Ernst,* Königstr. 58.

VERANSTALTUNGEN. – *Karneval* mit Rosenmontagszug; *Niederrheinische Universitätswoche* (April); Großfeuerwerk *'Der Niederrhein in Flammen'* (alle 2 Jahre im August); Ruderregatten in Duisburg-Wedau.

Die Industrie- und Handelsstadt am Westrand des Ruhrgebiets, an der Mündung der Ruhr in den Niederrhein, kann zwei Superlative für sich buchen: Sie steht an erster Stelle der deutschen Stahlerzeugung, und sie besitzt mit ihrem Ruhrhafen (918,6 ha, 20 Hafenbecken, jährlich 50 Mio. t. Güterumschlag) den größten Binnenhafen Europas. Schon im Mittelalter Universitätsstadt, ist Duisburg heute Sitz einer Gesamthochschule. Internationale Geltung haben die Aufführungen der 'Oper am Rhein', einer Theatergemeinschaft mit Düsseldorf. Die vorbildliche Regattastrecke im Sportpark Wedau macht die Stadt zum Austragungsort internationaler Ruderregatten. In Duisburg lebte und lehrte der berühmte Kartograph Gerhard Mercator (1512-1594).

GESCHICHTE. – In fränkischer Zeit entstand am Anfang des Hellwegs (Verbindungsweg vom Rhein zur Weser) ein Handels- und Stapelplatz für die Rheinschiffahrt. Zu seinem Schutz wurde im 8. Jh. der karolingische Königshof *Thusburg* errichtet. Der um die Burg entstandene Wohnbezirk wurde um 1100 durch eine Mauer (im Verlauf der heutigen Wallstraßen) befestigt. In der Stauferzeit wurde Duisburg Reichsstadt und Mitglied der Hanse. Die Verlagerung des Rheins im 13. Jh. beendete eine Zeit hoher wirtschaftlicher Blüte. 1290 wurde die Stadt an die Grafen von Kleve verpfändet, 1614 kam sie mit der Grafschaft Kleve an Brandenburg. Die 1655 vom Großen Kurfürsten gegründete Universität wurde 1818 nach Bonn verlegt. Erst 1831 erhielt Duisburg durch den Bau des Außenhafens wieder Anschluß an den Rhein. Ende des 19. Jh. hielten Bergbau und Eisenhütten ihren Einzug.

SEHENSWERTES. – Am Burgplatz steht das *Rathaus* (1897-1902; Mercator-Zimmer). In der nördlich vom Rathaus gelegenen *Salvatorkirche* das Epitaph des berühmten Kartographen Gerhard Mercator († 1594). – An der Königstraße (Fußgängerzone), der Hauptstraße der Stadt, öffnet sich der König-Heinrich-Platz, mit dem *Stadttheater* und der **Mercatorhalle** (1962; Vielzweckhalle für Konzerte, Kongresse, Sport- und Schauveranstaltungen, Ausstellungen). – An der von der Königstraße südlich abzweigenden Düsseldorfer Straße das *Wilhelm-Lehmbruck-Museum* (1964) mit der *Städtischen Kunstsammlung* (zahlreiche Werke des in Duisburg-Meiderich geborenen Bildhauers Wilhelm Lehmbruck, 1881-1919). Östlich davon an der Friedrich-Wilhelm-Straße, das *Niederrheinische Museum* (stadtgeschichtliche und kartographische Sammlungen). – Am bewaldeten Kaiserberg der **Tierpark** mit weiten Freigehegen, großem Affenhaus, *Aquarium* ('Haus der 1000 Fische'), *Delphinarium* und *Walarium* (einzige weiße Wale Europas).

Die *Schwanentorbrücke* nordwestlich vom Rathaus, eine Hebebrücke, verbindet die Innenstadt mit dem durch Eisenindustrie und Ruhrkohleverschiffung groß gewordenen nördlichen Stadtteil RUHRORT. Seine weiträumigen *Hafenanlagen* (918,6 ha) umfassen 20 Hafenbecken. Die 1824 m lange *Berliner*

Duisburger Hafen aus der Vogelschau

Brücke (im Verlauf der großzügig angelegten Nord-Süd-Straße) verbindet über Ruhr und Rhein-Herne-Kanal hinweg die Innenstadt mit dem Stadtteil MEIDERICH. – Der weiter nördlich gelegene Stadtteil HAMBORN ist Hauptsitz der großen Stahlwerke (Thyssen-Hütte u. a.). Vom Altmarkt führt die Alleestraße südwestlich zu der ehem. *Abteikirche* einer 1805 aufgehobenen Prämonstratenser-Abtei.

Im Süden der Stadt der *Sportpark Wedau* mit Sportschule, Regattastrecke, Schwimmstadion, Eissporthalle und Fußballstadion. Beliebtes Freizeitgebiet ist die *Sechs-Seen-Platte* mit Möglichkeiten zum Segeln, Schwimmen und Wandern. Schiffahrtsmuseum O. Huber.

UMGEBUNG von Duisburg. – **Moers** (12 km westlich) mit Schloß (15.-16. Jh.; Grafschafter Heimatmuseum).

Düsseldorf

Bundesland: Nordrhein-Westfalen.
Kfz-Kennzeichen: D.
Höhe: 38 m ü.d.M. – Einwohnerzahl: 608000.
Postleitzahl: D-4000. – Telefonvorwahl: 0211.
(i) **Verkehrsverein,** Konrad-Adenauer-Platz 12; Telefon: 350505.

HOTELS. –*Breidenbacher Hof,* Heinrich-Heine-Allee 36, 200 B.; *Düsseldorf Hilton,* Georg-Glock-Str. 20, 680 B., Hb., Sauna;*Steigenberger Parkhotel,* Corneliusplatz 1, 220 B.; *Inter-Continental,* Karl-Arnold-Platz 5, 620 B., Sb., Sauna, Golfplatz; *Excelsior* (garni), Kapellstr. 1, 102 B.;*Esplanade,* Fürstenplatz 17, 110 B., Hb., Sauna; *Holiday Inn,* Königsallee/Graf-Adolf-Platz, 215 B., Hb., Sauna; *Savoy,* Breite Str. 2, 130 B.; *Uebachs,* Leopoldstr. 3, 100 B.; *Börsenhotel* (garni), Kreuzstr. 19 a, 100 B.; *Eden,* Adersstr. 29, 120 B.; *Münch* (garni), Königsallee 90, 65 B.; *Haus am Zoo* (garni), Sybelstr. 21, 35 B., Sb.
In Angermund: *Haus Litzbrück,* Bahnhofstr. 33, 33 B., Hb., Sauna. – In Benrath: *Schloßhotel,* Erich-Müller-Str. 2, 40 B. – In Lohausen: *Fairport-Hotel,* Niederrheinstr. 162, 70 B., Hb., Sauna. – In Oberkassel: *Ramada,* Am Seestern 16, 380 B.; *Rheinstern-Penta-Hotel,* Emanuel-Leutze-Str. 17, 320 B., Hb., Sauna. – JUGENDHERBERGE: Düsseldorfer Str. 1, Düsseldorf-Oberkassel, 150 B. – CAMPINGPLÄTZE: *Erholungsstätte Lörick,* Düsseldorf-Lörick; *Rheinblick,* Baumberg bei Düsseldorf.

RESTAURANTS. – *M+F* (Müllers + Fest), Königsallee 14; *KD* (Müllers und Fest), Königsallee 12; *Frickhöfer,* Stromstr. 37; *Naschkörbchen,* Wilhelm-Marx-Haus, Heinrich-Heine-Allee; *Zum Kurfürst,* Flingerstr. 36 (älteste Gaststätte Düsseldorfs); *Rheinterrasse,* Hofgartenufer 7; *Schneider-Wibbel-Stuben,* Schneider-Wibbel-Gasse 5-7. – In Golzheim: *Fischerstuben Mulfinger,* Rotterdamer Str. 15. – In Grafenberg: *Zum Trotzkopf,* Rennbahnstr. 7 a.
Ausländische Küche: *Orangerie,* Bilker Str. 30, *Bateau ivre,* Kurze Str. 11, *La Vieille Auberge,* Grashofstr. 1 (alle französ. Küche); *Walliser Stuben,* Adersstr. 46 (Schweizer Spez.); *Riccione,* Pionierstr. 6 (italien. Gerichte); *Daitokai,* Hunsrükenstr. 2 (japan. Küche); *King Long,* Immermannstr. 19 (chines. Spez.).

OBERGÄRIGEN-BIERSTUBEN. – *Zum Schiffchen,* Hafenstr. 5; *Zum Schlüssel,* Bolkerstr. 45; *Zum Uerigen,* Berger Str. 1.

CAFÉS. – *Kranzler,* Königsallee 44; *Hofkonditorei Bierhoff,* Breite Str. 2; *Stockheim,* Grabenstr. 17; *Funke-Kaiser,* Marktplatz 6. – Zahlreiche Bars und Nachtklubs.

VERANSTALTUNGEN. – *Karneval* mit Rosenmontagszug. – Zahlreiche Handelsmessen.

Düsseldorf, die Hauptstadt des Bundeslandes Nordrhein-Westfalen, am hier 310 m breiten Niederrhein, ist der 'Schreibtisch des Ruhrgebietes', das Verwaltungszentrum der nordrheinwestfälischen Schwerindustrie. Es ist Sitz einer Universität, Kunst- und Mode-, Kongreß- und Messestadt. Breite verkehrsdurchflutete Straßen mit eleganten Geschäften, ausgedehnte Park- und Gartenanlagen geben der alten Kurfürstenresidenz ihr Gepräge.

Die Altstadt mit ihren gemütlichen und originellen Lokalen, ihren Obergärigen-Bierstuben ist 'die längste Theke Europas'. Die Oper am Rhein und das Schauspielhaus sind führende deutsche Bühnen. Ausstellungen und Künstlerfeste der Kunstakademie, Modeschauen der Modefachschule gehören ebenso zum Bild der Stadt wie das brillante literarische und politische Kaba-

rett 'Kom(m)ödchen', der Düsseldorfer Karneval und die Düsseldorfer Radschläger, denen man sogar ein Denkmal setzte.

GESCHICHTE. – Düsseldorf war um die Mitte des 12. Jh. noch ein kleines Fischerdorf. 1288 wurde es von Graf Adolf von Berg mit Stadtrechten beliehen und 1386 von Herzog Wilhelm II. zu seiner Haupt-

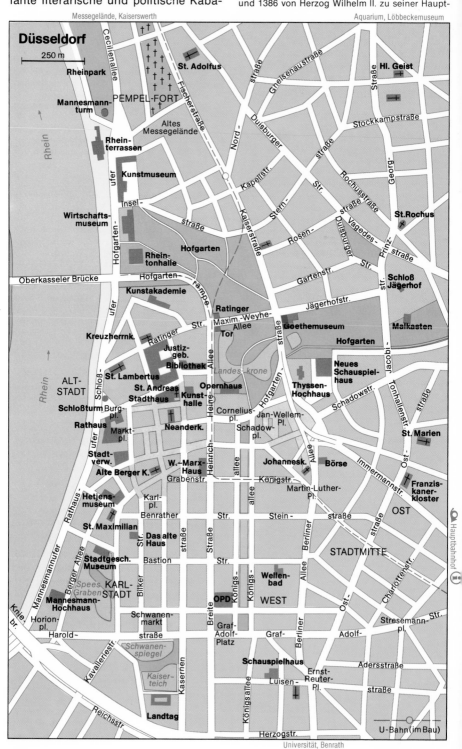

Messegelände, Kaiserswerth

Aquarium, Löbbeckemuseum

Universität, Benrath

stadt erhoben. Nach dem Aussterben der Herzöge von Berg (1609) kam das Bergische Land an Pfalz-Neuburg, und Düsseldorf wurde Residenz des prachtliebenden Kurfürsten Johann Wilhelm (gen. Jan Wellem, 1679-1716), der die Neustadt anlegte, zahlreiche Künstler an seinen Hof zog und die Gemäldegalerie gründete. Sein Bruder und Nachfolger Karl Philipp verlegte seine Residenz 1716 nach Heidelberg und 1720 nach Mannheim. Die 1867 gestiftete Kunstakademie machte Düsseldorf dann zu einem Mittelpunkt des Kunstlebens. In neuerer Zeit nahm die Stadt auch einen bedeutenden wirtschaftlichen Aufschwung und ist seit kurzem Sitz eines japanischen Handelszentrums.

SEHENSWERTES. – Düsseldorfs elegante Einkaufs- und Flanierstraße ist die *Königsallee ('Kö') mit Geschäften, Gaststätten und Straßencafés. Sie führt beiderseits des alten Stadtgrabens vom Graf-Adolf-Platz nordwärts zum Hofgarten. – Westlich parallel zur Königsallee laufen die Breite Straße mit Banken und Verwaltungsgebäuden großer Industrieverbände und die Heinrich-Heine-Allee mit dem 1924-26 von W. Kreis erbauten *Wilhelm-Marx-Haus,* dem ersten deutschen Hochhaus. Weiterhin rechts das *Opernhaus,* links die *Kunsthalle* mit wechselnden Ausstellungen; dahinter die barocke *Andreaskirche.*

Östlich der Königsallee die breite Berliner Allee mit der Industrie- und Handelskammer und der Rheinisch-Westfälischen Börse. Am Jan-Wellem-Platz (Autohochstraße) das 26stöckige **Thyssen-Hochhaus;** unweit östlich das neue *Schauspielhaus* (1970).

In dem 1767 angelegten Hofgarten das ehem. **Jagdschloß Jägerhof** (1752-63) mit der *Kunstsammlung Nordrhein-Westfalen* (u.a. Paul-Klee-Sammlung, frühes Meißner Porzellan). Nahebei der *Malkasten* (Haus des Künstlervereins). In der Jägerhofstr. 1 ein *Goethe-Museum* (Kippenberg-Stiftung). Nördlich von Jägerhof die 1955 wiederaufgebaute *Rochuskirche,* ein 28 m hoher Kuppelbau.

Westlich in der Altstadt der Markt, mit dem 1567-73 von H. Tußmann erbauten **Rathaus** und einem 1711 von G. de Grupello gegossenen schönen Reiterstandbild des Kurfürsten *Johann Wilhelm II.* ('Jan Wellem'). – Südlich vom Markt im Palais Nesselrode das *Hetjens-Museum* (Keramiken aus acht Jahrtausenden) und im Spee'schen Palais das *Stadtgeschichtliche Museum;* östlich an der Bilker Straße das neue Kultur- und Bildungszentrum u.a. mit

Rechtes Rheinufer in Düsseldorf

dem *Heine-Museum* und dem *Rheinischen Marionettentheater.* Noch weiter südlich, am Rhein, das 24stöckige *Mannesmann-Hochhaus.* – Nördlich vom Markt die am Rhein gelegene *Lambertuskirche* (13.-14. Jh.; wiederhergestellt).

An der Westseite der Altstadt zieht das Schloßufer nördlich zur Oberkasseler Brücke. Südlich von der Hofgartenrampe die *Kunstakademie,* nördlich der **Ehrenhof** mit mehreren 1924-26 von W. Kreis errichteten Bauten: zunächst die *Rheinhalle,* weiter das *Landesmuseum Volk und Wirtschaft* (anschauliche Schilderung des Gesellschafts- und Wirtschaftslebens auf der ganzen Erde) und das *Kunstmuseum* (Kunstgewerbe, mittelalterliche und moderne Plastik und Gemäldegalerie, bes. die Düsseldorfer Maler des 19. und 20. Jh.). – $2^{1}/_{2}$ km nordwestlich das Messegelände mit dem *Kongreßzentrum* und dem *Rheinstadion* (68 000 Plätze). – Im Nordpark ein *Japanischer Garten.*

UMGEBUNG von Düsseldorf. – *Schloß Benrath* (10 km südöstlich), 1755-73 von N. de Pigage erbautes Rokokoschloß mit prachtvoller Innenausstattung und Park. – **Kaiserswerth** (10 km nordwestlich) mit Ruinen einer Barbarossapfalz und ehem. Stiftskirche St. Suitbertus (13. Jh.; Suitbertusschrein). – **Neandertal** (10 km östlich) mit vorgeschichtlichem Museum und Wildgehege. – **Minidomm** (16 km nordöstlich), Modelle historischer und moderner Bauwerke Deutschlands.

Eichstätt

Bundesland: Bayern. – Kfz-Kennzeichen: EIH. Höhe: 388 m ü.d.M. – Einwohnerzahl: 13 000. Postleitzahl: D-8833. – Telefonvorwahl: 084 21. ⓘ **Städtisches Verkehrsamt,** Domplatz 18; Telefon: 79 77.

HOTELS in Eichstätt. – *Traube*, Marktplatz 18, 50 B.; *Adler*, Marktplatz 22, 35 B.; *Ochsbräu*, Westenstr. 17, 20 B. – JUGENDHERBERGE: Reichenaustr. 15.

RESTAURANT. – *Gasthof Krone*, Domplatz 3.

CAFÉ. – *Dom-Café*, Domplatz 1.

Die malerische alte Stadt im Altmühltal am Fuß der Fränkischen Alb, von der mächtigen Willibaldsburg überragt, hat das Gepräge einer 'geistlichen Stadt'. Eichstätt ist Bischofssitz und Sitz einer kath. Gesamthochschule. Sein Stadtbild wird von Barockbauten bestimmt. Vieles mutet italienisch an. Reste eines mittelalterlichen Mauerrings umgeben noch heute die Stadt.

GESCHICHTE. – Das Bistum Eichstätt wurde schon 741 von Bonifatius gegründet. Im Dreißigjährigen Krieg wurde die Stadt bis auf den Dom und wenige Häuser zerstört. Im Stil des Barocks wurde sie wieder aufgebaut.

SEHENSWERTES. – Am Domplatz steht der romanisch-gotische **Dom** (11.-14. Jh.) mit barocker Westfassade; im Westchor an der Rückseite der Baldachinaltar, der die Gebeine des Heiligen birgt, ein Sitzbild des hl. Willibald (des ersten Eichstätter Bischofs; † 787), das Hauptwerk des einst hier ansässigen Bildhauers Loy Hering (1514); im nördlichen Querschiff der figurenreiche steinerne Pappenheimer Altar von Veit Wirsberger (um 1495). An der Südostseite des Doms ein zweigeschossiger *Kreuzgang* (1420-30) mit der prachtvollen zweischiffigen Halle des *Mortuariums* (15. Jh.; 'Schöne Säule' von 1489).

Südlich des Doms am barocken *Residenzplatz* die ehem. fürstbischöfliche *Residenz* (17.-18. Jh.; von Angelini und Gabrieli), *Kavaliershöfe* und eine 19 m hohe *Mariensäule* von 1777. – Südöstlich des Doms am Leonrodplatz die **Schutzengelkirche** (17. Jh.; sehr schöner Barockraum). – Von hier führt die Ostenstraße zur ehem. *Sommerresidenz* der Fürstbischöfe (1735 von Gabrieli erbaut); dahinter der Hofgarten. In der nahen *Kapuzinerklosterkirche* (17. Jh.) eine Nachbildung des Heiligen Grabes (1189).

Nördlich vom Domplatz der Marktplatz mit dem *Rathaus* (15. und 19. Jh.), der ehem. *Stadtpropstei* (18. Jh.) und dem *Willibaldsbrunnen* (1695). – Nordwestlich vom Markt über der Westen-

straße die barocke Abteikirche *St. Walburg* (17. Jh.) mit der Gruftkapelle der Heiligen († 779).

Über der Stadt (Auffahrt 750 m) die 1609-19 vom Augsburger Stadtbaumeister Elias Holl erbaute **Willibaldsburg** (bis 1725 Residenz der Fürstbischöfe) mit *Juramuseum* (Versteinerungen von Tieren und Pflanzen, Skelett des Urvogels Archaeopteryx) und historischen Sammlungen. Am Fuß das *Kloster Rebdorf*.

Eifel

Bundesland: Rheinland-Pfalz.
(i) **Fremdenverkehrsverband Rheinland-Pfalz**, Hochhaus, 5400 Koblenz; Telefon: (0261) 35025.

Die Eifel, ein Mittelgebirge zwischen Rhein, Mosel und Rur, ist ein durchschnittlich 600 m hohes, in der Hohen Acht (746 m) gipfelndes Rumpfgebirge von etwa 70 km Länge und 30 km Breite, das in der erdgeschichtlichen Entwicklung von über 200 Vulkanen durchbrochen wurde. Die Lava-Ergüsse dieser erloschenen Vulkane sind noch heute im Landschaftsbild gut sichtbar, besonders am Laacher See, um den Nürburgring sowie in der Gegend von Daun und Manderscheid.

Benediktinerabtei Maria Laach am Laacher See

Vulkanischen Ursprungs sind auch die für die Eifel besonders charakteristischen stimmungsvollen *Maare*, jetzt meist mit kleinen Seen angefüllte Vulkankrater. Ein Musterbeispiel dafür bildet der 52 m tiefe *Laacher See*, der von mehr als 40 Lavadurchbruchstellen umgeben ist. Ebenso schön sind die Dauner Maare, vor allem das *Gemündener Maar* und das schwermütige *Totenmaar*.

In neuerer Zeit sind im nordwestlichen

Teil der Eifel mehrere große Talsperren angelegt worden, die prächtige Landschaftsbilder bieten, vor allem die *Urfttalsperre* und der *Rurstausee Schwammenauel.* Flüsse, Maare und Seen verlocken den Sportangler und Wassersportler, der Schneereichtum von Hocheifel und Schnee-Eifel den Wintersportler.

Die herbe Schönheit des nur für Waldwirtschaft und Viehzucht geeigneten Berglandes, mit windungsreichen Tälern und weiten Waldhochflächen, zieht den Touristen immer wieder in ihren Bann. Kunst- und kulturgeschichtliche Sehenswürdigkeiten bietet u.a. *Mayen* mit der Genovevaburg. Daneben finden sich in zahlreichen anderen Orten stattliche Burgen und Schlösser sowie bedeutende Kirchen und berühmte Klöster (Maria Laach, Prüm).

Daun im Herzen der Vulkaneifel ist bekannt als Luftkurort, Kneipp- und Mineralbad. Auch das noch von einer Befestigung aus dem 13.-14. Jh. umgebene *Münstereifel* ist ein vielbesuchtes Kneippheilbad. Die nahen Radioteleskope Stockert und Effelsberg zählen zu den größten Anlagen dieser Art. *Kommern* bietet das interessante Rheinische Freilichtmuseum. *Monschau* im Rurtal und *Adenau* beeindrucken durch ihr an Fachwerkbauten reiches Stadtbild.

Der *Nürburgring (1925-27 angelegt) südlich von Adenau ist Deutschlands schönste Autorennstrecke (z.Z. keine Rennen). Er besteht aus der 22,8 km langen Nordschleife um die Nürburg und der 7,7 km langen Südschleife, die beide aus getrennt befahren werden können; dazwischen der Start- und Zielplatz. Die 8 m breite kreuzungsfreie Straße hat 172 überhöhte Kurven und überwindet einen Höhenunterschied von etwa 300 m mit Steigungen bis zu 17 % (eine besondere Steilstrecke mit 27 %; gesperrt). Das Befahren des Ringes (Ein- und Ausfahrt beim Startplatz, bei Adenau-Breidscheid und bei Müllenbach an der B 257; nur gegen Gebühr) ist landschaftlich außerordentlich lohnend. Zur Zeit entsteht im Bereich der Südschleife eine neue Rennstrecke.

Emden

Bundesland: Niedersachsen.
Kfz-Kennzeichen: EMD.
Höhe: 4 m ü.d.M. – Einwohnerzahl: 54000.
Postleitzahl: D-2970. – Telefonvorwahl: 04921.
ⓘ **Reisebüro,** Brückstr. 1;
   Telefon: 25085.

HOTELS. – *Goldener Adler,* Neutorstr. 5, 30 B.; *Deutsches Haus,* Neuer Markt 7, 34 B.; *Heerens Hotel,* Friedrich-Ebert-Str. 67, 40 B.; *Schmidt,* Fried-

rich-Ebert-Str. 79, 42 B.; *Großer Kurfürst* (garni), Neutorstr. 41, 30 B. – JUGENDHERBERGE: An der Kesselschleuse 5. – CAMPINGPLATZ: *Campen am Deich,* Upleward bei Emden.

RESTAURANTS. – *Lindenhof,* Nordertorstr. 43; *Tschintau,* Neutorstr. 50 a (chines. Spez.).

CAFÉ. – *Brouwer,* Neutorstr. 25.

Die nahe der Mündung der Ems in den Meerbusen Dollart gelegene alte friesische Stadt besitzt nach Hamburg und Bremen den bedeutendsten und zugleich westlichsten deutschen Nordseehafen. Als Endpunkt des Dortmund-Ems-Kanals dient dieser vor allem dem Ruhrgebiet (Umschlag von Kohle, Erz und Getreide; Ölhafen). Der Ems-Jade-Kanal stellt die Verbindung nach Wilhelmshaven her. Auch Schiffbau (Werften), Kraftfahrzeugbau und Heringsfischerei haben für das Wirtschaftsleben der Stadt Bedeutung. Vom Außenhafen legen die Schiffe zur Insel Borkum ab.

GESCHICHTE. – Die erste Blütezeit Emdens fällt in das 16. Jh., in dem die Stadt eine Handelsflotte von etwa 600 Schiffen besaß. Der Große Kurfürst machte Emden 1683 zum Hauptstützpunkt seiner Flotte. Während der folgenden preußischen Herrschaft erklärte Friedrich der Große die Stadt 1751 zum Freihafen und verlieh ihr wichtige Handelsvorrechte. Durch die Kontinentalsperre 1806 wurde der Wohlstand vernichtet. Erst der Bau des Hafens und die Fertigstellung des Dortmund-Ems-Kanals brachten neuen Aufschwung. Nach den schweren Zerstörungen im Zweiten Weltkrieg erhielt die Stadt ein modernes Gesicht.

SEHENSWERTES. – Im Zentrum der Stadt erhebt sich am *Ratsdelft* das auf den Fundamenten des 1944 zerstörten alten Renaissance-Rathauses 1959-62 erbaute neue **Rathaus,** das neben Behörden auch das *Ostfriesische Landesmuseum* enthält (einzigartige städt. Rüstkammer mit Waffen aus dem 16.-19. Jh.). Südwestlich vom Rathaus die Ruine der spätgotischen *Großen Kirche* (Turm 1965/66 wiederhergestellt). – Im Ostteil der Altstadt die wiederaufgebaute *Neue Kirche* (1643-48). – Lohnend ist ein Spaziergang auf dem *Wall* (mit Windmühlen), der sich halbkreisförmig um den Stadtkern legt. 3 km westlich von der Altstadt der *Hafen* (Motorbootsverbindung vom Ratsdelft sowie Hafenrundfahrt; zugleich Endpunkt des Dortmund-Ems-Kanals und des Ems-Jade-Kanals.

UMGEBUNG von Emden. – **Wasserburg Hinte** (5 km nördlich) aus dem 16. Jahrhundert.

Essen

Bundesland: Nordrhein-Westfalen.
Kfz-Kennzeichen: E.
Höhe: 116 m ü.d.M. – Einwohnerzahl: 664000.
Postleitzahl: D-4300. – Telefonvorwahl: 0201.
ⓘ Verkehrsverein, Hauptbahnhof (Südseite),
   Freiheit 3; Telefon: 20421.

HOTELS. – *Handelshof, Am Hauptbahnhof 2, 300 B.; *Essener Hof, Bachstr. 1, 140 B.; Europa (garni), Hindenburgstr. 35, 90 B.; Scheidegg (garni), Am Waldthausenpark 7, 54 B.; Merkur, Lützowstr. 32, 60 B.; Manza (garni), Gerlingstr. 45, 36 B.; Luise (garni), Dreilindenstr. 96, 34 B. – In Bredeney: Bredeney, Theodor-Althoff-Str. 5, 350 B.; Touring Hotel (garni), Frankenstr. 379, 65 B.; Parkhotel Hügel, Freiherr-vom-Stein-Str. 209, 20 B. (mit elegantem Rest.). – In Kettwig: *Schloßhotel Hugenpoet, August-Thyssen-Str. 51; Sengelmannshof, Sengelmannsweg 35, 41 B. – In Rüttenscheid: *Arosa, Rüttenscheider Str. 149, 90 B.; Rüttenscheider Hof, Klarastr. 18, 32 B. – JUGENDHERBERGE: Pastoratsberg, Pastoratsberg 2, Essen-Werden, 152 B. – CAMPING-PLÄTZE: Haus Scheppen, am Südufer des Baldeneysees; Am Bahnhof Werden und Deichklause, Laupendahler Landstr. 140.

RESTAURANTS. – Clubhaus Wilmes, Moltkestr. 34; Stadtgarten, Huyssenallee 53; Rôtisserie Alter Ritter, Theaterplatz 3 (Spez.: Steaks); The Tudor, Theaterplatz (gegenüber dem Opernhaus); Alte Funzel, Hindenburgstr. 24 (rustikale Einrichtung); Yuen Yon, Viehofer Str. 13 (chines. Spez.). – Am Baldeneysee: Seeterrassen Schloß Baldeney, Freiherr-vom-Stein-Str. 386 a; Schwarze Lene, Baldeney 38; Heimliche Liebe, Baldeney 33. – In Kettwig: Rôtisserie Ange d'or, Bahnhofstr. 143 (französ. Küche). – In Rüttenscheid: Bei Enrico, Rüttenscheider Str. 195 (italien. Spez.).

CAFÉS. – Overbeck, Kettwiger Str. 15 (mit Terrasse), Limbecker Str. 45 und in der Hauptpost am Hauptbahnhof.

VERANSTALTUNGEN. – Baldeneyfest mit Wassersport, Bootskorso und Höhenfeuerwerk (Höhepunkt der Sommersaison); Essener Lichtwochen (Anfang November bis Anfang Januar); Karneval mit Rosenmontagszug.

Essen zwischen Emscher und Ruhr ist die größte Stadt des Ruhrgebiets. Seine Bedeutung als Ruhrmetropole und Sitz zahlreicher wirtschaftlicher Vereinigungen (u. a. der Gelsenkirchener Bergwerks AG, der größten deutschen Bergwerksgesellschaft) verdankt es seiner Lage inmitten des rheinisch-westfälischen Steinkohlenbeckens. Die Stadt ist nicht nur Zentrum des Kohlenbergbaus und einer bedeutenden Schwerindustrie (der Name Krupp ist weltbekannt), sie besitzt auch Glas- und chemische Werke, Maschinen- und Textilfabriken. Überdies ist Essen ein wichtiges Einzelhandelszentrum, Sitz des Ruhrbischofs und einer Gesamthochschule. Die

Folkwang-Hochschule für Musik, Theater und Tanz und die Folkwangschule für Gestaltung sind Kulturinstitute von Rang. Für die Große Ruhrländische Gartenbauausstellung wurde 1929 der Grugapark angelegt (später erweitert). Zu ihren innerstädtischen Verkehrsmitteln erhält die Stadt jetzt eine U-Bahn.

GESCHICHTE. – Auf dem heutigen Burgplatz wurde von den Franken Mitte des 8. Jh. ein Straßenkastell zum Schutz gegen sächsische Einfälle errichtet. Nahebei gründete Bischof Altfried von Hildesheim um 852 auf seinem Gutshof Asnidhi ein freiweltliches Stift für die Töchter des sächsischen Hochadels, das es unter seinen Äbtissinnen aus kaiserlichem Hause (Mechthild und Theophanu, Enkelinnen Ottos I. und Ottos II.) bald zu bemerkenswerter Geltung brachte. Die um 1000 daneben entstandene Kaufmannssiedlung erhielt schon 1041 das Marktprivileg und wurde 1243-44 zusammen mit dem Stift im Zuge der heutigen Alleestraßen ummauert. Schirmvögte waren im 12. Jh. die Grafen von Berg und Altena, ab 1495 die Herzöge von Jülich-Cleve-Berg und seit 1609 die Kurfürsten von Brandenburg. 1803 wurde das Stift, nachdem es neun Jahrhunderte die Landesherrschaft von Essen innehatte, säkularisiert und das Gebiet von Preußen besetzt. Von 1806 bis 1813 gehörte Essen zum Herzogtum Berg; 1815 wurde es wieder preußisch und entwickelte sich dann zu einer der bedeutendsten Industriestädte Deutschlands. Seit der Jahrhundertwende dehnte sich das Stadtgebiet durch Eingemeindungen stark aus.

SEHENSWERTES. – Am Burgplatz erhebt sich die *Münsterkirche (kath.), eine der ältesten Kirchen Deutschlands (9.-14. Jh.); im Innern besonders beachtenswert ein siebenarmiger Bronzeleuchter (um 1000) und die 'Goldene Madonna' (vor 1000). Der reiche Münsterschatz befindet sich im Bischöflichen Palais (1955-56). Hauptgeschäftsstraßen (Fußgängerzone) sind die Kettwiger Straße und die Limbecker Straße, die am Marktplatz abzweigt. Dort steht die kleine Marktkirche (ev.; wohl 11. Jh., 1952 erneuert). – Südöstlich, an der Steeler Straße, das Deutsche Plakatmuseum und das Haus Industrieform (ständige Ausstellung formschöner Industrieerzeugnisse).

Im Westen der Altstadt liegt die Kruppsche Fabrik, einst das größte Gußstahlwerk Europas, 1811 von Friedrich Krupp gegründet und besonders durch dessen Sohn Alfred Krupp (1812-87) gefördert, mit mustergültigen Wohlfahrtseinrichtungen.

Südlich vom Hauptbahnhof führt von dem verkehrsreichen Platz Freiheit die Huyssenallee zu dem schönen

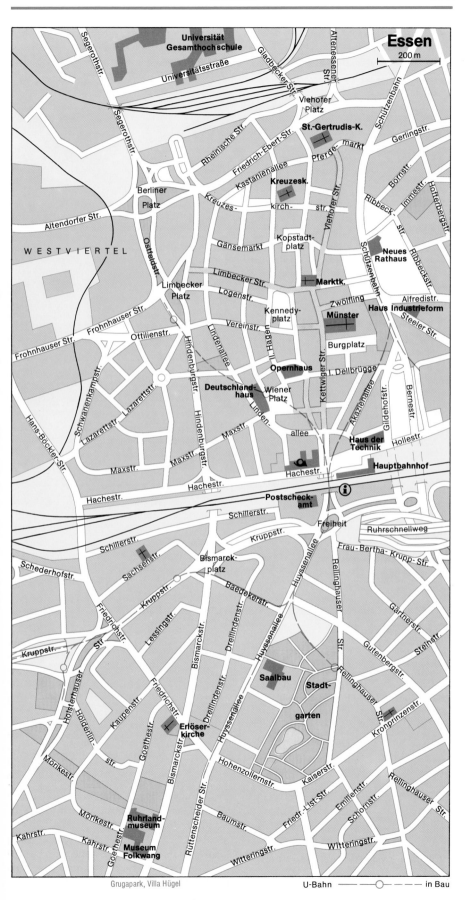

Universität Gesamthochschule

Essen
200 m

Universitätsstraße

Segerothstr.

Gladbecker Str.

Altenessener Str.

Viehofer Platz

St.-Gertrudis-K.

Pferde- markt

Schützenbahn

Gerlingstr.

Rheinische Str.

Friedrich-Ebert-Str.

Kastanienallee

Kreuzesk.

Bornstr.

Segerothstr.

Berliner Platz

Kreuzes- kirch- str.

Viehofer Str.

Ribbeck- str.

Immenstr.

Hofterbergstr.

Altendorfer Str.

Ostfeldstr.

Gänsemarkt

Kopstadt-platz

Neues Rathaus

W E S T V I E R T E L

Schützenbahn

Ribbeckstr.

Limbecker Str.

Marktk.

Alfredistr.

Limbecker Platz

Logenstr.

Zwölfling

Haus Industrieform

Frohnhauser Str.

Ottilienstr.

Kennedy-platz

Münster

Steeler Str.

Frohnhauser Str.

Hindenburgstr.

Lindenallee

Vereinstr.

Hagen

Burgplatz

Schwanenkampstr.

Lazarettstr.

Lazarettstr.

Opernhaus

Kettwiger Str.

I. Dellbrügge

Bernestr.

Frohnhauser Str.

Deutschland-haus

Wiener Platz

Linden-

Akazenallee

Gildehofstr.

Hans-Böckler-Str.

Maxstr.

allee

Haus der Technik

Hollestr.

Maxstr.

Maxstr.

Hindenburgstr.

Hachestr.

Hauptbahnhof

Hachestr.

Hachestr.

Postscheck-amt

Hachestr.

Schillerstr.

Freiheit

Ruhrschnellweg

Schillerstr.

Kruppstr.

Frau-Bertha-Krupp-Str.

Schederhofstr.

Sachsenstr.

Bismarck-platz

Baedekerstr.

Huyssenallee

Rellinghauser Str.

Gartnerstr.

Steinstr.

Kruppstr.

Str.

Lessingstr.

Bismarckstr.

Dreilindenstr.

Huyssenallee

Gutenbergstr.

Friedrichstr.

Kruppstr.

Horstermauer

Hölderlin-

Kaupenstr.

Friedrichstr.

Dreilindenstr.

Saalbau

Stadt-

garten

Rellinghauser Str.

Kronprinzenstr.

Goethestr.

str.

Erlöser-kirche

Bismarckstr.

Huyssenallee

Mörikestr.

Rüttenscheider Str.

Hohenzollernstr.

Kaiserstr.

Rellinghauser Str.

Mörikestr.

Ruhrland-museum

Baumstr.

Friedr.-List-Str.

Emilienstr.

Schornstr.

Kahrstr.

Kahrstr.

Goethestr.

Museum Folkwang

Witteringstr.

Witteringstr.

Grugapark, Villa Hügel

U-Bahn ——— ——○— — — in Bau

Stadtgarten mit dem 1949-54 errichteten *Städtischen Saalbau* (Restaurant). – Südwestlich davon an der Bismarckstraße das *Ruhrlandmuseum* und das *Museum Folkwang* (deutsche und französ. Malerei und Plastik des 19. und 20. Jh. sowie ausgewählte Kunstwerke aller Epochen). – Weiter im Südwesten der prächtige 70 ha große **Grugapark,** 1929 für die Große Ruhrländische Gartenbauausstellung angelegt, 1952 und 1965 erweitert, mit *Grugahalle* (1958), Aussichtsturm, Ausstellungshallen, Botanischem Garten, Tiergehegen, Aquarium, Freizeitpark, Wasserkünsten und mehreren Gaststätten. Er wird durch die 3,5 km lange Grugabahn erschlossen. – Westlich davon, im Nachtigallental, der *Halbachhammer,* ein technisches Kulturdenkmal aus dem 16. Jahrhundert.

Im Süden von Essen der *Stadtwald* mit dem Vogelpark (ca. 1000 Vögel) sowie der *Heissiwald* mit dem Wildgehege. – Über dem Nordufer des 8 km langen *Baldeneysees* (Erholungsgebiet; Bootsverkehr) erhebt sich die *Villa Hügel (früher Wohnsitz der Familie Krupp; Historische Sammlung im 'Kleinen Haus'; wechselnde Ausstellungen).

Die *Abteikirche Werden* (13. Jh.), südlich vom Baldeneysee, die zu einer 796 vom hl. Ludger gegründeten ehem. Benediktinerabtei gehörte, ist eine der hervorragendsten spätromanischen Kirchenbauten des Rheinlands (spätbarocke Innenausstattung; Kirchenschatz mit Bronzekruzifix von 1060 und Kelch des hl. Ludger, um 900).

Esslingen am Neckar

Bundesland: Baden-Württemberg.
Kfz-Kennzeichen: ES.
Höhe: 240 m ü.d.M. – Einwohnerzahl: 99 000.
Postleitzahl: D-7300. – Telefonvorwahl: 07 11.
ⓘ **Kultur- und Freizeitamt,**
   Marktplatz 16;
   Telefon: 3 51 24 41.

HOTELS. – *Panorama-Hotel* (garni), Mühlberger Str. 66, 60 B.; *Kronenhof,* Am Kronenhof 12, 50 B. – In Oberesslingen: *Rosenau,* Plochinger Str. 65, 55 B.

RESTAURANTS. – *Dicker Turm,* in der Burg; *Reichsstadt,* Rathausplatz 5; *Stadthalle,* Grabbrunnenstr. 21.

CAFÉS. – *Filderhof,* Pliensaustr. 46; *Theater-Café,* Strohstr. 6.

Die industriereiche Stadt Esslingen liegt im rebenreichen Tal des mittleren Neckars unweit oberhalb von Stuttgart und besitzt bedeutende Baudenkmäler aus ihrer reichsstädtischen Zeit.

GESCHICHTE. – Siedlungsreste aus der Bronzezeit beweisen, daß das heutige Stadtgebiet bereits um 1000 v. Chr. bewohnt war. In römischer Zeit bestand bei Oberesslingen ein Gutshof. Urkundlich ist der an der Neckarfurt für die Handelsstraße vom Rhein nach Italien gelegene Ort erstmals im Jahre 777 genannt. Im Investiturstreit wurde Esslingen durch Truppen Kaiser Heinrichs IV. zerstört. Die Erhebung zur Stadt erfolgte 1219. Der 'Schwäbische Bund' wurde 1488 hier gegründet; 1531 beschloß der Stadtrat, das Wort Gottes frei im evangelischen Sinne predigen zu lassen. Der Dreißigjährige Krieg und Einfälle französischer Truppen im späten 17. Jh. setzten der Stadt sehr zu. 1803 endete die reichsstädtische Ära, und Esslingen fiel an Württemberg. Der Zweite Weltkrieg ließ die inzwischen durch Industrieansiedlung und Eingemeindungen erheblich gewachsene Stadt weitgehend unversehrt.

SEHENSWERTES. – Am Marktplatz die zweitürmige **Stadtkirche** St. Dionysius (evang.), im Übergangsstil des 13./14. Jahrhunderts auf Grundmauern aus dem 8. Jh. errichtet und mit hochgotischem Chor. In dem beachtenswerten Inneren wurden 1960-63 bei Ausgrabungen Reste früherer Kirchen, einer Krypta sowie einer Hütte der Urnenfeldkultur (13.-11. Jh. v. Chr.) freigelegt (Besichtigung). Gegenüber dem Chor der ehem. *Speyerer Pfleghof* (heute Sektkellerei Kessler, die älteste Schaumweinkellerei Deutschlands, 1826 gegr.). An der Westseite des Marktplatzes die frühgotische Kirche St. Paul (kathol.), eine der ältesten erhaltenen deutschen Bettelordenskirchen (1233-68). Nördlich von St. Paul, jenseits des Altstadtrings (Fußgängerbrücke und Unterführung) die hochgotische **Frauenkirche** (1321-1516) mit prächtigem, nach Plänen des Ulmer Münsterbaumeisters Ulrich von Ensingen errichtetem Turm. Durch das nahe Stadttor erreicht man die Weinberge der Neckarhalde.

Am Rathausplatz das *Neue Rathaus* (ehem. Palmsches Palais, 1746) sowie das sog. *Alte Rathaus,* ein Fachwerkbau von 1430, von H. Schickhardt 1586-89 umgebaut und mit einer Renaissancefassade versehen (Kunstuhr, Glockenspiel); im Inneren das reichhaltige Stadtmuseum.

Nördlich über der Altstadt erhebt sich der rebenbestandene Burgberg, zu dessen Höhe ein überdachter *Treppen-*

Esslingen am Neckar – Burg und Stadtkirche

aufgang und die Burgsteige hinaufführen. Die **Burg** stammt aus der Stauferzeit; vom *Dicken Turm* und den Mauerresten schöner Blick; im Norden des ummauerten Bezirkes ein Restaurant.

Südlich vom Marktplatz und Rathausplatz die ALTSTADT (großenteils Fußgängerzone). Die *Innere Brücke* (mit kleiner Kapelle) überquert die beiden durch die *Maille* genannte Insel (Parkanlage) getrennten Arme des Neckarkanals.

UMGEBUNG. – Nordöstlich von Esslingen erstreckt sich der **Schurwald,** ein im *Kernen* 513 m Höhe erreichender Bergrücken, der als Naherholungs- und Ausflugsgebiet geschätzt ist.

Ettal

Bundesland: Bayern. – Kfz-Kennzeichen: GAP.
Höhe: 878 m ü.d.M. – Einwohnerzahl: 1000.
Postleitzahl: D-8101. – Telefonvorwahl: 08822.
ⓘ **Gemeindeverwaltung;**
Telefon: 534.

HOTELS. – *Ludwig der Bayer,* Hauptstr. 5, 120 B.
(mit Dependance Klosterhof); *Benediktenhof,* 1 km
in Richtung Oberammergau, 36 B.

Der Luftkurort und Wintersportplatz in einem Hochtal des Ammergebirges am Fuße des 1634 m hohen Ettaler Mandl ist wegen seiner Benediktinerabtei mit berühmter Klosterkirche ein vielbesuchtes Ausflugsziel. Nach alten Re-

zepten wird von den Mönchen der Ettaler **Klosterlikör, ein Kräuterlikör, hergestellt.**

SEHENSWERTES. – Die *Benediktinerabtei* wurde 1330 von Kaiser Ludwig dem Bayern gegründet. Die *Klosterkirche, ein ursprünglich gotischer Zentralbau, wurde 1710-26 durch Enrico Zuccali in einen barocken Kuppelbau verwandelt und nach einem Brand 1744-52 durch Josef Schmuzer wiederhergestellt. In dem reich ausgestatteten Inneren ein prachtvolles Kuppelfresko, das Hauptwerk des J. J. Zeiller aus Reutte (1752), ferner sechs schöne Seitenaltäre von J. B. Straub (1757-62), im Tabernakel des Hochaltars ein berühmtes Gnadenbild von Pisano (14. Jh.). Vor der Kirche die Gebäude des Internats (bis 1744 Ritterakademie) und des Gymnasiums.

Kloster Ettal mit Krottenkopfgruppe

UMGEBUNG von Ettal. – **Ettaler Mandl** (1634 m; 3 km nördlich), $2^1/_2$-3 St. Fußweg von Ettal oder Laber-Seilbahn von Oberammergau. – **Oberammergau** (4 km nordwestlich) mit berühmten Passionsspielhaus und Heimatmuseum (Krippenschau). – *Schloß Linderhof (11 km westlich), 1874-78 von G. Dollmann in verschwenderischer Rokoko-Architektur für König Ludwig II. erbaut; schöne Gartenanlagen mit Wasserkünsten.

Fichtelgebirge

Bundesland: Bayern.

ⓘ **Gebietsausschuß Fichtelgebirge,** Schillerstr. 1, D-8672 Selb; Telefon: (0 92 87) 27 59.

Das größtenteils von Fichtenwald bedeckte Fichtelgebirge erhebt sich in der Nordostecke Bayerns als Gebirgsknoten zwischen dem Erzgebirge und Frankenwald sowie dem Oberpfälzer Wald bzw. Böhmerwald. Durch Verwitterung entstanden auf den granitenen Bergrücken vielfach Felsgruppen und Felsmeere, die den besonderen Reiz der Landschaft ausmachen.

Das aus Granit und Schiefergestein bestehende Mittelgebirge ist das Quellgebiet des *Mains,* der *Saale,* der *Eger* und der *Naab,* die sich nach allen vier Himmelsrichtungen wenden. Es setzt sich aus drei das Becken von Wunsiedel hufeisenförmig umgebenden Bergzügen zusammen: dem *Waldsteingebirge* (878 m) im Nordwesten, den höchsten Erhebungen mit dem *Ochsenkopf* (1024 m) und *Schneeberg* (1053 m) im Südwesten sowie dem Höhenzug der *Kösseine* (940 m) und des *Steinwalds* (966 m) im Südosten.

Den Reiz des Fichtelgebirges, das durch die prächtige *Fichtelgebirgsstraße* (B 303) und die 13 km lange *Panoramastraße* (westlich und südlich um den Ochsenkopf) erschlossen wird, bilden die schönen Wälder sowie die auf den Bergrücken durch Verwitterung entstandenen Felsgruppen und Felsenmeere, deren großartigstes die *Luisenburg* ist. Dazu kommen einige tief eingeschnittene Täler, vor allem die des *Weißen Mains,* der *Ölschnitz,* der *Steinach* und der *Eger.* – Im Osten des Fichtelgebirges hat die bedeutendste Porzellanindustrie des Bundesgebiets ihren Sitz (Selb).

Als Ferien- und Luftkurorte sind hervorzuheben: das Städtchen *Bad Berneck,* der meistbesuchte Ort des Fichtelgebirges, mit Kneipp- und Schrothkuren; ferner *Bischofsgrün, Fichtelberg-Neubau* und *Warmensteinach,* das auch der bedeutendste Wintersportplatz Nordbayerns ist; bei *Wunsiedel,* dem Hauptort des Fichtelgebirges (Felsenlabyrinth Louisenburg) und Geburtsort des Dichters Jean Paul, das hübsche kleine *Alexandersbad,* am Fuß des Waldsteins das Städtchen *Weißenstadt.*

Flensburg

Bundesland: Schleswig-Holstein.
Kfz-Kennzeichen: FL.
Höhe: 20 m ü.d.M. – Einwohnerzahl: 90 000.
Postleitzahl: D-2390. – Telefonvorwahl: 04 61.

ⓘ **Verkehrsverein,** Norderstraße 6; Telefon: 2 30 90.

HOTELS. – *Flensburger Hof,* Süderhofenden 38, 50 B.; *Am Rathaus* (garni), Rote Str. 32, 65 B.; *Europa,* Rathausstr. 1, 120 B.; *Am Wasserturm* (garni), Blasberg 13, 35 B., Hb.; *Am Stadtpark,* Nordergraben 70, 30 B.; *Union* (garni), Nikolaistr. 8, 54 B.; *Flensborghus,* Norderstr. 26, 25 B. – In Oeversee: *Historischer Krug,* 34 B., Sauna. – JUGENDHERBERGE: Fichtestr. 16, Flensburg-Mürwick. – CAMPINGPLÄTZE: *Jarplund,* an der B 76; *Sankelmark,* in Bilschau; *Schwennau,* in Glücksburg; *Grenzblick,* in Drei auf der Halbinsel Holnis.

RESTAURANTS. – *Stadtrestaurant,* im Deutschen Haus, Bahnhofstr. 15; *Piet Henningsen,* Schiffbrücke 20 (mit Seefahrersouvenirs); *Gnomenkeller,* Holm (Kellergewölbe des 16. Jh.); *ZOB-Restaurant,* Süderhofenden 1; *China-Haus,* Marienkirchhof 1; *Borgerforeningen,* Holm 17 (dän. Gerichte).

CAFÉS. – *Preusser,* Große Str. 18; *Maaß,* Angelburger Str. 4; *Charlott,* Große Str. 81. – Mehrere Diskotheken.

Flensburg, der nördlichste deutsche Hafen und die bedeutendste Stadt des Landesteils Schleswig, liegt reizvoll zwischen bewaldeten Hügelketten im innersten Winkel der fjordartig ins Land eingreifenden waldumrahmten Flensburger Förde, deren Nordufer zu Dänemark gehört. Flensburg ist Sitz des Kraftfahrt-Bundesamtes und einer Pädagogischen Hochschule. In der Marineschule Mürwick wird der Offiziersnachwuchs der Bundesmarine geschult. Das Wirtschaftsbild der Stadt bestimmen vor allem Werften und Maschinenfabriken. Als Spezialitäten sind Flensburger Rum und Spickaal weitbekannt.

GESCHICHTE. – Flensburg erhielt 1284 lübisches Stadtrecht und erlebte in der zweiten Hälfte des 14. Jh. als aufstrebender Handelsplatz eine erste Blüte. Im 17. und 18. Jh. erfuhr der Handel einen er-

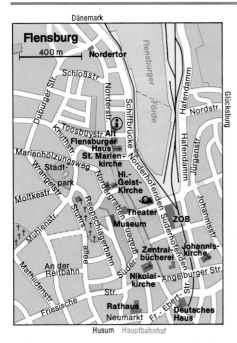

Flensburg

400 m   Nordertor

Dänemark

Schloßstr.
Düburger Str.
Toosbüystr.
Knuthstr.
Marienhölzungsweg
Wrangelstr.
Stadt-park
Moltkestr.
Mathildenstr.
Friesische
Mühlenstr.
An der Reitbahn
Reepschlägerbahn
Stuhrs alleé
Nordertr.
Nordermoftenden
Flensburger Förde
Schiffbrücke
Schubrücke
Flensburger Haus
St. Marien-kirche
Hl.-Geist-Kirche
Alt
Theater
Museum
Süderhofenden
Zentral-bücherei
Nikolai-kirche
Str.
Rathaus
Neumarkt
Hafendamm
Nordstr.
Hafendamm
Jürgenstr.
Johannisstr.
Glücksburg
ZOB
Johannis-kirche
Angelburger Str.
Fr.-Ebert-Str.
Deutsches Haus

Husum   Hauptbahnhof

neuten Aufschwung. die Stadt unterhielt eine bedeutende Ostseeflotte.

SEHENSWERTES. – Hauptgeschäftsstraße der ALTSTADT ist der von Süden nach Norden verlaufende Straßenzug Holm-Große Straße-Norderstraße. An seinem Anfang der schöne, von Giebelhäusern gesäumte Südermarkt mit der großen Stadtkirche St. Nikolai (14. und 16. Jh.; Rokoko-Hochaltar, Renaissance-Orgel); östlich am Süderhofenden das Naturwissenschaftliche Museum; südlich des Platzes der Neumarkt mit dem Rathaus (1963).
Am Nordermarkt, dem alten Marktplatz der Stadt, der Neptunsbrunnen (1758) und die Schrangen (1595), einst Verkaufsstand der Bäcker und Schlachter; südwestlich die kleine gotische Heiliggeistkirche (1386), die seit 1588 dänischen Gottesdiensten zur Verfügung steht, und das *Museum der Stadt Flensburg (Lutherstr. 1), das einen vortrefflichen Überblick über Kultur, Kunst und Volkstum im Landesteil Schleswig gibt.
Nördlich vom Nordermarkt die kleine Backstein-Hallenkirche St. Marien (13. und 15. Jh.; Renaissance-Altar); östlich am Hafen das Kompagnietor (1583). Norderstraße Nr. 8 das Alt-Flensburger-Haus (1780), das Geburtshaus des Luftschiffführers Hugo Eckener, Mitarbeiter des Grafen Zeppelin. Das wuchtige *Nordertor (1595) begrenzt die Altstadt im Norden; es ist das Wahrzeichen Flensburgs.

UMGEBUNG. – *Schloß Glücksburg (9 km nordöstl.), 1582-87 erbaut; Schloßmuseum mit Gemäldegalerie, Ledertapeten- und Gobelinsammlung.

Frankfurt am Main

Bundesland: Hessen. – Kfz-Kennzeichen: F. Höhe: 100 m ü.d.M. – Einwohnerzahl: 640 000. Postleitzahl: D-6000. – Telefonvorwahl: 06 11.
ⓘ Verkehrsverein, Hauptbahnhof (Nordseite); Telefon: 23 11 08 und 23 22 18.
Informationszentrum Hauptwache (B-Ebene); Telefon: 28 74 86.

HOTELS. – *Steigenberger-Hotel Frankfurter Hof, Kaiserplatz 17, 600 B. (mit Rest. 'Frankfurter Stubb'); *Frankfurt Intercontinental, Wilhelm-Leuschner-Str. 43, 1500 B. (Rest. 'Bell' Arte', Dachgartenrest. 'Silhouette'), Hb., Solarium; *Canadian Pacific Frankfurt-Plaza, Hamburger Allee 2, beim Messegelände, 1200 B.; Hessischer Hof, Friedrich-Ebert-Anlage 40, 140 B.; Parkhotel Frankfurt, Wiesenhüttenplatz 36, 320 B.; Savoy, Wiesenhüttenstr. 42, 200 B.; National, Baseler Str. 50, 130 B.; Savigny (garni), Savignystr. 14, 120 B. (mit Dachterrasse); Monopol-Metropole, Mannheimer Str. 11, 140 B.; Westfälinger Hof, Düsseldorfer Str. 10, 82 B.; Henninger Hof, Hanauer Landstr. 127, 80 B.; Württemberger Hof, Karlstr. 14, 100 B.; Turm-Hotel, Eschersheimer Landstr. 20, 43 B.; Palmengarten (garni), Palmengartenstr. 8, 26 B.

Am Rhein-Main-Flughafen: *Sheraton, Am Flughafen, Terminal Mitte, 1100 B.; *Steigenberger Airport Hotel, Flughafenstr. 300, 500 B. – Im Main-Taunus-Einkaufszentrum: Holiday Inn, 6231 Sulzbach, 580 B.; Novotel, 6231 Sulzbach, 560 B. – In Niederrad: Frankfurt Euro-Crest Hotel, Isenburger Schneise, 440 B.; Arabella-Hotel, Lyoner Str. 44, 600 B. – JUGENDHERBERGE: Haus der Jugend, Deutschherrnufer 12, 550 B. – CAMPINGPLÄTZE: Heddernheim, an der Nidda; Niederrad, auf der Schleuseninsel am linken Mainufer; Fechenheim, bei der Schleuse Mainkur auf dem rechten Flußufer; Offenbach-Bürgel, am linken Mainufer.

RESTAURANTS. – *Weinhaus Brückenkeller, Schützenstr. 6; *Skyline, Drehrestaurant (218 m) im Fernmeldeturm; Mövenpick, Opernplatz 2; Henninger Turm-Panorama-Drehrestaurant, in Sachsenhausen, Hainer Weg 60; Börsenkeller, Schillerstr. 11; Hauptwache 68, unter der Hauptwache; Dippegucker, Eschenheimer Anlage 40.
Ausländische Küche: Churrasco, Am Domplatz 6 (argentin. Steakhaus); Da Bruno, Elbestr. 15 (italien. Gerichte); Schwyzer Hüsli, Mendelssohnstr. 56 (Schweizer Küche); Peking, Kaiserstr. 15 (chines. Spez.).
In der Umgebung: *Flughafen-Restaurant Rôtisserie 5 Continents, über Abflug B; *Gutsschänke Neuhof, Dreieich-Götzenhain (11 km südlich).

WEINSTUBEN. – *Heylands Weinstuben, Kaiserhofstr. 7; Hahnhof, Pfälzer Weinstuben, Scheffelstr. 1 und Berliner Platz 64; Rheinpfalz-Weinstuben, Gutleutstr. 1. – APFELWEINSTUBEN: Grauer Bock, Große Ritterstr. 30; Zum Gemalten Haus, Schweizer Str. 67, in Frankfurt-Sachsenhausen.

CAFÉS. – Hauptwache, in der alten Hauptwache (Gartenterrasse); Bonaparte, am Römerberg; Café am Opernplatz (mit Sitzen im Freien); Odeon,

Seilerstr. 34, in den Wallanlagen; *Schwille*, Gr. Bockenheimer Str. 50; *Foerst*, Schillerstr. 12. – Nachtlokale im Bereich der Kaiserstraße.

VERANSTALTUNGEN. – *Dippemess*, Volksfest mit Verkaufsbuden im Ostpark (März/April und September); *Radrennen* 'Rund um den Henninger Turm' (1. Mai); *Rosen- und Lichterfest* im Palmengarten (Juli); *Mainfest* am Römer und Main mit Weinbrunnen, Ochsenbraterei, Schifferstechen und Mainillumination (Juli/August); *Internationale* **Frankfurter Messe** (August); *Internationale Automobil-Ausstellung* (Herbst); *Sachsenhäuser Brunnenfest* in Alt-Sachsenhausen mit Wahl der Apfel-

weinkönigin (August); **Internationale Frankfurter Buchmesse** (Oktober); *Christkindchesmarkt* auf dem Römerberg (Dezember).

Die alte Reichsstadt am Main, wegen ihrer zentralen Lage Mittlerin zwischen Nord- und Süddeutschland, ist eines der bedeutendsten Handels- und Wirtschaftszentren der Bundesrepublik Deutschland. Die Bundesbank, die wichtigste deutsche Börse sowie zahl-

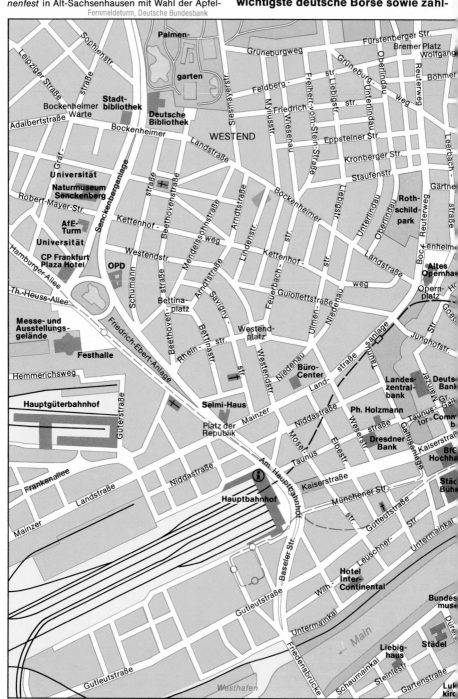

U-Bahn ——— —— —O— — — — — in Bau

reiche Großbanken haben hier ihren Sitz. In der Stadt finden zahlreiche internationale Messen statt. Auch im Eisenbahn-, Straßen- und Flugverkehr ist Frankfurt eine internationale Drehscheibe. Für das kulturelle Leben stehen Universität, Theater und Museen. Frankfurt war die Krönungsstadt der meisten deutschen Kaiser, die Geburtsstadt Goethes und der Tagungsort der Ersten Deutschen Nationalversammlung. Keine deutsche Stadt hat in der Nachkriegszeit eine so rasche, unruhevolle Entwicklung durchgemacht wie Frankfurt, sowohl auf wirtschaftlichem als auch auf geistig-ideologischem Gebiet.

GESCHICHTE. – Frankfurt wurde zuerst 793 als königliche Pfalz erwähnt und 876 als Hauptstadt des ostfränkischen Reichs bezeichnet. Seit der Hohenstaufenzeit erfolgte hier die Wahl der deutschen Könige, seit 1562 die Krönung der Kaiser. Durch die

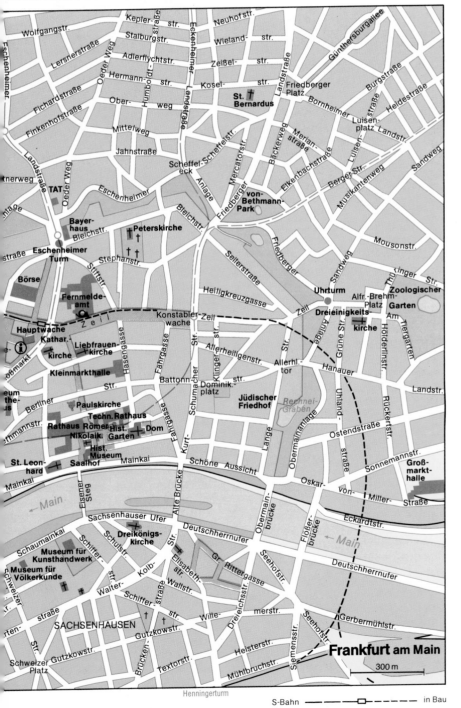

Frankfurt am Main

300 m

Henningerturm

S-Bahn ——————□—————— in Bau

Hochhäuser in Frankfurt am Main

aufblühenden Messen erlangte die Stadt ihre Stellung als einer der Hauptmärkte Mitteleuropas; 1815–1866 war sie Sitz des Bundestages; 1848/49 tagte in der Frankfurter Paulskirche die Erste Deutsche Nationalversammlung. Während des Zweiten Weltkrieges wurde Frankfurt (besonders die enggebaute Altstadt) auf das schwerste getroffen. Heute bestimmen zahlreiche moderne Hochhäuser das Stadtbild.

SEHENSWERTES. – Mittelpunkt der Innenstadt ist der Platz An der Hauptwache (ausgedehnte unterirdische Geschäftspassage; S-Bahnhof), in den die Hauptgeschäftsstraßen der Stadt münden: die nach Osten führende Zeil (Fußgängerbereich) sowie die Kaiserstraße, die südwestlich über Roßmarkt und Kaiserplatz zu dem 1885-88 erbauten und jüngst renovierten **Hauptbahnhof** (einem der größten Bahnhöfe in Deutschland) zieht. – Südwestlich vom Kaiserplatz, am Theaterplatz, die Städtischen Bühnen (Oper, Schauspiel, Kammerspiele); nördlich gegenüber das **BfG-Hochhaus** (148 m).

Nördlich vom Roßmarkt die 1879 erbaute, 1950 wiedererrichtete Börse (Handelskammer). Südlich vom Roßmarkt, am Großen Hirschgraben 23 das nach alten Plänen 1949 völlig neuerbaute *Goethehaus, wo der Dichter am 28. August 1749 geboren wurde und seine Jugendjahre bis 1765 verlebte; die

Räume sind dem früheren Zustand entsprechend wiederhergestellt (Museum). Daneben das 1953 errichtete *Haus des Deutschen Buchhandels,* die Zentrale der bundesdeutschen Buchhändler-Organisationen.

Südlich von der Hauptwache, auf dem Paulsplatz, die 1789-1833 erbaute, 1948 wiederhergestellte **Paulskirche.** In dem schlichten klassizistischen Zentralbau tagte 1848-49 die Erste Deutsche Nationalversammlung. Heute werden hier der Goethepreis der Stadt Frankfurt und alljährlich der Friedenspreis des Deutschen Buchhandels verliehen. – Unweit südöstlich der altertümliche Römerberg (Neubebauung in Diskussion).

Der *Römer, das alte Rathaus der Stadt, mit dem 1955 wieder eröffneten *Kaisersaal* (einst Schauplatz der glanzvollen Krönungsbankette; die Bilder im Saal zeigen die Reihe der Kaiser von Karl dem Großen bis zu Franz I.) besteht aus acht einst getrennt stehenden Häusern des 15.-18. Jh., z.T. mit Schnitzereien und schönen Höfen; westlich angrenzend das 1900-08 errichtete *Neue Rathaus.* Südlich davon am Main die gotische *St.-Leonhards-Kirche* (kath.; 14. Jh.; roman. Portale). – An der Südseite des Römerbergs die gotische *Nikolaikirche* mit einem minarettartigen

Turm (Glockenspiel von 35 Glocken). Südlich anstoßend bis zum Mainkai das 1972 vollendete Historische Museum (Stadtgeschichte), das den Rententurm (1455) und den sog. Saalhof (Saalhof-kapelle von 1175) einbezieht.

An dem vom Römerberg zum Dom führenden Alten Markt links das 1957-60 wiederhergestellte Steinerne Haus (ehem. 1464), der Sitz des Kunstvereins; weiter das Technische Rathaus und der Historische Garten. – Der gotische *Dom (kath.; 1944 schwer beschädigt, jedoch wiederhergestellt), dessen 95 m hoher Turm ein Wahrzeichen der Stadt ist, wurde im 13.-15. Jh. aus rotem

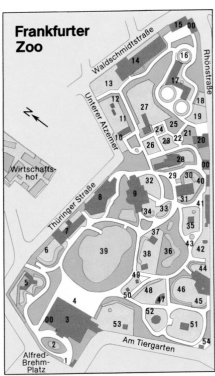

Frankfurter Zoo

1 Haupteingang
2 Flamingos
3 Gesellschaftshaus (Gaststätte, Kl. Theater)
4 Konzertterrasse
5 Bären
6 Löwen
7 Raubtierhaus
8 Grzimekhaus (Nachttiere)
9 Exotarium
10 Ziergeflügel
11 Geparden
12 Wildhunde
13 Fasanerie
14 Vogelhallen
15 Restaurant
16 Pavianfelsen
17 Affen
18 Erdmännchen
19 Präriehunde
20 Affenkindergarten
21 Meerschweinchendorf
22 Waschbären
23 Ziegen
24 Luchse
25 Irrgarten
26 Ponys, Esel
27 Steppenanlage (Antilopen)
28 Menschenaffen
29 Flußpferd
30 Elefanten
31 Nashörner
32 Steinböcke
33 Seelöwen
34 See-Elefanten
35 Fasanen, Trappen, Strauße
36 Stelzvogelwiese
37 Gnu
38 Kamele, Lamas, Zebus
39 Großer Weiher (Enten, Gänse, Schwäne)
40 Rabenvögel
41 Raubvögel
42 Wölfe, Füchse
43 Nutria
44 Okapi, Nandu
45 Gazelle
46 Giraffen, Antilopen
47 Bison, Yaks
48 Marabu, Zebra, Watussirind
49 Wasserreh
50 Mara
51 Hirsche, Antilopen
52 Tapir, Känguruh, Ameisenbär
53 Guanakos, Gänsegeier, Wasserschweine
54 Wildschweine

Sandstein erbaut. Im Innern fanden unter der Vierung seit 1562 die Kaiserkrönungen statt (Wahlkapelle an der Südseite des Chors); in der Turmhalle eine *Kreuzigungsgruppe von H. Backoffen (1509), in der Marienkapelle der Maria-Schlaf-Altar (1434); im Chor der Grabstein des deutschen Königs Günther von Schwarzburg, der 1349 in Frankfurt starb; im südlichen Querschiff die große Orgel (72 Register); ferner mehrere Schnitzaltäre (15.-16. Jh.).

An der Stelle der alten Befestigungen, von denen der Eschenheimer Turm (1400-28) als schönster Rest erhalten blieb, umgeben die innere Stadt Grünanlagen. Südöstlich vom ehem. Friedberger Tor der *Zoo (ca. 5000 Tiere) mit Exotarium und Nachttierhaus. – Am ehem. Bockenheimer Tor (Opernplatz) die Alte Oper (Wiederaufbau als Kongreß- und Konzerthaus im Gange). Die Bockenheimer Landstraße führt zum 1¹⁄₂ km nordwestlich gelegenen schönen Palmengarten (heimische, tropische und subtropische Flora) mit gutem Restaurant; an der Südwestecke des Palmengartens die Deutsche Bibliothek (1957-59). Westlich gegenüber, an der Bockenheimer Landstraße, die Stadt- und Universitätsbibliothek (1965). – Östlich vom Palmengarten das ehem. Verwaltungsgebäude der IG-Farbenindustrie-AG, 1928-30 von H. Poelzig erbaut, heute Sitz von US-Dienststellen. Nordöstlich vom Palmengarten der 29 ha große Grüneburgpark mit dem Botanischen Garten. – 1 km nördlich vom Palmengarten der neue 331 m hohe *Fernmeldeturm (1977; Aussichtsplattform, Restaurant, Café). – Südlich des Palmengartens in der Schubertstr. 20 das Heinrich-Hoffmann-Museum ('Struwwelpeter'; medizinalhistor. Dokumente). – ¹⁄₂ km westlich die umfangreichen Anlagen der Johann-Wolfgang-Goethe-Universität (1914 eröffnet) und das *Natur-Museum Senckenberg (naturgeschichtl., prähistor. u. a. Sammlungen). – ¹⁄₂ km südlich das Messegelände. Nördlich gegenüber das Frankfurt-Plaza-Hotel (169 m hoch). Südöstlich, am Platz der Republik, das 143 m hohe Selmi-Haus.

Im Stadtteil SACHSENHAUSEN auf dem linken Mainufer liegen am Schaumainkai, einer Uferpromenade mit schönem Blick auf die Altstadt, das *Städelsche Kunstinstitut (Nr. 63;

europäische Malerei vom 14. Jh. bis zur Gegenwart, u. a. "Die Blendung Simsons" von Rembrandt; Kupferstichkabinett, Sammlung moderner Graphik), die **Städtische Skulpturensammlung Liebieghaus** (Nr. 71), das **Bundespostmuseum** (Nr. 53), das *Museum für Völkerkunde* (Nr. 29) und das *Museum für Kunsthandwerk* (Nr. 51). Am Sachsenhäuser Ufer Deutschlands größter *Flohmarkt.* An Großer und Kleiner Rittergasse, an Rauscher-, Textor- und Klappergasse liegen Sachsenhausens beliebte *Apfelweinstuben* (zum 'Äppelwoi' ißt man Rippchen mit Kraut oder 'Handkäs mit Musik'). 1 km südöstlich der 120 m hohe **Henninger-Turm** (Drehrestaurant; *Aussicht). – 10 km südwestlich der **Rhein-Main-Flughafen,** einer der größten Flughäfen der Welt.

UMGEBUNG von Frankfurt am Main. – **Königstein** (20 km NW) mit Burgruine. – **Großer Feldberg** (31 km NW; 880 m), höchste Erhebung des Taunus.

Freiburg im Breisgau

Bundesland: Baden-Württemberg.
Kfz-Kennzeichen: FR.
Höhe: 278 m ü.d.M. – Einwohnerzahl: 175 000.
Postleitzahl: D-7800. – Telefonvorwahl: 0761.
ⓘ **Städtisches Verkehrsamt,** Rotteckring 14; Telefon: 3 46 88.

HOTELS. – *Novotel Freiburg,* Karlsplatz, 160 B.; *Colombi-Hotel,* Rotteckring 16, 130 B. *Bad-Hotel Jägerhäusle,* Wintererstr. 89, 110 B., Hb., Sauna; *Victoria,* Eisenbahnstr. 54, 80 B.; *Oberkirchs Weinstuben,* Münsterplatz 22, 50 B. (mit beliebter Weinstube); *Zum Falken,* Rathausplatz 30, 30 B. (eigene Weine); *Am Rathaus,* Rathausgasse 4-8, 40 B.; *Rappen,* Münsterplatz 13, 36 B.; *Zum Roten Bären,* Oberlinden 12, 40 B. (histor. Gasthof, schon 1387 erwähnt); *Schotzky* (garni), Werderring 8, 65 B.; *Barbara* (garni), Poststr. 4, 30 B. – JUGENDHERBERGE: *Ottilienwiese,* Kartäuserstr. 151, 105 B. – CAMPINGPLÄTZE: *Waldsee,* Waldseestraße; *Hirzberg,* Kartäuserstr. 99; *St. Georgen,* Basler Landstraße (einfach); *Breisgau,* bei der Autobahnausfahrt, 12 km nördlich (mit Strandbad).

RESTAURANTS. – *Zur Traube,* Schusterstr. 17 (altbadische Weinstube); *Eichhalde,* Stadtstr. 91; *Ratskeller,* Münsterplatz 11; *Wappen von Freiburg,* Kapellenweg 1; *Zum Roten Eber,* Münsterplatz 18; *Zum Storchen,* Schwabentorplatz 7; *Zähringer Burg,* Reutebachgasse 19; *Zum Kleinen Meyerhof,* Rathausgasse 22; *Taverne,* beim Martinstor; *Hongkong,* Auf den Zinnen 10 (chines. Küche). A u f d e m S c h l o ß b e r g: *Greiffenegg-Schlößle* und *Schloßberg-Restaurant Dattler* (schöne Aussicht).

CAFÉS. – *Münster-Café,* Münsterplatz 15; *Steinmetz,* Kaiser-Joseph-St. 193. – Mehrere Tanzlokale und Nachtklubs.

VERANSTALTUNGEN. – *Fastnachtsumzug* am Rosenmontag; *Batzenbergfest* mit Musik und Tanz

(Mai); *Fronleichnamsprozessionen; Schauinslandrennen* für Sport- und Rennwagen (Juni); *Freiburger Weintage* (Ende Juni); *Freilichtaufführungen* im Rathaushof (Ende Juni/Anfang Juli); *Bierfest* an der Stadtmauer (erstes August-Wochenende); *Herbstmesse* auf dem Meßplatz (Oktober); *Weihnachtsmarkt* auf dem Rathausplatz (Dezember).

Die Handels- und Verwaltungs-, Bischofs- und Universitätsstadt, zwischen Kaiserstuhl und Schwarzwald dort gelegen, wo die Dreisam in die Oberrheinebene eintritt, ist das Tor zum Südlichen Schwarzwald. Der 1284 m hohe Schauinsland, Freiburgs Hausberg, gehört noch zum Stadtgebiet, und gleich vor den Toren der Stadt öffnet sich das wildromantische Höllental. Freiburg präsentiert sich als eine 'Stadt des Waldes, der Gotik und des Weines'. Hoch ragt das gotische Münster über die Giebeln und Dächern der Altstadt auf. Rebgärten säumen den Colombipark, und auch auf dem Schloßberg vor dem Schwabentor wachsen Rebstöcke. Das Staatliche Weinbauinstitut hat in Freiburg seinen Sitz. Die Stadt ist ein kulturelles Zentrum mit Universität, Staatlicher Hochschule für Musik, Pädagogischer Hochschule und Staatlicher Meisterschule für Bildhauer und Steinmetzen, mit reichhaltigen Museen, regem Theater- und Konzertleben, eine Tagungs- und Sportstadt. In der Straße Oberlinden steht Deutschlands vermutlich ältester Gasthof 'Zum Roten Bären' (seit 1311 ist die Reihe seiner Wirte bezeugt), und die Salzstraße begleitet noch eines jener reizvollen 'Bächle', die auf die Straßenkanalisation des Mittelalters zurückgehen.

GESCHICHTE. – Ende des 11. Jh. gründeten die Herzöge von Zähringen am Fuße ihrer Burg auf dem Schloßberg einen Markt- und Handelsplatz am alten Schwarzwald-Handelsweg nach Schwaben nach dem Elsaß. Herzog Berthold III. und sein Bruder Konrad verliehen 1120 dem Ort Stadtrechte. Die verkehrsgünstige Lage, die Marktrechte und die reichen Silbervorkommen im Schwarzwald sicherten Freiburg bald eine beherrschende Stellung im Breisgau. Mit Herzog Berthold V. starb 1218 das Geschlecht der Zähringer aus. Ihnen folgten die Grafen von Urach, die sich Grafen von Freiburg nannten. 1368 kaufte sich die Stadt von den Grafen los und unterstellte sich dem Haus Habsburg. 1457 gründete Erzherzog Albrecht die Universität. Später gewann Freiburg Bedeutung als Festung. Auf Geheiß Napoleons wurden Freiburg und der Breisgau 1805 von Österreich an das neugeschaffene Großherzogtum Baden abgetreten. 1827 wurde die Stadt Sitz eines Erzbischofs. 1947-1952 war Freiburg Sitz der Landesregierung von Südbaden. Dann wurde es dem neugeschaffenen Bundesland Baden-Württemberg eingegliedert.

Freiburg i. Br.

Kliniken   Univ. Institute

1 Münster
2 Kaufhaus
3 Wenzingerhaus
  (Musikhochschule)
4 Naturkundemuseum
5 Schwabentor
6 Augustinermuseum
7 Martinstor
8 Stadttheater
9 Universitätskirche
10 Alte Universität
11 Rathaus
12 St. Martin
13 Kornhaus

SEHENSWERTES. – Hauptachse der im Zweiten Weltkrieg stark zerstörten, jedoch wiederaufgebauten Stadt ist die Kaiser-Joseph-Straße, die die ALTSTADT (weitgehend Fußgängerbereich) in eine östliche Hälfte mit dem Münster und eine westliche mit dem Rathaus und der Universität teilt; im Süden das alte *Martinstor* (13. Jh.; 1905 stark erhöht).

Das ***Münster** (13.-16. Jh.) ist eines der größten Meisterwerke der gotischen Baukunst in Deutschland; im schönen Innern zahlreiche Kunstwerke: in den Seitenschiffen die Glasgemälde aus dem 14. Jh.; im Chor das *Hochaltarbild (1512-16) von Hans Baldung Grien, das bedeutendste Werk des Meisters; in der Universitätskapelle ein Altarbild (um 1521) von Hans Holbein dem Jüngeren); von der Plattform des 116 m hohen feingliedrigen **Turmes (um 1270 begonnen) großartige Aussicht. – Am Münsterplatz noch einige schöne alte Gebäude: an der Südseite (Nr. 10) das 1532 vollendete rote **Kaufhaus** mit Laubengang und Staffelgiebeln, flankiert von mit spitzen Helmen bekrönten Erkern, und (Nr. 30) das 1761 erbaute ehem. *Wenzingerhaus* (jetzt Musikhochschule); Nordseite des Platzes das 1969-71 wiederaufgebaute *Kornhaus* (15. Jh.).

An der Salzstraße befindet sich in einem ehem. Kloster der Augustiner-Eremiten das ***Augustinermuseum** mit den kunst- und kulturgeschichtlichen Sammlungen der Stadt und des Oberrheingebiets (u. a. ''Das Schneewunder'' von Matthias Grünewald, Glasgemälde und Steinfiguren vom Münster, Gemäldegalerie badischer Maler). Am Ende der Salzstraße das *Schwabentor*

(13. Jh., 1954 erneuert) mit Wandgemälden. – Im ehem. *Adelshauser Kloster,* unweit westlich, das *Natur- und Völkerkundemuseum.*

Im westlichen Teil der Altstadt der Rathausplatz mit einem Standbild des Franziskaners *Berthold Schwarz,* der um 1300 das Schießpulver erfunden haben soll; an der Westseite des Platzes das **Rathaus** (12 Uhr Glockenspiel), dessen nördlicher Teil aus dem 16. Jh. stammt; an der Nordostseite die gotische *St.-Martins-Kirche* mit schön erneuertem Kirchenraum und Kreuzgangflügel. – In der benachbarten Franziskanerstraße das Haus *Zum Walfisch,* ein spätgotisches Bürgerhaus mit schönem Erker, 1516 als Alterssitz für Kaiser Maximilian erbaut.

An der Bertholdstraße die *Alte Universität* und die *Universitätskirche* aus dem 17. Jh. (wiederhergestellt). Weiterhin das *Stadttheater* (1910, 1963 außen umgebaut), die neue *Universitätsbibliothek* und die **Universität,** bestehend aus drei Kollegiengebäuden verschiedenen Alters, die sich um einen Hof gruppieren. Südlich gegenüber auf einer alten Bastei die *Mensa* (1963).

Auf dem ***Schloßberg** (460 m; Seilbahn und Aufzug), der einst die alte Burg der Zähringer Herzöge trug, spärliche Reste von drei Schlössern und eine Bismarcksäule; vom Kanonenplatz (ehem. Bastion) schöner Blick auf Stadt und Münster.

Freiburger Münster vom Schloßberg

UMGEBUNG von Freiburg im Breisgau. – **Schauinsland** (1284 m; 21 km südlich). Freiburgs Hausberg ist auf einer kurvenreichen Autostraße oder mit einer Großkabinenbahn von der Talstation Horben aus zu erreichen. – **Höllental** (ca. 20-25 km südöstlich) mit *Hirschsprungfelsen* und *Ravennaschlucht.* – **Titisee** (31 km südöstlich). Der 2 km lange und $^1/_2$ km lange breite See liegt reizvoll am Fuße des Feldberges. – **Feldberg** (über Schauinslandstraße 39 km, über Höllental und Feldbergstraße 51 km), mit 1493 m die höchste Erhebung des Schwarzwaldes (Sessellift zum 1148 m hohen Seebuck; Fernsehturm mit Aussichtsplattform); ausgezeichnetes Wintersportgelände.

Freudenstadt

Bundesland: Baden-Württemberg.
Kfz-Kennzeichen: FDS.
Höhe: 740 m ü.d.M. – Einwohnerzahl: 20000.
Postleitzahl: D-7290. – Telefonvorwahl: 07441.
(i) **Städtische Kurverwaltung,** Lauterbadstr. 5;
Telefon: 7511.

HOTELS. – *Golfhotel Waldlust,* Lauterbadstr. 92, 150 B.; *Steigenberger Parkhostellerie,* Karl-von-Hahn-Str., 238 B., Hb.; *Sonne am Kurpark,* Turnhallenstr. 63, 70 B., Hb.; *Kurhotel Schwarzwaldhof,* Hohenrieder Str. 74, 36 B.; *Waldhotel Stokinger,* 2 km südlich, 70 B., Hb.; *Waldeck,* Straßburger Str. 60, 100 B.; *Kurhaus Palmenwald,* Lauterbadstr. 56, 140 B., Hb.; *Post,* Stuttgarter Str. 5, 70 B.

RESTAURANTS. – *Ratskeller,* Marktplatz 8; *Bärenschlößle,* Christophstr. 29. – *Café Bacher zum Falken,* Loßburger Str. 5 (Aussicht).

FREIZEIT. – Golfplatz (9 Löcher); Tennisplätze.

Der am Ostrand des nördlichen Schwarzwaldes gelegene heilklimatische Höhenluftkurort gehört zu den meistfrequentierten Urlaubszielen dieser Landschaft und wird auch zum Wintersport aufgesucht.

GESCHICHTE. – Freudenstadt wurde auf einer Rodung des Waldlandes im Jahre 1599 gegründet. Herzog Friedrich I. von Württemberg siedelte in der von H. Schickhardt schachbrettartig angelegten Stadt vor allem Bergleute aus Christophstal und protestantische Flüchtlinge aus Salzburg an. Anläßlich der Grundsteinlegung für die Kirche erhielt der Ort seinen heutigen Namen. 1632 wurde ein großer Teil der Stadt durch Feuer vernichtet. Im 18. und 19. Jh. gab es eine beachtliche Kleineisen- und Glasindustrie. 1944-45 wurde der Stadtkern völlig zerstört. Der Wiederaufbau (1949-54) führte zu einer bemerkenswerten Lösung.

SEHENSWERTES. – In der Stadtmitte der 4$^1/_2$ ha große, von Häusern mit Laubengängen umgebene Marktplatz; in seiner Mitte das *Stadthaus* und die *Hauptpost;* an der Südecke die 1601-08 erbaute, 1951 wiederhergestellte *Stadtkirche,* zwei rechtwinklig zusammenstoßende Langhäuser, in deren einem

die Männer, im anderen die Frauen sitzen sollten (Lesepult von 1140, vorübergehend in Stuttgart; Taufstein aus dem 11./12. Jh.). Den südlichsten Teil der Stadt, der in parkartigen Tannenhochwald ('Palmenwald') übergeht, bildet das Kurviertel, mit dem *Kurhaus* (Kursaal, Theater, Café) und dem *Kurgarten,* sowie dem *Kurmittelhaus* am Fuße des Kienberges.

UMGEBUNG von Freudenstadt. – Die *Schwarzwald-Hochstraße* führt von Freudenstadt über den Kniebis und Ruhestein, am Mummelsee vorbei nach Baden-Baden und erschließt den aussichtsreichen Kamm des Nördlichen Schwarzwaldes. Auch die nördlich nach Karlsruhe, südlich nach Wolfach führende Schwarzwald-Tälerstraße ist landschaftlich reizvoll.

Friedrichshafen

Bundesland: Baden-Württemberg.
Kfz-Kennzeichen: FN.
Höhe: 402 m ü.d.M. – Einwohnerzahl: 52000.
Postleitzahl: D-7990. – Telefonvorwahl: 07541.
(i) **Städtischer Verkehrsverein,** Friedrichstr. 18;
Telefon: 21792.

HOTELS. – **Buchhorner Hof,* Friedrichstr. 33, 90 B.; *Krone,* Schanzstr. 7, 120 B., Hb.; *Sonne,* Friedrichstr. 95, 65 B.; *Goldenes Rad,* Karlstr. 43, 120 B.; *Krager* (garni), Ailinger Str. 52, 20 B.

RESTAURANTS. – *Altstadt-Stuben Rommelspacher,* Seestr. 20; *Fischer,* Ailinger Str. 12.

VERANSTALTUNGEN. – *Internationale Bodenseemesse* (IBO; Mai); *Seehasenfest* (Juni/Juli); Bootsausstellung *Interboot* (Sept./Okt.).

Die in der Mitte des nördlichen Bodensee-Ufers gelegene Stadt, ein wichtiger Durchgangsort nach der Schweiz, ist als Wiege des Zeppelinbaus bekannt geworden und besitzt einen bedeutenden Bodenseehafen.

GESCHICHTE. – Der Ort entstand 1811 durch die von König Friedrich I. von Württemberg veranlaßte Vereinigung der Dörfer Buchhorn und Hofen. Beide Siedlungen wurden durch den Bau der 'Neustadt' räumlich miteinander verbunden. 1824 begann mit der ersten Fahrt des Dampfschiffes "Wilhelm" von Friedrichshafen aus die Geschichte der Bodenseedampfschiffahrt, zu deren wichtigstem Hafen sich die Stadt entwickelte. 1900 fand der Aufstieg des ersten Zeppelins statt. 1944 vernichteten Bombenangriffe den größten Teil von Friedrichshafen, das in den Nachkriegsjahren wiederaufgebaut wurde.

SEHENSWERTES. – An dem belebten Hafen der moderne *Hafenbahnhof,* mit großem Restaurant (Aussichtsterrasse). Die von hier am *Stadtgarten* entlangführende Uferstraße bietet eine

m Zeppelinmuseum von Friedrichshafen

prächtige Aussicht auf den See und die Alpen. Im Stadtinnern das *Rathaus* 1956), mit dem *Bodensee-Museum* Kunstsammlung, Zeppelinmuseum, prähistorische Abteilung). Am West-ende der Stadt das 1824 bis 1830 aus ei-nem Kloster umgebaute *Schloß* (Wohn-sitz des Herzogs Karl von Württemberg), mit der weithin sichtbaren *Schloßkirche* (1695-1700).

UMGEBUNG von Friedrichshafen. – 12 km südöst-lich am Seeufer der Ort *Langenargen* mit dem ehem. Schloß Montfort; 10 km weiter die malerisch auf einer Halbinsel gelegene Luftkurort **Wasser-burg** mit stattlicher Kirche und Schloß.

Fulda

Bundesland: Hessen. – Kfz-Kennzeichen: FD.
Höhe: 280 m ü.d.M. – Einwohnerzahl: 60 000.
Postleitzahl: D-6400. – Telefonvorwahl: 0661.
ⓘ **Reise- und Verkehrsbüro,** Schloßstraße;
Telefon: 10 23 46.

HOTELS. – *Zum Kurfürsten,* Schloßstr. 2, 80 B.; *Lenz,* Leipziger Str. 122, 105 B. (Sauna); *Goldener Karpfen,* Simpliziusplatz 1, 85 B.; *Peterchens Mondfahrt* (garni), Rhabanusstr. 7, 30 B.; *Kolping-haus,* Goethestr. 13, 58 B.; *Hessischer Hof,* Niko-ausstr. 22, 50 B. – In Neuenberg: *Europa,* Haimberger Str. 65, 133 B. – JUGENDHERBERGE: Neuenberger Str. 107, 150 B.

RESTAURANTS. – *Dianakeller,* in der Orangerie; *Hauptwache,* Bonifatiusplatz 2; *Stiftskeller,* Bor-giasplatz 2.

CAFÉS. – *Thiele,* Mittelstr. 2; *Prüfer,* Bahn-hofstr. 16.

Die alte Bischofsstadt ist reizvoll in ein Talbecken der Fulda zwischen den kir-chengekrönten Vorbergen der Rhön und des Vogelsberges eingebettet.

Ihre Fürstbischöfe gaben ihr im 18. Jh. barockes Gepräge. Heute ist die Stadt, deren Peripherie von modernen Hoch-häusern bestimmt wird, auch ein be-deutendes Wirtschaftszentrum. Fulda ist Sitz einer kath. Theologisch-Philo-sophischen Hochschule und Tagungs-ort alljährlicher Bischofskonferenzen.

GESCHICHTE. – 744 gründete Sturmius, ein Schü-ler des Bonifatius, die bis 1803 bestehende Bene-diktiner-Abtei. Der Abt von Fulda war seit 969 Pri-mas aller Benediktiner in Deutschland und Frank-reich, seit 1220 Reichsfürst. 1011 erhielt Fulda Markt- und Münzrecht, um 1114 Stadtrecht. Bis ins 14. Jh. war der Ort Schauplatz zahlreicher Hof- und Fürstentage. 1734 bekam er eine Universität (deren Tradition heute die Theologisch-Philosophische Hochschule fortsetzt). 1752 wurden die Fuldaer Äbte Fürstbischöfe, ihr Territorium entsprechend Fürstbistum (bis 1803). Seit 1866 ist Fulda Kreis-stadt.

SEHENSWERTES. – Das **Schloß,** die ehem. Residenz der Fuldaer Fürstbi-schöfe (jetzt Sitz von Behörden und Vonderau-Museum mit kunst- und kul-turgeschichtlichen Sammlungen der Fürstabtei Fulda; Kaisersaal, Fürsten-saal, Spiegelkabinett; Deutsches Feu-erwehrmuseum) an der Schloßstraße wurde 1720 erbaut; an der Nordseite des Schloßgartens die *Orangerie,* eine reiz-volle Barockanlage, davor die mächtige Floravase von 1728; daneben der *Stadt-saal.*

Am weiten Domplatz erhebt sich der 1704-12 durch Johann Dientzenhofer erbaute **Dom.** Sein *Inneres (1953 reno-viert) gehört zu den vorzüglichsten deutschen Barockwerken; unter dem Chor die Bonifatiusgruft; sehenswertes *Dommuseum* (u. a. Handschrift aus dem Besitz des hl. Bonifatius). Nördlich vom Dom die kleine *St.-Michaels-Kapelle,* eine der wenigen aus karolingischer Zeit erhaltenen Kirchen (Rundbau 820-22, mit Krypta; Langhaus 11. Jh.). Die an den Dom angrenzende ehem.

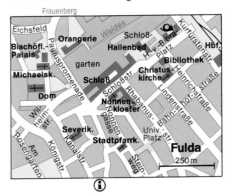

Propstei Michaelsberg ist jetzt *Bischofspalais.*

In der *Landesbibliothek,* zwischen Schloß und Bahnhof, wertvolle Codices und Evangeliare der alten Fuldaer Klosterschule. – Vom *Kloster Frauenberg* (um 800 gegr., heutiger Bau von 1780; mit Barockkirche), 10 Min. nördlich des Schloßgartens, schöner Blick auf die Stadt und die Rhön. – Jenseits der Fulda, im Stadtteil NEUENBERG, die *Andreaskirche* des ehem. Benediktinerklosters Andreasberg (in der Krypta prächtige Malereien des 11. Jh.).

UMGEBUNG von Fulda. – **Schloß Fasanerie** *(Adolfseck,* 18. Jh.; 7 km südlich), ehem. Lustschloß der Fuldaer Fürstäbte; mit Antiken- und Porzellansammlung der Landgrafen von Hessen. – Ehem. **Benediktinerkloster St. Peter** (5 km nordöstlich) auf dem 401 m hohen Basaltkegel des Petersberges (Aussicht); in der Krypta (9. Jh.) der Klosterkirche der Steinsarg der hl. Lioba, einer Verwandten und Mitarbeiterin des hl. Bonifatius; sehr alte Wandmalereien.

Füssen

Bundesland: Bayern. – Kfz-Kennzeichen: FÜS. Höhe: 800 m ü.d.M. – Einwohnerzahl: 11000. Postleitzahl: D-8958. – Telefonvorwahl: 08362.
ⓘ **Kurverwaltung,** Augsburger-Tor-Platz 1; Telefon: 6356.

HOTELS. – *Hirsch,* Augsburger-Tor-Platz 2, 80 B.; *Sailers Kurhotel,* Bildhauer-Sturm-Str. 14, 52 B., Hb., Sauna; *Sonne* (garni), Reichenstr. 37, 60 B.; *Kurhotel Filser,* Säulingstr. 3, 40 B. – In Bad Faulenbach: *Kurhotel Berger,* Alatseestr. 26, 50 B., Hb., Sauna; *Kurhotel Wiedemann,* Am Anger 3, 60 B. – JUGENDHERBERGE: Mariahilfer Str. 5, 150 B. – CAMPINGPLATZ: *Brunnen,* am Forggensee.

Die alte bergumrahmte Stadt am Lech zwischen Ammergauer und Allgäuer Alpen ist ein beliebter Luftkurort und Wintersportplatz. Der Ortsteil Bad Faulenbach mit Schwefelquelle, Kneipp- und Moorbädern macht Füssen auch zum Heilbad. Die Stadt ist Endpunkt der Romantischen Straße und Ausgangspunkt für Fahrten zu den berühmten Königsschlössern *Neuschwanstein und Hohenschwangau.

GESCHICHTE. – Die Gegend um Füssen ist uraltes Siedlungsland, das schon im Paläolithikum zeitweise bewohnt war. Den in historischer Zeit hier ansässigen Kelten folgten seit 15 v. Chr. römische Kolonisten; das Gebiet wurde als Provinz Rätien angeschlossen, dann eine Militärstraße, die Via Claudia, gebaut. Auf dem heutigen Schloßberg errichtete man ein Kastell zum Schutz gegen die Alemannen, die jedoch in der Folgezeit das Gebiet einnahmen. Die heutige Siedlung geht auf eine Klostergründung des heiligen Magnus, volkstümlich St. Mang genannt, zurück. Gegen Ende des 12. Jh. erhielt Füssen die Stadtrechte, unterstand sei 1313 dem Bischof von Augsburg und kam nach 1802 an Bayern. 1921 wurde der Ort Faulenbach eingemeindet.

SEHENSWERTES. – Über der Stadt das *Hohe Schloß* (13. und 16. Jh.), die ehem. Sommerresidenz der Augsburger Fürstbischöfe (jetzt Amtsgericht; Rittersaal, Schloßkapelle, Gemäldesammlung). Unterhalb die um 728 gegründete ehem. Benediktinerabtei *St. Mang* (z.T. Rathaus, z.T. Heimatmuseum; Fürstensaal, Papstzimmer) mit der 1701-17 erbauten barocken *Stadtkirche* (Turm und Krypta aus dem 10. und 11. Jh.), Erstlingswerk des einheimischen Baumeisters Johann Jakob Herkomer. – Unweit westlich (Zufahrt von der Pfrontener Straße) der Ortsteil BAD FAULENBACH mit Schwefelquelle, Kneipp-, Moor- und Naturbädern. – 1 km nördlich von Füssen der durch Aufstauung des Lechs entstandene $11^1/_2$ km lange **Forggensee** ($15^3/_4$ qkm; Motorboote).

UMGEBUNG von Füssen. – *Schloß Neuschwanstein (965 m, 5 km östlich; s. Titelbild), das 'Märchenschloß' König Ludwigs II., mit seinen Türmen und Zinnen 1869-86 von E. Riedel nach Plänen des Theatermalers Chr. Jank errichtet (sehenswerter Thron- und Sängersaal; schöner Ausblick). – **Schloß Hohenschwangau** (865 m; 4 km östlich), 1832-36 in neugotischem Stil nach Plänen des Theatermalers D. Quaglio für König Maximilian II. erbaut (Fresken von Moritz von Schwind).

Bad Gandersheim

Bundesland: Niedersachsen. Kfz-Kennzeichen: GAN. Höhe: 113 m ü.d.M. – Einwohnerzahl: 12500. Postleitzahl: D-3353. – Telefonvorwahl: 05382.
ⓘ **Kurverwaltung,** Stiftsfreiheit 12; Telefon: 73440.

HOTELS. – *Kurpark-Hotel Bartels,* Dr.-Heinrich-Jasper-Str. 2, 168 B.; *Weißes Roß,* Markt 1, 72 B.; *Bartsch,* Schanzenstieg 2, 42 B. – JUGENDHERBERGE: Am Kantorberg 17. – CAMPINGPLATZ: beim Mineral-Sole-Freischwimmbad.

RESTAURANTS. – *Ratskeller,* Am Markt 10; *Kurhaus-Restaurant,* Hildesheimer Str. 6.

VERANSTALTUNGEN. – *Domfestspiele* (im Juni).

Bad Gandersheim ist ein bekanntes Solbad im Leinebergland zwischen Harz und Solling (Heilanzeigen: Rheuma, Frauenleiden, Kinderkrankheiten, Katarrhe der Atmungsorgane). Be-

rühmt wurde der Ort durch Roswitha von Gandersheim, Deutschlands erste Dichterin. Ein Erlebnis sind die alljährlichen Domfestspiele vor der eindrucksvollen Kulisse der ehrwürdigen Stiftskirche.

GESCHICHTE. – 877 wurde das Stift Gandersheim von Ludwig II. unter königlichen Schutz gestellt. Im 10. Jh. verfaßte die Nonne Roswitha von Gandersheim im Kloster ihre lateinischen Dramen und Epen. Anfang des 13. Jh. wurden erste Wunderheilungen durch die heilkräftigen Quellen bekannt. Ab 1878 erfolgte der Ausbau des Ortes. 1932 wurde Gandersheim Bad, 1967 Heilbad.

SEHENSWERTES. – Das Stadtbild wird beherrscht von der romanischen *Stiftskirche (11. Jh., reiche Innenausstattung), an die sich nach Osten die um 1600 errichteten ehem. *Abteigebäude (jetzt Kreisverwaltung; schöner Renaissancegiebel, Kaisersaal von 1735) anschließen. – Am von schönen Fachwerkhäusern gesäumten nahen Markt steht das *Rathaus,* ein reizvoller Renaissancebau, der die alte Moritzkirche miteinbezieht. – Die *Georgskirche* am westlichen Stadtrand (1550) besitzt einen romanischen Turm und eine holzgeschnitzte Flachdecke. – 1 km nördlich der Stadt das *Solbad* mit Badehaus und hübschen Kuranlagen.

Garmisch-Partenkirchen

Bundesland: Bayern. – Kfz-Kennzeichen: GAP.
Höhe: 720 m ü.d.M. – Einwohnerzahl: 27 500.
Postleitzahl: D-8100. – Telefonvorwahl: 0 88 21.
ⓘ **Verkehrsamt,** Am Bahnhof;
Telefon: 25 70.
Kurverwaltung, Schnitzschulstraße 19;
Telefon: 5 30 93.

HOTELS. – In G a r m i s c h : *Alpina,* Alpspitzstr. 12, 70 B., Hb., Fb., Sauna; *Clausings Posthotel,* Marienplatz 12, 55 B.; *Obermühle* (garni), Mühlstr. 22, 66 B., Hb.; *Golf-Hotel Sonnenbichl,* Burgstr. 97, 160 B., Hb., Sauna, Golfplatz; *Zugspitz,* Klammstr. 19, 70 B., Hb., Sauna; *Buchenhof* (garni), Brauhausstr. 3, 20 B., Hb., Sauna; *Garmischer Hof* (garni), Bahnhofstr. 51. – In P a r t e n k i r c h e n : *Partenkirchner Hof,* Bahnhofstr. 15, 120 B. (mit Rest. 'Reindl-Grill'), Hb., Sauna; *Posthotel Partenkirchen,* Ludwigstr. 49, 90 B.; *Leiner,* Wildenauer Str. 20, 74 B.; *Deutsches Haus,* Mittenwalder Str. 11, 120 B. – In d e r U m g e b u n g : *Forsthaus Graseck,* 75 B., Hb., Sauna; *Schneefernerhaus,* am Zugspitzplatt (2650 m), 23 B. (Liegeterrasse). – JUGENDHERBERGE: Jochstr. 10, 290 B. – CAMPINGPLÄTZE: *Zugspitze,* in der Schmölz; *Park-Camping,* an der Münchener Straße.

RESTAURANTS. – *Chesa Reindl,* Schmiedstr. 1 (Schweizer Spez.); *Stahls Badstuben,* im Alp-

spitz-Wellenbad, Klammstr. 47; *Alpspitze,* Sonnenstr. 6; *Heuriger zum Melber,* Ludwigstr. 37.

CAFÉS. – *Krönner,* Achenfeldstr. 1; *Kneitinger,* Bahnhofstr. 7; *Rießersee,* am Rießersee.

Internationale Spielbank (Roulette, Baccara), Marienplatz.

Garmisch-Partenkirchen ist einer der meistbesuchten Fremdenverkehrsorte der Bayerischen Alpen, ein bekannter heilklimatischer Kurort und der führende deutsche Wintersportplatz. Hier fanden 1936 die Olympischen Winterspiele statt. Den weiten Talgrund der Loisach umschließen mächtige Gebirgsstöcke: im Norden Kramer und Wank, im Süden die alles beherrschende Felsmauer des Wettersteins mit Kreuzeck, der scharfgratigen Alp-

Garmisch-Partenkirchen im Winter

spitze und Dreitorspitze sowie – hinter dem Großen Waxenstein aufragend – der Zugspitze, mit 2963 m Deutschlands höchstem Berg. Garmisch-Partenkirchen an der Deutschen Alpenstraße und an der Olympiastraße ist der Hauptort des Werdenfelser Landes.

GESCHICHTE. – Die 1361 zum Markt erhobene uralte Siedlung Partenkirchen, das *Parthanum* der Römer, war einst ein wichtiger Rastort an der Handelsstraße von Augsburg über Mittenwald nach Italien und erlebte durch den deutsch-italienischen Warenverkehr im Mittelalter eine Zeit hoher Blüte. Garmisch nahm an dem wirtschaftlichen Aufschwung teil. Beide Orte gehörten zu der Ende des 13. Jh. vom Bistum Freising gegründeten Reichsgrafschaft Werdenfels, die 1803 an Bayern kam. Nach einer Zeit wirtschaftlichen Niedergangs im 17. Jh. begann um die Mitte des 19. Jh. der Aufschwung des Doppelorts als Mittelpunkt des Fremdenverkehrs.

SEHENSWERTES. – Der Ortsteil GARMISCH mit malerischen alten Bauernhäusern (besonders an der Frühlingstraße) liegt westlich der Eisenbahn an der Loisach. Am Richard-Strauss-Platz das *Kurtheater,* dahinter der *Kurpark* mit dem *Kongreßgebäude* (1964). Die 1730-33 von Joseph Schmuzer erbaute *Neue Pfarrkirche* besitzt eine reiche Barockausstattung, die *Alte Pfarrkirche* aus dem 15. und 16. Jh. wertvolle Reste gotischer Wandmalereien. Beim Zugspitzbahnhof das *Olympia-Eisstadion.* Jenseits der Loisach, Zöppritzstr. 42, die *Richard-Strauss-Villa,* Wohnhaus des 1949 in Garmisch verstorbenen Komponisten.

In PARTENKIRCHEN, zwischen Partnach und Wank, das stattliche *Rathaus* (1935) und das *Werdenfelser Heimatmuseum* (im 'Wackerle-Haus' an der Ludwigstraße). Vom Florianplatz reizvoller *Zugspitzblick.* $^1/_4$ St. oberhalb die *St.-Antons-Anlage* (schöne Aussicht) mit der gut ausgestatteten *Wallfahrtskirche St. Anton* (1704). – Südlich von Partenkirchen, am Gudiberg, das *Olympia-Skistadion* mit Großer und Kleiner Olympiaschanze.

UMGEBUNG. – *Wank (1780 m, Bergwirtschaft; 3 km nordöstlich; Kabinenseilbahn) mit schönem Überblick über das Garmischer Talbecken und seine Gebirgsumrahmung. – *Kreuzeck (1652 m, Zöppritz-Haus; 4 km südlich; Kabinenseilbahn) mit prachtvoller Rundsicht. – *Eckbauer (1239 m, Berggasthof; 4 km südlich; Kabinenseilbahn). – Osterfelderkopf (2050 m, Panorama-Restaurant; 5 km südwestlich; Großkabinenbahn); von dort Kabinenbahn zur *Hochalm* (1705 m). – *Partnachklamm (3 km südöstlich), wildromantische Gebirgsschlucht der Partnach mit Tunneln und Galerien. – *Höllentalklamm (6 km südwestlich); von der Höllentalklammhütte (1045 m) führt ein 1 km langer Weg mit zahlreichen Tunneln, Galerien und Brücken zum Klammende (1161 m). – Rießersee (2 km südlich), kleiner Gebirgssee mit Blick auf Kleinen und Großen Waxenstein; Bobbahn. – *Eibsee (7 km südwestlich), malerischer 1,8 qkm großer Gebirgssee mit Blick auf Waxenstein und Riffelwand der Zugspitze; 4,5 km lange Großkabinenbahn zum Zugspitzgipfel. – **Zugspitze (10 km südwestlich), mit 2963 m Deutschlands höchster Berg; 18,7 km lange Zahnradbahn (Bayerische Zugspitzbahn) vom *Zugspitzbahnhof* über *Rießersee, Grainau-Badersee, Eibsee* und *Riffelriß* zum *Hotel Schneefernerhaus* (2650 m), von dort Seilbahn zur *Gipfelstation* (2950 m, Aussichtsterrasse); 4,5 km lange Großkabinenbahn vom *Eibsee* zum *Zugspitzgipfel.* Großartige Rundsicht: im Süden die Zentralalpen von den Hohen Tauern bis zur Silvretta, ferner Ortler und Bernina; im Westen die Lechtaler und Allgäuer Alpen, dahinter Tödi und Säntis; im Norden die bayerische Hochebene; im Osten Karwendel, Tegernseer und Kitzbüheler Alpen. Auf dem nahen *Westgipfel* (2963 m) ein Funkgebäude der Bundespost (1974/75; vorher Münchner Haus). Auf dem *Ostgipfel* (2962 m, nur für Schwindelfreie) ein Kreuz. – Das 7,2 qkm große *Zugspitzplatt ist Deutschlands höchstes und schneesicherstes Skigebiet (auch Sommerskilauf).

Gießen

Bundesland: Hessen. – Kfz-Kennzeichen: GI (L). Höhe: 165 m ü.d.M. – Einwohnerzahl: 76000. Postleitzahl: D-6300. – Telefonvorwahl: 0641.
ⓘ Verkehrs- und Informationsbüro, Berliner Platz 4; Telefon: 306730.

HOTELS. – *Steinsgarten, Hein-Heckroth-Str. 20, 120 B., Hb.; *Kübel,* Bahnhofstr. 47, 73 B., Hb.; *Am Ludwigplatz,* Ludwigsplatz 8, 71 B.; *Parkhotel* (garni), Friedrichstr. 1, 50 B.; *Liebig* (garni), Liebigstr. 21, 48 B.; *Motel an der Lahn* (garni), Lahnstr. 21, 22 B. – In Krofdorf-Gleiberg: *Haus Wettenberg,* Am Augarten 1, 74 B. – JUGENDHERBERGE: Hardtallee 75. – CAMPINGPLÄTZE: *Am Schwimmbad,* in Gießen-Kleinlinden; *Wismarer See,* in Wismar bei Gießen.

RESTAURANTS. – *Kongreßhalle-Ratsstuben,* Berliner Platz 2; *Martinshof,* Liebigstr. 20.

CAFÉ. – *Dach-Café,* Ludwigsplatz 11.

Die alte Universitätsstadt an der Lahn im weiten Gießener Becken ist die größte Stadt Mittelhessens und Sitz bedeutender Industriebetriebe. Hier lehrte und wirkte 1834-1852 der große Chemiker Justus von Liebig, der Vater der modernen Stickstoffdüngung und Erfinder des Fleischextraktes. Die im Zweiten Weltkrieg stark zerstörte Innenstadt besitzt nur noch wenige alte Bauwerke.

GESCHICHTE. – 1197 wurde eine von den Grafen von Gleiberg angelegte Burg urkundlich erwähnt. 1248 war Gießen bereits Stadt. 1265 fiel es durch Kauf an die Landgrafen von Hessen, die es zu einer starken Festung ausbauten. 1605 wurde ein Pädagogium gegründet, das schon 1607 zur Universität erhoben wurde. 1944 wurde die Stadt zu zwei Dritteln zerstört. – In jüngster Zeit stieß die Vereinigung der Städte Gießen und Wetzlar zur Stadt Lahn auf starken Widerstand, weshalb der Zusammenschluß 1979 rückgängig gemacht wurde.

SEHENSWERTES. – Am Brandplatz steht die Ruine des *Alten Schlosses* (Wiederaufbau geplant) mit dem 'Heidenturm' genannten Bergfried (um 1330). Unweit nordöstlich am Landgraf-Philipp-Platz das **Neue Schloß** (16. Jh.; Geograph. Institut) und das wiederhergestellte *Zeughaus* (von 1586; jetzt Universitätsinstitute). Am Ostrand der Altstadt der älteste *Botanische Garten* Deutschlands (1609). Im Süden der Stadt die 1607 gegründete, 1880 neu erbaute *Justus-Liebig-Universität,* an der 1834-52 der große Chemiker Justus von Liebig wirkte; im *Liebig-Museum* an der Liebigstr. 12 sein wohlerhaltenes Laboratorium. In der Bismarckstraße die *Universitätsbiblio-*

thek. – Am Asterweg 9 das *Oberhessi-sche Museum* (prähistorische, lokalge-schichtliche und volkskundliche Samm-lungen, Gemälde, Graphiken).

Goslar

Bundesland: Niedersachsen.
Kfz-Kennzeichen: GS.
Höhe: 265-320 m ü.d.M. – Einwohnerzahl: 54000.
Postleitzahl: D-3380. – Telefonvorwahl: 05321.
ⓘ **Tourist-Information,** Markt 7; Telefon: 704217.

HOTELS. – *Der Achtermann,* Rosentorstr. 20, 140 B. (mit Altdeutscher Bierstube); *Kaiserworth,* Markt 3, 100 B. (histor. Haus von 1494, mit 'Duka-tenkeller'); *Das Brusttuch,* Hoher Weg 1, 25 B. (Pa-trizierhaus von 1526; Hb.); *Niedersächsischer Hof,* Klubgartenstr. 1, 120 B.; *Schwarzer Adler,* Rosen-torstr. 25, 60 B.; *Zur Tanne* (garni), Bäringerstr. 10, 33 B.; *Klause,* Hoher Weg 3, 42 B. – I n G r a u h o f : *Grauhof,* am Grauhof-Brunnen, 50 B. – I n H a h -n e n k l e e : *Kurhotel Hahnenklee,* Triftstr. 25, 250 B., Hb., Sb., Sauna; *Harzhotel Kreuzeck,* Kreuzeck 1, 150 B., Hb., Sauna; *Hahnenkleer Hof,* Parkstr. 24 a, 94 B. (mit Gästehaus), Hb., Sauna; *Victoria Luise,* Bockswieser Str. 2, 60 B.; *Waldgar-ten,* Lautenthaler Str. 36, 65 B.; *Kurheim am Walde,* Lautenthaler Str. 19, 40 B., Hb. – JUGENDHER-BERGE: Rammelsberger Str. 25, 210 B. – CAM-PINGPLÄTZE: *Sennhütte,* an der Straße nach Clausthal-Zellerfeld; *Am Kreuzeck,* an der Straße nach Hahnenklee.

RESTAURANTS. – *Ratskeller,* Markt 1; *Weißer Schwan* – *Balkan-Grill,* Münzstr. 11. – I n H a h -n e n k l e e : *Bergkanne,* Am Kreuzeck; *Braustübl,* Granetalweg 1.

CAFÉ. – *Anders,* Hoher Weg.

Die tausendjährige Kaiser- und Reichsstadt am Nordrande des Harzes legt mit ihrer mächtigen Kaiserpfalz, den mittelalterlichen Kirchen und Be-festigungsanlagen beredtes Zeugnis ab von großer geschichtlicher Vergan-genheit. Malerische Fachwerkstraßen bestimmen das Gesicht der Altstadt. Zu Goslar gehört auch der bekannte heilklimatische Kurort und Winter-sportplatz Hahnenklee-Bockswiese am Fuße des 726 m hohen Bocksber-ges.

GESCHICHTE. – Ursprung Goslars war eine Kauf-mannssiedlung, die bereits im 10. Jh. durch den Abbau reicher Silbervorkommen im nahen Ram-melsberg große wirtschaftliche Bedeutung erlang-te. Anfang des 11. Jh. verlegte deshalb Kaiser Hein-rich II. seine Pfalz von Werla über dem Okertal nach Goslar. Die Goslarer Kaiserpfalz (unter Heinrich III. neu erbaut) wurde zum Lieblingsaufenthalt der Sa-lier-Kaiser. Ein bedeutendes Ereignis war 1056 der Besuch Papst Viktors II. bei Heinrich III. Die Stadt war Schauplatz zahlreicher Reichsversammlungen.

Im 13. Jh. wurde sie Mitglied der Hanse. 1340 er-langte sie die Reichsfreiheit. Mit dem Verlust der Nutzungsrechte am Rammelsberg Mitte des 16. Jh. und kriegerischen Auseinandersetzungen begann nach großer wirtschaftlicher Blüte der Niedergang, dem erst in jüngster Zeit durch die Entwicklung von Industrie und Fremdenverkehr ein erneuter Auf-schwung folgte.

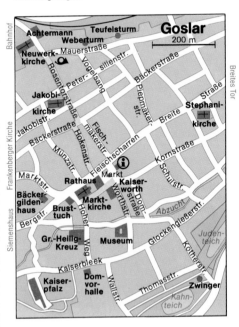

SEHENSWERTES. – An dem altertümli-chen Marktplatz, den der *Marktbrun-nen* (13. Jh.) mit dem Reichsadler ziert, steht das ***Rathaus** (Hauptbau 15. Jh.); im Obergeschoß der prunkvolle Huldi-gungssaal mit spätgotischen Wand- und Deckenmalereien sowie Holz-schnitzereien (wertvolles Evangelien-buch von 1230, silberne Bergkanne von 1477). An der Südseite des Marktes die *Kaiserworth* (1494), das ehemalige Gil-dehaus der Gewandschneider (jetzt Ho-tel) mit acht Kaiserstandbildern aus dem 17. Jh.; links an der Ecke das 'Dukaten-männchen'. Von hier führt die Worth-straße zum *Goslarer Museum* mit wert-vollen kunst- und kulturgeschichtlichen sowie geologischen Sammlungen. – Am Gemeindehof 1 die *Kulturhistorische Sammlung Adam* mit Handschriften und Druckerzeugnissen vom 15.-20. Jh. so-wie Sammlungen zum Bergbau und Hüttenwesen.

Westlich hinter dem Rathaus die spät-romanische **Marktkirche;** gegenüber der Westfassade das ***Brusttuch,** ein 1526 erbautes Bürgerhaus mit reichen Schnitzereien ('Butterhanne'). Nahebei das *Bäckergildenhaus* (1501-57; jetzt

Sitz der Industrie- und Handelskammer); weiter westlich das *Siemenshaus* (1693; Stammhaus der Familie Siemens).

Im südlichen Teil der Altstadt erhebt sich an dem großen Platz **Kaiserbleek** die **Kaiserpfalz,* der größte aus romanischer Zeit erhaltene Palastbau in Deutschland, unter Kaiser Heinrich III. (1039-56) errichtet und später mehrfach umgebaut; in dem 47 m langen Reichssaal Wandgemälde von Hermann Wislicenus (1879-1897); in der *St.-Ulrichs-Kapelle* der Sarkophag Heinrichs III., dessen Sockel in einer Kassette das Herz des Kaisers bewahrt. – Östlich der

Kaiserpfalz in Goslar

Pfalz die *Domkapelle* (um 1150), die Vorhalle des 1819 abgetragenen Doms; im Innern der Kaiserstuhl mit seinen steinernen Schranken (11. Jh.). Unweit nördlich am Hohen Weg das Stift *Großes Heiliges Kreuz* (ehem. St.-Johannis-Hospital, 1254 gegr.; jetzt Altersheim).

Nördlich vom Markt die kath. *Jakobikirche* (12.-15. Jh.; beachtenswertes Vesperbild, um 1510) – unweit westlich davon das *Mönchehaus* (Fachwerkbau von 1528) mit dem *Jagd- und Forstmuseum* und die **Neuwerkkirche** (Klosterkirche, um 1186 gegründet; schöne Wandmalereien im Chor). Gegenüber als Rest des Rosentors der *Achtermannsturm* (1508; jetzt Hotel).

Im Verlauf der alten Wälle im Osten der Altstadt das *Breite Tor* (1443), im Südosten der *Zwinger,* ein 1517 erbauter runder Festungsturm (Restaurant; mittelalterliche Rüst- und Folterkammer), im Westen die romanische *Frankenberger Kirche* (1250; Wandmalereien).

Im 13 km südwestlich gelegenen Ortsteil HAHNENKLEE eine nordische

Stabkirche (1908) und das *Paul-Lincke-Museum* (im Kurhaus).

UMGEBUNG von Goslar. – Ehem. **Chorherrenstift Riechenberg** (3 km nordwestlich) mit Ruine der Stiftskirche St. Maria (12. Jh.; Krypta mit reichornamentierten Säulen und Kapitellen). – **Stiftskirche Grauhof** (4 km nördlich), Barockbau des 18. Jh. mit reicher Ausstattung. – **Okertal* (6 km südöstlich), wildromantisches Flußtal mit prachtvollen Felsszenerien und dem *Romkerhaller Wasserfall.*

Göttingen

Bundesland: Niedersachsen.
Kfz-Kennzeichen: GÖ.
Höhe: 150 m ü.d.M. – Einwohnerzahl: 125 000.
Postleitzahl: D-3400. – Telefonvorwahl: 05 51.
ⓘ **Fremdenverkehrsamt,** im Rathaus;
Telefon: 4 00 23 25.
    Tourist-Information, Pavillon am Bahnhof;
    Telefon: 5 60 00.

HOTELS. – *Gebhards Hotel,* Goetheallee 22, 82 B., Hb.; *Eden* (garni), Reinhäuser Landstr. 22 a, 59 B., Hb.; *Zur Sonne* (garni), Paulinerstr. 10, 120 B.; *Central* (garni), Jüdenstr. 12, 75 B.; *Stadt Hannover* (garni), Goetheallee 21, 50 B. – In G r o n e : **Parkhotel Ropeter,* Kasseler Landstr. 45, 120 B., Hb., Sauna; *Rennschuh* (garni), Im großen Felde 10, 90 B.; *Groner Hof,* Kasseler Landstr. 64, 60 B. – *Autobahn-Rasthaus Göttingen-West,* Rosdorf-Mengershausen, 70 B. – JUGENDHERBERGE: Habichtsweg 2, 142 B.

RESTAURANTS. – *Alte Krone,* Weender Str. 13; *Walliser Keller,* Prinzenstr. 13; *Junkernschänke,* Barfüßerstr. 5 (Fachwerkhaus von 1547); *Alte Fink Europa,* Nikolaistr. 1 b; *Zum Schwarzen Bären,* Kurze Str. 12 (traditionsreiches Studentenlokal); *Rathskeller,* Marktplatz.

CAFÉ. – *Cron und Lanz,* Weender Str. 25.

VERANSTALTUNGEN. – *Händel-Festspiele* (im Juni).

Göttingen im Tal der Leine am Fuße des Hainberges ist eine der traditionsreichsten Universitätsstädte Deutschlands. Zahlreiche Nobelpreisträger studierten oder lehrten hier. Seit 1945 ist die Stadt überdies Sitz der Max-Planck-Gesellschaft. Auch als Kongreß-, Theater- und Filmstadt hat sie Ruf. Wallanlagen umgeben noch heute die an Fachwerkbauten reiche Altstadt. In den Außenbezirken hat sich eine bedeutende feinmechanische, optische und metallverarbeitende Industrie angesiedelt.

GESCHICHTE. – Urkundlich zuerst 953 erwähnt, erhielt Göttingen 1210 Stadtrechte. 1351-1572 war die Stadt Mitglied der Hanse. 1734 gründete Kurfürst Georg II. von Hannover die nach ihm benannte Universität 'Georgia Augusta', die als modische Adelsuniversität schnell zu hoher Blüte gelangte und mit ihren zahlreichen Instituten (besonders der naturwissenschaftlichen und medizinischen Fakultät) weitgehend das Leben der Stadt bestimmt.

SEHENSWERTES. – Im Mittelpunkt der ALTSTADT am Markt stehen der *Gänselieselbrunnen* und das **Rathaus** (1369-1443) mit sehenswerter Halle. Dahinter die **Johanniskirche** (14. Jh.), die älteste Kirche der Stadt; ihre Doppeltürme tragen verschiedenartige Bekrönungen (von der Galerie des nördlichen Turmes schöner Rundblick). Nordwestlich die *Universitätsbibliothek* (über 2 Mio. Bände); südwestlich die *Marienkirche* (ehem. Kirche des Deutschritterordens; 14. Jh.).

Rathaus am Markt in Göttingen

An der **Weender Straße**, der Hauptgeschäftsstraße Göttingens (Fußgängerzone), die gotische **Jakobikirche** (14. Jh.) mit 74 m hohem Westturm von 1426, dem Wahrzeichen der Stadt, und einem schönen Schnitzaltar von 1402.

Nordöstlich vom Markt an der **Barfüßerstraße** die alte *Ratsapotheke,* ein schöner Fachwerkbau von 1553 (Ecke Markt), die 1547-49 erbaute reich verzierte *Junkernschänke* (Nr. 5; Hotel) und das *Bornemannsche Haus* von 1536 (Nr. 12). Am **Wilhelmsplatz** das 1837 erbaute klassizistische **Aulagebäude** der Universität (im Giebelfeld Skulpturen von Ernst von Bandel); unweit östlich die *Albanikirche* (15. Jh.; Flügelaltar von 1499) und die *Stadthalle* (1964).

Nördlich am alten Stadtwall der **Theaterplatz** mit dem *Deutschen Theater,* dem **Museum für Völkerkunde** (u. a. interessante Südseesammlung) und der *Kunstsammlung der Universität* (italien., niederländ. und deutsche Malerei, Graphik und Plastik vom 14.-20. Jh.). Weiter nördlich der *Botanische Garten.* – Das *Städtische Museum* am Ritterplan, im Hardenberger Hof von 1592, beherbergt Sammlungen zu Ur- und Frühgeschichte, Geschichte der Stadt und der Universität sowie kirchlicher Kunst.

Im Süden des Stadtwalls das *Bismarckhäuschen,* ein Bollwerk der ehem. Stadtbefestigung, in dem Otto von Bismarck 1832/33 als Student wohnte, und das *Wöhler-* und *Gauß-Weber-Denkmal.* Der berühmte Chemiker und Entdecker des Aluminiums (1827) und die nicht minder bekannten Erfinder des elektromagnetischen Telegraphen (1833) lehrten an der Göttinger Universität.

UMGEBUNG von Göttingen. – *Burgruine Plesse* (12 km nördlich; Aussicht). – *Gleichen* (12 km südöstlich; 429 m, Rundblick).

Hagen

Bundesland: Nordrhein-Westfalen.
Kfz-Kennzeichen: HA.
Höhe: 106-410 m ü.d.M. – Einwohnerzahl: 224 000.
Postleitzahl: D-5800. – Telefonvorwahl: 02331.
ⓘ **Verkehrsverein,** Berliner Platz; Telefon: 13573.

HOTELS. – *Deutsches Haus,* Bahnhofstr. 35, 53 B.; *Lex* (garni), Elberfelder Str. 71, 71 B.; *Central* (garni), Dahlenkampstr. 2, 31 B.; *Parkhaus Hagen,* Stadtgartenallee 1, 12 B. – In Dahl: *Funkenhaus,* an der B 54, 36 B. – In Hohenlimburg: *Bentheimer Hof,* Stennertstr. 20, 38 B. – In Rummenohl: *Dresel,* an der B 54, 25 B. – In Selbecke: *Schmidt,* Selbecker Str. 220, 40 B. – JUGENDHERBERGE: Eppenhauser Str. 65 a, 145 B.

RESTAURANTS. – *Ratskeller,* Friedrich-Ebert-Platz; *China-Restaurant,* Altenhagener Str. 2; *Zum Deelenkrug,* Im Flasspoth 1, Hagen-Garenfeld; *Mykonos,* Hagener Str. 3, Hagen-Hohenlimburg (griech. Küche).

Hagen am Nordrande des Sauerlandes greift spinnenförmig in die von bewaldeten Höhen umgebenen Täler von Ruhr, Ennepe, Lenne und Volme vor. Das Wirtschaftsleben der Großstadt im Kreuzungspunkt wichtiger Verkehrswege bestimmen Eisen- und Kleineisenindustrie, Herstellung von Akkumu-

Westfälisches Freilichtmuseum Technischer Kulturdenkmale Hagen

Museumspark Mäckingerbach

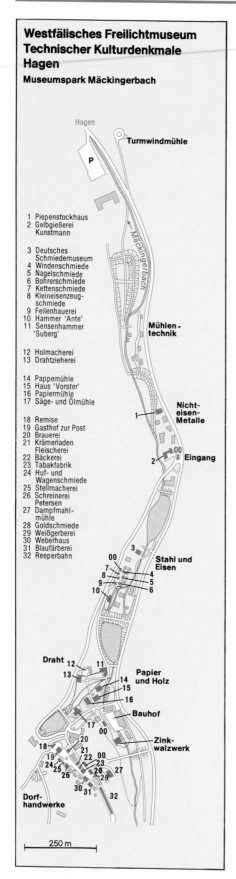

Hagen

Turmwindmühle

P

1 Piepenstockhaus
2 Gelbgießerei Kunstmann

3 Deutsches Schmiedemuseum
4 Windenschmiede
5 Nagelschmiede
6 Bohrerschmiede
7 Kettenschmiede
8 Kleineisenzeug-schmiede
9 Feilenhauerei
10 Hammer 'Ante'
11 Sensenhammer 'Suberg'

12 Holmacherei
13 Drahtzieherei

14 Pappemühle
15 Haus 'Vorster'
16 Papiermühle
17 Säge- und Ölmühle

18 Remise
19 Gasthof zur Post
20 Brauerei
21 Krämerladen Fleischerei
22 Bäckerei
23 Tabakfabrik
24 Huf- und Wagenschmiede
25 Stellmacherei
26 Schreinerei Petersen
27 Dampfmahl-mühle
28 Goldschmiede
29 Weißgerberei
30 Weberhaus
31 Blaufärberei
32 Reeperbahn

Mäckingerbach

Mühlen-technik

Nicht-eisen-Metalle

Eingang

Stahl und Eisen

Draht

Papier und Holz

Bauhof

Zink-walzwerk

Dorf-handwerke

250 m

latoren, aber auch Nahrungsmittel-, Textil- und Papiererzeugung. Seit 1963 ist Hagen Sitz einer Pädagogischen Hochschule.

GESCHICHTE. – Keimzelle Hagens war ein frühmittelalterlicher Oberhof des Kölner Erzbischofs an der Handelsstraße von Köln über Dortmund nach Norddeutschland. Um 1000 bestand bereits die Johanniskirche, um welche die Siedlung heranwuchs. Der kurkölnische Ort kam 1392 an die Grafschaft Mark und mit dieser 1614 an Brandenburg. Mit der Ansiedlung von Solinger Klingenschmieden 1661 durch den Großen Kurfürsten setzte die industrielle Entwicklung ein. Bald danach folgten Papier- und Tuchfabriken. 1746 erhob Friedrich der Große Hagen zur Stadt. Eingemeindungen von Vororten führten seit 1876 zu einer raschen Ausdehnung des Stadtgebietes.

SEHENSWERTES. – Im Stadtzentrum am Friedrich-Ebert-Platz steht das *Rathaus;* auf dem Rathausturm wurde 1965 eine Sonnenkugel aus vergoldetem Edelstahl mit 1,39 m Durchmesser angebracht (was dem milliardsten Teil des Sonnendurchmessers entspricht); das ganze Sonnensystem ist maßstabgerecht (1 m = 1 Mio km) über das Stadtgebiet verteilt, Bronzeplatten auf den Fußwegen markieren die Umlaufbahnen der Planeten (Hagener Planetenmodell). – Westlich an der Elberfelder Straße das *Stadttheater.* Südlich vom Rathaus, Hochstr. 73, das **Karl-Ernst-Osthaus-Museum** (Kunst des 20. Jh.); im selben Haus ist das *Heimatmuseum* mit seinen kultur- und stadtgeschichtlichen Sammlungen untergebracht.

Im südlichen Stadtteil SELBECKE liegt das interessante *Westfälische **Freilichtmuseum Technischer Kulturdenkmale;** auf dem 34 ha großen Gelände im Mäckingerbachtal wurden zahlreiche technische Kulturdenkmale zusammengetragen (u.a. Mühlenbetriebe und Schmieden).

Im südwestlichen Stadtteil HASPE *Haus Harkort,* ein Schieferhaus von 1756; hier wurde 1793 der Industrielle Friedrich Harkort geboren, ein Wegbereiter des Eisenbahnbaues. – Die Villenkolonie *Hohenhagen* im Stadtteil EPPENHAUSEN verwirklicht den Städtbaugedanken des Werkbundes; baulicher Mittelpunkt ist das von van de Velde 1906-08 errichtete Osthaussche Landhaus *Hohenhof.* – Im südöstlichen Stadtteil HOHENLIMBURG **Schloß Limburg** (13.-14. Jh., später umgebaut) mit *Heimatmuseum.* – *Cabinentaxi-De-*

monstrationsanlage (1,3 km lange Versuchsstrecke).

UMGEBUNG von Hagen. – **Hengsteysee** (10 km nördlich) mit Kaiser-Wilhelm-Denkmal auf der Hohensyburg. – **Dechenhöhle** (15 km östlich), eine 1868 entdeckte, 300 m tiefe Kalksteinhöhle mit schönen Tropfsteinbildungen (Führungen). – **Altena** (25 km südöstlich) mit reizvoll über dem Lennetal gelegener Burg, der alten Stammburg der Grafen von der Mark (ursprünglich 13. Jh.; älteste deutsche Jugendherberge, seit 1912; jetzt Weltjugendherberge); in der Burg das Deutsche Schmiedemuseum und das Deutsche Drahtmuseum.

Hamburg

Freie und Hansestadt Hamburg (Bundesland).
Kfz-Kennzeichen: HH.
Höhe: 10 m ü.d.M. – Einwohnerzahl: 1,7 Millionen.
Postleitzahl: D-2000. – Telefonvorwahl: 040.

ⓘ **Fremdenverkehrszentrale**
(Tourist Information Hamburg),
Bieberhaus, am Hauptbahnhof;
Telefon: 241234 und 326917.

HOTELS. – In der Innenstadt: *Vier Jahreszeiten*, Neuer Jungfernstieg 9, 300 B. (mit Rest. 'Haerlin'); *Atlantic*, An der Alster 72, 420 B. ('Atlantic Grill'), Hb., Sauna; *Inter-Continental*, Fontenay 10, 600 B. (Dachgarten-Restaurant 'Fontenay-Grill', 'Hulk-Brasserie'), Hb., Sauna; *Canadian Pacific Hamburg-Plaza*, beim Kongreßzentrum, Marseiller Str. 2, 1170 B. ('English Grill'), Hb., Sauna; *Ambas-sador*, Heidenkampsweg 34, 200 B., Hb., Sauna; *Berlin*, Borgfelder Str. 1, 120 B.; *Reichshof*, Kirchenallee 34, 520 B.; *Europäischer Hof*, Kirchenallee 45, 440 B.; *Parkhochhaus*, Drehbahn 15, 210 B.; *Prem*, An der Alster 9, 74 B. (Gartenterrasse); *Alte Wache* (garni), Adenauerallee 25, 81 B.; *Kronprinz*, Kirchenallee 46, 105 B.; *Dänischer Hof*, Holzdamm 4, 70 B.; *Graf Moltke*, Steindamm 1, 160 B.; *Bellevue*, An der Alster 14, 120 B.; *St.-Raphael-Hospiz*, Adenauerallee 41, 160 B.; *Alsterhof* (garni), Esplanade 12, 100 B.; *Baseler Hospiz*, Esplanade 11, 214 B.; *Eden-Hotel* (garni), Ellmenreichstr. 20, 180 B.; *Am Holstenwall*, Holstenwall 19, 90 B. In Altona: *Stadt Altona*, Louise-Schröder-Str. 29, 160 B. – In Blankenese: *Oelmanns Strandhotel*, Strandstr. 13, 20 B. – In Eimsbüttel: *Norge*, Schäferkampsallee, 160 B. (mit 'Kon-Tiki-Grill'). In der Geschäftsstadt City Nord: *Hamburg EuroCrest Hotel*, Mexikoring 1, 270 B. – In Hamm: *Motel Hamburg International*, Hammer Landstr. 200, 72 B. – In Harvestehude: *Smolka*, Isestr. 98, 65 B. – In Stellingen: *Falck*, Kieler Str. 333, 114 B. – JUGENDHERBERGEN: *Auf dem Stintfang*, Alfred-Wegener-Weg 5, 330 B.; *Horner Rennbahn*, Rennbahnstr. 100, 218 B. – CAMPINGPLÄTZE: *Camping Anders*, in Eidelstedt; *Camping Brüning*, in Stellingen.

RESTAURANTS. – *Schümanns Austernkeller*, Jungfernstieg 34 (Jugendstil-Interieur); *Cöllns Austernstuben*, Brodschrangen 1; *Ratsweinkeller*, Große Johannisstr. 2; *Peter Lembke*, Holzdamm 49; *Michelsen*, Große Bleichen 10-14; *Globetrotter*, Jungfernstieg 36; *Überseebrücke*, Vorsetzen; *Fernsehturm*, Rentzelstraße (Drehrestaurant in 132 m Höhe mit *Blick über die Stadt*); *Bavaria-Blick*, Bernhard-Nocht-Str. 99 (Dachrestaurant mit Hafenblick); *Panorama*, Ferdinandstor 1 (im Kunst-

Hamburg – Jungfernstieg an der Binnenalster

haus; Alsterblick); *Finnlandhaus*, Esplanade 41 (Blick auf Binnen- und Außenalster); *Anglo-German Club*, Harvestehuder Weg 44; *Le Canard*, Martinstr. 11 (Eppendorf); *Mühlenkamper Fährhaus*, Hans-Henny-Jahnn-Weg 1; *Fischereihafen-Restaurant*, Große Elbstr. 143; *Landhaus Scherrer*, Elbchaussee 130; *Landhaus Dill*, Elbchaussee 404; *Süllberg*, Süllbergterrasse, in Blankenese.

Ausländische Küche: *L' Auberge Française*, Rutschbahn 34 (französ. Spez.); *København*, Hohe Bleichen 13 (dän. Küche); *Viking*, im Chilehaus, Depenau 3 (skandinav. Gerichte); *Kasak*, Große Bergstr. 178 (russ. Küche); *La Pampa*, Gerhofstr. 8 (südamerikan. Spez.); *Mandarin*, Gänsemarkt 43, *Nanking*, Neß 1 (beide chines. Küche); *Japan Grill Fuji*, Richardstr. 18 (japan. Gerichte).

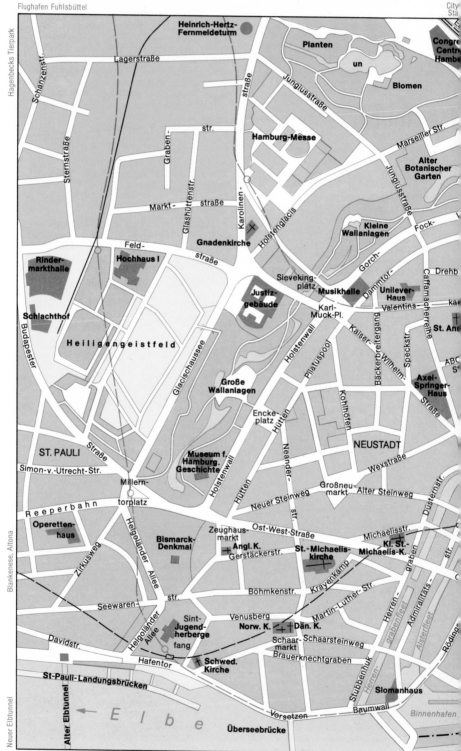

CAFÉS. – *Alsterpavillon*, Jungfernstieg 54 (Konzert-Café); *Hodermann*, Dammtorstr. 31; *Vernimb*, Spitalerstr. 12. – Zahlreiche Vergnügungslokale in St. Pauli (Reeperbahn, Große Freiheit).

VERANSTALTUNGEN. – *Hummelfest* (Juli/August); **Hamburger 'Dom'** (im November/Dezember auf dem Heiligengeistfeld); Internationale Bootsaustel-lung *Interboot* (Winter). – Zahlreiche Industrie-, Handels- und Gewerbemessen sowie Kongresse.

Die Freie und Hansestadt Hamburg, nach Berlin die größte Stadt Deutschlands, bildet eines der zehn Länder der Bundesrepublik. Die günstige Lage tief

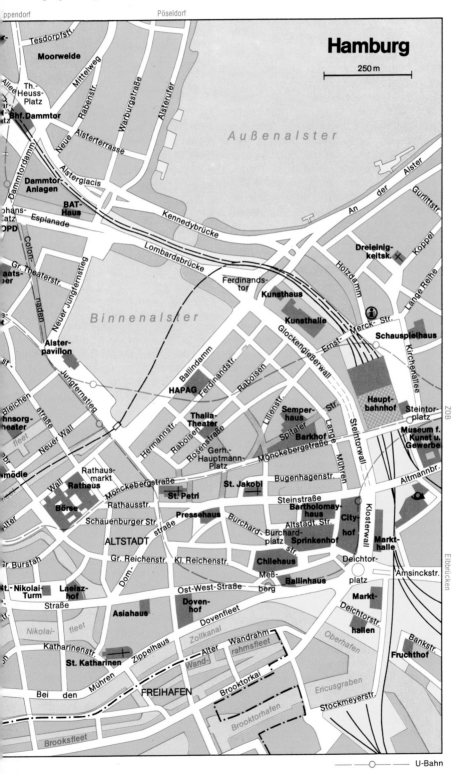

im Mündungstrichter der Elbe macht die Stadt zu einem der ersten Handelsplätze des Weltverkehrs und zur Vermittlerin zwischen dem Meer und dem deutschen Wasserstraßennetz.

Seit 1919 ist Hamburg Sitz einer Universität. Wichtige Einrichtungen sind auch die Hochschule für Musik, die Hochschule für bildende Künste und das Weltwirtschaftsarchiv. Der Norddeutsche Rundfunk hat in der Elbmetropole seinen Verwaltungssitz und seine Studios. Hamburgische Staatsoper, Deutsches Schauspielhaus und Musikhalle kennzeichnen das kulturelle Zentrum Norddeutschlands. Auch als Verlags- und Kongreßstadt hat Hamburg Bedeutung. Alsterregatta, Deutsches Derby, Deutsches Spring-, Dressur- und Fahrderby, Internationale Tennismeisterschaften von Deutschland und Bundesligaspiele des HSV stehen für die Sportstadt, St. Pauli und Reeperbahn für das weltbekannte Vergnügungszentrum. Schließlich ist Hamburg eines der bedeutendsten Industriezentren der Bundesrepublik, mit Schiffbau, Mineralöl-, Metall-, Maschinen- und Motorenindustrie, mit Elektro- und feinmechanischen, Kautschuk-, kosmetischen und chemischen Betrieben, Nahrungs- und Genußmittelindustrie, Brauereien und Zigarettenfabriken. – U-Musik-Zentrum.

GESCHICHTE. – Im 9. Jh. als *Hammaburg* an der Alster gegründet, entwickelte sich Hamburg im Mittelalter früh zu einem wichtigen Stützpunkt der Kirche und zur Handelsmetropole, im 18. Jh. auch zu einem geistigen Zentrum Norddeutschlands (Klopstock, Lessing, Claudius). 1842 verheerte ein großer Brand die Stadt. Mit dem Aufkommen der Dampfschiffahrt nahmen Stadt und Hafen einen gewaltigen Aufschwung, der 1937 zur Eingliederung der Nachbarstädte Altona, Wandsbek und Harburg führte. Die Bombenangriffe von 1943–45 zerstörten die Stadt beträchtlich. Beim Wiederaufbau wurden historische Bauwerke restauriert, daneben entstanden moderne Geschäfts- und Wohnviertel. Im Februar 1962 wurde die Stadt von einer schweren Flutkatastrophe heimgesucht.

SEHENSWERTES. – Das Stadtbild Hamburgs erhält seinen besonderen Reiz durch das im Zentrum gelegene große Wasserbecken der *Binnenalster,* das vom eleganten Jungfernstieg (mit dem bekannten Konzertcafé Alsterpavillon und der Anlegestelle der Alsterschiffe) und Ballindamm (mit dem Verwaltungsgebäude der 1847 gegründeten HAPAG, jetzt Hapag-Lloyd) gesäumt wird. Westlich vom Neuen

Jungfernstieg, an der Dammtorstraße, die **Staatsoper** (1955).

Der einstige Stadtwall sowie Lombards- und Kennedy-Brücke trennen die Binnenalster von der nördlich gelegenen, als Segelrevier geschätzten *Außenalster,* die man ebenfalls mit dem Alsterschiff vom Jungfernstieg aus erreicht, und an deren Westufer sich schöne Parkanlagen hinziehen. Gleich westlich der Anlagen das neu belebte PÖSELDORF (u. a. Galerien, Boutiquen, Lokale; Fassadenmalerei).

Nach Süden ist die Binnenalster durch zwei abgeschleuste Kanäle, die sog. Fleete (Rundfahrten), mit der Elbe verbunden. Sie teilen die Innenstadt in Altstadt und Neustadt.

Östlich vom Ballindamm, am Glockengießerwall, die *Kunsthalle (u. a. Alterswerke des Meisters Bertram von Minden und des Meisters Francke, ferner die Werke von Philipp Otto Runge und Caspar David Friedrich sowie die niederländischen Kleinmeister; bedeutende Wechselausstellungen). Nordwestlich anstoßend das *Kunsthaus* und der *Kunstverein.*

Mittelpunkt der ALTSTADT, zu dem von der Binnenalster die Alsterarkaden hinleiten, ist der Rathausmarkt mit dem 1886-97 in prunkvollen Renaissanceformen errichteten **Rathaus**; dahinter die *Börse.*

Vom Rathausmarkt zieht die breite, von stattlichen Kontoren und Geschäftshäusern gesäumte Mönckebergstraße, die Hauptgeschäftsstraße Hamburgs, an der St.-Petri-Kirche (133 m hoher Turm) vorbei, zum **Hauptbahnhof**; östlich davon das *Schauspielhaus* und das **Museum für Kunst und Gewerbe,** neben dem Bayerischen Nationalmuseum die umfassendste Schau des deutschen, europäischen und asiatischen Kunstgewerbes in Deutschland (bes. Fayencen, Möbel und Silberschmiedearbeiten aus Niederdeutschland und den Niederlanden sowie japanische Kunst).

Südlich der Mönckebergstraße, an der Steinstraße, die **St.-Jacobi-Kirche** (urspr. 14. Jh., 1959 nach schwerer Kriegszerstörung wiederhergestellt; mittelalterliche Altäre, Arp-Schnitger-Orgel; vom Turm Aussicht); weiter südlich, am Burchardplatz, das 1920–23 von

Fritz Höger in kühnen Formen erbaute *Chilehaus und der wuchtige Sprinkenhof (1927-30 von Höger und Gerson errichtet), die schönsten der älteren großen Hamburger Kontorhäuser; östlich davon der Cityhof (1956), vier 42 m hohe Bürogebäude.

Am verkehrsreichen Meßberg mit dem Ballinhaus (einem 1923-24 von Gerson erbauten Klinkerbau) nimmt die breite Ost-West-Straße ihren Ausgang. Sie zieht an der St.-Katharinen-Kirche und am 147 m hohen Turm der St.-Nikolai-Kirche vorbei über Nikolai-, Alster- und Herrengrabenfleet zur NEUSTADT, in der sich als Hamburgs traditionelles Wahrzeichen die *St.-Michaelis-Kirche erhebt, ein Barockbau von E. G. Sonnin (urspr. 1750-62); von dem 132 m hohen Turm ('Michel'; Aufzug) schöne Aussicht. Östlich gegenüber (im Hof) die Krameramtswohnungen (Museum).

Krameramtswohnungen beim Hamburger 'Michel'

Der **HAFEN umfaßt mit seinen vielen Becken ein Gebiet von etwa 16 km Länge zu beiden Seiten der Norderelbe, wobei die modernen großen Häfen und die Werften auf dem linken Elbufer liegen. Er ist ein Tidehafen, dessen Becken bei Ebbe und Flut jederzeit zugänglich sind. Der größte Teil ist Freihafen (Zollausschlußgebiet). Sehr lohnend ist eine *Hafenrundfahrt; sie beginnt bei den St.-Pauli-Landungsbrücken, von denen

der gesamte Hafen- und Unterelbeverkehr abgeht. Nahebei der Zugang zum Alten Elbtunnel (448,5 m lang) zu der Werftinsel Steinwerder.

Bei den St.-Pauli-Landungsbrücken beginnen die Wallanlagen mit dem 1906 errichteten Bismarck-Denkmal (nach Art alter Rolandsfiguren), dem *Museum für Hamburgische Geschichte (u. a. Stadtmodelle) und dem alten Botanischen Garten, an den sich nordwestlich der beliebte Volkspark *Planten un Blomen (am Abend Wasserlichtorgel) anschließt mit dem *Congress Centrum (1973) und dem anstoßenden 118 m hohen, 28 stöckigen Hotel CP Hamburg-Plaza; vor dem Westeingang des Parks der 1968 vollendete *Heinrich-Hertz-Fernmeldeturm ('Tele-Michel', 271,5 m hoch; in 132 m Höhe ein Drehrestaurant); nördlich vom Park an der Rothenbaumchaussee das Museum für Völkerkunde und Vorgeschichte; gleich südlich vom Park das Messe- und Ausstellungsgelände (Ernst-Merck-Halle). – In KLEIN-FLOTTBEK, im Westen der Stadt, ein neuer Botanischer Garten.

Jenseits der Großen Wallanlagen im Süden das Heiligengeistfeld (Nov./Dez. Volksfest 'Dom'); weiter südlich das Hafenviertel ST. PAULI, dessen Achse die weltbekannte Vergnügungsstraße Reeperbahn bildet. An der Großen Freiheit zwischen Amüsierlokalen die kath. Barockkirche St. Joseph.

Westlich über dem hohen Elbufer der Stadtteil ALTONA mit der einst berühmten klassizistischen Straße Palmaille (Häuser unter Denkmalschutz) und dem Altonaer Museum (Erdgeschichte, Landschaft, Besiedlung und Wirtschaft Schleswig-Holsteins und der Niederelbe). Schöner *Blick vom Altonaer Balkon auf den Hafen. Am Elbufer der Fischereihafen. – In OTTENSEN die Fabrik, ein Kommunikations- und Popmusikzentrum (1979 nach Brand wiedereröffnet). Im Norden der Volkspark mit dem gleichnamigen Stadion. – Im weiter nördlich gelegenen Vorort STELLINGEN liegt *Hagenbecks Tierpark (1907 angelegt), der mit seinen meist gitterlosen Freigehegen das Vorbild der modernen Tiergärten darstellt und einen nach Erdteilen gegliederten reichhaltigen Tierbestand besitzt (Troparium und Delphinarium).

Südlich von Altona führt die moderne 4 km lange und bis 58,5 m hohe *Köhl-brand-Hochbrücke über die Süderelbe. Westlich von Altona unterquert im 3,3 km langen *Neuen Elbtunnel die Autobahn bis 29 m unter der Wasser-oberfläche die Elbe (drei Fahrspuren in jeder Richtung).

UMGEBUNG von Hamburg. – Sehr lohnend ist die Fahrt auf der *Elbchaussee nach Blankenese (14 km westlich), einem einstigen Fischerdorf, mit schönem Villengürtel am 85 m hohen Süllberg (schöner Ausblick). 6 km weiter elbabwärts die Schiffsbegrüßungsanlage Willkomm-Höft beim Schulauer Fährhaus. – *Schloß Ahrensburg (23 km nordöstlich) mit Museum holsteinischer Adelskultur. – Freilichtmuseum Curslack in den Vierlanden (27 km südöstlich). – Friedrichsruh im Sachsenwald (30 km östlich) mit Bismarck-Mausoleum.

Hameln

Bundesland: Niedersachsen.
Kfz-Kennzeichen: HM.
Höhe: 68 m ü.d.M. – Einwohnerzahl: 60 000.
Postleitzahl: D-3250. – Telefonvorwahl: 051 51.
(i) Verkehrsbüro, Deisterallee;
Telefon: 2 61 82.

HOTELS. – Dorint-Hotel Weserbergland, Von-Din-gelstedt-Str. 3, 150 B., Hb., Sauna; Zur Krone, Osterstr. 30, 78 B.; Sintermann, Bahnhofsplatz 2, 52 B.; Hirschmann's Hotel, Deisterallee 16, 34 B.; Bellevue, Klütstr. 34, 40 B.; Zur Börse, Osterstr. 41, 38 B. – In Klein-Berkel: Gästehaus Ohrberg (garni), 23 B. (Fb.). – JUGENDHERBERGE: Fisch-becker Str. 33, 138 B. – CAMPINGPLATZ: Zum Fährhaus, am linken Weserufer.

RESTAURANTS. – Rattenfängerhaus, Osterstr. 28 (Weserrenaissance von 1603); Weinstuben am Ka-min, Pyrmonter Str. 12 (ab 18 Uhr geöffnet); Bal-kan-Grill, Emmernstr. 6; Klütturm, auf dem Klüt.

CAFÉS. – Kropp, Münsterkirchhof; Reeg, Pferde-markt 8; Ring-Café, Deisterallee.

VERANSTALTUNGEN. – Rattenfängerspiele (Juli bis Oktober jeden Sonntag 12-12.30 Uhr am Hoch-zeitshaus).

Hameln, reizvoll zwischen Klüt und Schweineberg in die breite Weserta-lung gebettet, ist als 'Rattenfänger-stadt' weitbekannt. Das Bild der Alt-stadt bestimmen Fachwerk und prachtvolle Bauten der Weserrenais-sance. Das Wirtschaftsbild wird von Mühlenbetrieben und Teppichindu-strie geprägt.

GESCHICHTE. – Im 9. Jh. gründeten Fuldaer Mön-che neben dem Urdorf Hamala, einer Fischer- und Bauernsiedlung, dicht an der Weser ein Kloster, das später in das Chorherrenstift St. Bonifatii umge-wandelt wurde. Schon bald bildete sich auch ein Markt. Gegen 1200 wuchsen die drei Siedlungsbe-

zirke zu einer Stadt zusammen. Im Mittelalter war die aufblühende Handelsstadt Mitglied der Hanse und umgab sich mit starken Mauern und Türmen. Höhepunkt kultureller und wirtschaftlicher Blüte war das 16. und beginnende 17. Jahrhundert. Drei-ßigjähriger und Siebenjähriger Krieg brachten große Not. 1757 fand vor den Toren Hamels die Schlacht bei Hastenbeck statt. Anfang des 19. Jh. verfügte Napoleon die Schleifung der im 17. Jh. ausgebauten Festungswerke und der Wälle, deren Verlauf heute breite Verkehrsstraßen bezeichnen.

SEHENSWERTES. – Am Markt erhebt sich die frühgotische Marktkirche St. Nicolai, einst Gotteshaus der Schiffer und Fischer, worauf das goldene Schiff auf der Turmspitze hinweist. Gegenüber das Demptersche Haus von 1607 mit schönem Erker.

Östlich vom Markt die Osterstraße (Fußgängerbereich): Nr. 2 das reprä-sentative Hochzeitshaus (einst Fest-haus der Bürgerschaft, heute Rathaus), 1610-17 im Stil der Weserrenaissance erbaut, mit Glockenspiel und Ratten-fänger-Kunstuhr (tägl. 13 und 17.30 Uhr); Nr. 8 das Stiftsherrenhaus von 1558 (schöne Bildschnitzereien); Nr. 9 das Leisthaus von 1589 (jetzt Heimat-museum mit Sammlungen zu Stadt-geschichte, Gewerbe und Volkskunde sowie zur Rattenfängersage); Nr. 25 die ehem. Garnisonkirche und das Stift zum Heiligen Geist von 1713 (jetzt Stadt-sparkasse); Nr. 28 das *Rattenfänger-haus (Restaurant) von 1603, ein pracht-voller Weserrenaissancebau (eine In-schrift an der Seitenwand zur Bungelo-senstraße erinnert an die Rattenfänger-sage).

Südlich vom Markt die Bäckerstraße (Fußgängerzone): Nr. 16 der Ratten-krug, ein Weserrenaissancebau von 1568 (Restaurant); Nr. 12 die Löwen-apotheke mit gotischem Giebel von 1300. – Nahe der Weserbrücke der wuchtige Münster St. Bonifatii (11.-14. Jh.; roma-nischer Vierungsturm mit Barockhau-be); im Innern sehenswerte Krypta unter dem Hochchor, Sakramentshaus (13. Jh.) und sog. Stifterstein (14. Jh.; Stifterfiguren mit Modell des Münsters am Vierungspfeiler).

Eine Wallstraße folgt dem alten Befesti-gungsring. Am Kastanienwall die We-serbergland-Festhalle (1952; Restau-rant); südlich der Bürgergarten mit schönen Anlagen.

UMGEBUNG. – Klüt (258 m; 2 km südwestlich) mit Restaurant und Aussichtsturm. – Ohrbergpark

(4 km südlich) mit seltenen Gehölzen und Sträuchern, bes. schön zur Azaleen- und Rhododendronblüte. – *Stiftskirche Fischbeck (7 km nordwestlich) mit Triumphkreuz von 1250, Holzstatue der Stifterin Helmburg (um 1300), Seidenstickereien und Adlerlesepult (14. Jh.). Der wertvolle gestickte Bildteppich (16. Jh.) mit der Gründungslegende regte Manfred Hausmann zu seinem "Legendenspiel" an. – *Schloß Hämelschenburg (11 km südlich). Der prachtvolle Dreiflügelbau, 1588 begonnen, ist ein Höhepunkt der Weserrenaissance. Das Brückentor mit dem hl. Georg stammt von 1608. Einige Räume des Schlosses können besichtigt werden (Eingang von der Parkseite).

Hannover

Bundesland: Niedersachsen.
Kfz-Kennzeichen: H.
Höhe: 58 m ü.d.M. – Einwohnerzahl: 542000.
Postleitzahl: D-3000. – Telefonvorwahl: 05 11.
Verkehrsbüro, Ernst-August-Platz 8;
Telefon: 32 10 33 und 1 68 23 19.

HOTELS. – *Hannover Inter-Continental, Friedrichswall 11, 500 B. (mit Spielbank und Prinz-Taverne); *Kastens Hotel, Luisenstr. 1-3, 300 B.; *Am Stadtpark, Clausewitzstr. 6, 420 B., Hb., Sauna; *Am Leineschloß (garni), Am Markte 12, 81 B.; *Grand Hotel Mussmann (garni), Ernst-August-Platz 7, 160 B.; Körner, Körnerstr. 24, 112 B., Hb., Gartenterrasse; Loccumer Hospiz, Kurt-Schumacher Str. 16, 100 B.; Bundesbahn-Hotel, Ernst-August-Platz 1, 75 B.; Thüringer Hof, Osterstr. 37, 80 B. – Am Flughafen Langenhagen: Holiday Inn, 300 B., Hb. – In Isernhagen: Parkhotel Welfenhof, Prüssentrift 86, 44 B. – In Kirchrode: Hannover EuroCrest Hotel, Tiergartenstr. 117, 200 B. – Bei Laatzen: Parkhotel Motel Kronsberg, am Messeschnellweg, 164 B. – JUGENDHERBERGE: Ferdinand-Wilhelm-Fricke-Weg 1, 190 B. – CAMPINGPLATZ: Blauer See, Hannover-Garbsen.

RESTAURANTS. – *Georgenhof, Herrenhäuser Kirchweg 20; Coq d'Or, Luisenstr. 4 (französ. Spez.); Mövenpick – Baron de la Mouette, Georgstr. 35; Ratskeller, im Alten Rathaus, Köbelingerstr. 60; Leineschloß, Hinrich-Wilhelm-Kopf-Platz 1; Parkrestaurant Stadthalle, Theodor-Heuss-Platz 1; Lotos, Georgstr. 54; Mandarin-Pavillon, Marktstr. 45 (beide chines. Spez.). – An der Eilenriede: Steuerndieb, Steuerndieb 1. – In Döhren: Wichmann, Hildesheimer Str. 230. – In Kleefeld: Alte Mühle, Hermann-Löns-Park 3.

BIERLOKALE. – Brauerei-Gaststätten Herrenhausen, Herrenhäuser Str. 99; Härke-Klause, Ständehausstr. 4; Altes Brauhaus, Bahnhofstr. 5.

WEINSTUBEN. – Wein-Wolf, Rathenaustr. 2; Fey's Weinstube, Sophienstr. 6; Zum alten Borgentrick, Friedrichswall 13.

CAFÉS. – Kröpcke, Georgstr. 35; Kreipe, Bahnhofstr. 12.

VERANSTALTUNGEN. – *Hannover-Messe (internationale Industriemesse; Ende April); Musik und Theater in Herrenhausen mit Konzerten, Opern-, Schauspiel- und Ballettaufführungen (Mai bis September).

Die Stadt am 'Hohen Ufer' der Leine ist Hauptstadt des Landes Niedersachsen, ein bedeutender Industrie- und Handelsplatz, Sitz einer Technischen Hochschule sowie von Hochschulen für Medizin, Tiermedizin, Musik und Theater. Als Messestadt (Technische Messe) hat Hannover in den letzten Jahrzehnten internationale Bedeutung erlangt. Mittellandkanal, Autobahn und Eisenbahn machen die Stadt zu einem wichtigen Verkehrszentrum. Weiträumige Parkanlagen wie die Eilenriede, der Maschpark mit dem Maschsee und die Herrenhäuser Gärten kennzeichnen die 'Großstadt im Grünen'. Die im Krieg stark zerstörte Stadt zeigt heute ein vorbildlich modernes Gesicht.

GESCHICHTE. – Ursprung Hannovers war eine alte Marktsiedlung, die erstmals 1150 als vicus Honovere erwähnt wurde. Seine Stadtwerdung verdankte es Heinrich dem Löwen. Der welfische Teilungsvertrag von 1495 brachte die Stadt unter die Herrschaft des Calenberger. 1636 verlegte Herzog Georg von Calenberg seine Residenz nach Hannover. Unter Kurfürst Ernst August (1679-1689) und seiner Gemahlin Sophie erlebte die Stadt eine große kulturelle Blüte. Der Philosoph Gottfried Wilhelm Leibniz war Bibliothekar, Hofrat und Geschichtsschreiber des Welfenhauses. Damals entstanden auch die Herrenhäuser Gärten, ein Höhepunkt barocker Gartenkunst. 1714 bestieg Kurfürst Georg Ludwig von Hannover als König Georg I. den englischen Thron. Das Kurfürstentum, seit 1815 Königreich Hannover, blieb bis 1837 mit England in Personalunion verbunden. Unter König Ernst August von Hannover (1679-1698) brach eine neue wirtschaftliche Blüte an. Stadtbaumeister Georg Ludwig Laves prägte das architektonische Gesicht der Stadt. Nach den schweren Zerstörungen des Zweiten Weltkriegs verlieh ihr Professor Hillebrecht beispielhaft moderne Dimensionen.

SEHENSWERTES. – Herzstück des modernen Hannover ist der Platz Kröpcke, zu dem die Bahnhofstraße mit der versenkten 750 m langen und bis 20 m breiten Ladenstraße Passerelle heranführt. Neben dem fast 60 m hohen **Kröpcke-Center,** einem Warenhaus aus Glas und Beton, entstand Hannovers altberühmtes Café Kröpcke neu. Südöstlich an der repräsentativen Georgstraße das 1845-52 von Georg Friedrich Laves erbaute klassizistische **Opernhaus.** Die Georgstraße beginnt am Platz Am Steintor, einer der modernen Verkehrsanlagen der Stadt – an der nahen Goseriede das 1928 von Fritz Höger erbaute **Anzeiger-Hochhaus** – und endet am verkehrsreichen Aegidientorplatz. Westlich des Platzes die Aegidienkirche (14. Jh.; Ruine und Mahnmal

für die Toten beider Weltkriege; wieder-
aufgebauter Turm mit Glockenspiel).

Südwestlich vom Kröpcke der Marktplatz, Mittelpunkt der ALTSTADT,
mit dem spätgotischen **Alten Rathaus**
(15. Jh.); davor der zierliche neu-
gotische *Marktbrunnen* (1881). Westlich
die **Marktkirche** (14. Jh.; Schnitzaltar
und Bronzetaufbecken aus dem 15. Jh.,

moderne Orgel). Ihr 97 m hoher Turm ist
das Wahrzeichen der Stadt. Die vom
Markt abzweigende Kramerstraße
mit schönen alten Fachwerkbauten bewahrt noch ein Stück Alt-Hannover.
Zwischen Knochenhauer- und Burgstraße
der *Ballhof* (1649-65 für das damals sehr
beliebte Federballspiel und für Konzerte
erbaut; jetzt Schauspielhaus), das
schönste Fachwerkhaus der Stadt. Wei-

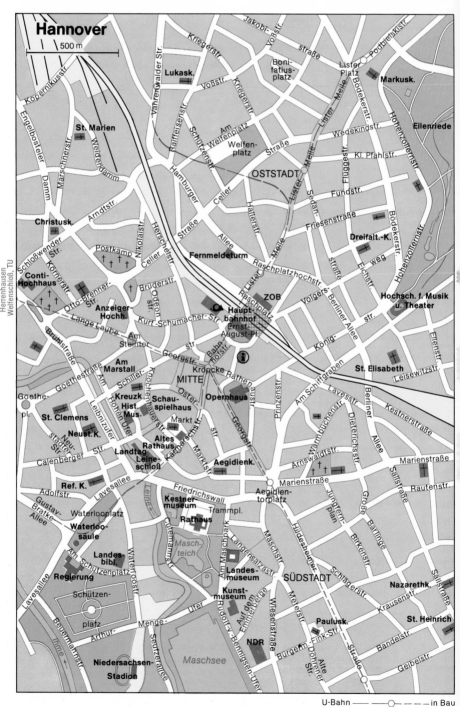

U-Bahn ———— —O—————in Bau

ter, am Hohen Ufer, der *Beginenturm* (14. Jh.) und das **Historische Museum** (1966; stadt- und landesgeschichtliche sowie volkskundliche Sammlungen). Am Südrand der Altstadt an der Leine das **Leineschloß** (im 17. Jh. als Residenz Herzog Georgs von Calenberg erbaut. 1817-42 von Laves im klassizistischen Stil umgebaut, 1958-62 als Sitz des Niedersächsischen Landtags wiederaufgebaut). – Nordwestlich vom Schloß die *Neustädter Kirche* (17. Jh.) mit Grab von G. W. Leibniz (1646-1716).

Am Friedrichswall steht das 1832 von Laves erbaute *Wangenheim-Palais* (wiederhergestellt; einst Residenz König Georgs V., dann Rathaus, jetzt Ministerium), daneben das *Laveshaus* (1822), das ehem. Wohnhaus des Baumeisters (mit kleiner Laves-Gedenkstätte). Dem Hotel Hannover Inter-Continental gegenüber das moderne *Kestner-Museum (Altertümer, u. a. beachtenswerte ägyptische Sammlung, Kunstgewerbe). Am Trammplatz das 1901-13 im Stil der wilhelminischen Zeit erbaute **Rathaus** mit einer fast 100 m hohen, das Stadtbild beherrschenden Kuppelhaube (Aufzug; schöner Rundblick); in der Halle Stadtmodelle, Hodlersaal mit Riesengemälde "Der Treueschwur" des bekannten Schweizer Meisters. – Südlich vom Rathaus der *Maschpark.* Am Maschpark 5 das *Niedersächsische Landesmuseum mit vorgeschichtlichen, natur- und völkerkundlichen Sammlungen sowie der Niedersächsischen Landesgalerie (europäische Kunst von der romanischen Zeit bis zur Gegenwart).

Der 2.4 km lange und 180-530 m breite **Maschsee** entstand 1934-36. Er ist Hannovers großes Sport- und Erholungsgebiet (Strandbad, Segelschule, Motorboot-Linienverkehr, schöne Promenadenwege, zwei Gaststätten). An seiner Nordwestseite das *Niedersachsen-Stadion* (60 000 Plätze) und das *Stadionbad,* an seiner Nordostseite das *Funkhaus* und das *Kunstmuseum Hannover* mit der *Sammlung Sprengel* (v. a. Malerei des 20. Jh.).

Vom Königsworther Platz (rechts das moderne *Continental-Gebäude*) führt die Nienburger Straße parallel zu der 1726 angelegten Herrenhäuser Allee an der *Technischen Universität* (im 1857-66 erbauten ehem. Welfenschloß)

vorbei zu den 2 km nordwestlich gelegenen prächtigen *Herrenhäuser Gärten. Links im *Georgengarten,* einem schönen Park englischen Stils, das *Walloden-Palais* mit dem *Wilhelm-Busch-Museum* (rd. 1200 Zeichnungen und Gemälde sowie Briefe und Manuskripte des Maler-Poeten Wilhelm Busch; außerdem Heinrich-Zille-Sammlung). – Rechts der *Berggarten,* ein botanischer Garten mit modernen Schau-

Hannover – Rathaus am Maschteich

häusern für Orchideen und Kakteen; im nördlichen Teil der Anlage das 1842-46 von Laves erbaute *Mausoleum* für König Ernst August († 1851) und Königin Friederike († 1841) mit Marmorbildern von Rauch, das jetzt auch die Sarkophage weiterer Welfenfürsten enthält (u. a. Grab König Georgs I. von England).

Das am Ende der Herrenhäuser Allee gelegene Schloß Herrenhausen wurde im Krieg zerstört. Erhalten blieb das *Galeriegebäude* (1698) mit einem großen italienischen Freskenzyklus; im Mittelstück der Barocksaal, einst Schauplatz höfischer Feste, heute Konzertsaal für die sommerlichen Veranstaltungen 'Musik und Theater in Herrenhausen'. – Westlich der Galerie das im sog. *Fürstenhaus* untergebrachte *Herrenhausen-Museum* mit Einrichtungsgegenständen aus dem zerstörten Herrenhäuser Schloß. – Südlich der 1666-1714 geometrisch angelegte *Große Garten,* der besterhaltene des deutschen Frühbarocks, mit Wasserkünsten, Orangerie und Gartentheater (Mai-September).

Im Osten Hannovers der schöne Stadtwald **Eilenriede** (639 ha; mehrere

Restaurants), ein weiteres großes Erholungsgebiet der Stadt, mit Wander- und Reitwegen, Spielplätzen und Liegewiesen. Am Westrand der **Zoologische Garten,** das *Kongreßzentrum Stadthalle,* die *Niedersachsenhalle* und das *Eilenriedestadion;* dabei der *Stadtpark.*

Im Südosten der niedersächsischen Hauptstadt erstreckt sich das 970 000 qm große **Messegelände** (alljährlich Ende April Schauplatz der Hannover-Messe, einer der bedeutendsten technischen Messen der Welt) mit dem 83 m hohen *Hermesturm* (Café; Aussicht). – Höchstes Bauwerk der Stadt ist der 147 m hohe *Fernmeldeturm* beim Raschplatz hinter dem Hauptbahnhof.

UMGEBUNG von Hannover. – **Schloß Marienburg** (26 km südlich) bei Nordstemmen, 1860-68 im gotischen Stil erbaut, ehem. Wohnsitz der Herzogin Viktoria Luise; Schloßmuseum mit Gemäldegalerie. – *Steinhuder Meer (30 km nordwestlich), mit

Am Steinhuder Meer

30 qkm der größte Binnensee Nordwestdeutschlands; Segelregatten. Auf einer künstlichen Insel die von Graf Wilhelm von Schaumburg-Lippe 1761-65 angelegte *Festung Wilhelmstein*. In Steinhude am südöstlichen Seeufer Aalräuchereien.

Harz

Bundesland: Niedersachsen.
ⓘ **Harzer Verkehrsverband,** Marktstraße 45, D-3380 Goslar 1; Telefon: (0 53 21) 2 04 14 und 2 28 30.

Der *Harz, der sich mit über 1000 m Höhe wie eine Bastion gegen die Norddeutsche Tiefebene vorschiebt,

ist ein 95 km langes und bis 30 km breites Mittelgebirge aus Schiefern und Grauwacken, die mehrfach von Graniten und Porphyren durchsetzt sind.

Im Landschaftscharakter unterscheidet sich der stärker zertalte, von Nadelwald überzogene *Oberharz* im Westen von der welligen Hochfläche des *Unterharzes* im Osten, in dem Buchenwälder und Ackerflächen vorherrschen. Auf der Grenze zwischen beiden wölbt sich die kahle Granitkuppe des sagenumwobenen *Brocken* (1142 m; auf DDR-Gebiet) als höchste Erhebung Norddeutschlands empor. Neben der Forstwirtschaft werden im Oberharz Bergbau und Viehzucht, im Unterharz Ackerbau betrieben. Enge felsige Täler (wie *Okertal* und das in der DDR befindliche *Bodetal*) greifen besonders vom Nordrand aus tief in das Gebirge ein, dem ein Kranz altertümlicher Städte besonderen Reiz verleiht. Dank der günstigen Lage zu vielen norddeutschen Großstädten ist der Harz ein beliebtes Reiseziel und ein vielbesuchtes Wintersportgebiet.

Da der östliche Teil des Harzes einschließlich des Brockens und der Orte Wernigerode, Elbingerode, Rübeland, Blankenburg, Thale u. a. zur DDR gehört, kann ohne Einreiseerlaubnis für die DDR nur der Westharz mit der alten Kaiserstadt **Goslar,** dem bekannten Mineralbad und heilklimatischen Kurort **Bad Harzburg,** dem Luftkurort und Wintersportplatz *Braunlage,* den alten Bergbaustädtchen *St. Andreasberg, Altenau* und **Clausthal-Zellerfeld** sowie den kleineren Kurorten *Wildemann, Bad Grund, Bad Lauterberg* und *Bad Sachsa* besucht werden.

Höchste Erhebung auf bundesdeutschem Gebiet ist der 971 m hohe *Wurmberg* bei Braunlage (Seilbahn; Sprungschanze, Rodelbahn). Zahlreiche Harzflüsse wurden durch Talsperren aufgestaut. Sie dienen größtenteils der Trinkwasser-, z. T. auch der Stromversorgung und sind zugleich attraktive Erholungsgebiete. Am bekanntesten sind *Oker-, Oder-, Söse-* und *Innerste-Stausee.*

Die Harz-Hochstraße (B 242) erschließt den Westharz zwischen Braunlage und Bad Grund. Die Harz-Heide-Straße von Braunlage über Bad Harzburg, Braunschweig, Gifhorn und Uelzen nach Lüneburg verbindet den Harz mit der Lüneburger Heide.

Heidelberg

Bundesland: Baden-Württemberg.
Kfz-Kennzeichen: HD.
Höhe: 110 m ü.d.M. – Einwohnerzahl: 130000.
Postleitzahl: D-6900. – Telefonvorwahl: 06221.
(i) Tourist-Information, am Hauptbahnhof;
Telefon: 21881.

HOTELS. – *Europäischer Hof*, Friedrich-Ebert-Anlage 1 a, 200 B. (mit Rest. 'Kurfürstenstube'); *Parkhotel Atlantic* (garni), Schloß-Wolfsbrunnenweg 23, 50 B.; *Zum Ritter*, Hauptstr. 178, 58 B. (Renaissancehaus von 1592); *Alt-Heidelberg* (garni), Rohrbacher Str. 29, 54 B.; *Am Schloß* (garni), Zwingerstr. 20, 40 B.; *Acor* (garni), Friedrich-Ebert-Anlage 55, 30 B.; *Kurfürst* (garni), Poststr. 46, 90 B.; *Diana* (garni), Rohrbacher Str. 152, 90 B.; *Reichspost* (garni), Gaisbergstr. 38, 45 B.; *Kohler* (garni), Goethestr. 2, 75 B. – In Kirchheim: *Heidelberg EuroCrest Hotel*, Pleikartsförster Str. 101, 115 B. – In Ziegelhausen: *Stiftsmühle*, Neckarhelle 129, 80 B. – JUGENDHERBERGE: Tiergartenstr. 5, im Stadtteil Neuenheim. – CAMPINGPLÄTZE: *Neckartal* in Schlierbach am linken Neckarufer; *Harmann*, *Wolf* und *Marquardt* in Ziegelhausen am rechten Neckarufer.

RESTAURANTS. – *Kurpfälzisches Museum*, Hauptstr. 97; *Perkeo*, Hauptstr. 75 (großes Bier- und Weinlokal; z.Z. in Umbau); *Kupferkanne*, Hauptstr. 127; *Schinderhannes*, Theaterstr. 2 (Grill-Restaurant); *Zum Roten Ochsen*, Hauptstr. 217 (histor. Studentenlokal von 1703). – Auf den Höhen: *Weinstube Schloß Heidelberg*, im Schloßhof (mit Terrasse); *Molkenkur* (301 m; oberhalb des Schlosses); *Königstuhl*, auf dem Königstuhl (568 m).

CAFÉS. – *Schafheutle*, Hauptstr. 94; *Scheu*, Hauptstr. 137; *Gundel*, Hauptstr. 212; *Knösel*, Untere Str. 37 (Studentencafé; Spez. Studentenküsse).

VERANSTALTUNGEN. – *Freilichtaufführungen* im Schloßhof und im Hof der Neuen Universität, *Serenadenkonzerte* im Schloßhof oder im Königssaal (im Sommer); *Volksfeste* auf dem Neuen Meßplatz in Kirchheim (im Frühjahr und Herbst); *Handschuhsheimer Kirchweih* (im Juni).

Die vielbesungene Universitätsstadt und alte Hauptstadt von Kurpfalz *Heidelberg liegt am Austritt des Nek-

kars aus den Bergen des Odenwalds in die Rheinebene. Die Altstadt, zwischen Fluß und Berg eingezwängt, wird von der berühmten Schloßruine überragt. Das prächtige Gesamtbild überblickt man am besten von der Theodor-Heuss-Brücke und vom Philosophenweg.

Heidelberg ist Sitz der Max-Planck-Institute für Kernphysik, Medizinische Forschung, Astronomie und Ausländisch-öffentliches Recht. Druckmaschinen, Füllhalter, Landmaschinen, Kleb- und Dichtstoffe und chemisch-physikalische Apparate sind Erzeugnisse der heimischen Industrie. Die Stadt beherbergt auch mehrere Buchverlage.

GESCHICHTE. – 1196 wurde der sich am Fuß einer Burg entwickelnde Ort erstmals urkundlich erwähnt. Die Pfalzgrafen machten ihn zu ihrer Residenz. 1386 gründete Pfalzgraf Ruprecht I. die Universität. Mit ihm begann auch die eigentliche Baugeschichte des Schlosses. 1689 und 1693 im Pfälzischen Erbfolgekrieg wurden Schloß und Stadt zerstört. 1720 verlegte Kurfürst Carl Philipp seine Residenz nach Mannheim. 1802 kam die rechtsrheinische Pfalz an die Markgrafschaft, das spätere Großherzogtum Baden. Im Zweiten Weltkrieg blieb Heidelberg von Bomben verschont.

SEHENSWERTES. – Vom Bismarckplatz, dem südlich der aussichtsreichen Theodor-Heuss-Brücke gelegenen Verkehrsmittelpunkt der Stadt, zieht die über 2 km lange Hauptstraße ostwärts zum Karlstor (1775). An ihr liegen Kurpfälzisches Museum (im barocken Palais Morass) mit kunst- und kulturgeschichtlichen Sammlungen (u. a. *Windsheimer Zwölfbotenaltar von Tilman Riemenschneider und dem Abguß eines menschlichen Unterkiefers ('Homo heidelbergensis', ca. 500000

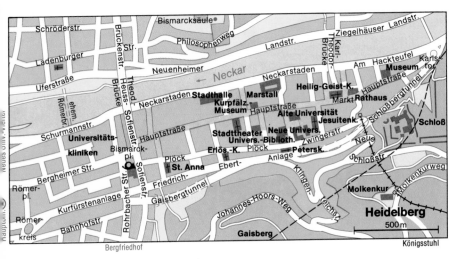

Jahre alt). Weiter östlich die *Heiliggeist-kirche* (1400-1441; einst Begräbnis-stätte der pfälzischen Kurfürsten), das *Rathaus* (1701-03) und das *Haus zum Ritter*, ein prachtvoller Reinaissance-bau von 1592 (Hotel), sowie das *Völker-kundemuseum* (Nr. 235; im Palais Weimar).

Südlich der Hauptstraße der U n i v e r s i - t ä t s p l a t z mit der **Alten Universität** (1711; im östlich angebauten Pedellen-haus an der Augustinergasse noch der von 1778-1914 benutzte Studentenkar-zer) und die *Neue Universität* (1928-31 mit amerikanischer Hilfe erbaut); dahin-ter der *Hexenturm,* ehemals Teil der Be-festigung. Gegenüber an der Graben-gasse die reichhaltige *Universitätsbi-bliothek* (u. a. *Manessische Lieder-handschrift aus dem 14. Jh.) sowie das neue Seminargebäude und die neue Mensa am Universitätsplatz. Die kleine *Peterskirche* (15. Jh.) dient heute vor al-lem als Universitätskirche. – Weiter öst-lich am K a r l s p l a t z die Akademie der Wissenschaften im barocken *Großher-zoglichen Palais.* In der nahen Pfaffen-gasse das Geburtshaus des ersten deut-schen Reichspräsidenten *Friedrich Ebert* (1871-1925).

Zwischen Hauptstraße und Neckar er-strecken sich die engen Altstadtgassen. An den N e c k a r s t a d e n (linkes Fluß-ufer) der ehem. *Marstall* (16. Jh.; Mensa u. a.) und die ehem. *Heuscheuer* (Hörsä-le). Flußabwärts die *Stadthalle* (1903), flußaufwärts die *Karl-Theodor-Brücke* von 1786-88, auch als 'Alte Brücke' be-kannt, mit schöner Aussicht.

Vom K o r n m a r k t entweder mit der Standseilbahn (Schloß – Molkenkur – Königstuhl) oder über den Burgweg ($\frac{1}{4}$ St. Gehzeit) bzw. über die kurvige N e u e S c h l o ß s t r a ß e zum terrassenar-tig gelegenen, aus rotem Neckarsand-stein erbauten ****Schloß** (195 m), einem der edelsten Beispiele deutscher Re-naissance-Architektur. Die einst glanz-volle kurfürstliche Residenz wurde hauptsächlich unter den Kurfürsten Otto Heinrich (1556-59), Friedrich IV. (1583-1610) und Friedrich V. (1610-20) aufgeführt; seit der Zerstörung durch die Franzosen, die 1689 und 1693 die Pfalz verheerten, ist es Ruine geblieben, nach Umfang, Lage und malerischer Schönheit die großartigste in Deutsch-

land. An der Ostseite des malerischen *Schloßhofs (im Sommer Festspiele) der *Ottheinrichsbau, die bedeutendste Leistung der deutschen Frührenais-sance (1557-66), in dessen Unterge-schoß sich das *Deutsche Apotheken-museum* befindet; an der Nordseite des Hofes *Gläserner Saalbau* (1544-49) und *Friedrichsbau, eines der hervorra-gendsten Baudenkmäler der reifen deutschen Renaissance (1601-07 von Joh. Schoch aufgeführt), mit Standbil-dern pfälzischer Fürsten (Originale im Innern); an der Westseite der *Frauen-zimmerbau* (um 1540) mit dem Königs-saal (Konzerte), etwas zurückliegend der *Bibliotheksbau* (um 1520), anschlie-ßend der gotische *Ruprechtsbau* (um 1400). Ein Gang führt unter dem Fried-richsbau hindurch auf den *Altan mit prächtiger Aussicht. Links vom Fried-richsbau abwärts der Keller mit dem be-kannten *Großen Faß* von 1751 (2200 hl); gegenüber ein Holzbild des Hofnarren *Perkeo* (um 1728). – Von der *Großen Terrasse besonders lohnender Blick.

Von der Theodor-Heuss-Brücke zieht sich am Heiligenberg der **Philosophen-weg** hin mit berühmter *Aussicht auf Stadt und Schloß. Auf der nördlichen Neckarseite liegen auch *Tiergarten* (Tiergartenstraße) und *Botanischer Garten* (Hofmeisterweg).

UMGEBUNG von Heidelberg. – **Heiligenberg** (443 m, 5$\frac{1}{2}$ km nördlich) mit Ruine der Michaelsba-silika (11. Jh.). – ***Königstuhl** (568 m, 7 km östlich; Bergbahn) mit 82 m hohem Fernsehturm (weite Aussicht auf Rheinebene, Neckartal und Odenwald) und Sternwarte. – **Schloß Schwetzingen** (12 km westlich), im 18. Jh. Sommerresidenz der pfälzi-schen Kurfürsten, mit berühmtem *Schloßgarten und *Rokokotheater (1746-52 von Pigage; Fest-

Heidelberger Schloß

spiele). – **Weinheim** (17 km nördlich) mit Schloß-park, Exotenwald, Burgruine Windeck und Wachenburg.

Heilbronn

Bundesland: Baden-Württemberg.
Kfz-Kennzeichen: HN.
Höhe: 159 m ü.d.M. – Einwohnerzahl: 113000.
Postleitzahl: D-7100. – Telefonvorwahl: 07131.
ⓘ **Verkehrsamt,** im Rathaus;
Telefon: 562270.

HOTELS. – *Insel-Hotel,* Friedrich-Ebert-Brücke, 180 B. (mit Garten- und Dachterrasse); *City-Hotel* (garni), Allee 40, 40 B.; *Burkhardt,* Lohtorstr. 7, 68 B.; *Kronprinz,* Bahnhofstr. 29, 50 B.; *Gästehaus Becker* (garni), Moltkestr. 24, 45 B.; *Gästehaus Allee-Post* (garni), Titotstr. 12; *Beck* (garni), Bahnhofstr. 31, 34 B. (Sauna). – JUGENDHERBERGE: *Reinhardt-Jugendherberge,* Richard-Schirrmann-Str. 9 (beim Trappensee), 160 B. – CAMPING-PLATZ: Unterreinriet bei Heilbronn.

RESTAURANTS. – *Ratskeller,* im Rathaus; *Harmonie,* Allee 28 (Gartenterrasse); *Heilbronner Winzerstüble,* Ludwig-Pfau-Str. 14. – I m J ä g e r h a u s-w a l d : *Waldgaststätte Jägerhaus.* – A u f   d e m W a r t b e r g : *Höhengaststätte Wartberg.*

CAFÉ. – *Noller,* Kirchbrunnenstr. 32.

VERANSTALTUNGEN. – *Heilbronner Herbst* (Weinfest).

Die ehem. freie Reichsstadt Heilbronn, der größte und wichtigste Industrie- und Handelsplatz des schwäbischen Unterlandes, liegt auf beiden Seiten des kanalisierten Neckar. Sie besitzt größere Hafenanlagen. Die Altstadt auf dem rechten Neckarufer wurde im Zweiten Weltkrieg fast völlig zerstört. So blieben nur wenige historische Bauten erhalten. Heilbronn ist Mittelpunkt eines bedeutenden Weinbaugebiets. Heinrich von Kleist setzte der Stadt mit dem "Käthchen von Heilbronn" ein literarisches Denkmal.

GESCHICHTE. – Heilbronn (der Ort verdankt seinen Namen einer heiligen Quelle) entwickelte sich als Handelsplatz im Schnittpunkt wichtiger Verkehrswege. Ein Luftangriff vernichtete 1944 die reizvolle Altstadt.

SEHENSWERTES. – In der wiederauf-gebauten Altstadt steht am M a r k t-p l a t z das im Renaissancestil wieder-hergestellte **Rathaus** mit *Astronomi-scher Kunstuhr* von 1580. Das hohe Haus an der Südwestecke des Marktes wird *Käthchenhaus* genannt, obwohl Heinrich von Kleists Ritterspiel "Käthchen von Heilbronn" kein historisches Vorbild hat. Die nahe **Kilianskirche** stammt aus dem 13. und 15. Jh.; der

Kilianskirche in Heilbronn

62 m hohe Turm wurde 1513-29 errichtet. Im Innern der *Hochaltar* von Hans Seyfer (1498). – Südlich vom Markt auch das *Historische Museum,* die wieder-aufgebaute *St.-Peter-und-Pauls-Kirche* (ursprüngl. 13. und 18. Jh.; kath.) und der *Deutschhof* (jetzt Stadtbücherei; Kulturzentrum geplant). Südwestlich am Neckar der *Götzenturm* (1392), in dem Goethe wider die geschichtliche Wahrheit Götz von Berlichingen sterben läßt (der Ritter starb 1562 auf Burg Hornberg am Neckar). – Östlich vom Markt, an der A l l e e, die Festhalle *Harmonie* (1958); nahebei, an der Moltke-straße, das *Robert-Mayer-Denkmal* (es erinnert an den 1814 in Heilbronn gebo-renen Entdecker des Gesetzes von der Erhaltung der Energie).

UMGEBUNG. – **Neckarsulm** (6 km nördlich) mit dem Deutschen Zweiradmuseum (im ehem. Deutschordensschloß). – **Bad Wimpfen** (15 km nördlich) mit *Ritterstiftskirche* St. Peter (10.-15. Jh.) und Resten einer hohenstaufischen Kaiserpfalz (13. Jh.; prächtige *Zwergarkaden*).

Helgoland

Bundesland: Schleswig-Holstein.
ⓘ **Kurverwaltung,** Südstrand;
Telefon: (04725) 701.

Wie eine mächtige Naturfestung ragen die roten Sandsteinfelsen der Insel

*Helgoland in der Weite der Deutschen Bucht auf. "Grün ist das Land, rot ist die Kant, weiß ist der Sand, das sind die Farben von Helgoland" heißt es in einem bekannten Spruch. Die 70 km vor der Elbmündung gelegene 0,9 qkm große Felseninsel gehört seit 1890 zu Deutschland. Damals wurde sie von Großbritannien gegen die Schutzherrschaft über die ostafrikanische Insel Sansibar eingetauscht. Man baute sie zu einem Marinestützpunkt aus. Auch im Zweiten Weltkrieg diente sie strategischen Zwecken. Am 18. April 1945 wurde Helgoland bei einem Luftangriff schwer getroffen. Nach Kriegsende wurden die noch verbliebenen Bewohner evakuiert und am 18. April 1947 die Befestigungsanlagen gesprengt, wobei gewaltige Felsmassen zusammenbrachen. Dann war die Insel Übungsziel der britischen Luftwaffe. Nach der Freigabe im März 1952 begann der Wiederaufbau.

Heute ist Helgoland wieder ein viel besuchtes Touristen-Ausflugsziel, nicht zuletzt wegen seiner Zollfreiheit. Sein mildes Klima, die reine Seeluft und seine

Helgoland
2 km

modernen Kureinrichtungen machen es überdies zu einem geschätzten Nordseeheilbad. Die in der Umgebung Helgolands befindlichen einzigen deutschen Fanggründe für Hummern sind das Reservat der Helgoländer Hummerfischer. Ein altes Privileg sichert den Helgoländer Fischern auch das Recht, ihre Gäste an Land zu befördern. Deshalb wird an der Reede ausgebootet. Tägliche Schiffsverbindungen bestehen von Cuxhaven aus, während der Saison auch von Hamburg, Wilhelmshaven, Bremerhaven und zahlreichen Seebädern. Die Anreise von Hamburg dauert etwa 6 Stunden. Bei Tagesausflügen beträgt der Inselaufenthalt etwa 4 Stunden.

Helgoland besteht aus dem Unterland, dem Mittelland, dem Oberland und der von der Insel getrennten Düne. – An der Südostseite der Insel das seit 1952 völlig neu bebaute **Unterland** mit dem *Kurhaus*, dem *Rathaus* (1961; Kur- und Gemeindeverwaltung) sowie zahlreichen Hotels und Fremdenheimen. Nördlich die *Biologische Forschungsanstalt* mit einem *Seewasseraquarium* sowie die *Kurmittelanlage* mit einem geheizten *Meerwasser-Freischwimmbad* (ca. 23°C). – Südwestlich vom Unterland das bei der Sprengung von 1947 entstandene, etwas höher gelegene M i t t e l l a n d. Südlich vom Mittelland das künstlich angelegte *Hafengelände* (Inselrundfahrten ab Landungsbrücke).

Das mit dem Unterland durch einen Aufzug und eine Treppe (181 Stufen) verbundene **Oberland** ist ein bis 58 m aus dem Meer aufragendes, 1500 m langes und bis 500 m breites Felsdreieck, größtenteils flach und grün bewachsen. An seiner Ostseite die wiederaufgebaute Ortschaft mit der *St.-Nikolai-Kirche* (1959; 33 m hoher Turm) und der neu errichteten *Vogelwarte*. Der ehem. Flakturm im Westen des Ortes wurde als *Leuchtturm* eingerichtet. An der Nordspitze *Nathurn* erhebt sich der freistehende Felsen *Hengst* (auch 'Lange Anna' genannt) und der von Lummen (Seevogelart) bewohnte *Lummenfelsen*, die höchste Erhebung der Insel. Sehr lohnend ist eine Rundwanderung auf dem *K l i p p e n w a n d e r w e g.

Als Badestrand dient die etwa 1$\frac{1}{2}$ km östlich vom Unterland gelegene und von diesem durch einen ca. 10 m tiefen Meeresarm (Fähre) getrennte **Düne** (Badegelegenheit am Süd- und Nordstrand; Campingplatz).

Herford

Bundesland: Nordrhein-Westfalen.
Kfz-Kennzeichen: HF.
Höhe: 68 m ü.d.M. – Einwohnerzahl: 64000.
Postleitzahl: D-4900. – Telefonvorwahl: 05221.
ⓘ **Städtisches Verkehrsamt,** Fürstenaustraße 7; Telefon: 51415.

HOTELS. – *Stadt Berlin,* Bahnhofsplatz 6, 53 B.; *Twachtmann,* Bügelstr. 4, 60 B.; *Hansa* (garni), Brüderstr. 40, 30 B.; *Winkelmann,* Mindener Str. 1, 40 B. – In S c h w a r z e n m o o r: *Waldesrand,* Zum Forst 4, 25 B. – JUGENDHERBERGE: Mindener Str. 8, 55 B. – CAMPINGPLÄTZE: *Herforder Kanu-*

Klub, an der Werre; *Elisabethsee*, in Herford-Eickum.

RESTAURANT. – *Ratskeller*, Rathausplatz 1.

CAFÉ. – *Jach*, Steinstr. 26.

Herford bettet sich in das fruchtbare Hügelland zwischen Wiehengebirge und Teutoburger Wald. Hier mündet die Aa in die Werre. Der Mittelpunkt des 'Wittekindslandes' ist ein Zentrum vielseitiger Industrie, vor allem Möbel- und Textilfabrikation. In Herford wurde 1662 der Barockbaumeister Matthäus Daniel Pöppelmann geboren.

GESCHICHTE. – Keimzelle der Stadt war ein Stift, das ein sächsischer Edelmann 789 für die Töchter des sächsischen Hochadels gründete. Kaiser Ludwig der Fromme erhob es zum Reichsstift. Um 1170 erhielt Herford Stadtrecht. Um 1220 entstand die Neustadt, die aus dem alten Hof Libbere hervorging. Im Mittelalter war Herford Mitglied der Hanse (seit 1342) und freie Reichsstadt. 1816 wurde es Kreisstadt.

SEHENSWERTES. – Die ALTSTADT gruppiert sich um die **Münsterkirche** des ehem. Damenstifts (13. Jh.; im Innern spätgotisches Taufbecken aus dem 16. Jh.), die älteste große Hallenkirche Westfalens. – Nordöstlich am Neuen Markt die aus der Mitte des 14. Jh. stammende *Johanniskirche* (wertvolle Glasmalereien des 14. und 15. Jh.); nördlich das *Frühherrenhaus* (16. Jh.), Geburtshaus von Otto Weddigen, eines bekannten U-Boot-Kommandanten des Ersten Weltkriegs. – Westlich von der Münsterkirche die *Jakobikirche* (14. Jh.)

An der Höckerstraße (Fußgängerzone) das ehem. *Bürgermeisterhaus* von 1538 (schöner spätgotischer Stufengiebel), das Geburtshaus von Matthäus Daniel Pöppelmann, dem Erbauer des berühmten Dresdener Zwingers. Eine architektonische Kostbarkeit auch das *Remensnider-Haus* von 1521, ein Fachwerkbau mit figurenreichen Knaggen an der nahen Brüderstraße. Das *Linnenbauer-Denkmal* erinnert an den alten Herforder Leinenhandel. – Am Deichtorwall das *Städtische Museum* mit Sammlungen zur Geschichte, Kultur und Kunst der Stadt und der ehem. Fürstabtei Herford. – Die **Stiftberger Kirche** (auch Marienkirche) auf dem Lutterberg (Hochaltar mit spätgotischem Sakramentshäuschen) ist eine der schönsten gotischen Hallenkirchen Westfalens.

UMGEBUNG von Herford. – **Bad Salzuflen** (6 km südöstlich), Solbad mit alten Bürgerhäusern, Gradierwerken und schönem Kurpark. – **Enger** (9 km nordwestlich), 'Wittekindstadt'; in der ehem. Stiftskirche St. Dionysius (12. Jh.) der Sarkophag des Sachsenherzogs mit prachtvoller Reliefplatte (um 1100), Wittekind-Gedächtnisstätte. – **Bünde** (13 km nordwestlich), Zentrum der westfälischen Tabakindustrie, mit Deutschem Tabak- und Zigarrenmuseum (u. a. längste Zigarre der Welt).

Bad Hersfeld

Bundesland: Hessen. – Kfz-Kennzeichen: HEF. Höhe: 242 m ü.d.M. – Einwohnerzahl: 28000. Postleitzahl: D-6430. – Telefonvorwahl: 06621.
ⓘ **Städtisches Verkehrsbüro,** im Rathaus; Telefon: 8077.

HOTELS. – *Parkhotel Rose*, Am Kurpark 9, 40 B.; *Zum Stern*, Linggplatz 11, 60 B., Hb.; *Haus Deutschland*, Am Kurpark, 36 B.; *Wildes Wässerchen*, Meisebacher Str. 31, 50 B., Hb.; *Viola* (garni), Am Weinberg 7, 22 B. – JUGENDHERBERGE: Wehneberg 29. – CAMPINGPLATZ: Beim Camping-Motel Geistal an der B 324.

RESTAURANTS. – *Ratskeller*, im Rathaus, Weinstr. 16; *Kurparkstuben*, in der Stadthalle; *Stiftsschänke*, Linggplatz 17.

VERANSTALTUNGEN. – *Hersfelder Festspiele*, in der Stiftsruine (im Juli).

Die Kreisstadt Bad Hersfeld, hessisches Staatsbad und Festspielstadt, liegt von Bergwald umgeben in einer Talweitung der unteren Fulda zwischen Rhön und Knüll. Hier mündet die Haune in die Fulda. Die Glauber- und Bittersalzquellen des Heilbades finden Verwendung bei Leber-, Galle-, Darm-, Magenleiden und Stoffwechselstörungen. Die z. T. noch ummauerte Altstadt präsentiert schöne alte Bürgerhäuser. Tradition hat die Hersfelder Tuchfabrikation. In Bad Hersfeld lebte und wirkte Konrad Duden (1829-1911), der Schöpfer der Duden-Rechtschreibung.

GESCHICHTE. – Ursprung der Stadt war eine Benediktinerabtei, die 769 von dem Mainzer Erzbischof Lullus gegründet wurde. 1648 kam Hersfeld als weltliches Fürstentum an Hessen-Kassel. 1806 kam Hessen unter die Herrschaft Napoleons I. 1904 wurden der Lullusbrunnen, 1928 der Lingbrunnen und 1947 der Vitalisbrunnen erbohrt. Seit 1951 finden in der Ruine der Stiftskirche die Bad Hersfelder Festspiele statt.

SEHENSWERTES. – Den großen Marktplatz umgeben schöne alte Bürgerhäuser. Östlich vom Markt die *Stadtkirche* (14. Jh.) mit mächtigem Turm und spätgotischem Inneren. Südlich gegenüber das *Rathaus*, ein stattlicher Renaissancebau (um 1600). – Im

Westen der Stadt die mächtige Ruine der 1761 von den Franzosen zerstörten *Stiftskirche (11. und 12. Jh.; Gesamtlänge über 100 m) mit freistehendem Glockenturm; in den südlich angrenzenden Gebäuden das Städtische Museum. – Im Südwesten der Stadt das Kurviertel mit Kurhaus und drei Heilquellen.

Hildesheim

Bundesland: Niedersachsen.
Kfz-Kennzeichen: HI.
Höhe: 70 m ü.d.M. – Einwohnerzahl: 105000.
Postleitzahl: D-3200. – Telefonvorwahl: 05121.
ⓘ **Verkehrsverein**, Markt 5;
Telefon: 1995.

HOTELS. – *Rose, Am Markt 7, 68 B. (mit Rest. Arnold Excellent); Deutsches Haus, Carl-Peters-Str. 5, 51 B., Hb., Sauna; Bürgermeisterkapelle, Osterstr. 60, 65 B.; Albrechts Hotel zum Hagentor, Kardinal-Bertram-Str. 15, 36 B.; Weißer Schwan, Schuhstr. 29, 60 B.; Berghölzchen, am Berghölzchen, 16 B.; Dittmann (garni), Almsstr. 15, 38 B. – In Einum: Hansa-Hotel, Hirschberger Str. 7, 20 B. – JUGENDHERBERGE: Rottsberg 4, 81 B. – CAMPINGPLATZ: Wilhelmshöhe, südwestlich der Stadt.

RESTAURANTS. – Ratskeller, Markt 1; Zur Pfeffermühle, Gartenstr. 18; China-Restaurant, Kaiserstr. 17. – In Ochtersum: Kupferschmiede, Steinberg 6.

WEINSTUBEN. – Schlegel, Am Steine 4; Hoken, Am Markt 2.

CAFÉ. – Panorama-Café, Schuhstr. 34.

Die alte Bischofsstadt liegt im nordwestlichen Vorland des Harzes in der fruchtbaren Talweitung der Innerste. Durch die Kirchenbauten des Bischofs Bernward (993-1022) und seiner Nachfolger wurde Hildesheim ein Hauptsitz frühromanischer Kunst in Deutschland. Daneben gaben viele Fachwerkhäuser dem Stadtbild ein fast einzigartiges Gepräge. In der Brandnacht vom 22. März 1945 schwand alle Pracht dahin, auch Hildesheims berühmtes Knochenhaueramtshaus. So zeigt die Stadt heute ein vorwiegend modernes Bild mit vorbildlicher Fußgängerzone und Geschäftshäusern. Einsprengsel sind 'Traditionsinseln' mit wiederhergestellten historischen Gebäuden.

Auf wirtschaftlichem Gebiet kommt besonders der Metallwaren- und Elektronikindustrie Bedeutung zu. Der Hildesheimer Hafen ist über einen 13 km langen Stichkanal mit dem Mittellandkanal verbunden. Im Süden der Stadt liegt das attraktive Erholungszentrum Hohnsensee.

GESCHICHTE. – Hildesheim erwuchs aus einer Kaufmannssiedlung des 8. Jh., bei der Kaiser Ludwig der Fromme um 815 den Dom errichten ließ. Im 11. Jh. unter den Bischöfen Bernward, Godehard und Hezilo erlebte der Ort, der nun auch Marktrecht erhielt, eine große kulturelle Blüte. Um 1220 entstand die Neustadt. Nach einer ersten Union von 1583 wurden Altstadt und Neustadt 1803 endgültig vereinigt. Mit der Säkularisierung der geistlichen Staaten im selben Jahr kam das bisher reichsunmittelbare Fürstentum Hildesheim an Preußen (nach einem hannoverschen Zwischenspiel ein zweites Mal 1866).

SEHENSWERTES. – In der Mitte der von alten Wallgräben umzogenen Innenstadt liegt der Altstädter Markt mit dem Rolandbrunnen von 1540. An der Ostseite des Platzes das spätgotische **Rathaus** (wiederhergestellt); südlich gegenüber das Tempelhaus (14. und 15. Jh.; Renaissance-Erker von 1592), daneben der Neubau der Stadtsparkasse. – Unweit südwestlich – jenseits des Hohen Weges (Fußgängerbereich), der belebten Hauptgeschäftsstraße der Stadt – auf dem Andreasplatz die **Andreaskirche** (ev.) mit gotischem Chor von 1389 (wiederaufgebaut).

Im Westen der Altstadt die Magdalenenkirche (13. Jh.; kath.); in der Schatzkammer das sog. Bernwardskreuz (11. Jh.). – Unweit nördlich auf einer beherrschenden Anhöhe die *Michaelis-

Mittelschiff der Michaeliskirche in Hildesheim

wurde 1898-1907 auf den Grundmauern eines Römerkastells rekonstruiert als anschauliches Beispiel eines römischen Standlagers am Limes (Saalburgmuseum mit Ausgrabungsfunden).

*Großer Feldberg (24 km nordwestlich), mit 880 m die höchste Erhebung des Taunus (70 m hoher Fernmeldeturm der Bundespost) und *Kleiner Feldberg* (827 m; vom 40 m hohen Kleinen Feldbergturm Ausblick bis zum Spessart und Odenwald).

Höxter

Bundesland: Nordrhein-Westfalen.
Kfz-Kennzeichen: HX.
Höhe: 90 m ü.d.M. – Einwohnerzahl: 35 500.
Postleitzahl: D-3470. – Telefonvorwahl: 0 52 71.
ⓘ **Verkehrsamt,** Am Rathaus 7; Telefon: 6 32 44.

HOTELS. – *Niedersachsen,* Möllinger Str. 4, 90 B; *Weserberghof,* Godelheimer Str. 16, 64 B.; *Corveyer Hof,* Westerbachstr. 29, 22 B. – JUGENDHERBERGE: *Hoffman-von-Fallersleben-Jugendherberge,* Am Ziegenberg, 176 B. – CAMPINGPLATZ: *Städtischer Campingplatz,* am Sportgelände.

RESTAURANTS. – *Ratskeller,* Weserstr. 11; *Schloß-Restaurant,* bei Schloß Corvey.

VERANSTALTUNGEN. – *Corveyer Musikwochen* (im Juni).

Die Kreisstadt Höxter am linken Weserufer wird reizvoll von bewaldeten Höhen umrahmt, die auf dem rechten Ufer des Flusses zum Solling gehören. Das Stadtbild prägen noch zahlreiche Fachwerkhäuser des 16. Jahrhunderts. Mit dem nahen Kloster Corvey besitzt Höxter eine der bedeutendsten Pflegestätten abendländischer Kultur.

GESCHICHTE. – Höxter, im Kreuzungspunkt alter Verkehrswege, geht auf die *Villa Huxori* zurück, die Kaiser Ludwig der Fromme 823 dem Kloster Corvey schenkte. Im 13. Jh. erhielt der Ort Stadt- und Befestigungsrecht. 1295 wurde er als Hansestadt erwähnt. Bis 1792 war Höxter Hauptstadt der reichsunmittelbaren Fürstabtei Corvey, 1792-1802 des Fürstbistums Corvey, von 1803-1806 des oranisch-nassauischen Fürstentums Corvey.

SEHENSWERTES. – Die ALTSTADT besitzt zahlreiche Renaissance-Fachwerkhäuser aus dem 16. Jahrhundert. Hervorgehoben seien in der Marktstraße die 1561 erbaute zweigiebelige **Dechanei,** einst Stadtsitz des Adelsgeschlechtes von Amelunxen (Erker, schöne Fächerrosetten); in der Nikolaistraße Nr. 10 *Haus Hütte* von 1565; in der verhältnismäßig breit angelegten Westerbachstraße (hier führte einst der Hellweg, ein alter Handelsweg, in die

Stadt) Nr. 33 das *Tillyhaus* von 1598 (hier soll der kaiserliche Feldherr während des Dreißigjährigen Krieges mehrfach Quartier genommen haben) und Nr. 34 *Haus Hottensen* von 1537, reizvoll auch Nr. 2-10 die wiederhergestellte Häusergruppe; gegenüber der Westfassade der Kilianikirche das *Küsterhaus* (jetzt Städtisches Verkehrsamt), ein prachtvoller Fachwerkbau von 1595.

Das **Rathaus** mit reich geschnitztem Erker und achteckigem Treppenturm entstand 1610-1613; in der Eingangshalle ein spätromanisches Steinrelief (um 1260) mit dem städtischen Waagemeister. – Nordöstlich vom Rathaus die romanische **Kilianikirche** (ev.) aus dem 12. und 13. Jh. mit zwei weithin sichtbaren ungleich hohen Westtürmen; im Innern eine Kreuzigungsgruppe von 1520 auf dem Hochaltar, eine Kanzel von 1597 und ein Taufstein aus dem Jahre 1631. – Nördlich die frühgotische *Marienkirche* (13. Jh.), eine ehem. Minoritenkirche.

UMGEBUNG. – *Kloster Corvey (2 km nordöstlich), die vornehmste Benediktinerabtei Norddeutschlands, 822 von Ludwig dem Frommen gegründet und 1803 säkularisiert (jetzt Besitz des Herzogs von Ratibor). Von der alten *Klosterkirche* steht noch das

Kloster Corvey bei Höxter

vorgebaute **Westwerk (873-885), das älteste erhaltene Bauwerk des frühen Mittelalters in Westfalen (im Innern die zweigeschossige Kaiserkapelle mit Resten von Wandmalereien des 9. Jh.). Die heutige Klosterkirche zeigt eine prachtvolle Barockausstattung; an ihrer Südseite das Grab von A. H. Hoffmann von Fallersleben, dem Dichter des Deutschlandliedes, der auf Schloß Corvey als Bibliothekar tätig war. Aus der Barockzeit stammen auch die schlichten ehem. Abteigebäude, das heutige *Schloß* (sehenswert vor allem Äbtegalerie, Kaisersaal und fürstliche Bibliothek). – **Neuhaus im Solling** (16 km östlich), heilklimatischer Kurort und Wintersportplatz im Herzen des Sollings mit 1768-91 erbautem ehem. Jagdschloß der hannoverschen Könige. – **Köterberg** (17 km nordwestlich), 497 m hohe aussichtsreiche Erhebung mit Fernsehturm und Köterberghaus (Restaurant); schöne *Rundsicht auf Solling, Vogler, Lippisches Bergland und Eggegebirge.

Husum

Bundesland: Schleswig-Holstein.
Kfz-Kennzeichen: NF.
Höhe: 5 m ü.d.M. – Einwohnerzahl: 25 000.
Postleitzahl: D-2250. – Telefonvorwahl: 0 48 41.
ⓘ **Tourist Information,** Rathaus, Großstraße 25;
Telefon: 6 10 23.

HOTELS. – *Parkhotel Thordsen*, Erichsenweg 23, 100 B.; *Thomas*, Zingel 7, 70 B.; *Nordseehotel Krumbholz*, Am Seedeich, 45 B.; *Zur Grauen Stadt am Meer*, Schiffbrücke 9, 40 B.

RESTAURANT. – *Ratskeller*, Großstraße 27. – *Storm-Café*, Markt 11.

Die an der Westküste von Schleswig-Holstein an der als Hafen dienenden Husumer Au gelegene Stadt ist der kulturelle Mittelpunkt Nordfrieslands. Als Geburtsort des Dichters Theodor Storm (1817-88) wurde die 'graue Stadt am Meer' zum Schauplatz vieler seiner Erzählungen.

SEHENSWERTES. – Am Marktplatz das 1882 in der Form des Renaissancebaus von 1601 wiedererrichtete *Rathaus.* An der Ostseite des Platzes die klassizistische **Marienkirche** (1829-33; Bronzetaufbecken von 1643). Am Markt Nr. 9 das *Geburtshaus von Theodor Storm* sowie einige Bürgerhäuser aus dem 16. und 17. Jahrhundert.
Das ehem. **Schloß** (1577-82) wird z.Z. in ein Museum umgebaut. Hinter dem Neustädter Friedhof das bereits 1899 als Freilichtmuseum hier aufgestellte **Ostenfelder Bauernhaus** (16./17. Jh.).

Südöstlich vom Markt das 1937-39 aus Klinker erbaute **Nissenhaus** mit dem *Nordfriesischen Museum* (Natur- und Kulturgeschichte, Volkskunde, Gemälde).
Der im Südwesten gelegene *Hafen* ist Ausgangspunkt für Fahrten zu den Halligen und den Nordfriesischen Inseln.

UMGEBUNG von Husum. – Rund 10 km südwestlich von Husum steht bei Simonsberg der **Rote Haubarg,** ein schönes altes Bauernhaus (Hotel).

Idar-Oberstein

Bundesland: Rheinland-Pfalz.
Kfz-Kennzeichen: BIR.
Höhe: 260 m ü.d.M. – Einwohnerzahl: 38 000.
Postleitzahl: D-6580. – Telefonvorwahl: 0 67 81.
ⓘ **Städtisches Verkehrsamt,**
Pavillon am Bahnhof;
Telefon: 6 43 51.

HOTELS. – *Merian-Hotel*, Mainzer Str. 34, 212 B. (mit 2 Restaurants); *Park-Hotel*, Hauptstr. 185, 65 B.; *Schützenhof*, Hauptstr. 141, 42 B.; *Zum Schwan*, Hauptstr. 25, 37 B. – In Kirchweiler: *Waldhotel* (garni), 33 B. – In Tiefenstein: *Handelshof*, Tiefensteiner Str. 235, 28 B. – JUGEND-HERBERGE: Alte Treibe 23, 160 B. – CAMPING-PLÄTZE: *Im Staden*, am Ortsausgang in Richtung Trier; *Fischbachtal*, Niederwörresbach bei Idar-Oberstein; *Oberes Idartal*, Sensweiler-Katzenloch.

CAFÉS. – *Benner*, Kobachstr. 3. – In Weierbach: *Schwarzenbarth.*

Die reizvoll an der Einmündung der Idar in die Nahe gelegene Stadt, überragt von bis 125 m hohen Melaphyrwänden, ist einer der wichtigsten Plätze des Edelsteinhandels und der Schmuckwarenindustrie, mit bekannten Edelstein- und Achatschleifereien.

GESCHICHTE. – Der Ruf von Idar-Oberstein gründete sich auf die einst reichen Achatvorkommen. Ursprünglich lieferten die vom Bach aus dem Melaphyr ausgewaschenen Achatblöcke das Material für die Schleifereien. Seit der Erschöpfung der Fundstätten in der Mitte des 19. Jh. werden eingeführte und synthetische Edelsteine bearbeitet.

SEHENSWERTES. – Über dem Ortsteil **Oberstein** mit *Heimatmuseum* die in eine Grotte gebettete *Felsenkirche* (Vorraum aus dem 11. Jh.; 1482 zur heutigen Größe erweitert); darüber auf den steil aufragenden Felswänden zwei Burgruinen (11. bzw. 12. Jh.). – Im Idartal aufwärts erstreckt sich der Ortsteil **Idar** mit der 22stöckigen *Diamant- und Edelsteinbörse;* im 1. Stock das sehenswerte *Deutsche Edelsteinmuseum.* An der Tiefensteiner Straße die *Weiherschleife,* eine alte Edelsteinschleiferei.

Ingolstadt

Bundesland: Bayern. – Kfz-Kennzeichen: IN.
Höhe: 365 m ü.d.M. – Einwohnerzahl: 88 000.
Postleitzahl: D-8070. – Telefonvorwahl: 08 41.
ⓘ **Städtisches Verkehrsamt,**
Schrannenstraße 1;
Telefon: 30 54 17.

HOTELS. – *Holiday Inn*, Goethestr. 153, 190 B., Hb., Sauna; *Rappensberger*, Harderstr. 3, 124 B.; *Bavaria*, Feldkirchener Str. 67, 80 B., Hb., Sauna; *Donau-Hotel*, Münchener Str. 10, 80 B.; *Scholze* (garni), Ziegeleistr. 64, 24 B.; *Adler* (garni), Theresienstr. 22, 85 B. – In Gaimersheim-Friedrichshofen: *Heidehof*, Ingolstädter Str. 121, 30 B., Hb., Sauna. – JUGENDHERBERGE: Oberer Graben 4, 100 B. – CAMPINGPLATZ: *Auwaldsee*, am Ufer des Auwaldsees.

RESTAURANTS. – *Bastei*, Schloßlände 1; *Chaton*, Beckerstr. 19 (Grillrestaurant).

CAFÉ. – *Westermeier*, Harderstr. 7.

Die ehemalige bayerische Herzogsresidenz und Landesfestung Ingolstadt liegt am Südrande der Fränkischen Alb in einer weiten Ebene an der Donau. Die Altstadt (Fußgängerbereich) mit zahlreichen historischen Bauten ist noch großenteils von einer mittelalterlichen Befestigungsmauer umgeben. Mit Großraffinerien (Adria-Pipeline) und Automobilbau ist Ingolstadt heute ein wichtiger Industrieplatz.

GESCHICHTE. – 806 ist Ingolstadt erstmals erwähnt. Um 1260 ließ Herzog Ludwig der Strenge hier eine Burg erbauen. 1472 gründete Herzog Ludwig der Reiche eine Universität, die durch J. Eck, den Gegner Luthers, zu einem Zentrum der Gegenreformation wurde. Diese bayerische Landesuniversität bestand in Ingolstadt bis 1800.

SEHENSWERTES. – Mittelpunkt der ALTSTADT ist der neugestaltete Rathausplatz mit dem *Alten Rathaus* (1882), dem *Neuen Rathaus* (1959) und der *Spitalkirche* (15. Jh.) – Die Ludwigstraße zieht ostwärts zum wuchtigen ehem. **Herzogsschloß** (15. Jh.), dessen Innenräume zu den schönsten

Kreuztor in Ingolstadt

Profanräumen der Gotik in Deutschland gehören (seit 1972 Bayerisches Armeemuseum). Weiter südlich zwischen Neuem Rathaus und Schloß der *Herzogkasten* (Schloßrest, 13. Jh.).

Vom Rathausplatz führt die Theresienstraße westwärts zum mächtigen spätgotischen **Liebfrauenmünster**

(15.-16. Jh.) mit zwei übereck gestellten Türmen und sehenswertem Innern (Grabplatte von Luthers Gegner Prof. Dr. Eck); nördlich die *Kirche Maria de Victoria,* 1732-36 von den Brüdern Asam erbaut (das Innere ein Hauptwerk des bayerischen Rokoko); westlich der Asamkirche das siebentürmige *Kreuztor* (1385). In der *Alten Anatomie* an der nahen Anatomiestraße das *Deutsche Medizinhistorische Museum.* – Am südlichen Donau-Ufer klassizistische Festungsanlagen von Leo von Klenze.

Kaiserslautern

Bundesland: Rheinland-Pfalz.
Kfz-Kennzeichen: KL.
Höhe: 236 m ü.d.M. – Einwohnerzahl: 105 000.
Postleitzahl: D-6750. – Telefonvorwahl: 06 31.
(i) **Verkehrsamt,** Rathaus;
Telefon: 85 23 16.

HOTELS. – *Dorint,* St.-Quentin-Ring 1, 245 B., Hb., Sauna; *Bonk* (garni), Riesenstr. 13, 39 B.; *Zepp* (garni), Pariser Str. 4, 80 B.; *Pfälzer Hof,* Fruchthallstr. 15, 37 B.; *Eden* (garni), Richard-Wagner-Str. 2, 40 B.; *Zum Lautertal,* Mühlstr. 31, 28 B. – Am Gelterswoog: *Seehotel Gelterswoog,* 85 B., Hb., Sauna. – CAMPINGPLATZ: Gelterswoog, Kaiserslautern-Hohenecken.

RESTAURANTS. – *Rathaus-Restaurant,* im 21. Stock des Neuen Rathauses; *Zum Deutschen Michel,* Richard-Wagner-Str. 47; *Bremer Hof,* 2,5 km südwestlich über die Bremer Straße.

WEINSTUBEN. – *Haus Hexenbäcker,* Am Fackelrondell; *Spinnrädl,* Schillerstr. 1 (Fachwerkhaus von 1509).

BIERLOKAL. – *Bier-Akademie,* Im Altenhof 17 (über 100 verschiedene Biersorten).

CAFÉ. – *Fegert,* Mühlstr. 11.

Die alte 'Barbarossastadt' Kaiserslautern, am Schnittpunkt wichtiger Verkehrswege gelegen, ist das kulturelle und wirtschaftliche Zentrum des Pfälzer Waldes. Sie ist Sitz der Naturwissenschaftlichen Fakultät der Universität Trier-Kaiserslautern und des Pfalztheaters. Textil, Nähmaschinen-, Leder- und holzverarbeitende Industrie kennzeichnen ihr Wirtschaftsleben.

SEHENSWERTES. – Im Mittelpunkt der Stadt erhebt sich am Stiftsplatz die dreitürmige frühgotische **Stiftskirche** (ev.; 13.-14. Jh.); in der Vorhalle das an die Union der beiden ev. Bekenntnisse (1818) erinnernde Unionsdenkmal mit den Figuren Luthers und Calvins. Unweit nordöstlich die *St.-Martins-Kirche*

Rathaus in Kaiserslautern

(kath.; 14. Jh.); westlich davon die 1843-46 erbaute *Fruchthalle* (hier wurden einst Obst und Gemüse feilgeboten) mit großem Festsaal. Weiter westlich der Rathausplatz mit dem modernen 84 m hohen **Rathaus** (1968), dem höchsten Europas. Von der alten 'Barbarossaburg' (sie ging bereits auf Karl d. Gr. zurück und wurde 1153-58 von Kaiser Friedrich Barbarossa erweitert), die sich in der Nähe erhob, sind nur noch Reste erhalten. – Am Museumsplatz, im Nordteil der Stadt, die Pfälzische Landesgewerbeanstalt mit der *Pfalzgalerie* (Kunst des 19. und 20. Jh.).

UMGEBUNG von Kaiserslautern. – **Großer Humberg** (430 m; 4 km südlich; schöne Rundsicht). – **Burgruine Hohenecken** (7 km südwestlich). – Ehem. **Klosterkirche Otterberg** (8 km nördlich).

Karlsruhe

Bundesland: Baden-Württemberg.
Kfz-Kennzeichen: KA.
Höhe: 116 m ü.d.M. – Einwohnerzahl: 276 000.
Postleitzahl: D-7500. – Telefonvorwahl: 07 21.
ⓘ **Verkehrsverein**, Bahnhofplatz 6;
Telefon: 38 70 85.

HOTELS. – *Parkhotel*, Ettlinger Str. 23, 170 B. (mit Grill-Restaurant und badischer Weinstube); *Schloß-Hotel*, Bahnhofplatz 2, 130 B.; *Kaiserhof*,

Marktplatz, 55 B.; *Am Theater*, Rüppurrer Str. 2, 50 B. (mit Rest. Stadtschänke); *Eden*, Bahnhofstr. 17, 85 B.; *Kübler* (garni), Bismarckstr. 39, 102 B.; *Greif*, Ebertstr. 17, 120 B.; *Erbprinzenhof* (garni), Erbprinzenstr. 26; *Berliner Hof* (garni), Douglasstr. 7, 55 B. – In Durlach: *Maison Suisse*, Hildebrandstr. 24, 23 B. – JUGENDHERBERGE: Moltkestr. 2 b (am Engländerplatz). – CAMPINGPLATZ: *Turmbergbad*, im Stadtteil Durlach.

RESTAURANTS. – *O'Henry's Steakhouse*, Breite Str. 24; *Auberge Blumenfels*, Blumenstr. 23 (französ. Küche); *Balkan-Grill*, Herrenstr. 36; *Baumeisters Gaststätten*, in der Stadthalle; *Unter den Linden*, Kaiserstr. 71; *Santa Lucia*, Badenwerkstr. 1 (italien. Spez.); *Kupferpfanne*, Beiertheimer Allee 18; *Onkel Paul*, Amalienstr. 89. – In Daxlanden: *Zur Krone*, Pfarrstr. 18 (Künstlerkneipe). – In Maxau: Hofgut Maxau.

WEINSTUBEN. – *Oberländer Weinstube*, Akademiestr. 7 (mit Garten); *Badische Weinstuben*, im Botanischen Garten; *Badische Weinstube*, Ritterstr. 10.

CAFÉS. – *Schloßmuseum* (mit Terrasse); *Barany*, am Festplatz; *Nancy*, an der Nancy-Halle im Stadtgarten; *Tiergarten-Café*, Bahnhofsplatz 4 (mit Terrasse); *Carmen*, Hirschstr. 3 (Konzertcafé im Wiener Stil).

Die ehemalige großherzoglich badische Residenz liegt nahe am Rhein an den nordwestlichen Ausläufern des Schwarzwaldes. Typisch ist die auf das Schloß ausgerichtete fächerförmige Stadtanlage. Karlsruhe ist Sitz des Bundesgerichtshofes und des Bundesverfassungsgerichtes, einer Universität (Technische Hochschule), Kunstakademie und Hochschule für Musik sowie des Deutschen Kernforschungszentrums. Der 7 km entfernte Rheinhafen förderte die Ansiedlung einer vielseitigen Industrie (u. a. große, an die Pipeline Marseille – Karlsruhe – Ingolstadt angeschlossene Ölraffinerien). Schloßgarten und Stadtgarten bildeten 1967 den Rahmen der Bundesgartenschau.

In Karlsruhe wurde 1785 Karl von Drais geboren, der Erfinder des Laufrades und der Draisine, und 1844 Carl Benz, der Konstrukteur des Benzinmotors. Er baute 1885 seinen ersten Benzinmotorwagen.

GESCHICHTE. – Karlsruhe verdankt seine Entstehung dem Markgrafen Karl Wilhelm von Baden-Durlach, der hier 1715 seine neue Residenz gründete. Ihr klassizistisches Gepräge erhielt die Stadt Anfang des 19. Jh. durch schlicht-vornehme Staats- und Privatbauten des in Rom geschulten Baumeisters Friedrich Weinbrenner. Im Zweiten Weltkrieg erlitt Karlsruhe durch wiederholte Luftangriffe starke Zerstörungen, die jedoch in einem großzügigen Wiederaufbau beseitigt wurden.

SEHENSWERTES. – Herzstück der Stadt ist der Schloßplatz mit dem 1752-85 von Friedrich von Keßlau z. T. nach Plänen von Balthasar Neumann erbauten **Schloß** (wiederaufgebaut); im Innern das reichhaltige *Badische Landesmuseum* (vor- und frühgeschichtliche, Altertums-, kunstgewerbliche und volkskundliche Sammlungen). Hinter dem Schloß der ausgedehnte *Schloßgarten.* – An der Südwestseite des Schloßplatzes liegt die *Staatliche Kunsthalle (Hans-Thoma-Str. 2) mit bedeutender Gemäldesammlung (altdeutsche Meister wie Cranach, Grünewald, Holbein und Striegel; niederländische und französische Malerei des 17. und 18. Jh.; Hauptwerke der neueren badischen Schule); im Anbau das *Hans-Thoma-Museum* mit Werken des Landschaftsmalers Hans Thoma (1839-1924); im Orangerie-Gebäude die

ständige Abteilung 'Deutsche Malerei von 1890 bis zur Gegenwart'. Nördlich der Kunsthalle das *Bundesverfassungsgericht* (1968). 1 km nordöstlich vom Schloß das *Wildparkstadion.*

Südlich vom Schloßplatz der Marktplatz mit der 6,5 m hohen, aus rotem Sandstein erbauten **Pyramide**, dem Wahrzeichen der Stadt. Sie birgt die Gruft des Stadtgründers. Zu beiden Seiten des Platzes, der die lange Kaiserstraße in zwei Hälften teilt, die **Ev.-Stadtkirche** und das **Rathaus** (beide von Weinbrenner; wiederhergestellt). Die Kaiserstraße zieht westwärts an der stattlichen Hauptpost vorbei zum Mühlberger Tor; westlich davon das *Oberrheinische Dichtermuseum* (Röntgenstr. 6; Handschriften, Erstdrucke, Briefe u. a.). In dem vom Markt zum Durlacher Tor führenden östlichen Teil der Straße die schon 1825 gegründete, sich bis zum Schloßplatz hinziehende *Technische Universität,* an der Heinrich Hertz 1885-1889 die elektromagnetischen Wellen entdeckte.

Südwestlich vom Marktplatz am Friedrichsplatz die 1814 von Weinbrenner erbaute **Stephanskirche** (kath. Stadtkirche; wiederhergestellt). An der Südseite des Platzes das Sammlungen-Gebäude mit dem *Naturkunde-Museum* (Vivarium); dahinter im Nymphengarten die *Badische Landesbibliothek* (1964). Südwestlich das ehem. Erbgroßherzogliche Palais (1893-97), das seit 1950 den **Bundesgerichtshof** enthält.

Vom Markt südwärts gelangt man durch die Karl-Friedrich-Straße über den Rondellplatz mit der *Verfassungssäule* und dem 1963 wiederaufgebauten *Markgräflichen Palais* (jetzt Banken), einem der schönsten Bauten von Weinbrenner, zu der neu gestalteten Straßenkreuzung am *Ettlinger Tor;* südöstlich das 1970-75 erbaute neue **Badische Staatstheater** (Oper und Schauspiel).

Die Ettlinger Straße führt südlich zum Festplatz (rechts) mit der **Stadthalle** (1915; heute Kongreßzentrum), der **Schwarzwaldhalle,** einem ovalen Glasbau mit geschwungenem Dach (1953-54; Sportveranstaltungen u. a.) und der *Nancy-Halle* (1966). – Südlich erstreckt sich bis zum Hauptbahnhof der schöne *Stadtgarten* mit einem Restaurant, dem Vierordt- und dem Tullabad sowie dem *Zoo.* Östlich vom Vier-

1 Stadthalle (Kongreßzentrum)
2 Nancyhalle
3 Schwarzwaldhalle
4 Vierordtbad
5 Tullabad

ordtbad ein kleines *Verkehrsmuseum*
(Werderstr. 63).

UMGEBUNG von Karlsruhe. – **Turmberg** (225 m;
7$^1/_2$ km östlich) mit der Durlacher Warte (schöne
Aussicht auf Karlsruhe und die Oberrheinebene). –
Rastatt (22 km südwestlich) mit Schloß (Wehrge-
schichtliches Museum; Freiheitsmuseum, 1974 als
Erinnerungsstätte für die Freiheitsbewegungen in
der deutschen Geschichte eröffnet), Heimatmuseum und Barockschloß Favorite.

Kassel

Bundesland: Hessen. – Kfz-Kennzeichen: KS.
Höhe: 132 m ü.d.M. – Einwohnerzahl: 203000.
Postleitzahl: D-3500. – Telefonvorwahl: 0561.
ⓘ **Stadtinformation,** im Hauptbahnhof;
Telefon: 7878006.
Informationsstelle, am Friedrichsplatz;
Telefon: 7878022.

HOTELS. – **Holiday Inn,* Heiligenröder Str. 61,
300 B., Hb., Sauna, im Nordosten der Stadt; **Reiss,*
am Hauptbahnhof, Werner-Hilpert-Str. 24, 130 B.;
Parkhotel Hessenland, Obere Königsstr. 2, 200 B.;
Excelsior, Erzbergstr. 2, 70 B.; *Hucke,* Raiffeisenstr. 7, 36 B.; *Hospiz Treppenstraße* (garni), Trep-
penstr. 9, 65 B. – In Niederzwehren: *Gude,*
Frankfurter Str. 299. – In Wilhelmshöhe:
Schloßhotel Wilhelmshöhe, Schloßpark 2, 100 B.
(Terrassen); *Schweizer Hof,* Wilhelmshöher Allee 288, 116 B. – An der Autobahnauffahrt
Kassel-Mitte: *Autobahn-Rasthaus Kassel,* Loh-
felden, 110 B. – JUGENDHERBERGE: *Am Tannen-
wäldchen,* Schenkendorfstr. 18, 250 B. – CAM-
PINGPLÄTZE: *Städtischer Campingplatz,* Giesenal-
lee, *Beim Bootshaus Kissler,* beide an der Fulda.

RESTAURANTS. – *Däche,* Obere Königsstr. 4;
Henkel im Hauptbahnhof, Hauptbahnhof; *Ratskeller,* im Rathaus, Obere Königsstr. 8; *Stadthallen-Restaurant,* Friedrich-Ebert-Str. 152; *Parkrestaurant Schloß Schönfeld,* am Botanischen
Garten; *Regenbogen,* Werner-Hilpert-Str. 3.

WEINSTUBEN. – *Weinhaus St. Elisabeth,* Oberste
Gasse 6; *Weinstuben Boos,* Wilhelmshöher Allee 97; *Weinstube Hessenstube,* Obere Königsstraße 28.

CAFÉS. – *Paulus,* Friedrichsplatz und Trep-
penstr. 13; *Lange,* Friedrich-Ebert-Str. 72.

VERANSTALTUNGEN. – *Kurkonzerte* im Park Wilhelmshöhe (Mai bis September); *Löwenburg-Sere-
naden* (im Sommer Samstag abends); *documenta,*
Ausstellung moderner Kunst (Juli-September).

**Kassel, das Kultur-, Wirtschafts- und
Verwaltungszentrum Nordhessens
liegt reizvoll in einem Talbecken der
Fulda am Fuß des Habichtswaldes.
Zahlreiche Bildungsanstalten (u. a.
Gesamthochschule) und Behörden
(Bundesarbeits- und Bundessozialge-
richt) haben hier ihren Sitz. Auf künst-
lerischem Gebiet ist Kassel bekannt
durch die avantgardistischen 'docu-**

**menta'-Ausstellungen. Der Stadtteil
Wilhelmshöhe wird als heilklimatischer und Kneipp-Kurort viel besucht.
Kassel ist ein wichtiger Verkehrsknotenpunkt und ein bedeutendes Industriezentrum mit Lokomotiv- und Fahrzeugbau, Maschinen- und Werkzeug-
fabriken, Textilindustrie, Herstellung
optischer und geodätischer Instru-
mente.**

Die Innenstadt zeigt heute ein vorbild-
lich-modernes Gesicht mit großzügigen
Verkehrsachsen, weiten Plätzen und
verkehrsfreien Einkaufsstraßen.

GESCHICHTE. – Keimzelle Kassels war ein fränkischer Königshof am Fuldaübergang. Stadt- und Befestigungsrecht hatte der Ort bereits im 12. Jh. 1277
machte Landgraf Heinrich I. Kassel zu seiner Residenz. Das 15., vor allem aber das 18. Jh. war eine
Zeit großer wirtschaftlicher und kultureller Blüte:
Unter Landgraf Karl wurde die Karlsaue angelegt,
Wilhelm VIII. gründete die berühmte Gemäldegalerie, unter Wilhelm IX. wurde Schloß Wilhelmshöhe
erbaut. Die Kehrseite der Medaille war: Friedrich II.
ließ überall im Lande Soldaten anwerben, die er gegen Bezahlung auf Seiten der Engländer in Nord-
amerika kämpfen ließ (1775). "Ab nach Kassel" war
damals eine geflügelte Redensart. – Im Oktober
1943 wurde die Kasseler Altstadt zum größten Teil
vernichtet. Sie wurde 'modern' wiederaufgebaut.

SEHENSWERTES. – Hauptgeschäftsstraße der Innenstadt ist die Obere
Königsstraße (Fußgängerzone), die
vom Königsplatz am Friedrichsplatz
vorbei (rechts die 300 m lange 'Trep-

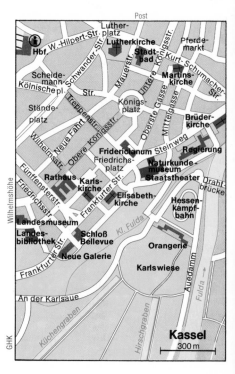

Kassel
300 m

penstraße') über den Opernplatz zum Brüder-Grimm-Platz führt. – An der Nordostseite des Friedrichsplatzes das ehem. **Museum Fridericianum,** 1769-79 von Simon du Ry im klassizistischen Stil erbaut, seit 1955 Zentrum der zeitweiligen 'documenta'-Ausstellungen (moderne Kunst). An der Südseite des Platzes das 1958-59 neu erbaute *Staatstheater* (Großes und Kleines Haus). Nördlich davon, im ehem. **Ottoneum** (16. Jh.), dem ältesten festen Theaterbau Deutschlands, das *Naturkundemuseum* (Steinweg 2); südlich des Staatstheaters die **Karlsaue* in der Niederung der Fulda, ein schöner 160 ha großer Hochwaldpark, mit der *Orangerie* (1701-11; zerstört), dem 1720 nach Angaben des Bildhauers Pierre Etienne Monnot errichteten prunkvollen *Marmorbad* und der Blumeninsel *Siebenbergen.* – Am Opernplatz die Skulptur ''Der Gefesselte'' (von V. Sidur; 1974). Weiter südwestlich an der Oberen Königstraße das 1905-09 erbaute stattliche **Rathaus** (Ratskeller).

Am Brüder-Grimm-Platz das *Wachthaus,* 1814-22 die Wohnung von Jakob und Wilhelm Grimm (weltbekannt durch ihre Märchensammlung und ihr Deutsches Wörterbuch) und das **Hessische Landesmuseum** (mittelalterliche Bildteppiche, Kunstgewerbe, Astronomisch-Physikalisches Kabinett, Volkskunde sowie das einzigartige **Deutsche Tapetenmuseum*). Südöstlich hinter dem Museum das Gebäude der *Murhardschen und Hessischen Landesbibliothek* (u. a. mit der um 800 im Kloster Fulda entstandenen **Handschrift des berühmten Hildebrandliedes und dem 'documenta'-Archiv*). Unweit östlich das kleine *Schloß Bellevue* (Schöne Aussicht 2) mit dem *Brüder-Grimm-Museum* (Handexemplare der Märchen, wissenschaftliche Werke, Briefe, Bilder, Übersetzungen der Märchen aus aller Welt). Südwestlich gegenüber die *Neue Galerie* (Gemälde und Plastik des 19. und 20. Jh.). – Nordwestlich von der Oberen Königsstraße der langgestreckte Ständeplatz mit stattlichen Hochhäusern.

Vom Brüder-Grimm-Platz führt die 5 km lange schnurgerade Wilhelmshöher Allee nahe an der **Stadthalle** (großer Festsaal) und dem *Bundesarbeitsgericht* und dem *Bundessozialgericht* vor-

bei zum Stadtteil WILHELMSHÖHE, heilklimatischer Kurort und Kneippheilbad. Das klassizistische **Schloß Wilhelmshöhe** (287 m) wurde 1786-1801 für Landgraf Wilhelm IX. (später Kurfürst Wilhelm I.) von Simon Louis du Ry und Heinrich Christoph Jussow erbaut. 1807-13 war es Residenz des 'Königs von Westfalen' Jérôme, dem Bruder Napoleons I., 1871 Aufenthalt des bei Sedan gefangengenommenen Kaisers Napoleon III., später Sommerresidenz Kaiser Wilhelms II. Das glänzend eingerichtete Innere (wiederhergestellt) enthält das *Schloßmuseum* und die ***Gemäldegalerie Alter Meister,* eine von Landgraf Wilhelm VIII. angelegte, jetzt über 600 Bilder umfassende Sammlung, reich an Werken niederländischer Maler (u. a. 17 Rembrandt, 11 van Dyck) sowie italienischer und spanischer Meister (Tizian, Tintoretto, Murillo); ferner das *Kupferstichkabinett,* die *Antikensammlung* und die *vor- und frühgeschichtlichen Sammlungen.*

Der 250 ha große ***Bergpark Wilhelmshöhe** – ''vielleicht das Grandioseste, was der Barockstil in der Verbindung von Architektur und Landschaft gewagt hat'' (Dehio) – am Ostabhang des Habichtswaldes mit *Löwenburg* (1793-97 erbaute künstliche Ruine einer Ritterburg), *Großer Fontäne* (53 m), künstlichen *Wasserfällen* und *Kaskaden* wird gekrönt vom *Oktogon* (525 m) mit dem auf einer 32 m hohen Spitzsäule stehenden 8 m hohen kupfernen *Herkules,* in dessen Keule acht Personen Platz haben. Faszinierend, wenn abends Fontäne, Kaskaden und Herkules im Scheinwerferlicht erstrahlen.

UMGEBUNG von Kassel. – **Schloß Wilhelmsthal* (11 km nordwestlich). Die 1753-67 von François de Cuvilliés erbaute ehem. kurfürstliche Sommerresidenz ist eines der reizvollsten Rokokoschlösser Deutschlands (prachtvolle Innenausstattung, u. a. Schönheitsgalerie mit Gemälden von Johann Heinrich Tischbein). – **Stiftskirche Oberkaufungen** (11 km östlich). Das ehem. Benediktinerinnenstift wurde 1017 von Kaiserin Kunigunde, Gemahlin Heinrichs II., gegründet.

Kempten im Allgäu

Bundesland: Bayern. – Kfz-Kennzeichen: KE.
Höhe: 695 m ü.d.M. – Einwohnerzahl: 57 000.
Postleitzahl: D-8960. – Telefonvorwahl: 08 31.
(i) **Verkehrsamt,** Rathausplatz 14;
Telefon: 25 22 38 und 25 22 37.

HOTELS. – *Peterhof,* Salzstr. 1, 86 B.; *Post,* Poststr. 7, 65 B.; *Bahnhof-Hotel,* Mozartstr. 2, 70 B.; *Keller* (garni), Kotterner Str. 72, 35 B.

RESTAURANTS. – *Kreuz-Stuben,* Rathausplatz 23; *Haubenschloß,* Haubenschloßstr. 37; *Weinhaus zum Strittigen Winkel,* Fischerstraße (Freitreppe).

FREIZEIT. – Tennisplätze; Eislaufbahn; Speedwaybahn.

Die Hauptstadt des Allgäus liegt reizvoll an der Iller, wo sich schon eine keltische Niederlassung befand. Die hochgelegene 'Neustadt' wurde im 17. Jahrhundert von den Fürstäbten angelegt. Heute ist Kempten Zentrum der Allgäuer Milchwirtschaft sowie des Butter- und Käsehandels.

SEHENSWERTES. – Am Residenzplatz die ausgedehnte ehem. **Residenz** der Fürstäbte (heute Sitz von Behörden), 1651-74 im Barockstil erbaut. An

Hofgarten von Kempten im Allgäu

ihren Westflügel schließt der barocke Kuppelbau der ehem. Stiftskirche *St. Lorenz* an (1652-66). Im nahegelegenen *Kornhaus* (18. Jh.) das *Allgäuer Heimatmuseum;* im *Zumsteinhaus* Funde aus der Römerzeit und eine geologische Sammlung.

Das 1474 errichtete **Rathaus** wurde im 16. Jahrhundert im Stil der Renaissance erneuert. Südlich vom Rathaus die spätgotische, im Innern barockisierte Kirche **St. Mang,** dem hl. Magnus, Schutzpatron des Allgäus, geweiht. –

Von der sich oberhalb der Illerbrücke erhebenden **Burghalde** (Café; Freilichtbühne) schöner Gebirgsblick.

UMGEBUNG von Kempten. – Südlich, im Illertal aufwärts, liegt **Immenstadt** (*Kur- und Sporthotel Sonnenalp, 5 km südlich, 360 B., Sb., Hb.; Allgäuer Berghof, 4 km südwestlich, 115 B., Hb.; Der Allgäu Stern, 850 B., Sb., Hb.) mit ehem. Schloß von 1620 und dem Oberallgäuer Heimatmuseum; westlich der als Wassersportgebiet geschätzte *Große* und *Kleine Alpsee* mit zahlreichen Freizeiteinrichtungen.

Kiel

Bundesland: Schleswig-Holstein.
Kfz-Kennzeichen: KI.
Höhe: 5 m ü.d.M. – Einwohnerzahl: 257000.
Postleitzahl: D-2300. – Telefonvorwahl: 0431.
ⓘ **Verkehrsverein,**
Auguste-Viktoria-Straße 16;
Telefon: 62230.

HOTELS. – *Maritim-Bellevue,* Bismarckallee 2, 210 B.; *Conti-Hansa,* Schloßgarten 7, 110 B.; *Clubhaus Der Kieler Kaufmann,* Niemannsweg 102, 68 B.; *Astor,* Holstenplatz 1, 71 B.; *Kieler Yacht-Club,* Hindenburgufer 70, 100 B.; *Wiking,* Schützenwall 1, 61 B.; *Flensburger Hof,* Großer Kuhberg 9, 105 B.; *Berliner Hof,* Ringstr. 6, 100 B.; *Erkenhof* (garni), Dänische Str. 12, 40 B.; *Zum Fritz Reuter* (garni), Langer Segen 5a, 70 B. – In Holtenau (5 km nördlich): *Waffenschmiede,* Friedrich-Voss-Ufer 4, 20 B. (Gartenterrasse). – In Schilksee (15 km nördlich): *Olympia* (garni), Drachenbahn 20, 350 B. – JUGENDHERBERGE: *Johannisberg,* Gaarden, 530 B. – CAMPINGPLÄTZE: *Falckenstein,* am westlichen Förderufer (2 km nördlich von Friedrichsort); *Möltenbö,* in Heikendorf; *Laboe,* am Marine-Ehrenmal.

RESTAURANTS. – *Restaurant im Schloß,* Wall 80 (mit Hafenblick); *Ratskeller,* im Rathaus; *Feinschmecker,* Feldstr. 65; *Rauchfang,* Brunswiker Str. 26; *Börse,* Kehdenstr. 24; *Alt-Kiel,* Eggerstedtstr. 13 (in originellen Altstadt-Kulissen); *Tai-Ping,* Wilhelminenstr. 21 (chines. Küche). – In Schilksee: *Am Olympiahafen,* Fliegender Holländer 45.

CAFÉS. – *Fiedler,* Holstenstr. 92; *Henningsen,* Kehdenstr. 1.

VERANSTALTUNGEN. – *Kieler Umschlag* (traditionelles Volksfest im Februar); *Kieler Woche* mit Segelregatten und Kulturprogramm (im Juni).

Die Landeshauptstadt von Schleswig-Holstein und alte Universitätsstadt liegt reizvoll am Südende der Kieler Förde, einer 17 km tief ins Land einschneidenden Ostseebucht. Kiel ist eine bedeutende Werft- und Hafenstadt (u.a. Fährverkehr nach Skandinavien) mit beachtlicher Industrie, vor allem Maschinen-, Motoren- und Apparatebau, Herstellung elektrischer Präzisionsinstrumente und fischverarbei-

tender Industrie. Auch als Marinehafen mit Kommandostellen und Ausbildungsstätten spielt die Stadt wieder eine Rolle.

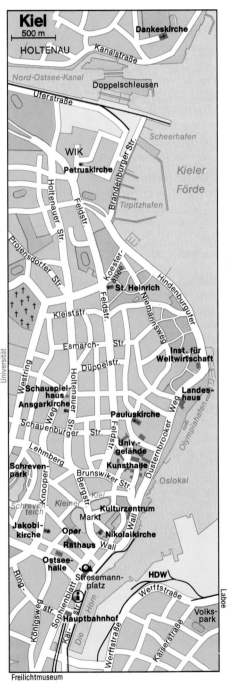

GESCHICHTE. – Gründer Kiels war im 13. Jh. der holsteinische Graf Adolf IV. von Schauenburg. Unter seinem Sohn Graf Johann I. erhielt der Ort 1242 lübisches Stadtrecht. 1283 trat er der Hanse bei. 1665 gründete Herzog Christian Albrecht von Holstein-Gottorf die Universität. 1848 trat in Kiel die provisorische Regierung von Schleswig-Holstein zusammen, um die Rechte des Landes gegen Dänemark zu wahren. Mit der 1865 erfolgten Verlegung der preußischen Flotte nach Kiel (seit 1871 Reichskriegshafen) begann ein rasches Wachstum der Stadt. 1882 wurde die erste Segelregatta auf der Kieler Förde abgehalten, 1895 der Kaiser-Wilhelm-Kanal (jetzt Nord-Ostsee-Kanal) eröffnet. 1936 und 1972 fanden auf der Kieler Förde die Segelwettbewerbe der Olympischen Sommerspiele statt.

SEHENSWERTES. – Im Mittelpunkt der ALTSTADT am Markt erhebt sich die urspr. spätgotische, im 19. Jh. veränderte **Nikolaikirche** (wiederhergestellt; schöner Altar, Taufbecken und Kanzel); davor die Plastik "Der Geistkämpfer" (1928) von Ernst Barlach. – Südwestlich zieht Kiels Hauptgeschäftsstraße, die Holstenstraße (Fußgängerzone), zum Holstenplatz.

Westlich vom Markt der *Kleine Kiel*, Rest eines einst die Altstadt halbkreisförmig umschließenden Fördearms. Südwestlich das *Opernhaus* (1952-53, Anbau von 1973) und das **Neue Rathaus** (1907-11) mit 106 m hohem Turm (Aussicht auf Stadt und Förde; Fahrstuhl). Unweit auf einer Anhöhe die 1951 für Großveranstaltungen erbaute *Ostseehalle*.

Nördlich vom Markt das 1950 als Studentenheim wiederaufgebaute *Refektorium* des ehem. Franziskanerklosters (1241 gestiftet), die Gründungsstätte

Segelboote in der Kieler Förde

Im Zweiten Weltkrieg als wichtiger Flottenstützpunkt Ziel schwerer Luftangriffe, erhielt die Stadt beim Wiederaufbau modernes Gepräge. Kiels Geschäftsviertel mit seiner Fußgängerzone wurde richtunggebend für die Gestaltung moderner Innenstädte.

der Universität. Auf den Grundmauern des im Zweiten Weltkrieg zerstörten Schlosses am Förde-Ufer entstand das Kulturzentrum mit der *Landesbibliothek,* der *Historischen Landeshalle* (Sammlung zur schleswig-holsteinischen Geschichte), einem *Konzertsaalbau* u.a.; daran anschließend der hübsche *Schloßgarten.* Gegenüber der **Oslo-Kai** für die Schiffslinien (mit Autobeförderung) nach Skandinavien. Weiter nördlich die *Universitätsbibliothek,* das *Museum für Völkerkunde,* die **Kunsthalle** (vorwiegend Werke schleswig-holsteinischer Künstler), das *Zoologische Museum,* das *Institut für Meereskunde* mit *Aquarium* und der reichhaltige *Botanische Garten.*

Besonders schön ist der Stadtteil DÜSTERNBROOK, der das hügelige *Düsternbrooker Gehölz* umschließt. Am Förde-Ufer das **Landeshaus** (Sitz der Landesregierung und des Landtages) und das *Institut für Weltwirtschaft;* an dem prächtig die Förde säumenden Hindenburgufer der *Sporthafen Düsternbrook.* – Im Westen der Stadt die modernen Gebäude der *Christian-Albrecht-Universität.*

In die Innenförde (Fördefahrten ab Bahnhofskai) mündet bei HOLTENAU der 99 km lange *Nord-Ostsee-Kanal* (1895 als Kaiser-Wilhelm-Kanal eröffnet), der verkehrsreichste Seeschiffahrtskanal der Welt. Die **Holtenauer Schleusen** (zwei Aussichtskanzeln beiderseits der neuen Doppelschleuse) regulieren den Wasserstand. – An der Außenförde im Stadtteil SCHILKSEE das **Olympiazentrum** mit *Olympiahafen,* 1972 Schauplatz der Olympischen Segelwettbewerbe.

Im südlichen Stadtteil RAMMSEE befindet sich das *Schleswig-Holsteinische Freilichtmuseum mit Bauernhäusern und Handwerksbetrieben aus allen Landesteilen.

UMGEBUNG. – *Marine-Ehrenmal Laboe (20 km nördlich). Das 72 m hohe (Aussichtsplattform, Fahrstuhl), 1927-36 in Form eines Schiffsstevens erbaute Ehrenmal gedenkt der gefallenen Marinesoldaten beider Weltkriege; davor *U 995* (U-Boot-Museum).

Bad Kissingen

Bundesland: Bayern. – Kfz-Kennzeichen: KG.
Höhe: 201 m ü.d.M. – Einwohnerzahl: 23 000.
Postleitzahl: D-8730. – Telefonvorwahl: 0971.
ⓘ **Staatliche Kurverwaltung,** Kurgarten; Telefon: 3044.

HOTELS. – *Steigenberger Kurhaus-Hotel,* Kurhausstr. 1 (mit Rest. 'Kissinger Stüble'), Hb., Sauna, Solarium; *Kurotel 2002,* Von-der-Tann-Str. 18,

300 B., Hb., Sb., Sauna, Solarium; *Kur-Center,* Frühlingstr. 9, 450 B., Hb., Sauna, Solarium; *Diana,* Bismarckstr. 40, 100 B., Hb., Sauna, Solarium; *Bristol,* Bismarckstr. 8, 120 B., Hb., Sauna; *Ballinghaus,* Martin-Luther-Str. 3, 100 B., Hb., Sauna; *Vier Jahreszeiten,* Bismarckstr. 23, 90 B.; *Fürst Bismarck,* Bismarckstr. 90, 60 B., Hb., Solarium; *Park-Hotel,* Kurhausstr. 28, 65 B. – In Reiterswiesen: *Sonnenhügel,* Burgstr. 15, 800 B., Hb., Sauna, Solarium. – JUGENDHERBERGE: Karl-Straub-Weg 34, in Bad Kissingen-Garitz, 50 B. – CAMPINGPLATZ: *Tabbert-Campingplatz,* in einem Park an der Saale.

RESTAURANTS. – *Spielbank-Restaurant Le jeton,* im Luitpold-Park; *Ratskeller,* im Rathaus, Spitalgasse 1; *Bratwurstglöckle,* Grabenstr. 6.

WEINSTUBEN. – *Weinstuben Schubert,* Kirchgasse 2; *Stadtschänke-Weinstuben,* Marktplatz 7.

CAFÉS. – *Kurgarten-Café,* im Kurgarten; *Café Jagdhaus,* am Staffelberg.

Bayerische Spielbank Luitpold-Casino (Roulette; täglich ab 15 Uhr) im Luitpoldpark.

VERANSTALTUNGEN. – *Rakoczy-Fest* mit Umzug, Festball und Feuerwerk (Juli/August).

Bad Kissingen, bayerisches Staatsbad und Kreisstadt in einem von bewaldeten Höhen umgebenen anmutigen Talkessel der Fränkischen Saale, ist einer der meistbesuchten Kurorte Bayerns. Die kohlensäurereichen und meist eisenhaltigen Kissinger Kochsalzquellen werden zu Trink- und Badekuren bei Erkrankungen der Verdauungsorgane und des Stoffwechsels, des Herzens und der Gefäße sowie bei Frauenleiden und Gicht verwendet.

GESCHICHTE. – Salz wurde in Bad Kissingen bereits im 9. Jh. gewonnen. 1737 wurde von J. B. Neumann während der Verlegung des Flußlaufes die Rakoczy-Quelle entdeckt, deren vom Apotheker Boxberger festgestellte Heilkraft die Grundlage für den Kurbetrieb bildete. Zu den berühmtesten Gästen des Heilbades zählten Tolstoi und Bismarck.

SEHENSWERTES. – Mittelpunkt des Kurbetriebs ist das *Kurgastzentrum* (Hotel, Verwaltung, Schwimmbad u.a.). An der Westseite vom Kurgarten liegt der **Regentenbau** (1911-13) mit Festsaal und Gesellschaftsräumen, an der Südseite des Gartens die große **Wandelhalle** (1910-11), an der Prinzregentenstraße das **Kurhausbad** (1927), alle drei von Max Littmann erbaut. Im Querbau der Wandelhalle die beiden Haupt-Trinkquellen *Rakoczy* (11,1°C) und *Pandur.* An der Nordseite des Kurgartens der *Maxbrunnen* (10,4°C). – Gegenüber der Wandelhalle erstreckt sich auf dem rechten Saale-Ufer der Luitpoldpark mit dem **Luitpold-Bad** und dem Luitpold-Casino. – $2^1/_2$ km nördlich vom Kurgarten (Motorboot in $^1/_4$ Std.) liegt am linken Saale-Ufer das *Gradierhaus* und die Leberspezialklinik mit einem 94 m tiefen artesischen Solesprudel ('Runder Brunnen'; 19,1°C, 2 % Salzgehalt), der abwechselnd steigt und fällt (bis um 3 m). – Am Ballinghain ein schönes *Terrassenschwimmbad*.

UMGEBUNG von Bad Kissingen. – Nach **Bad Bocklet** (10 km nördlich) im romantischen Saaletal verkehren Postkutschen der Bundespost, desgleichen zu dem 1571 neu errichteten Schloß **Aschach** (Kunstsammlung; Führung).

Bad Brückenau (29 km nordwestlich), am südlichen Rand der Rhön im waldumsäumten Wiesental der Sinn gelegener Kurort, besteht aus dem 1747 gegründeten Staatsbad und dem östlich jenseits des Kurparkes gelegenen Städtischen Heilbad. Das *Staatsbad* (298 m; Kurhotel, 200 B., Hb.; Regina-Kursanatorium, 150 B., Hb.) mit drei Heilquellen wird bei Nieren- und Blasenleiden bzw. gegen Blutarmut und Frauenkrankheiten aufgesucht. Es besteht im wesentlichen aus den Kurhäusern, die vielfach noch aus der Ära des großen Ausbaues unter König Ludwig I. von Bayern stammen, ferner aus dem Mineral-Hallenbad, dem Kurmittelhaus und der Trink- und Wandelhalle sowie einigen Landhäusern. – Das *Städtische Heilbad* (312 m; Deutsches Haus, 25 B.; Central, 25 B.), hervorgegangen aus einem alten Städtchen, wurde erst um die Jahrhundertwende Kurort. Seine Heilquellen sind bei Stoffwechselleiden, Störungen des Magen-Darm-Traktes und Blutarmut wirksam. Ferner Mineralfreibad, Hallenbad; Heimatmuseum. – *Aussicht vom *Dreistelzberg* (660 m; 6 km südwestl.).

Koblenz

Bundesland: Rheinland-Pfalz.
Kfz-Kennzeichen: KO.
Höhe: 60 m ü.d.M. – Einwohnerzahl: 116000.
Postleitzahl: D-5400. – Telefonvorwahl: 0261.
(i) **Fremdenverkehrsamt,**
Pavillon gegenüber dem Hauptbahnhof;
Telefon: 31304.

HOTELS. – *Brenner* (garni), Rizzastr. 20, 48 B.; *Höhmann* (garni), Bahnhofsplatz 5, 60 B.; *Kleiner Riesen* (garni), Rheinanlagen 18, 40 B.; *Pfälzer Hof – Continental* (garni), Bahnhofsplatz 1, 80 B.; *Hohenstaufen* (garni), Emil-Schüller-Str. 41, 125 B.; *Union* (garni), Löhrstr. 73, 130 B. (mit Gästehaus Victoria); *Hamm* (garni), St.-Josef-Str. 32, 52 B.; *Christo Bajew*, Rheinanlagen 3, 24 B. (mit Pußtakeller). – In Ehrenbreitstein: *Diehls Hotel*, am Rhein, 106 B. (Rheinblick). – In Metternich: *Fährhaus am Stausee*, An der Fähre 3, 45 B., Moselterrasse, Hb. – JUGENDHERBERGE: Auf der Festung Ehrenbreitstein, Niedere Ostfront, 218 B. – CAMPINGPLATZ: *Rhein-Mosel*, in Koblenz-Neuendorf (an der Moselmündung gegenüber dem Deutschen Eck).

RESTAURANTS. – *Rhein-Mosel-Halle*, Julius-Wegeler-Straße (an der Pfaffendorfer Brücke); *Rhein-*

anlagen, in den Rheinanlagen (im Sommer Sa und So Konzert); *China-Restaurant Asia*, Münzplatz 14; *Weindorf*, Julius-Wegeler-Straße (mit Garten am Rheinufer, im Sommer täglich Tanz). – In M o s e l w e i ß : *Zur Traube*, Koblenzer Str. 24; *Zum Schwarzen Bären*, Koblenzer Str. 35. – In Pfaffendo,rf: *Bastion*, auf der Rheinhöhe (mit Terrasse).

WEINLOKALE. – *Alt-Koblenz*, Am Plan 13 (ab 20 Uhr Musik); *Alte Weinstube*, Florinsmarkt 6; *Weihwasserkessel*, An der Liebfrauenkirche (ab 20 Uhr Musik).

CAFÉS. – *Besselink*, Emil-Schüller-Str. 45, gegenüber dem Hauptbahnhof (Spez. Koblenzer Herrentorte); *Café im Allianz-Haus*, Friedrich-Ebert-Ring 32-34. – Mehrere Tanzlokale und Nachtklubs.

VERANSTALTUNGEN. – *Karneval* mit Rosenmontagszug (Februar); Musik und Tanz im *Weindorf* (April bis Oktober); *Konzerte* im Musikpavillon in den Rheinanlagen (Mai bis Mitte September); *Serenaden* im Blumenhof (Juli); *"Der Rhein in Flammen"* (August); *Wein- und Erntefest* im Stadtteil Lay (September).

Die reizvoll an der Mündung der Mosel in den Rhein gelegene ehem. Residenz der Trierer Kurfürsten ist ein wichtiger Verkehrsknotenpunkt, Sitz zahlreicher Behörden sowie einer der bedeutendsten Weinhandelsplätze am Rhein und die größte Garnisonstadt der Bundesrepublik Deutschland (Bundesamt für Wehrtechnik und Beschaffung). Das Stadtbild wird von der auf dem rechten Rheinufer thronenden Feste Ehrenbreitstein beherrscht.

GESCHICHTE. – 9 v. Chr. gründeten die Römer zur Sicherung des Moselübergangs die Befestigung *Castrum ad confluentes*. 1018 kam Koblenz unter die Herrschaft der Erzbischöfe (später Kurfürsten) von Trier, die hier vom 13. bis zum Anfang des 19. Jh. häufig residierten. Dann wurde die Stadt Festung und Hauptstadt der preußischen Rheinprovinz. Durch Eingemeindungen (Ehrenbreitstein u. a.) griff Koblenz 1937 auf das rechte Rheinufer über. Im Zweiten Weltkrieg erlitt die Stadt erhebliche Zerstörungen. Der Altstadtkern wurde weitgehend in historischen Formen wiederaufgebaut, das sonstige Stadtgebiet trägt moderne Züge. – Von 1827 bis 1872 war Koblenz Sitz der Verlagsbuchhandlung von Karl Baedeker (1801-59).

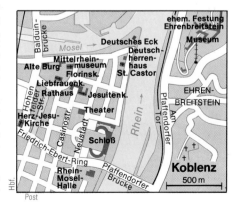

SEHENSWERTES. – Unweit vom Rheinufer erstreckt sich unterhalb der Pfaffendorfer Brücke das klassizistische **Schloß,** 1777-86 von dem letzten Trierer Kurfürsten Clemens Wenceslaus erbaut (jetzt Sitz von Behörden; Kunstausstellungen). – Rheinabwärts steht die *Kirche St. Castor,* 836 außerhalb der damaligen Stadt gegründet, in ihrer jetzigen Gestalt größtenteils aus dem 12. Jh. – Weiterhin das **Deutsche Eck,** die nach dem ehem. Deutschherrenhaus (sommerliche Serenadenabende im 'Blumenhof') benannte Landspitze zwischen Rhein und Mosel mit dem *Mahnmal der Deutschen Einheit* (*Ausblick, besonders stromabwärts).

In der ALTSTADT erhebt sich an deren höchster Stelle die kath. **Liebfrauenkirche** (12.-15. Jh.). Östlich von hier das *Rathaus* (1695-1700). Unweit nördlich der Florinsmarkt mit der ev. *Florinskirche* (12.-14. Jh.) und dem *Mittelrhein-Museum* (im Alten Kaufhaus). – An der Mosel die ehem. kurtrierische *Burg* (1276-80; jetzt Stadtbibliothek). Nahebei führt die 1343-1420 erbaute *Balduinbrücke* zu der am linken Ufer gelegenen Vorstadt Lützel. Etwas flußaufwärts die *Neue Moselbrücke* (1954).

Die schönen Rheinanlagen ziehen sich vom Schloß etwa 4 km rheinaufwärts bis zur Rheininsel *Oberwerth* (Strandbad und Stadion). Oberhalb der Pfaffendorfer Brücke das 1925 errichtete und 1951 neu aufgebaute **Weindorf;** nahebei die *Rhein-Mosel-Halle.*

Die 1952 neu erbaute *Pfaffendorfer Brücke* führt zu dem rechtsrheinischen Stadtteil EHRENBREITSTEIN, der von der ehem. **Festung Ehrenbreitstein** überragt wird (118 m; Auffahrt mit Sessellift oder auf Straßenabzweig von der B 42). In der 1816-32 an der Stelle einer kurtrierischen Landesfeste erbauten Befestigungsanlage sind heute die *Staatliche Sammlung für Vor- und Frühgeschichte des Mittelrheins,* das *Rhein-Museum* und eine Jugendherberge untergebracht. Von den Terrassen Aussicht auf Koblenz, Rhein, Moselmündung und die Vordereifel.

UMGEBUNG von Koblenz. – **Rittersturz** (166 m; 4$^1/_2$ km südlich), Aussichtspunkt auf einem steil über dem Rhein aufragenden Ausläufer des Hunsrücks. – **Schloß Stolzenfels** (154 m, 6 km südlich; Auffahrt verboten, zu Fuß $^1/_4$ St.), 1836-42 nach Plänen von Schinkel in neugotischem Stil erbaut. – **Burg Lahneck** (164 m, mit Burgschenke; 8 km südöstlich). Die über der Stadt Lahnstein gelegene Burg (im 17. Jh. zerstört, 1860 wieder aufgebaut) bietet eine reizvolle Aussicht auf Lahnmündung, Rhein und das gegenüberliegende Schloß Stolzenfels.

Deutsches Eck in Koblenz

Köln

Bundesland: Nordrhein-Westfalen.
Kfz-Kennzeichen: K.
Höhe: 36 m ü.d.M. – Einwohnerzahl: 977000.
Postleitzahl: D-5000. – Telefonvorwahl: 0221.
ⓘ Verkehrsamt, Am Dom;
   Telefon: 2213345.

HOTELS. – *Excelsior-Hotel Ernst, Domplatz,
230 B. (mit Hansestube und Römerkeller); *Dom-
Hotel, Domkloster 2a, 200 B.; *Inter-Continental,
Helenenstr. 14, 580 B., Hb., Sauna; *Mondial, Be-
chergasse 10, 300 B.; *Consul, Belfortstr. 9, 130 B.,
Hb.; *Senats-Hotel, Unter Goldschmied 9, 70 B.;
Europa am Dom, Am Hof 38, 150 B.; Am Augusti-
nerplatz (garni), Hohe Str. 30, 90 B.; Haus Lyskir-
chen, Filzergraben 28, 85 B., Hb.; Rheingold (garni), Engelbertstr. 33, 110 B.; Leonet (garni),
Rubensstr. 33, 160 B., Hb., Sauna; Esplanade (garni), Hohenstaufenring 56, 55 B.; Bundesbahn-Hotel
(garni), im Hauptbahnhof, 100 B.; Berlin,
Domstr. 10, 130 B.; Ludwig (garni), Brandenburger
Str. 24, 105 B.; Rhein-Hotel (garni), Frankenwerft 31, 50 B.; Weinbau-Hotel Kunibert der Fiese,

Am Flughafen Köln-Bonn: *Holiday Inn,
Waldstr. 255, 180 B., Hb., Sauna. – In Brauns-
feld: Regent, Melatengürtel 15, 210 B. – In
Deutz: Panorama (garni), Siegburger Str. 37, 41 B.
– In Lindenthal: *Köln EuroCrest Hotel, Dürener
Str. 287, 230 B.; Bremer, Dürener Str. 225, 96 B.,
Hb. – In Porz: Spiegel, Hermann-Löns-Str. 122,
24 B. – In Rodenkirchen: St. Maternus,
Karlstr. 9, 16 B. (Rheinterrasse). – JUGENDHER-
BERGEN: Konrad-Adenauer-Ufer/Elsa-Brandström-
Straße, 180 B.; Siegesstr. 5a, in Deutz, 344 B. –
CAMPINGPLÄTZE: Poller Fischerhaus, am Rhein-
ufer in Poll; Berger, am Rhein in Rodenkirchen;
Waldbad, Peter-Baum-Weg in Dünnwald.

RESTAURANTS. – *Bastei, Konrad-Adenauer-
Ufer 80 (Rheinblick); Opernterrassen, Brüderstr. 2;
Börsen-Restaurant, Unter Sachsenhausen 10; Zum
Roten Ochsen, Thurnmarkt 7; Alt-Köln Am Dom,
Trankgasse 7; Em Krützche, Am Frankenturm 1-3;
Zum Glöckner, Heumarkt 42-44; Gürzenich, Mar-
tinstr. 8; Schultheiß am Ring, Th.-Heuss-Ring 23;
Landhaus Kuckuck, am Müngersdorfer Stadion;
*Goldener Pflug, Olpener Str. 421, in Merheim.
Ausländische Küche: *La poêle d'or, An St.
Agatha 27, Chez Alex, Mühlengasse 1, Auberge de
la Charrue d'Or, Habsburger Ring 18, Sigi's Bistro,
Kleiner Griechenmarkt 23 (alle franzöz. Küche);
Tessiner Stuben / Le pot flambé, Gürzenichstr. 7
(Schweizer Spez.); Ristorante Grand' Italia, Hansa-
ring 66, Ristorante Alfredo, Tunisstr. 3 (beide ita-
lien. Gerichte); Balkangrill, Friesenstr. 33; Peking,
Marzellenstr. 2, Tai-Tung, Hohenzollernring 11
(beide chines. Spez.).

WEINSTUBEN. – *Weinhaus Wolff, Komö-
dienstr. 52; Weinhaus Im Walfisch, Salzstr. 13.

KÖLSCHLOKALE. – Brauhaus Sion, Unter Ta-
schenmacher 5-7; Früh am Dom, Am Hof 12.

CAFÉS. – Reichard, am Dom (Terrasse); Kranzler,
Offenbachplatz; Eigel, Brückenstraße; Füllenbach,
am Ring, Neumarkt 45.

VERANSTALTUNGEN. – *Karneval mit Festsitzun-
gen, Bällen und Rosenmontagsumzug (Februar).
Westdeutsche Kunstmesse Köln-Düsseldorf

(März); Musik-Show-Tanz am Tanzbrunnen (Mai-
Sept.), im Rheinpark; 'Mülheimer Gottestracht',
Fronleichnamsprozession auf dem Rhein; Segelregatta 'Rheinwoche' (Anf. Juni); Pferderennen 'Preis
von Europa' (Mitte Oktober), Rennbahn Weiden-
pesch; Weihnachtsmarkt, in der Altstadt. – Zahlreiche Industrie-, Handels- und Gewerbemessen.

**Die alte Domstadt am Rhein ist einer
der wichtigsten Verkehrsknotenpunkte
und Handelsplätze Deutschlands mit
weltbekannten Messen und regem
Rhein-See-Verkehr. Köln ist Sitz eines
Erzbischofs, einer Universität und einer Sporthochschule, von Rundfunk-
und Fernsehanstalten (WDR), eine
Hochburg des Sports (Bundesligaspiele; Union-Rennen und Großer
Preis von Europa auf der Pferderennbahn Köln-Weidenpesch) und des
rheinischen Karnevals. Mit seinen altehrwürdigen Kirchen und Römerstät-
ten ist es einer der Brennpunkte
abendländischer Kultur.**

Das historische Wachstum der Stadt
läßt sich noch heute gut verfolgen. Die
Ringstraßen bezeichnen den Verlauf
des mittelalterlichen Befestigungsringes während der Stauferzeit, der weiter
außen liegende 10 km lange Grüngürtel
den der späteren preußischen Befestigungsanlagen.

GESCHICHTE. – Köln entstand aus der römischen
Kolonie Colonia Claudia Ara Agrippinensis, gehörte
seit dem Ende des 5. Jh. zum Reich der Franken,
wurde von Karl d. Gr. zum Erzbistum erhoben und
war schon im Mittelalter eine der führenden Städte
Deutschlands sowie zeitweilig neben Lübeck das
wichtigste Mitglied der Hanse. 1248 wurde der
Grundstein zum Bau des Domes gelegt. Die Stadt
wurde zum Heiligen Köln des Mittelalters. 1388 ist
das Gründungsjahr der alten Universität (1919 neu
gegründet). Mit der Rheinprovinz wurde die Stadt
preußisch. Der Zweite Weltkrieg zerstörte den größten Teil der Innenstadt, die sich heute mit dem Geschäftsviertel um die Hohe Straße im modernen
Gewand zeigt.

SEHENSWERTES. – Als mächtiges
Wahrzeichen von Köln erhebt sich unweit vom linken Rheinufer der **Dom,
ein Meisterwerk der Hochgotik und eine
der größten Kathedralen Europas; er
wurde 1248 als großartigstes und um-
fangreichstes Bauprojekt des Mittelalters begonnen, blieb aber seit dem Anfang des 16. Jh. stehen und wurde erst
1842-80 vollendet. In dem eindrucksvollen Innenraum (6166 qm mit 56 Pfeilern)
über dem Hochaltar der *Dreikönigs-
schrein, ein Meisterwerk rheinischer
Goldschmiedekunst (im 12.-13. Jh.
nach Entwürfen von Nikolaus von Ver-

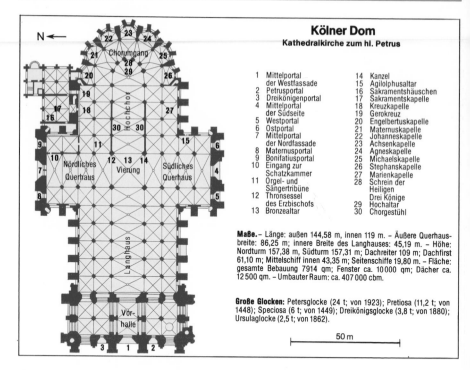

Kölner Dom
Kathedralkirche zum hl. Petrus

1 Mittelportal der Westfassade	14 Kanzel
2 Petrusportal	15 Agilolphusaltar
3 Dreikönigenportal	16 Sakramentshäuschen
4 Mittelportal der Südseite	17 Sakramentskapelle
5 Westportal	18 Kreuzkapelle
6 Ostportal	19 Gerokreuz
7 Mittelportal der Nordfassade	20 Engelbertuskapelle
8 Maternusportal	21 Maternuskapelle
9 Bonifatiusportal	22 Johanneskapelle
10 Eingang zur Schatzkammer	23 Achsenkapelle
11 Orgel- und Sängertribüne	24 Agneskapelle
12 Thronsessel des Erzbischofs	25 Michaelskapelle
13 Bronzealtar	26 Stephanskapelle
	27 Marienkapelle
	28 Schrein der Heiligen Drei Könige
	29 Hochaltar
	30 Chorgestühl

Maße. – Länge: außen 144,58 m, innen 119 m. – Äußere Querhausbreite: 86,25 m; innere Breite des Langhauses: 45,19 m. – Höhe: Nordturm 157,38 m, Südturm 157,31 m; Dachreiter 109 m; Dachfirst 61,10 m; Mittelschiff innen 43,35 m; Seitenschiffe 19,80 m. – Fläche: gesamte Bebauung 7914 qm; Fenster ca. 10 000 qm; Dächer ca. 12 500 qm. – Umbauter Raum: ca. 407 000 cbm.

Große Glocken: Petersglocke (24 t; von 1923); Pretiosa (11,2 t; von 1448); Speciosa (6 t; von 1449); Dreikönigsglocke (3,8 t; von 1880); Ursulaglocke (2,5 t; von 1862).

50 m

dun für die aus Mailand herbeigeholten Reliquien gefertigt); im Chorumgang das berühmte *Dombild von Stephan Lochner (Anbetung der Könige, um 1440), an den Chorpfeilern edle frühgotische Standbilder (14. Jh.); in der Kreuzkapelle das *Gerokreuz; in der *Schatzkammer sehenswerte Kostbarkeiten (Schreine, Evangeliare, Gewänder, Monstranzen, Reliquienbehälter). Der Südturm (mehr als 500 Stufen; Domglocken!) gewährt eine weite *Rundsicht.

An der Südseite des Doms das vorbildlich eingerichtete **Römisch-Germanische Museum** mit dem *Dionysos-Mosaik (2. Jh. n. Chr.), dem 15 m hohen Grabmal des Poblicius (1. Jh. n. Chr.), römischen Gläsern, Gefäßen, Mosaiken und Öllampen und einer Hafenstraße; in der Schatzkammer germanischer Goldschmuck. Nahebei das *Diözesanmuseum.

Unweit westlich am Wallrafplatz das *Funkhaus des WDR.* Südlich gegenüber das **Museum Ludwig** *(Wallraf-Richartz-Museum)* mit vortrefflicher Gemäldegalerie europäischer Malerei (u. a. Werke von Rembrandt, Manet, Renoir, Leibl, Liebermann, Slevogt; ein Schwerpunkt sind die Bilder der Altkölner Malerschule), reicher Kupferstichsammlung und großen Sammlungen moderner Kunst. – Noch weiter südlich,

an der Brückenstraße, die *Kolumba-Kapelle* (1949-52; im Innern eine steinerne Marienfigur, um 1460).

Westlich vom Dom an der Komödienstraße die *Kirche St. Andreas* (15. Jh.; in der Grabkapelle in einem römischen Sarkophag die Gebeine des hl. Albertus Magnus) und an der anschließenden Zeughausstraße das *Regierungsgebäude* (1951-52); gegenüber das wiederaufgebaute *Zeughaus* mit dem *Kölnischen Stadtmuseum* (stadtgeschichtliche Sammlungen, großes Stadtmodell). Am Ende der Zeughausstraße links der *Römerturm* (1. Jh. n. Chr.), ein Rest der römischen Stadtmauer. – Unweit nördlich liegt *St. Gereon,* die eigenartigste romanische Kirche der Stadt; der langgestreckte Chor (11. Jh.) schließt sich an einen zehneckigen Kuppelbau, der in römischer Zeit errichtet und 1227 erweitert wurde (im Wiederaufbau).

Südlich vom Dom das *Alte Rathaus* (15.-16. Jh.; Wiederaufbau 1964-72; Hansasaal); gegenüber das auf Resten des römischen *Praetoriums* (Museum) 1954-57 erbaute *Neue Rathaus.* Südwestlich der **Gürzenich,** 1437-44 als Kauf- und Festhaus errichtet und der bedeutendste ältere Profanbau Kölns (wiederhergestellt). Weiter südlich die *Kirche St. Maria im Kapitol* (11.-13. Jh.); das erneuerte Langhaus enthält zwei schöne geschnitzte Türflügel aus dem frühen Mittelalter (1050-65); unter dem Chor eine gewaltige *Krypta.

Die am Heumarkt beginnende Gürzenichstraße mündet in die Hohe Straße, Kölns betriebsame elegante Hauptgeschäftsstraße (bis zum Wallrafplatz Fußgängerzone). Westlich zieht die Schildergasse (ebenfalls Fußgängerbereich) zum Neumarkt, an dem sich die spätromanische **Kirche St. Aposteln** (11.-13. Jh.; wiederhergestellt) erhebt. – Unweit nördlich die

in modernen Formen erbauten neuen städtischen **Theater** (Opernhaus, 1954-56; Schauspielhaus, 1959-62). – Südöstlich vom Neumarkt in der St.-Cäcilien-Basilika das *Schnütgen-Museum* (*Sammlungen kirchlicher Kunst). $^3/_4$ km südlich des Platzes die *Kirche St. Pantaleon* (10.-17. Jh.; wiederhergestellt) mit dem Grab der Kaiserin Theophano († 991), der Gemahlin Ottos II.

Um die Altstadt ziehen sich die vor der ehem. Stadtmauer angelegten **Ringstraßen.** Von den alten Torburgen

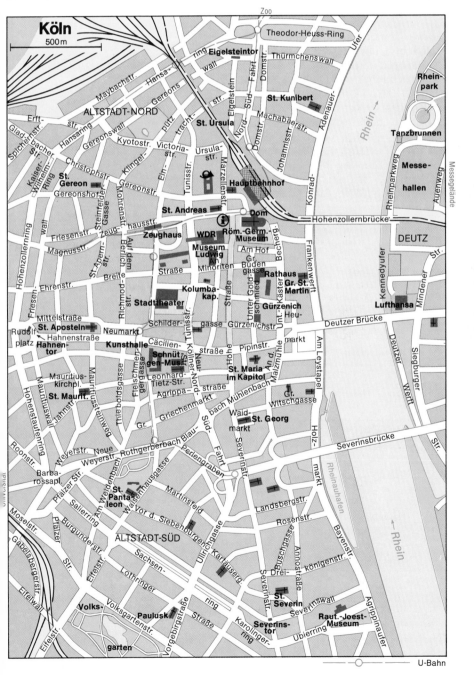

sind erhalten: im Norden die *Eigelstein-torburg* (mit dem *Kunstgewerbemuseum)*, im Westen die *Hahnentorburg* und im Süden die *Severinstorburg.* Unweit nördlich vom Severinstor die gut wiederhergestellte **Kirche St. Severin** (11.-15. Jh.) mit sehenswertem römisch-fränkischen Gräberfeld. Am nahen Ubierring das *Rautenstrauch-Joest-Museum* mit seinen völkerkundlichen Sammlungen.

Auf dem rechten Rheinufer, zu dem die *Severinsbrücke* (1959; Straßenbrücke, 691 m lang), die *Deutzer Brücke* (1948; Straßenbrücke), die *Hohenzollernbrücke* (Dombrücke; für Eisenbahn und Fußgänger) und die *Zoobrücke* (1966; Straßenbrücke; schräg darüber die Rheinseilbahn) hinüberführen, liegt der Stadtteil DEUTZ mit *Messe- und Ausstellungshallen,* dem *Kongreßzentrum Ost* und dem schönen *Rheinpark* ('Tanzbrunnen'; Mineral-Thermalbad; Sessellift; Restaurant). – Zum nördlich gelegenen Stadtteil MÜLHEIM führt die 1949-51 neu erbaute *Mülheimer Hängebrücke* (315 m Spannweite).

UMGEBUNG von Köln. – *Altenberger Dom** (20 km nordöstlich). Der 'Bergische Dom' ist eines der glänzendsten Beispiele rheinischer Frühgotik (1255–1379).

*Schloß Augustusburg** in Brühl (15 km südlich). Die im 18. Jh. erbaute ehem. erzbischöfliche Residenz mit ihrer prunkvollen Innenausstattung gehört zu den reizvollsten Schlössern des Übergangsstils vom Spätbarock zum Rokoko (prächtiges *Treppenhaus von Balthasar Neumann; großer Park).

Nahe bei Brühl liegt der *Freizeitpark Phantasialand*, der größte dieser Art in Deutschland (28 ha), mit Modellbauten, Bootsfahrten, Delphinschau und zahlreichen anderen Unterhaltungsmöglichkeiten.

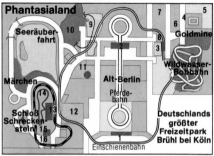

1 Ein- und Ausgang
   Kassen
2 Brandenburger Tor
3 Delphinschau
4 China-Town
5 Reitbahn
6 Westernstadt
   Silver City
7 Mexikanische
   Hacienda
8 Casa Magnetica

9 Bottichfahrt
10 Gondelfahrt
   '1001 Nacht'
11 Türkisches Zentrum
12 Hawaii-Restaurant
13 Oldtimer-Eisenbahn
   Western Express
14 Reise um die Welt
   im Oldtimer-Auto
15 Mini-Cars
16 Verwaltung

Konstanz

Bundesland: Baden-Württemberg.
Kfz-Kennzeichen: KN.
Höhe: 407 m ü.d.M. – Einwohnerzahl: 70000.
Postleitzahl: D-7750. – Telefonvorwahl: 07531.
ⓘ **Tourist-Information,** Bahnhofsplatz 6;
Telefon: 284376.

HOTELS. – *Steigenberger Insel-Hotel, Auf der Insel 1, 160 B. (im ehem. Dominikanerkloster; Seeterrasse, Strandbad); *Seeblick* (garni), Neuhauser Str. 14, 105 B., Sb.; *Deutsches Haus* (garni), Marktstätte 15, 55 B.; *Eden* (garni), Bahnhofstr. 4, 30 B.; *Haus Margarete,* Seestr. 25, 18 B.; *Bahnhof-Hotel* (garni), Bahnhofstr. 10, 32 B. – In Allmannsdorf: *Mainauer Hof* (garni), Mainaustr. 172a, 50 B. – In Staad: *Schiff,* William-Graf-Platz 2, 35 B. – JUGENDHERBERGE: *Otto-Moericke-Turm,* Zur Allmannshöhe 18, 226 B. – CAMPINGPLÄTZE: *Klausenhorn* und *Am Fließhorn* in Dingelsdorf; Platz in Konstanz-Mainau-Litzelstetten.

RESTAURANTS. – *St. Stefanskeller,* Am Stefansplatz 41; *Casino-Restaurant,* Seestr. 21; *Konzil-Gaststätte,* Hafenstr.; *Capri-Fischerstube,* Neugasse 10; *Schwedenschenke,* auf der Insel Mainau.

CAFÉS. – *Mahler,* Münzgasse 1; *Dischinger,* Untere Laube 49.

Internationale Spielbank (Roulette, Black Jack; tägl. 14-2, Sa bis 3 Uhr), Seestr. 21.

Konstanz, reizvoll am Seerhein zwischen Obersee und Untersee dicht an der Schweizer Grenze gelegen, ist die größte Stadt am Bodensee, ein bedeutendes Kulturzentrum mit Universität und Ingenieurhochschule, regem Theater- und Musikleben und ein bevorzugter Tagungs- und Kongreßort. Zwei limnologische Institute und eine Wetterwarte haben hier ihren Sitz. Das Wirtschaftsleben bestimmen neben Fremdenverkehr, Handel und Weinbau Elektro- und metallverarbeitende Industrie, pharmazeutische und Textilfabriken.

Die malerische Altstadt mit ihren mittelalterlichen Bauten erstreckt sich zwischen dem Rhein und der Schweizer Grenze. Die weitläufig gebaute Neustadt schmiegt sich an die sanften Hänge des Bodanrücks. Zu Konstanz gehört auch die vielbesuchte Blumeninsel **Mainau.

GESCHICHTE. – Konstanz entwickelte sich aus einem Römerlager des 1. Jh. n. Chr. 590 wurde das Bistum gegründet, damals das größte im deutschen Raum. Im Schnittpunkt wichtiger Handelswege nach Italien und Frankreich blühte die Stadt im Mittelalter auf, erhielt um 900 Marktrecht und war 1192-1548 freie Reichsstadt. Auf dem bedeutenden Konstanzer Reformkonzil 1414-18 wurde Martin V. zum Papst gewählt und der böhmische Reformator

Jan Hus zum Tode auf dem Scheiterhaufen verurteilt. Während des Zweiten Weltkriegs blieb die Stadt wegen der Nähe der neutralen Schweiz von Luftangriffen verschont. 1966 wurde die Universität gegründet.

SEHENSWERTES. – Am **Hafen** (Haupthafen der DB-Bodenseeflotte) steht das malerische **Konzilsgebäude**, 1388 als Lagerhaus für den Leinwandhandel mit Italien erbaut, seit 1970 Konzert- und Kongreßhaus. Hier tagte 1417 im oberen Saal das Kardinalskonklave, das den italienischen Kardinal Oddone Colonna als Martin V. zum Papst wählte, die einzige Papstwahl auf deutschem

Boden. – Nördlich vom Stadtgarten auf einer Bodenseeinsel das 1785 aufgehobene *Dominikanerkloster* (jetzt Inselhotel; schöner Kreuzgang). Hier wurde 1838 Graf Zeppelin, der Erfinder des starren Luftschiffs, geboren. 1966-69 war in dem Gebäude die **Universität Konstanz** untergebracht, die nun auf dem 440 m hohen, aussichtsreichen Gießberg im Norden der Stadt in avantgardistischen *Terrassenbauten eine neue Bleibe gefunden hat.

In der ALTSTADT erhebt sich am von stattlichen ehem. Domherrenhöfen umrahmten Münsterplatz das **Münster** (kath.; 11., 15. und 17. Jh.) mit schönem Hauptportal (Reliefschmuck von 1470) und sehenswertem Inneren (Chorgestühl von 1460); in der Mauritiusrotunde ein *Heiliges Grab (13. Jh.); vom Turm (1850-57) schöne Aussicht. Unweit westlich in der Katzgasse das *Bodensee-Naturmuseum* und die *Wessen-

berg-Gemäldegalerie. – Südlich am **Obermarkt** das *Hohenzollernhaus zum Hohen Hafen,* vor dem am 18. April 1417 Burggraf Friedrich von Nürnberg mit der Mark Brandenburg belehnt wurde. Nahebei das *Rathaus* von 1593. In der Rosgartenstraße das **Rosgarten-Museum**, eine reiche heimatkundliche Sammlung, sowie die *Dreifaltigkeitskirche* (bedeutende Fresken von 1407). – Von der mittelalterlichen Stadtbefestigung sind noch drei Türme erhalten: *Rheintorturm, Pulverturm* und *Schnetztor.*

UMGEBUNG von Konstanz. – **Insel Mainau** (7 km nördl.). Die 45 ha große, nahe am Südufer des Überlinger Sees gelegene Insel ist wegen ihrer *Park- und Gartenanlagen mit subtropischer, z. T. tropischer Vegetation ein vielbesuchtes Ausflugsziel; jetzt im Besitz einer Stiftung unter Leitung des schwedischen Grafen Lennart Bernadotte; 1739-46 erbautes ehem. großherzoglich badisches *Schloß.*

*Insel Reichenau** (6 km westlich; Straßendamm) im Untersee, mit 428 ha Fläche die größte Bodensee-Insel; bedeutender Feingemüsebau (18 ha unter Glas). Die Kirchen des 724 von Karl Martell, dem Großvater Karls des Großen, gegründeten einst weltberühmten Klosters Reichenau in den drei Streusiedlungen *Oberzell* (*Stiftskirche St. Georg), *Mittelzell* (*Münster St. Maria und St. Markus) und *Niederzell* (Stiftskirche St. Peter und Paul) gehören in ihrer Anlage und mit den großartigen Fresken zu den wichtigsten Zeugen frühromanischer Kunst in Deutschland.

Lahntal

Bundesland: Hessen.
(i) **Hessischer Fremdenverkehrsverband**, Abraham-Lincoln-Straße 38-42, D-6200 Wiesbaden; Telefon: (06121) 73725.

Die Lahn entspringt auf 600 m Höhe im südlichen Rothaargebirge.

Zunächst wendet sie ihren windungsreichen Lauf über die Ferienorte *Laasphe* und *Biedenkopf* nach Osten, verläuft zwischen den Universitätsstädten **Marburg** und **Gießen** in südlicher Richtung und schwenkt dann nach Westen ein. **Wetzlar** und *Weilburg* sind die nächsten Wegstationen. Burgen und Schlösser bekrönen nun die Höhen: *Burg Runkel, Schloß Diez, Burgruine Balduinstein, Schloß Schaumburg, Burgruine Laurenburg, Burgruine Nassau, Burgruine Stein, Burg Lahneck.* Bei Obernhof grüßt auch *Kloster Arnstein* ins Tal hinab. In zahllosen Windungen durchbricht die Lahn das Rheinische

Schiefergebirge. Malerische Städte säumen die Flußufer: die Domstadt **Limburg**, *Nassau*, Geburtsort des Reichsfreiherrn vom und zum Stein, das traditionsreiche **Bad Ems**. Nach 218 Flußkilometern mündet die Lahn bei *Lahnstein* in den Rhein. In der Luftlinie sind es nur 80 km zwischen Quelle und Mündung.

Zwischen Wetzlar und Lahnstein zieht auf dem linken Lahnufer der reizvolle L a h n h ö h e n w e g hin. Ab Marburg lädt der Fluß den Paddler zu einer Wasserwanderung ein. Lohnend ist eine Motorbootfahrt von Bad Ems aus. Am landschaftlich schönen Unterlauf führen auch Straße und Eisenbahn unmittelbar an der Lahn entlang.

Landshut

Bundesland: Bayern. – Kfz-Kennzeichen: LA. Höhe: 393 m ü.d.M. – Einwohnerzahl: 58 000. Postleitzahl: D-8300. – Telefonvorwahl: 08 71. ⓘ **Verkehrsverein**, Altstadt 79; Telefon: 34 84.

HOTELS. – *Bergterrasse* (garni), Gerhart-Hauptmann-Str. 1 a, 25 B.; *Luitpold*, Luitpoldstr. 43, 30 B.; *Goldene Sonne*, Neustadt 520, 60 B.; *Park-Café*, Papiererstr. 36, 50 B.; *Wittelsbacher Hof*, Seligenthaler Str. 43, 26 B. – I n S c h ö n b r u n n : *Obermeier*, 53 B. – JUGENDHERBERGE: *Jugendhaus Ottonianum*, Richard-Schirmann-Weg 6, 64 B. – CAMPINGPLATZ: *Städtischer Campingplatz*, an der Isar.

RESTAURANTS. – *Beim Vitztumb*, Länd 51; *Klausenberg*, Klausenberg 17.

CAFÉ. – *Belstner*, Altstadt 295.

VERANSTALTUNGEN. – Historisches *Festspiel **"Die Landshuter Hochzeit"** mit Hochzeitszug, Tanzspielen, Ritter- und Reiterkämpfen (alle drei Jahre; das nächste Mal 1981).

Die alte bayerische Herzogsstadt Landshut liegt malerisch an der Isar. Der Innenstadt geben die platzartig erweiterten Straßenzüge Altstadt und Neustadt mit alten Giebelhäusern des 15. und 16. Jh. wirkungsvolles Gepräge. Das türmereiche Stadtbild wird im Süden von der Burg Trausnitz beherrscht. Im Norden der Stadt hat sich vorzugsweise die Industrie angesiedelt (u. a. elektrotechnische Betriebe, Maschinen-, Automobil-, Textil-, Farben- und Bauindustrie).

GESCHICHTE. – Landshut wurde um 1150 erstmals urkundlich erwähnt. Keimzelle war eine Siedlung bei der Isarbrücke. Neben dieser Siedlung gründete Herzog Ludwig der Kelheimer 1204 am Fuße des Burgberges die Stadt. 1255 wurde Landshut Haupt-

stadt des Herzogtums Niederbayern. Ihre Blütezeit erlebte die Stadt im 15. Jh. In diese Zeit fällt auch die berühmte Landshuter Fürstenhochzeit (1475), die Heirat des letzten Landshuter Herzogs Georg mit der polnischen Königstochter Hedwig, eines der größten höfischen Feste des Mittelalters. 1800-1826 war Landshut Sitz der bayerischen Landesuniversität. Im Zweiten Weltkrieg erlitt die Stadt nur geringe Schäden.

SEHENSWERTES. – In der Altstadt genannten Hauptstraße, die von prachtvollen spätgotischen Giebelhäusern gesäumt wird, steht das *Rathaus* (14.-15. Jh.); gegenüber die ehem. herzogliche *Stadtresidenz*, ein schöner Renaissancepalast (16. und 18. Jh.), mit dem *Residenzmuseum* (prächtige Wohnräume), einer reichen *Gemäldegalerie* und dem *Stadt- und Kreismuseum*. Südlich davon die spätgotische *Kirche St. Martin (14.-15. Jh.), das Hauptwerk Hans Stethaimers, mit einzigartig schlankem Turm (133 m hoch);

Landshut

im Innern ein bedeutendes Schnitzwerk (Muttergottes) von Hans Leinberger (um 1520). Am Nordende der 'Altstadt' die z. T. ebenfalls von Hans Stethaimer erbaute *Heilig-Geist-Kirche* (1407-61).

Über der Stadt thront auf einem steilen Hügel (Auffahrt 2 km; zu Fuß vom Dreifaltigkeitsplatz 15 Min.) die *Burg Trausnitz* (464 m), die um 1204 zusammen mit der Stadt von Herzog Ludwig I. gegründet wurde und bis 1503 Residenz des wittelsbachischen Teilherzogtums Niederbayern war. 1568-78 erfolgte unter Erbprinz Wilhelm der Umbau in ein repräsentatives Schloß italienischen Stils (Fürstenbau mit Prunkräumen und 'Narrentreppe'; spätromanische Burgkapelle; Führungen). Am Osthang des Burgbergs der *Hofgarten* (schöne Aussichtspunkte).

Lauenburgische Seen

Bundesland: Schleswig-Holstein.
(i) **Fremdenverkehrsverband Schleswig-Holstein,**
Adelheidstraße 10, D-2300 Kiel;
Telefon: (0431) 6 40 11.

Zwischen Elbe-Lübeck-Kanal im Westen und der Grenze zur DDR im Osten, Groß-Grönau im Norden und Büchen im Süden erstreckt sich der rund 400 qkm große wald- und seenreiche *Naturpark Lauenburgische Seen.

Mehr als 40 Seen machen das Gebiet zu einem norddeutschen Wassersportparadies mit zahllosen Badegelegenheiten, Segel- und Rudersport. Von Lübeck aus kann man über die Wakenitz mit dem Motorboot den langgestreckten **Ratzeburger See** erreichen. Die reizvoll

Ruderer auf dem Ratzeburger See

auf einer Insel gelegene Domstadt **Ratzeburg,** durch Dammstraßen mit dem Ufer verbunden, trennt Ratzeburger See im Norden und Küchensee im Süden. Deutschlands 'Ruderprofessor' Karl Adam gründete einst die Ratzeburger Ruderakademie. Auf dem *Küchensee,* bekannt als Übungs- und Regattastrecke des Deutschland-Achters, finden bedeutende Ruderwettbewerbe statt.

Um die Eulenspiegel-Stadt **Mölln** (Grabstein, Eulenspiegel-Denkmal und -Museum erinnern an den Schalksnarr, der hier im Jahre 1350 gestorben sein soll) gruppieren sich einige kleinere Seen: *Möllner See, Lankauer See, Schmalsee, Lütauer See, Drüsensee* und *Krebssee. Sarnekower, Gudower* und *Segrahner See* schließen sich nach Süden an, alle eiszeitliche Bildungen. Größter der

Lauenburgischen Seen ist mit 23 qkm der buchtenreiche *Schaalsee,* dessen Ostteil zur DDR gehört.

Der Naturpark Lauenburgische Seen empfiehlt sich aber auch als Wandergebiet. 80 qkm werden von Wald bedeckt. Zahlreiche Wanderwege führen durch schönen Buchenwald und begleiten die Seeufer. Das weitverzweigte Wanderwegenetz hat eine Gesamtlänge von mehr als 800 km.

Touristenstraßen wie die **Alte Salzstraße** und die **Deutsche Ferienstraße Alpen-Ostsee** führen heran. Eine Anzahl landschaftlich schöner Straßen erschließt den Naturpark Lauenburgische Seen.

Leer in Ostfriesland

Bundesland: Niedersachsen.
Kfz-Kennzeichen: LER.
Höhe: 6 m ü.d.M. – Einwohnerzahl: 32 000.
Postleitzahl: D-2950. – Telefonvorwahl: 0491.
(i) **Reise- und Verkehrsbüro,**
Am Denkmal;
Telefon: 31 03.

HOTELS. – *Frisia,* Mühlenstr. 130, 60 B.; *Central-Hotel,* Pferdemarktstr. 47, 28 B.; *Voigt,* Wörde 10, 34 B. – In **Nettelburg**: *Lange,* Zum Schöpfwerk 1, 38 B. – In **Holtland**: *Preyt,* an der B 75, 20 B.

RESTAURANT. – *Zur Waage,* Neue Str. 1.

VERANSTALTUNGEN. – *Gallimarkt* (12.-13. Oktober).

Die alte Stadt an der Leda, unweit von deren Mündung in die Ems, nennt sich das 'Tor Ostfrieslands'. Im Stadtbild mit seinen roten Backsteinbauten spiegelt sich der Einfluß des niederländischen Frühbarocks. Leers wirtschaftliche Bedeutung gründet sich auf seinen Flußhafen, den großen Viehmarkt und seine lebhafte Industrie (u. a. Libby-Milchkonservenfabrik).

GESCHICHTE. – Leer, im Schnittpunkt wichtiger Handelswege, war im 8. Jh. Ausgangspunkt der Missionsreisen des 'Friesenapostels' Liudger. Später wurde es Sitz einer Propstei. 1508 bekam es Marktrecht. Im 16. Jh. machten aus Glaubensgründen aus den Niederlanden geflüchtete Handwerker und Kaufleute die Stadt zu einem Zentrum der Leinenweberei. Seit dem 18. Jh. begann die Entwicklung zur Hafenstadt. 1899 wurde der Dortmund-Ems-Kanal in Betrieb genommen, 1954 das Leda-Sperrwerk vollendet.

SEHENSWERTES. – Am Hafen stehen das **Rathaus** (1892) und die *Alte Waage* (1714; gutes Restaurant); nahebei das *Haus Samson* (1643) der Wolffschen Weinhandlung (mit altostfriesischer Einrichtung) und das *Heimatmuseum*

Rathaus und Alte Waage in Leer

(vor- und stadtgeschichtliche sowie naturkundliche Sammlungen). – Beachtenswert sind auch die *Haneburg* (17. Jh.; jetzt z.T. Volkshochschule), eine altfriesische Häuptlingsburg, und die *Harderwykenburg* (Privatbesitz). Auf dem alten reformierten Friedhof eine *Krypta* aus dem 12. Jh., eines der ältesten Bauwerke Ostfrieslands (jetzt Gefallenen-Gedenkstätte). Im Westen der Stadt der sagenumwobene *Plytenberg*; der Hügel diente vermutlich heidnischem Kult. – Eine moderne Hochwasserschutzanlage ist das *Leda-Sperrwerk* südlich von Leer.

Leinebergland

Bundesland: Niedersachsen.
(i) **Verkehrsverein Leinebergland,** Ständehausstraße 1, D-3220 Alfeld (Leine); Telefon: (05181) 4051.

Die Leine (281 km lang, davon 112 km schiffbar) entspringt auf dem Eichsfeld in Thüringen (DDR) und mündet bei Schwarmstedt in die Aller. Zwischen Weserbergland und Harz erstreckt sich das vielgestaltige Leinebergland.

Westlich der Leine liegen *Külf* (260 m), *Thüsterberg* (433 m), *Duinger Berg* (330 m), *Duinger Wald* (221 m) und *Selter* (396 m). Dahinter der langgestreckte *Ith* (439 m) mit seinen malerischen Kalkfelsen und der ohrmuschelförmige *Hils* (477 m; Sandstein) vermitteln bereits zum Weserbergland. – Östlich des Flusses erstrecken sich *Heber* (305 m), *Sackwald* (330 m) und das Kalkhochland der **Sieben Berge** (398 m) – hier hat sich das Märchen von "Schneewittchen und den sieben Zwergen" angesiedelt; nördlich folgt der *Hildesheimer Wald* (281 m).

Bei Nordstemmen erhebt sich das *Schloß Marienburg* über dem Leinetal. Georg V., der letzte König von Hannover, ließ es 1860-68 in neugotischem Stil erbauen. – Bei Benstorf im Saaletal lädt das Freizeitzentrum *Rastiland* (Indianerdorf, Western-Fort, Pony-Ranch, Gokart-Rennbahn, Oldtimer-Eisenbahn u. a.) zu einem Besuch ein. – *Salzhemmendorf* am Ith ist ein fachwerkschöner, gemütlicher kleiner Kurort. – Ein Wassersportparadies: die *Duinger Seen*, umgeben von Camping- und Wanderparkplätzen. – **Alfeld** erfreut mit seinen historischen Bauten. – Die *Lippoldshöhle* bei Brunkensen hält die Erinnerung wach an den Räuber Lippold, der hier einst die Tochter des Alfelder Bürgermeisters gefangengehalten haben soll. – **Bad Gandersheim** wurde bekannt durch seine Dom-Festspiele. – Das mittelalterliche **Einbeck** ist die Heimat des Bockbieres.

Rathaus in Einbeck

Lemgo

Bundesland: Nordrhein-Westfalen.
Kfz-Kennzeichen: DT (LE).
Höhe: 101 m ü.d.M. – Einwohnerzahl: 40000.
Postleitzahl: D-4920. – Telefonvorwahl: 05261.
(i) **Städtisches Verkehrsbüro,** Am Markt; Telefon: 213343.

HOTELS. – *Stadtpalais*, Papenstr. 24, 41 B. (in einem Adelshof des 16. Jh.); *Lemgoer Hof*, Detmolder Weg 14, 30 B.; *Gästehaus Lindau* (garni), Franz-Liszt-Str. 52, 11 B.; *Hansa*, Breite Str. 14, 40 B.; *Stadtwappen*, Mittelstr. 54, 11 B. – JUGENDHERBERGE: Kastanienwall 7. – CAMPINGPLATZ: Am Freibad, beim Regenstorplatz.

RESTAURANT. – *Ratskeller*, Markt.

CAFÉS. – *Stadtcafé*, Papenstr.; *Schmidt*, Mittelstr.; *Kracht*, Breite Straße.

VERANSTALTUNGEN. – Internationale *Orgeltage*.

Lemgo liegt inmitten des waldreichen Lippischen Berglandes im Tal der Bega. Die älteste Stadt des Lipper Landes präsentiert ein reizvolles mittelalterliches *Stadtbild.

GESCHICHTE. – 1190 wurde der Ort von Bernhard II. von Lippe gegründet. Die blühende Handelsstadt war bereits im 13. Jh. Mitglied der Hanse. Ihre größte kulturelle und wirtschaftliche Blüte erlebte sie im 15. und 16. Jh. Damals entstanden das prachtvolle Rathaus und viele vom Wohlstand ihrer Besitzer kündende Bürgerhäuser. Ein dunkles Kapitel der Stadtgeschichte: Im 17. Jh. unter dem 'Hexenbürgermeister' Hermann Gothmann (1667-83) wurde Lemgo zu einem Schauplatz des Hexenwahns.

SEHENSWERTES. – Am von schönen Giebelhäusern gesäumten Markt steht das **Rathaus** mit gotischem Staffelgiebel, Ratslaube und prachtvollem Apotheker-Erker (Renaissance); dahinter die **St.-Nikolai-Kirche** (13. Jh., später gotisch erweitert) mit frühbarockem Hochaltar und kostbarem umgitterten Taufstein (1597). – Die Mittelstraße (Fußgänger- und Einkaufsstraße) säumen alte Stein- und Fachwerkhäuser: Nr. 17 *Gasthof Alt-Lemgo* (1587), Nr. 24 *Haus Sonnenuhr* (1546), Nr. 27 *Haus Sauerländer* (1569) und Nr. 36 das *Planetenhaus* (1612). Westlich und östlich der Straße erheben sich noch zwei alte Stadttürme: *Johannisturm* und *Pulverturm.*

An der vom Markt nach Süden führenden Breiten Straße das ***Hexenbürgermeisterhaus,** ein schöner Weserrenaissancebau von 1571 (Heimatmuseum; Engelbert-Kämpfer-Zimmer mit Erinnerungsstücken an den 1561 in Lemgo geborenen Japanforscher). Die **St.-Marien-Kirche** an der nahen Stiftstraße, eine gotische Hallenkirche von 1320 (Orgel von 1600), ist alljährlich Mittelpunkt der internationalen Lemgoer Orgeltage. – Südlich der Stadt **Schloß Brake** (im 13. Jh. Wasserburg der Edlen Herren zur Lippe; Turm und Nordflügel aus dem 16. Jh. im Stil der Weserrenaissance; jetzt Verwaltungssitz).

UMGEBUNG von Lemgo. – **Burg Sternberg** (13 km nordöstlich). Den alten Sitz der Grafen von Sternberg aus dem 13. Jh. machte der Instrumentenbauer Peter Harlan zu einer Burg der Fiedeln und Flöten. Interessante Sammlung alter Musikinstrumente; Konzertabende mit historischen Instrumenten im Rittersaal der Burg.

Limburg an der Lahn

Bundesland: Hessen. – Kfz-Kennzeichen: LM. Höhe: 108 m ü.d.M. – Einwohnerzahl: 29 000. Postleitzahl: D-6250. – Telefonvorwahl: 064 31. ⓘ **Städtisches Verkehrsamt,** Hospitalstraße 2; Telefon: 9 32 22.

HOTELS. – *Dom-Hotel,* Grabenstr. 57, 95 B.; *Haus Zimmermann* (garni), Blumenröder Str. 1, 35 B.; *Huß,* Bahnhofsplatz 3, 60 B.

RESTAURANTS. – *Georgs-Stuben,* in der Stadthalle, Hospitalstr. 4; *Bahnhofs-Gaststätte,* Bahnhofsplatz 1.

Limburg an der Lahn liegt im fruchtbaren Limburger Becken zwischen den Höhen des Taunus und des Westerwaldes. Enge Gassen mit malerischen Fachwerkhäusern bestimmen das Bild der vom Dom beherrschten Altstadt. Die hessische Bischofs- und Kreisstadt ist Sitz einer Theologisch-Philosophischen Hochschule. Das Wirtschaftsleben prägen Metall-, Eisen-, Textil- und Kunststoffindustrie.

GESCHICHTE. – Keimzelle Limburgs waren Kirche und Burg. 1277 ist der Ort als Stadt bezeugt. 1344 verpfändeten die Herren von Limburg die Hälfte ihres Territoriums an Kurtrier. 1420-1803 war Limburg ganz kurtrierisch, dann nassauisch und fiel 1866 an Preußen. Berühmt ist die vom Stadtschreiber Tileman Elhen von Wolfhagen für die Jahre 1336-98 verfaßte Limburger Chronik, eine kulturgeschichtlich bedeutende Stadtchronik, die u. a. auch über Mode und Volkslieder berichtet.

SEHENSWERTES. – Oberhalb der fachwerkschönen *Altstadt thront auf steilem Fels hoch über der Lahn der siebentürmige ***Dom** (kath.), eine der besten Schöpfungen der deutschen Frühgotik (13. Jh.; im Innern Wandmalereien aus dem 13.-16. Jh.); hinter dem Dom das ehem. **Schloß** der Lahngrafen (z. T.

Hexenbürgermeisterhaus in Lemgo

Limburger Dom über der Lahn

13. Jh.) mit dem *Diözesanmuseum.* – Am Fuß des Schlosses die *Stadtkirche* (15. Jh.); anschließend das *Bischöfliche Palais* mit dem bedeutenden Domschatz. Von der seit 1315 bestehenden *Alten Lahnbrücke* und von der großen Autobahnbrücke schöner Blick auf den Dom.

UMGEBUNG von Limburg. – **Burg Runkel** (7 km östlich), Stammburg der Fürsten von Wied (12. Jh., z.T. im 17. und 18. Jh. erneuert; Besichtigung).

Limes

Der Limes ist eine alte römische Grenzbefestigung aus dem 1.-3. Jh. n. Chr., von der heute noch Reste (vor allem Wälle) zu erkennen sind. Mit insgesamt 548 km Länge verlief er vom Rhein bis zur Donau.

Im Norden der ˙382 km lange **Obergermanische Limes.** Er begann un-

terhalb von Rheinbrohl (zwischen Koblenz und Bonn) am Rhein und führte über Westerwald und Taunus an der Wetterau entlang zum Main bei Hanau sowie durch den Odenwald und das Neckarland südwärts nach Lorch. Dieser Teil des Limes bestand aus Palisadenzaun, Wall und Graben und war durch Wachttürme und Kastelle (nur wenige Kilometer hinter dem Limes) gesichert. Das Römerkastell **Saalburg** (s. bei Bad Homburg v.d.H.) im Taunus ließ Kaiser Wilhelm II. 1898-1907 auf den alten Grundmauern aus dem 1.-3. Jh. n. Chr. neu errichten. Es ist ein anschauliches Beispiel für ein römisches Standlager am Limes.

An den Obergermanischen Limes schloß sich nach Süden der 166 km lange **Rätische Limes** an, der über die Fränkische Alb, bei Weißenburg das Altmühltal kreuzend, zur Donau führte und bei Eining (westlich von Kelheim) endete. In seinem Bereich wurde nach den ersten Alemanneneinfällen zu Beginn des 3. Jh. die Palisade durch eine etwa 1 m starke und 3 m hohe Steinmauer ersetzt.

Lindau im Bodensee

Bundesland: Bayern. – Kfz-Kennzeichen: LI. Höhe: 400 m ü.d.M. – Einwohnerzahl: 26000. Postleitzahl: D-8990. – Telefonvorwahl: 0 83 82.
ⓘ **Städtisches Verkehrsamt**
(Verkehrsverein), Bahnhofplatz (Insel);
Telefon: 50 22.

HOTELS. – Auf der Insel am Seehafen: *Bayerischer Hof,* 141 B., Terrasse, geh. Sb., *Reutemann,* 75 B., Terrasse, geh. Sb., *Seegarten,* 51 B., Garten, geh. Sb., *Helvetia,* 100 B., Terrasse, *Lindauer Hof,* 25 B., Hb., alle fünf an der Seeprome-

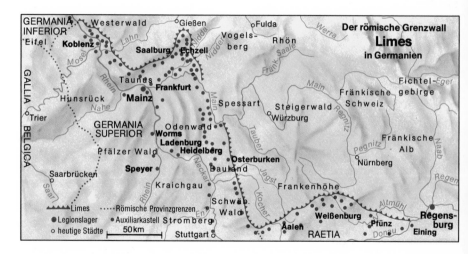

nade bzw. am Hafenplatz. – Im Innern der Inselstadt: *Insel-Hotel* (garni), Hauptstr. 42, 42 B.; *Goldenes Lamm*, Schafgasse 3, 70 B.; *Zum Stift*, Stiftsplatz 1, 51 B. – Auf dem Festland in Aeschach: *Im Lotzbeckpark*, Gieselbachstr. 1, 34 B.; *Toscana* (garni), Hasenweidweg 13, 25 B. – In Reutin: *Köchlin*, Kemptener Str. 41, 40 B. – In Bad Schachen: *Bad Schachen*, 200 B., Terrasse, Park, Hb., geh. Sb.; *Strandhotel Tannhof*, Oeschländerweg 24, 45 B., Terrasse, *Parkhotel Eden* (garni), Schachener Str. 143, 45 B.; *Schachen-Schlößle* (garni; mit Apartmenthaus), Enzisweiler Str. 3, 80 B., Hb., Sauna. – JUGENDHERBERGE: Herbergsweg 11 a, in Reutin. – CAMPINGPLÄTZE: *Lindau-Zech*, direkt am Bodensee; *Hammergut*, Hammerweg 34.

RESTAURANTS. – *Spielbank-Restaurant*, Oskar-Groll-Anlagen 2, Terrasse; *Zum lieben Augustin*, Hafenplatz; *Walliser Stuben*, Ludwigstr. 7; *Zum Sünfzen*, Hauptstr. 1; *Gothenstube*, In der Grub 32; *Singapur*, Wackerstr. 7 (in Aeschach).

WEINSTUBEN: *Frey*, Hauptstr. 15; *Müller*, In der Grub 30.

CAFÉS. – *Seehafen*, *Lindauer Hof*, *Schreier*, alle drei an der Seepromenade (Hafenplatz). – Mehrere Tanz- und Nachtlokale.

Internationale Spielbank (Roulette, Baccara, Black Jack; täglich 15-2 Uhr), Oskar-Groll-Anlagen 2.

VERANSTALTUNGEN. – Konzertwochen *'Lindauer Frühling'*; Internationales *Plastik-Symposion* (Sommer); Nobelpreisträgertreffen (Juni/Juli); *Kinderfest* (Juli); Segelregatten (Mai/Juni).

Die größte Stadt am bayerischen Bodenseeufer besteht aus der malerischen *Inselstadt Lindau im Bodensee (durch Aufschüttungen für Parkplätze im Nordwesten neuerdings auf 68,6 ha vergrößert), der Altstadt also, mit dem von der 'Weißen Flotte' der Bodenseeschiffe angelaufenen Hafen, und der durch die Seebrücke und einen Eisenbahndamm damit verbundenen, sich weitläufig zwischen Obstkulturen an Moränenhängen erstreckenden Gartenstadt Lindau (Wohn- und Erholungsgebiete sowie Industrieanlagen) auf dem Festland. Im Sommer ist Lindau ein viel besuchtes Touristenziel. Auch als Tagungsort gewinnt es an Bedeutung; die Errichtung eines Kongreßzentrums ist geplant.

GESCHICHTE. – Lindau war ursprünglich eine Fischersiedlung, deren Name, 882 erstmals urkundlich belegt, sich von dem im frühen 9. Jh. gegründeten und seit dem 16. Jh. reichsunmittelbaren Damenstift *Unserer lieben Frau unter den Linden* herleitet. Bald mit Marktrechten ausgestattet, wurde Lindau 1220 freie Reichsstadt und kam als 'Schwäbisches Venedig' durch Handel und Schiffahrt zu Reichtum. Auf dem Lindauer Reichstag von 1496/97 verweigerten die Stände Kaiser Maximilian I. die Unterstützung gegen Frankreich und Rußland. Die Stadt schloß sich früh der Reformation Zwinglis an (1530 "Confessio Tetrapolitana")

mit Memmingen, Konstanz und Straßburg), wurde aber 1548 von Karl V. zur Annahme des Augsburger Interims gezwungen. 1647 Beschießung durch die Schweden; 1796 von den Österreichern wegen des Sonderfriedens des Schwäbischen Kreises gebrandschatzt. Stift und Stadt, die sich jahrhundertelang befehdet hatten, kamen 1804 zu Österreich, das sie im Frieden von Preßburg (1805) an Bayern abtrat. Am Ende des Zweiten Weltkriegs besetzten die Franzosen Lindau; Stadt und Landkreis wurden als einziges bayerisches Gebiet der französischen Besatzungszone Deutschlands zugeschlagen und hatten bis 1956 einen Sonderstatus (Kreispräsident). Seit 1972 ist die Stadt Lindau nicht mehr kreisfrei und gehört zum bayerisch-schwäbischen Landkreis Lindau (Bodensee).

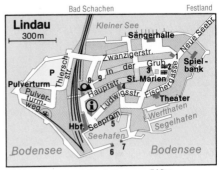

Lindau 300m

1 Heidenmauer	4 Altes Rathaus	7 Löwe
2 St. Stephan	5 Alter Leuchtturm	8 Diebsturm
3 Haus zum Cavazzen	6 Neuer Leuchtturm	9 Ehem. Peterskirche

SEHENSWERTES. – An der Südseite der Inselstadt der *Seehafen* mit dem *Alten Leuchtturm* oder *Mangturm* (13. Jh.) zwischen Hafenplatz und Seepromenade. Auf den beiden Molen die Lindauer Wahrzeichen: der 6 m hohe bayerische *Löwe* (aus Kelheimer Marmor) und der 33 m hohe *Neue Leuchtturm* mit *Aussicht* auf Stadt und Alpen.

In der zu großen Teilen als Fußgängerzone gestalteten ALTSTADT noch viele von Gotik, Renaissance und Barock geprägte *Straßenbilder*, besonders in der Hauptstraße mit den schmucken Patrizierhäusern, Laubengängen, Brunnen und Straßenlokalen. Südlich am Reichsplatz das 1422–36 errichtete, 1578 im Renaissancestil umgebaute **Alte Rathaus**; im Innern das *Stadtarchiv* und die ehem. *Reichsstädtische Bibliothek*. Nordwestlich, am Schrannenplatz, die um 1000 gegründete und 1928 zu einer Kriegergedenkstätte umgestaltete ehem. *Peterskirche* mit den um 1480 entstandenen, einzigen erhaltenen *Fresken* von Hans Holbein d. Ä.; daneben der *Diebsturm* von 1420 (Aussicht).

Im Ostteil der Altstadt an dem von einem *Neptunbrunnen* von 1841 gezierten

Seehafen Lindau

Marktplatz das 1729 erbaute **Haus zum Cavazzen** mit dem *Heimatmuseum* (Wohnkultur, Waffen) und den *Städtischen Kunstsammlungen*. An der Ostseite des Marktplatzes die ev. Stadtpfarrkirche **St. Stephan** (urspr. von 1180, 1782 barockisiert) und die kath. Stadtpfarrkirche **St. Marien** (Rokoko-Ausstattung), die 1748-52 an der Stelle des beim Stadtbrand von 1729/30 zerstörten romanischen Münsters erbaute ehem. Kirche des 1802 aufgehobenen Damenstifts. Unweit nordöstlich die sog. *Heidenmauer*, ein mittelalterlicher Wachtturm. Im Nordosten der Insel *Stadtgarten* und *Spielbank*. – Lohnend ist ein Spaziergang auf dem *Uferweg* rings um die Inselstadt.

Nordwestlich der Inselstadt, am Bodenseeufer, der Ortsteil BAD SCHACHEN mit Luxushotel (Eisen- und Schwefelquellen), Strandbad und *Parkanlagen.

Lübeck

Bundesland: Schleswig-Holstein.
Kfz-Kennzeichen: HL.
Höhe: 11 m ü.d.M. – Einwohnerzahl: 227 000.
Postleitzahl: D-2400. – Telefonvorwahl: 04 51.
ⓘ **Verkehrsverein,**
am Markt;
Telefon: 1 22 81 06.
Kurverwaltung Travemünde,
im Kursaalgebäude; Telefon: 8 43 63.

HOTELS. – *Lysia*, An der Puppenbrücke, 137 B.; *International* (garni), Am Bahnhof 17, 152 B.; *Wakenitzblick*, Augustenstr. 30, 24 B.; *Kaiserhof* (garni), Kronsforder Allee 13, 85 B., Sauna;*Hanse-Hotel Schwarzbunte*, Bei der Lohmühle 11 a, 100 B.; *Jensen*, Obertrave 4, 105 B.; *Am Mühlenteich* (garni), Mühlenbrücke 6, 20 B.; *Lindenhof*, Lindenstr. 1, 60 B.; *Berlin*, Moislinger Allee, 45 B. – In Travemünde: *Maritim*, Strandpromenade (Dachgartenrestaurant 'Club Maritim'), Meerwasser-Hb. und -Sb., Sauna; *Kurhaus*, Außenallee 10, 170 B., Hb., Sauna, Solarium; *Golf-Hotel*, Helldahl 12, 100 B., Hb., Sauna; *Camino* (garni), Kaiserallee 29, 12 B.; *Deutscher Kaiser*, Vorderreihe 52, 65 B.; *Strandhaus Becker* (garni), Strandpromenade 7, 50 B. – JUGENDHERBERGEN: *Folke-Bernadotte-Haus*, Am Gertrudenkirchhof 4, 200 B.; *Jugendfreizeitstätte Priwall*, Mecklenburger Landstr. 69, 108 B. – CAMPINGPLÄTZE: *Auto-Camping Lübeck*, an der Autobahn-Ausfahrt; *Grüner Jäger*, Lübeck-Ivendorf; *Strandcamping*, Travemünde-Priwall; *Auto-Camping*, Travemünde-Priwall.

RESTAURANTS. – *Schabbelhaus*, Mengstr. 48 (alteingerichtetes Kaufmannshaus); *Ratskeller*, im Rathaus, Markt 13; *Haus der Schiffergesellschaft*, Breite Str. 2 (historisches Haus von 1535, Schiffsmodelle); *Die Gemeinnützige*, Königstr. 5 (mit Bildersaal); *Holstentor*, Holstentorplatz 1 (mit geheizter Terrasse, abends Musik); *Rathaushof*, am Rathaus; *Lübecker Hanse*, Kolk 5.
In Travemünde: *Casino-Restaurant*, Kaiserallee 2 (Terrasse und Unterhaltungsmusik); *Dietz*, Kaiserallee 32; *Alte Kate Anno 1748* in Ivendorf (4 km in Richtung Lübeck); *Hermannshöhe*, Brodtener Steilufer (mit Aussicht); *Skandinavia*, Skandinavienkai.

WEINSTUBEN. – *Weinstuben unter dem Heiliggeistspital*, Koberg 5; *Jagdzimmer*, An der Obertrave.

CAFÉS. – *Niederegger*, Breite Str. 89 (berühmte Marzipanwaren); *Junge*, Breite Str. 1; *Maret*, Rathaushof.

Spielkasino (Roulette, Baccara, Punto Banco und Black Jack), Kaiserallee 2, Travemünde.

VERANSTALTUNGEN. – Kirchliche Abendmusiken (Juni-September); *Travemünder Woche* (Juli/August); *Rallye Baltic* (Anf. September).

Die ehem. freie Reichsstadt und Hansestadt Lübeck ist heute eine lebhafte Hafen- und Industriestadt. Ihr von Wasser umschlossenes *Altstadtoval spiegelt noch das eindrucksvolle Bild einer deutschen Hansestadt des Mittelalters. Die 20 km nördlich in die Ostsee mündende Trave ist für Seeschiffe von 6 m Tiefe bis zu den Stadthäfen befahrbar, während der Elbe-Lübeck-Kanal seit 1900 den Flußschiffen als Verbindung zur Ostsee dient. In den 12 Hafenbecken werden Holz, Kohle, Maschinen, Fleisch, Salz und andere Produkte umgeschlagen. Die bedeutende Industrie umfaßt die Herstellung von Maschinen, Elektro- und Sauerstoffgeräten, Eisenkonstruktionen, Keramikplatten, Fischkonserven sowie große Werften. Bekannt ist Lübecks Rotweinhandel, berühmt das Lübecker Marzipan. Die nahe Grenze zur DDR beeinträchtigt die wirtschaftliche Entfaltung der Stadt.

Lübeck ist Sitz einer Seefahrtsschule, mehrerer Fachschulen, einer Medizinischen Hochschule, einer Musikhochschule und der Norddeutschen Orgelschule sowie eines Theaters. Das elegante Ostseebad **Travemünde** gehört zum Lübecker Stadtgebiet.

GESCHICHTE. – Lübeck wurde 1143 von Graf Adolf II. von Holstein gegründet und 1226 zur freien Reichsstadt erhoben. Die für den Handel günstige Lage machte die Stadt zum bedeutenden Stapelplatz und sicherte ihr die führende Stellung in der Hanse, einem Zweckverband niederdeutscher Städte zum Schutze des Handels. Im 16. Jh. begann mit dem langsamen Zerfall der Hanse die Machtstellung Lübecks zu schwinden. 1630 fand der letzte Hansetag statt, an dem nur noch Lübeck, Hamburg und Bremen teilnahmen. Im 19. Jh. hatte Lübeck schwer unter der Franzosenherrschaft zu leiden. Nach der Auflösung des Reiches schlossen sich Hamburg, Bremen und Lübeck zum Bund der Freien und Hansestädte zusammen. 1900 wurde der Elbe-Lübeck-Kanal eröffnet. Im 20. Jh. begann die Industrialisierung Lübecks. 1937 wurde die Selbständigkeit aufgehoben und die Stadt in Schleswig-Holstein eingegliedert. 1942 wurde durch einen schweren Fliegerangriff ein großer Teil der Altstadt zerstört. Seit der Spaltung Deutschlands ist Lübeck Grenzstadt.

In der Hansestadt wurde 1875 *Thomas Mann* geboren, dessen Roman "Die Buddenbrooks" (1901) den Niedergang einer Lübecker Patrizierfamilie schildert.

SEHENSWERTES. – Am Westeingang der ALTSTADT erhebt sich Lübecks Wahrzeichen, das wuchtige doppeltürmige ****Holstentor** (1477 vollendet; mit *Sammlungen zur Stadtgeschichte,* u. a.

Lübecker Holstentor

großes Modell der Stadt um 1650). – Am Markt, im Mittelpunkt des Altstadtovals, steht das *Rathaus, eines der großartigsten in Deutschland, im 13.-15. Jh. z.T. aus Glanzziegeln aufgeführt, mit einem 1570 errichteten Renaissancevorbau. Nördlich vom Markt die *Marienkirche aus dem 13.-14. Jh. (wiederhergestellt), Vorbild vieler Backsteinkirchen im Ostseeraum; in dem eindrucksvollen Innern ein gotisches Sakramentshäuschen (1476-79), im Süderturm eine Gedenkkapelle mit in der Brandnacht 1942 herabgestürzten Glocken.

Nördlich der Marienkirche in der Mengstraße Nr. 4 das durch Thomas Manns Roman bekannte *Buddenbrookhaus* (urspr. 1758, wiederaufgebaut; das Haus gehörte 1841-91 der Familie des Dichters) und Nr. 48/50 das *Schabbelhaus* (Restaurant; nach Kriegszerstörung wiederhergestellt). – An der Breiten Straße (z.T. Fußgängerzone) Nr. 2 das *Haus der Schiffergesellschaft* von 1535 (Restaurant), das mit seiner alten Einrichtung ein anschauliches Bild der ehem. Kompagniehäuser gibt; gegenüber die **Jakobikirche** (14. Jh.; mit Brömbse-Altar des 16. Jh. und spätgotischer Orgel). – An der parallel verlaufenden Königstraße die ehem. *Katharinenkirche* (14. Jh., ein edles Werk der Hochgotik; in den Nischen der Front 9 Figuren von Ernst Barlach und Gerhard

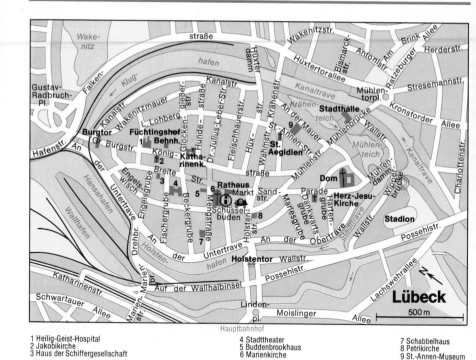

1 Heilig-Geist-Hospital
2 Jakobikirche
3 Haus der Schiffergesellschaft

4 Stadttheater
5 Buddenbrookhaus
6 Marienkirche

7 Schabbelhaus
8 Petrikirche
9 St.-Annen-Museum

Marcks), das klassizistische *Behnhaus* von 1783 (Kunstsammlungen des 19. und 20. Jh.; den Mittelpunkt der Romantikersammlung bilden Werke des 1789 in Lübeck geborenen Friedrich Overbeck, Haupt der in Rom tätigen Künstlergruppe der 'Nazarener') und das *Heilig-Geist-Hospital (13. Jh.; z. Z. noch Altersheim), das besterhaltene mittelalterliche Spital in Deutschland (Eingangshalle mit spätgotischen Schnitzaltären und Wandmalereien vom Anfang des 14. Jh.). Am Ende der Großen Burgstraße, der Fortsetzung der Königstraße nach Norden, das 1444 erbaute *Burgtor* mit Resten eines alten Mauerrings. An der von der Königstraße nach Osten abzweigenden Glockengießerstraße der stimmungsvolle *Füchtingshof*, 1639 als Wohnsitz für Kaufmanns- und Schifferwitwen erbaut.

Südwestlich vom Markt die *St.-Petri-Kirche* (13.-14. Jh., wiederhergestellt, vom Turm großartige *Rundsicht). – Am Südrand der Altstadt erhebt sich der zweitürmige **Dom** (ev.), 1173 von Heinrich dem Löwen gegründet, im 13. und 14. Jh. gotisch erweitert (nach schweren Kriegszerstörungen wiederaufgebaut); im Langhaus ein Taufbecken von 1455 und eine *Triumphkreuzgruppe des Lübecker Meisters Bernt Notke (1477). In einem Anbau das *Naturhistorische Museum*. – Nordöstlich vom Dom

das *St.-Annen-Museum (im gleichnamigen ehem. Kloster), das eine ausgezeichnete Übersicht über das reiche Kunstschaffen in der Hansestadt vom frühen Mittelalter bis zum 19. Jh. gibt; besonders sehenswert die Werke der bedeutenden Bildschnitzer und Maler sowie zahlreiche 1942 gerettete Kunstwerke aus verschiedenen Lübecker Kirchen.

Der Stadtteil **Travemünde** mit der sich um die Pfarrkirche *St. Lorenz* (16. Jh.) drängenden Altstadt und dem vom 158 m hohen *Hotel Maritim* (Aussichtsplattform) überragten Kurviertel mit *Kurhaus, Kursaal, Spielcasino, Meerwasser-Wellen-Hallenbad, Kurpark* und breiter *Strandpromenade* ist das mondänste und abwechslungsreichste deutsche Ostseebad. Im Passat-Hafen der Halbinsel Priwall hat die Viermastbark *Passat* festgemacht, die einst die Weltmeere befuhr und heute dem Deutsch-Französischen Jugendwerk während der Sommermonate als Unterkunft und Ausbildungsstätte dient (Besichtigung während der Saison).

UMGEBUNG von Lübeck. – *Brodtener Steilufer (1$\frac{1}{2}$ km nördlich), ein etwa 4 km langes, 18 m hohes Steilufer, das den vorspringenden Küstenbogen zwischen Travemünde und Niendorf einnimmt; Golfplatz, Gaststätte Hermannshöhe. – *Freizeitpark Hansaland* bei Sierksdorf (19 km nordwestl.).

Ludwigsburg

Bundesland: Baden-Württemberg.
Kfz-Kennzeichen: LB.
Höhe: 295 m ü.d.M. – Einwohnerzahl: 82000.
Postleitzahl: D-7140. – Telefonvorwahl: 07141.
(i) **Verkehrsamt,** Wilhelmstraße 24;
Telefon: 18252.

HOTELS. – *Alte Sonne,* am Markt, 24 B.; *Schiller-Hospiz,* Gartenstr. 17, 85 B.; *Heim* (garni), Schillerstr. 19, 55 B. – In Hoheneck: *Hoheneck,* Uferstr., 26 B. – Beim Schloß Monrepos: *Schloßhotel Monrepos,* 125 B., Hb., Sauna. – In Oßweil: *Kamin,* Neckarweihinger Str. 52, 20 B. – JUGENDHERBERGE: Gemsenbergstr. 21, 77 B.

RESTAURANTS. – *Ratskeller,* Wilhelmstr. 13; *Lammbräu-Stuben,* Untere Marktstr. 5; *Post-Cantz,* Eberhardstr. 6. – Beim Schloß Monrepos: *La Perle* (zahlreiche Spez.); *Gutsschenke* (schwäb. Gerichte).

CAFÉ. – *Kunzi,* Myliusstr. 15.

VERANSTALTUNGEN. – Im Sommer Gartenschau *'Blühendes Barock'* und *Schloßfestspiele.*

Die unweit von Stuttgart auf einer Hochfläche über dem Neckar gelegene Stadt zeigt noch heute mit ihren Schlössern und Parkanlagen das einheitliche Bild einer fürstlichen Residenz der Barockzeit. Ludwigsburg ist Kreisstadt und Sitz einer Pädagogischen Hochschule.

GESCHICHTE. – Ludwigsburg verdankt seinen Namen Herzog Eberhard Ludwig von Württemberg, der hier ab 1704 ein Schloß erbauen ließ, neben dem sich der Ort (seit 1709 Stadt) entwickelte. 1717 wurde Ludwigsburg herzogliche Residenz. Im Jahre 1758 gründete Herzog Karl Eugen die Porzellanmanufaktur.

SEHENSWERTES. – Das 1704-33 von verschiedenen Baumeistern errichtete *Schloß,* das größte der nach Versailler Vorbild in Deutschland entstandenen Fürstenschlösser, ist eine prächtige Barockanlage mit reicher Innenausstattung im Barock-, Rokoko- und Empirestil (452 Gemächer; Führungen, Schloßfestspiele) und schönem Schloßpark (im Sommer Gartenschau 'Blühendes Barock'). Im Neuen Corps de Logis die Abteilung 'Höfische Kunst des Barock' des Württembergischen Landesmuseums. Nördlich vom Schloß der *Favoritepark* (Naturschutzgebiet und Wildpark) mit dem Barockschlößchen *Favorite* (1718-23); weiter nordwestlich *Schloß Monrepos* (1760-64), das Herzog Karl Eugen als sog. Seehaus diente.

Südwestlich vom Schloß am Marktplatz (Marktbrunnen mit dem Standbild des Stadtgründers Herzog Eberhard Ludwig) stehen die zweitürmige ev. *Stadtkirche* (1718-26 im Barockstil erbaut) und die schlichte kath. *Dreieinigkeitskirche* (1721-27) sowie das *Geburtshaus* des Dichters *Justinus Kerner* (1786-1862; Nr. 8). Nahebei das 16stökkige *Marstall-Center* (1974). Auf dem Schillerplatz ein *Standbild Schillers,* der 1768-73 und 1793-94 in Ludwigsburg lebte. In der Nähe die *Geburtshäuser* des Dichters *Eduard Mörike* (1804-75; Kirchstr. 2), des Ästhetikers *Friedrich Theodor Vischer* (1807-87; Stadtkirchenplatz 1) und des Theologen *David Friedrich Strauß* (1808-74; Marstallstr. 1).

UMGEBUNG von Ludwigsburg. – **Festung Hohenasperg** (356 m; 5 km westlich). In der auf einem Bergkegel thronenden ehem. Festung (Strafanstalt) wurden u. a. 1777-87 der Dichter Christian Schubart und 1824/25 der Volkswirtschaftler Friedrich List gefangengehalten; Rundsicht, Restaurant. – **Marbach** (8 km nordöstlich) mit dem *Geburtshaus Schillers und dem *Schiller-Nationalmuseum (reiche Sammlungen mit Werken schwäb. Dichter).

Lüneburg

Bundesland: Niedersachsen.
Kfz-Kennzeichen: LG.
Höhe: 17 m ü.d.M. – Einwohnerzahl: 63000.
Postleitzahl: D-2120. – Telefonvorwahl: 04131.
(i) **Verkehrsverein,** Rathaus, Marktplatz;
Telefon: 32200.

HOTELS. – *Wellenkamp's Hotel,* Am Sande 9, 70 B.; *Waldpark,* Uelzener Str. 120, 21 B.; *Heidkrug,* Am Berge 6, 14 B. (spätgotischer Fachwerkbau von 1455); *Parkhotel,* Uelzener Str. 24, 24 B.; *Am Kurpark,* Uelzener Str. 41, 70 B.; *Bremer Hof,* Lüner Str. 12, 78 B.; *Lübecker Hof,* Lünertorstr. 12, 26 B. – An der B 4: *Motel Landwehr,* Hamburger Str. 15, 70 B. – JUGENDHERBERGE: Soltauer Str. 133, 158 B. – CAMPINGPLÄTZE: *Beim Forsthaus Rote Schleuse,* abseits der B 4; *Radenbeck,* in der Lüneburger Ostheide; *Bockelmann,* an der Neetze in Neu-Rullstorf.

RESTAURANTS. – *Ratskeller,* im Rathaus; *Zur Krone,* Heiligengeiststr. 41.

Die alte Salz- und Hansestadt liegt im Nordosten der Lüneburger Heide am Rande der Elbniederung an der schiffbaren Ilmenau. Zahlreiche Bauwerke und Bürgerhäuser im spätgotischen und Renaissancestil machen Lüneburg zu einer Hauptstätte der norddeutschen Backsteinbaukunst. Die Regierungsbezirkshauptstadt ist Sitz einer Pädagogischen Hochschule und der Ostdeutschen Akademie. Auch als Sol- und Moorbad sowie zu Kneipp-

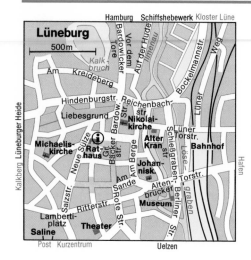

kuren (Kurzentrum mit Sole-Hallenwellenbad) wird Lüneburg besucht. Vor allem im Norden der Stadt haben sich mehrere Industriebetriebe angesiedelt (chem. Werke, Holz-, Tapeten-, Papier- und Metallindustrie). In Lüneburg endet die Harz-Heide-Straße und beginnt die Alte Salzstraße nach Lübeck. – Ein neuer Binnenhafen am Elbe-Seitenkanal ist im Aufbau.

GESCHICHTE. – Durch die um 951 von Sachsenherzog Hermann Billung auf dem Kalkberg als Schutzfeste gegen die Wenden erbaute Burg, den nahen Elbübergang und die ergiebigen Salzquellen erlangte Lüneburg schon frühe Bedeutung. Doch erst nach der Zerstörung der mächtigen Nachbarstadt Bardowick (1189 durch Heinrich den Löwen) und den Beitritt zur Hanse erreichte die Stadt (Stadtrecht 1247 bestätigt) die fast völlige Selbständigkeit einer freien Reichsstadt. Mit der Zerstörung der Burg auf dem Kalkberg im Lüneburger Erbfolgekrieg (1371) schüttelten die Lüneburger die Herrschaft der Herzöge von Braunschweig-Lüneburg ab, deren Residenz die Stadt bisher gewesen war. Im 16. Jh. gehörte Lüneburg zu den reichsten Städten Norddeutschlands. Dann sank sein Wohlstand. Neue Impulse gaben der Ausbau des Sol- und Moorbades und die Ansiedlung von Industriebetrieben.

SEHENSWERTES. – Mittelpunkt der Stadt ist der reizvolle Platz *Am Sande, der von alten Backsteinhäusern mit prächtigen Treppengiebeln gesäumt wird. An seiner Westseite das *Schwarze Haus* (1548 als Brauhaus errichtet, jetzt Sitz der Industrie- und Handelskammer). Im Osten erhebt sich, den Platz beherrschend, die *Johanniskirche (14. Jh.; 43 m breit und 49 m lang) mit ihrem 105 m hohen Turm; im Innern ein stattlicher Hochaltar (von 1485), schönes Chorgestühl (1589) sowie zahlreiche Grabmäler. Unweit südöstlich das reichhaltige *Museum für das Fürstentum Lüneburg.

Vom Platz am Sande führen Kleine und Große Bäckerstraße (Fußgängerzone) zum mit dem *Dianabrunnen* ('Lunabrunnen') von 1530 geschmückten Markt, an dessen Westseite sich das *Rathaus erhebt, eine Gebäudegruppe aus dem 13.-18. Jh. mit figurengeschmückter barocker Marktfront (1720). Von den vielen guterhaltenen Innenräumen verdienen vor allem die *Gerichtslaube (von 1320), das Gewandhaus (um 1450; mit dem berühmten Lüneburger Ratssilberschatz), die Alte Kanzlei (1433), die Große Ratsstube (1466-84; vortreffliche Schnitzereien) und der Fürstensaal (15. Jh.) Beachtung. – Nordöstlich vom Markt die 1409 geweihte *Nikolaikirche;* östlich davon an der Ilmenau der bereits 1346 erwähnte *Alte Kran* vor der Barockfassade des *Kaufhauses* von 1745. – Weiter nordöstlich vor der Stadt das ehem. Nonnenkloster *Lüne* (14. und 15. Jh.; jetzt Damenstift) mit einer reichen *Sammlung alter Bildteppiche (Ausstellung nur eine Woche im August).

Alter Kran in Lüneburg

Am Westrand der Altstadt die *Michaeliskirche* (14.-15. Jh.) am Fuße vom *Kalkberg* (57 m; schöne Aussicht); unweit südöstlich der Kirche das *Ostpreußische Jagdmuseum* (Salzstr. 26). – Weiter südlich die *Saline* (Kochsalzgehalt von 26,5 %) und der 1907 angelegte Kurpark mit Kurhaus, Badehaus und Sole-Wellenbad.

UMGEBUNG von Lüneburg. – Bardowicker Dom (Stiftskirche St. Peter und Paul; 6 km nördlich) mit spätromanischem Westbau und dreischiffiger gotischer Halle; im Innern zweiflügeliger Schnitzaltar von 1425 und prachtvolles spätgotisches Chorgestühl. – Schiffshebewerk Scharnebeck (10 km nordöstlich; max. 1350 t Hub 38 m in 3 Min.) für den Elbe-Seitenkanal.

Lüneburger Heide

Bundesland: Niedersachsen.

ⓘ **Fremdenverkehrsverband Lüneburger Heide,** Glockenhaus, D-2120 Lüneburg; Telefon: (04131)42006/7.

Die *Lüneburger Heide ist das größte Heidegebiet Deutschlands. Sie erstreckt sich zwischen Aller und unterer Weser und erreicht im Wilseder Berg eine Höhe von 169 m.

Die trockenen und wenig fruchtbaren Hochflächen, zwischen denen Moorgründe liegen, sind weithin mit Heidekraut bedeckt, das zur Blütezeit im August der schwermütigen Landschaft eine freundliche Stimmung verleiht. Seltsam geformte Wacholderbüsche, von Birken eingefaßte Wege, zwischen Eichengruppen versteckte ziegelrote Heidjer-Höfe vervollständigen das Landschaftsbild. Zahlreiche Hünengräber erinnern an die vorgeschichtliche Besiedlung. Neben der Zucht des Heideschafes ('Heidschnucke'), der Forstwirtschaft und dem Ackerbau hat auch die Industrie (Kieselgur-Gruben, Erdölquellen) steigende Bedeutung gewonnen. Zurückgegangen ist die traditionelle Bienenzucht.

Die schönsten Heidelandschaften findet man in der Zentralheide. Hier wurde 1921 ein etwa 20000 ha großes Gebiet um den Heideort **Wilsede** (mit Heidemuseum) zum *Naturschutzpark Lüneburger Heide erklärt (erster deutscher Naturpark). Hier liegen der viel besuchte *Totengrund* und der *Steingrund*. Reizvoll ist auch der 50000 ha große Naturpark Südheide zwischen Uelzen, Soltau und Celle, besonders im Gebiet von *Unterlüß, Müden* und *Hermannsburg.*

Das *Löns-Grab* bei Fallingbostel inmitten prächtiger Wacholderlandschaft ist alljährlich Ziel vieler Tausender Verehrer des Heidedichters. Schlecht zu erreichen sind dagegen die *Sieben Steinhäuser,* steinzeitliche Grabkammern mit mächtigen Decksteinen. Sie liegen mitten im Gebiet eines Truppenübungsplatzes, und die Anfahrt zu ihnen wird in der Regel nur am 1. und 3. Sonntag im Monat freigegeben (man erkundige sich in Westenholz).

Westlich von Fallingbostel lockt der 10 ha große ***Vogelpark Walsrode** mit 4000 Vögeln Besucher-

Heidschnucken in der Lüneburger Heide

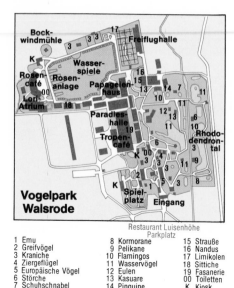

**Vogelpark
Walsrode**

Restaurant Luisenhöhe
Parkplatz

1 Emu	8 Kormorane	15 Strauße
2 Greifvögel	9 Pelikane	16 Nandus
3 Kraniche	10 Flamingos	17 Limikolen
4 Ziergeflügel	11 Wasservögel	18 Sittiche
5 Europäische Vögel	12 Eulen	19 Fasanerie
6 Störche	13 Kasuare	00 Toiletten
7 Schuhschnabel	14 Pinguine	K Kiosk

scharen von nah und fern. Seine *Paradieshalle zählt zu den größten tropischen Vogelhäusern Deutschlands.

Ein Stück Afrika bietet der *Serengeti-Großwildpark bei Hodenhagen nahe der Autobahn Hamburg-Hannover. Hier begegnet man mit Bus oder eigenem Wagen Löwen, Tigern, Elefanten, Nashörnern, Giraffen, Büffeln und Antilopen auf freier Wildbahn.

Die Lüneburger Heide ist das Naherholungsgebiet Nr. 1 der Großstadt Hamburg. In steigendem Maße wird sie auch Ferienziel anderer Bundesbürger, die hier inmitten unberührter Natur Ruhe und Entspannung suchen. Zahlreiche Heideorte werden als Sommerfrischen besucht. Die bekanntesten sind *Amelinghausen, Bispingen, Dorfmark, Fallingbostel, Hermannsburg, Müden, Schneverdingen, Unterlüß, Walsrode* und *Wilsede*. – Beliebt sind Kutschfahrten durch die weiten Heidegebiete; im Herbst mancherorts Heideblütenfeste (u.a. Krönung der 'Heidekönigin').

Maintal

Bundesländer: Bayern und Hessen.
ⓘ **Fremdenverkehrsverband Franken,**
Am Plärrer 14, D-8500 Nürnberg 18;
Telefon: (0911)264202/04.
Hessischer Fremdenverkehrsverband,
Abraham-Lincoln-Straße 38-42,
D-6200 Wiesbaden;
Telefon: (06121)73725.

Der 524 km lange Main entsteht aus dem am Ochsenkopf im Fichtelgebirge entspringenden Weißen Main und dem

aus dem Fränkischen Jura kommenden Roten Main; unterhalb von Kulmbach vereinigen sich beide.

Zahlreiche kleine und große Windungen beschreibt der Fluß. Würde er geradeswegs nach Westen fließen, wäre der Flußlauf wesentlich kürzer. Bei Lichtenfels durchbricht der Main den *Fränkischen Jura*, zwischen Bamberg und Haßfurt die Keuperhöhen zwischen *Haßbergen* und *Steigerwald*, durchfließt dann in einer weiten Schleife bei Kitzingen das rebenreiche Muschelkalkgebiet der *Fränkischen Platte*, umfließt vor Gemünden bis Aschaffenburg in einem großen Viereck das Buntsandsteinplateau des *Spessarts* – zwischen Wertheim und Miltenberg treten die roten Felswände von Spessart im Norden und Odenwald im Süden stellenweise dicht an den Fluß heran – und erreicht dann kurz vor Aschaffenburg die *Mittelrheinische Ebene*. Er durchfließt nun das Industriegebiet des Rhein-Main-Wirtschaftsraumes und mündet gegenüber von Mainz in den Rhein.

Einer heiteren Landschaft gibt der Fluß seinen Namen: *Mainfranken*. An seinen Ufern reifen köstliche Weine: Würzburger Stein, Escherndorfer Lump, Randersackerer Pfülben und viele andere. In 'Bocksbeutel' (ihnen verdankt auch die am Fluß entlang führende 'Bocksbeutelstraße', eine Touristenstraße, den Namen) abgefüllt, erreichen sie den Liebhaber. Zu beiden Seiten des Mains liegen malerische Weinorte mit alten Stadtbildern wie *Ochsenfurt* und *Marktbreit*. Zeugen des Mittelalters sind auch die wehrhaften Städte **Miltenberg** und **Wertheim**.

Barock und Rokoko feiern im Maintal ihre Triumphe. Die *Wallfahrtskirche Vierzehnheiligen*, *Schloß Banz* und *Schloß Veitshöchheim*, die alte Fürstenresidenz und Festspielstadt **Bayreuth**, die Bischofsstädte **Bamberg** und **Würzburg** stehen stellvertretend für die Fülle. Balthasar Neumann und Johann Dientzenhofer sind die großen Namen der Baumeister. Aber auch die Gotik ist mit Werken von Tilman Riemenschneider vortrefflich vertreten. Eine bedeutende Schöpfung der Renaissance: *Schloß Johannisburg* in **Aschaffenburg**. Tradition und Fortschritt verkörpert die Goethestadt **Frankfurt** am Main, einst

Krönungsstadt deutscher Kaiser, heute wichtiges Wirtschaftszentrum des Rhein-Main-Gebietes.

Mainz

Bundesland: Rheinland-Pfalz.
Kfz-Kennzeichen: MZ.
Höhe: 82 m ü.d.M. – Einwohnerzahl: 184000.
Postleitzahl: D-6500. – Telefonvorwahl: 06131.
ⓘ **Verkehrsverein,** Bahnhofplatz 2; Telefon: 28371.

HOTELS. – Am Rhein: *Mainz Hilton,* Rheinstr. 68, 457 B. (mehrere Restaurants, Römische Weinstube, Rheinterrasse, Ballsaal, Tanzbar); *Mainzer Hof,* Kaiserstr. 98, 115 B. (Panoramarestaurant). – Nahe dem Hauptbahnhof: *Central-Hotel Eden,* Bahnhofplatz 8, 95 B.; *Europa-Hotel,* Kaiserstr. 7, 140 B. (Grillrestaurant La Poularde); *Grünewald* (garni), Frauenlobstr. 14, 90 B. – Am Grüngürtel: *Am Römerwall* (garni), Römerwall 51-55, 62 B.; *Stiftswingert* (garni), Am Stiftswingert 4, 42 B. – In Finthen (7 km südwestlich): *Kurmainz* (garni), Flugplatzstr. 44, 50 B., Hb., Sauna, Solarium. – JUGENDHERBERGE: Am Forst Weisenau, 190 B. – CAMPINGPLÄTZE: *Maarau,* auf der Insel Maaraue; *Jungenfelder Aue,* in Laubenheim am linken Rheinufer.

RESTAURANTS. – *Rats- und Zunftstuben 'Heilig Geist',* Rentengasse 2 (im restaurierten ehem. Heiliggeistspital, 13. Jh.; Originalgewölbe); *Stadtparkrestaurant an der Favorite,* Karl-Weiser-Str. 1 (von der Terrasse schöner Blick auf Rhein, Mainmündung und Taunus); *Walderdorff,* Karmeliterplatz 4 (französ. Küche); *Bei Mama Gina,* Holzstr. 34 (italien. Spez.); *China-Restaurant Man-Wah,* Am Brand 42. – In Gonsenheim: *Zum Löwen,* Mainzer Str. 2.

WEINLOKALE. – *Haus des Deutschen Weines,* Gutenbergplatz 3-5 (mit Weinen aus allen Anbaugebieten Deutschlands); *Weinstube Lösch,* Jakobsbergstr. 9; *Zur Reblaus,* Schottstr. 5; *Weinhaus Quintin,* Kleine Quintinstr. 2; *Gebert's Weinstuben,* Frauenlobstr. 94.

CAFÉS. – *Dom-Café,* Markt 12-16; *Rheincafé,* am Rathausplatz über dem Rheinufer (Aussicht); *Janson,* Schillerstr. 40; *Dinges,* Mailandsgasse 2-6; *Diehl,* Leichhofstr. 7-9 (Domblick).

VERANSTALTUNGEN. – **Mainzer Fastnacht** mit *Rosenmontagszug; Open-Ohr-Festival* (Pfingsten); Sommerprogramm *'Mainz lebt auf seinen Plätzen'; Weinmarkt* (August/September); *Mainzer Tage der Fernsehkritik* (Ende Oktober); Weihnachtsmarkt.

Die rheinland-pfälzische Landeshauptstadt und Universitätsstadt

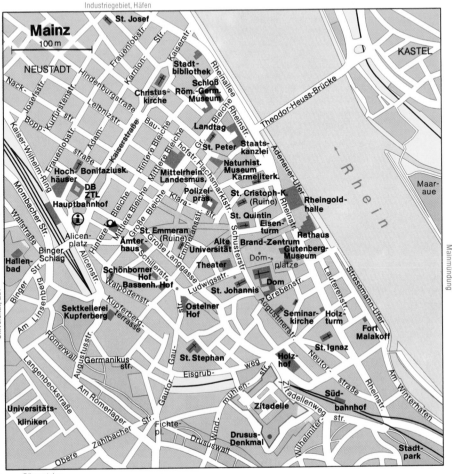

Mainz, ein alter Kurfürsten- und Erzbischofssitz mit großer geschichtlicher Vergangenheit, liegt auf dem linken Rheinufer gegenüber der Mainmündung. Die Stadt bettet sich in das fruchtbare Mainzer Becken, den nördlichsten Teil der Oberrheinischen Tiefebene, und bildet den westlichen Schwerpunkt des Rhein-Main-Wirtschaftsraumes (Autobahnring). Die Gutenbergstadt ist Zentrum des rheinischen Weinhandels (Sektkellereien), wichtiger Handels-, Verkehrs- und Industrieplatz, Sitz von Rundfunk- und Fernsehanstalten (ZDF, SWF) und Verlagen sowie eine der Hochburgen des Karnevals ('Määnzer Fassenacht').

GESCHICHTE. – 38 v. Chr. legten die Römer bei einer Keltensiedlung ihr Feldlager *Moguntiacum* an, seit etwa 10 n. Chr. Hauptwaffenplatz und Sitz des militärischen Oberbefehlshabers für Obergermanien (Germania superior). 742 gründete Bonifatius das Erzbistum. Mainz wurde zur Metropole des Christentums in Deutschland. 975 unter Erzbischof Willigis begann der Bau des Domes. 1184 feierte Kaiser Barbarossa ein glanzvolles Reichsfest auf der Maaraue. Im 13. Jh. erlebte das Goldene Mainz (Aurea Moguntia) als Hauptort des 1254 gegründeten Rheinischen Städtebundes seine höchste Blüte. Um 1450 richtete Johannes Gutenberg, der Erfinder des Buchdrucks mit beweglichen Lettern, in Mainz seine Druckerei ein. In der Mainzer Stiftsfehde von 1462 verlor die Stadt alle ihre Freiheiten. 1476/77 gründete Erzbischof Diether von Isenburg die Universität. Im Dreißigjährigen Krieg eroberten die Schweden die Stadt. Im 17. und 18. Jh. zur Blütezeit des kurfürstlichen Mainz erhielt die Stadt ein barockes Gepräge. 1792 war Mainz Republik. Goethes Augenzeugenbericht schildert die verheerende Beschießung der Stadt im selben Jahr. 1801 war es Hauptstadt des französischen Départements Donnersberg, 1816 der Provinz Rheinhessen. Im Zweiten Weltkrieg wurde die Altstadt zu 80 % vernichtet. Seit 1950 ist Mainz Hauptstadt des Bundeslandes Rheinland-Pfalz.

SEHENSWERTES. – Im Zentrum der Stadt erhebt sich der sechstürmige *Dom St. Martin und St. Stefan,* der mit den Domen in Speyer und Worms den Höhepunkt der romanischen Sakralbaukunst am Oberrhein bildet (975 begonnen; zumeist 11.-13. Jh.); im Innern bedeutende *Bischofsgrabmäler.* Im Kreuzgang das *Dom- und Diözesanmuseum.* Vor der Nordseite die 1975 neugestalteten **Domplätze** (*Marktbrunnen von 1526); an der Nordostecke das *Gutenberg-Museum,* das Weltmuseum der Druckkunst (u. a. 42zeilige **Gutenberg-Bibel von 1452-55 und Nachbildung der *Gutenberg-Werkstatt). Dahinter das *Einkaufszentrum am Brand* (1974) sowie am Rheinufer das

*Rathaus (1970-73) und die *Rheingoldhalle* (1968), ferner der *Eisenturm* (um 1240) und der *Holzturm* (14. Jh.), beide Reste der mittelalterlichen Stadtmauer.

In der verwinkelten Altstadt (Fachwerk) südlich vom Dom die *Seminarkirche* und *St. Ignaz,* zwei sehenswerte Barockkirchen. – Am Gutenbergplatz (50. Grad nördlicher Breite im Pflaster) gegenüber dem **Theater** ein *Standbild* des Mainzers *Johannes Gutenberg* (1398-1468), der um 1440 den Letterndruck erfand. Westlich am Schillerplatz schöne ehem. *Adelspalais* ('Höfe') und der *Fastnachtsbrunnen* (1966). – Südlich oberhalb die gotische **Kirche St. Stephan** (14. Jh.; *Chagall-Fenster).

Unweit unterhalb der Rheinbrücke steht das ehem. **Kurfürstliche Schloß** (17. und 18. Jh.) mit Festsälen und dem *Römisch-Germanischen Zentralmuseum;* südöstlich gegenüber die **Landtag** (ehem. Deutschordenshaus) und die Staatskanzlei. Nördlich vom Schloß die *Stadtbibliothek,* nordwestlich die große *Christuskirche* (1903; ev.). – An der Großen Bleiche die doppeltürmige *Peterskirche* (urspr. 1752-56). Im ehem. Marstall (Nr. 49/51; 1765-71) das **Mittelrheinische Landesmuseum** (Altertümer, Gemälde). Unweit östlich das *Naturhistorische Museum* (Reich-Klara-Str. 1).

Die 1950 neu über den Rhein geschlagene *Theodor-Heuss-Brücke* führt zu der ehem. Mainzer Vorstadt KASTEL (jetzt Stadtkreis Wiesbaden), dem römischen Brückenkopf 'Castellum Mattiacorum'. – Auf der Hochfläche im Westen der Stadt der Campus der **Johannes-**

Marktbrunnen vor dem Mainzer Dom

Gutenberg-Universität; südöstlich die *Römersteine* (Aquäduktreste, 1. Jh. n.Chr.). – Zwischen den westlichen Vororten Mombach und Gonsenheim das Naturschutzgebiet *Mainzer Sand* mit interessanter Steppenflora.

Etwa 7 km südwestlich vom Stadtzentrum liegt auf dem *Lerchenberg* (205 m) das **ZDF-Sendezentrum** mit einem 70 m hohen Redaktions- und Verwaltungsgebäude; im Vorgelände diverse moderne Plastiken.

Anton, der Tolpatsch; Edi, der Schelm; Der kleine Conni; Der lustige Berti; Der schlaue Det; Fritzchen

Die sechs Mainzelmännchen. – Diese von dem Trickfilmzeichner Wolf Gerlach erdachten Wichte haben nicht unerheblich zur Popularisierung des ZDF beigetragen.

UMGEBUNG von Mainz. – **Ingelheim** (16 km westlich) mit Burgkirche und Resten einer karolingischen Kaiserpfalz. – **Oppenheim** (20 km südlich) mit *Katharinenkirche* (13.-15. Jh.), einer der bedeutendsten Leistungen der Gotik am Rhein. Beide Orte sind durch ihren Weinbau bekannt.

Mannheim

Bundesland: Baden-Württemberg.
Kfz-Kennzeichen: MA.
Höhe: 97 m ü.d.M. – Einwohnerzahl: 306000.
Postleitzahl: D-6800. – Telefonvorwahl: 0621.
ⓘ **Verkehrsverein,** Bahnhofplatz 1;
Telefon: 20951.

HOTELS. – *Steigenberger Hotel Mannheimer Hof,* Augusta-Anlage 4, 240 B. (mit Keller-Restaurant 'Holzkistl'); *Augusta-Hotel,* Augusta-Anlage 43, 170 B.; *Wartburg-Hospiz,* F 4/7, 218 B.; *Parkhotel* (garni), Friedrichsplatz 2, 75 B.; *Bundesbahnhotel,* Im Hauptbahnhof, 55 B.; *Seitz* (garni), Seckenheimer Str. 132, 52 B.; *Mack* (garni), Mozartstr. 14, 120 B.; *Basler Hof,* Tattersallstr. 27, 96 B.; *Wegener* (garni), Tattersallstr. 16, 70 B. – JUGENDHERBERGE: Rheinpromenade 21, in Lindenhof, 129 B. – CAMPINGPLÄTZE: *Strandbad,* am Rhein in Nekkarau; *An der Feudenheimer Fähre,* in Neuostheim.

RESTAURANTS. – *L'Epi d'Or,* H 7/3 (französ. Spez.); *Kopenhagen,* Friedrichsring 4 (dän. Küche); *Savarin,* im Rosengarten-Kongreßzentrum, Friedrichsplatz; *Zeppelin,* Drehrestaurant im Fernsehturm (124 m), Luisenpark; *Bit am Theater,* Goethestr. 16 (jugoslaw. Spez.); *Garda,* P 6/12 (italien. Gerichte).

BRAUEREI-GASTSTÄTTEN. – *Habereckl-Bräustübl,* Q 4/13; *Eichbaum-Stammhaus,* P 5/9.

WEINSTUBEN: *Henningers Gutsschänke,* am Nationaltheater; *Hahnhof-Weinstuben,* F 4/21, bei der Börse; *Goldene Gans,* Tattersallstr. 19 (Pfälzer Weine).

CAFÉS. – *Café am Wasserturm* (mit Sitzen im Freien, Konzert und Tanz); *Kiemle,* Plankenhof-Passage; *Gmeiner,* Friedrichsplatz 12.

VERANSTALTUNGEN. – **Mannheimer Maimarkt** (mit Ausstellung, Reitturnier und Blumenkorso); *Oberrheinische Ruderregatta* (Juni); Freilichtaufführungen in Mannheim-Waldhof (Juli/August); Herbstvergnügungsmesse auf dem Meßplatz am Herzogenriedpark (September).

Die ehem. pfälzische Residenzstadt ist dank ihrer günstigen Lage am rechten Ufer des Rheins bei der Einmündung des kanalisierten Neckars eine bedeutende Handels- und Industriestadt Südwestdeutschlands. Hier hat 1817 Drais sein erstes Laufrad, 1885 Benz seinen ersten Kraftwagen vorgeführt.

Die Hafenanlagen gehören zu den größten des europäischen Binnenlandes (Rundfahrten; am Bonadishafen die größte Ölmühle der Welt).

Auffallend sind die Schachbrettstruktur der Innenstadt und die Bezeichnung der einzelnen Wohnblocks mit Buchstaben und Zahlen. Mannheim ist Sitz zahlreicher Bildungsanstalten wie Universität, Hochschule für Musik und Theater, Freie Akademie (Kunstschule) und Staatliche Ingenieurschule. 1782 ging Mannheim in die Theatergeschichte ein: In seinem Nationaltheater fand die Uraufführung von Schillers Drama "Die Räuber" statt.

Gegenüber am linken Rheinufer die pfälzische Industriestadt **Ludwigshafen,** weltbekannt als Sitz der Badischen Anilin- und Sodafabrik (BASF-Hochhaus, Ölhäfen). Modernes Rathaus.

GESCHICHTE. – Der Stadtname geht auf ein Schiffer- und Fischerdorf *Mannenheim* (= Heim des Manno) zurück, das auf dem Rheinhochufer an der Stelle des heutigen Schlosses lag und bereits 766 urkundlich erwähnt wurde. Am Platz dieses Dorfes legte Kurfürst Friedrich IV. 1606 eine nach holländischem Muster erbaute Festung an und ergänzte sie durch eine Handelssiedlung, die 1607 Stadtrechte erhielt. Während des Pfälzischen Erbfolgekrieges verwüstete der französische General Mélac die Pfalz und zerstörte auch Mannheim. Kurfürst Johann Wilhelm ließ die Stadt in 136 Rechtecken neu erbauen. Stadt und Festung wurden nun vereint und mit einem gemeinsamen Festungsring umgeben. 1720 verlegte Kurfürst Karl Philipp seine Residenz von Heidelberg nach Mannheim. An der Stelle der Zitadelle entstand das weitläufige Schloß. Karl Philipp und sein Nachfolger Karl Theodor zogen bedeutende französische und italienische Architekten an ihren Hof, dazu Bildhauer, Maler und Porzellankünstler. 1763 wurde eine 'Kurpfälzische Akademie der Wissenschaften' gegründet. Diese kulturelle Blüte fand ein Ende, als Karl Theodor (seit 1778 auch Kurfürst von Bayern) seine Residenz nach München verlegte. Im Frieden von Lunéville 1801 gingen die rechtsrheinischen Gebiete der Kurpfalz an Baden, die linksrheinischen an Frankreich über. Mannheim wurde Grenzstadt. Im Wiener Kongreß 1815 erhielt Bayern die linksrheinische Pfalz von Frankreich zurück. König Ludwig I. gründete dort 1843 Ludwigshafen. Die Erschließung des Rheins für die Schiffahrt machte Mannheim zum Endpunkt der Oberrheinschiffahrt und leitete seinen Aufstieg zum Wirtschaftszentrum ein. 1834-76 erfolgte der Ausbau der Häfen. Im Zweiten Weltkrieg wurden die Stadt zu 51 %, der Hafen zu 95 % zerstört. Der Wiederaufbau ließ beide in moderner Form neu entstehen.

SEHENSWERTES. – Hauptverkehrs- und -geschäftsstraße der schachbrettartig erbauten Innenstadt sind die sog. **Planken,** mit der Rheinstraße (im Westen) und der Heidelberger Straße (im Osten) als Fortsetzung. An der Kreuzung mit der ebenfalls belebten *Kurpfalzstraße* der Paradeplatz; unweit nördlich am Marktplatz das *Alte Rat-*

haus (wiederaufgebaut) und die kath. *Untere Pfarrkirche,* ein 1701-23 errichteter Doppelbau. – Auf dem großzügig angelegte Friedrichsplatz (Wasserkünste), zu dem Planken und Heidelberger Straße heranführen, der 1888 erbaute **Wasserturm,** das Wahrzeichen der Stadt, und die *Rosengarten* genannte Festhalle (1974 großer Erweiterungsbau); nahebei die *Kunsthalle* (vorzügliche Gemäldesammlung und Plastiken des 19. und 20. Jh.). Am Beginn der Augusta-Anlage ein *Denkmal für Carl Benz* (1844-1929).

Nördlich vom Friedrichsplatz, am Friedrichsring, das 1955-57 hier neu erbaute **Nationaltheater** (Großes und Kleines Haus), urspr. 1779 nördlich vom Schloß errichtet und dort zerstört (berühmt durch die Uraufführungen von Schillers ''Räuber'', ''Fiesco'' sowie ''Kabale und Liebe'', 1782 bzw. 1784).

Östlich davon der Luisenpark mit 205 m hohem **Fernmeldeturm** (1975;

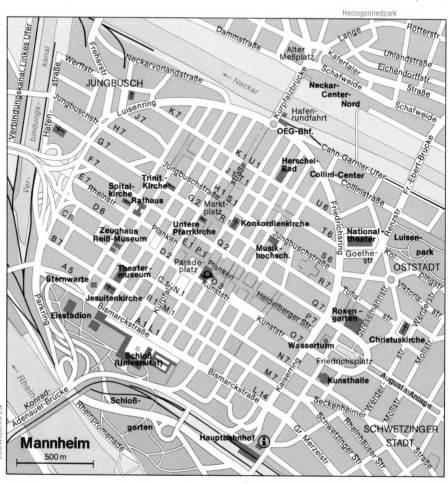

Fernmeldeturm im Mannheimer Luisenpark

Drehrestaurant in etwa 140 m Höhe). Jenseits des Neckars liegt der **Herzogenriedpark** mit einer modernen Mehrzweckhalle, Freibad und einer Radrennbahn.

In der Nähe des Rheinufers das 1720-60 im Barockstil erbaute ehem. kurfürstliche **Schloß**, eines der größten in Deutschland (wiederaufgebaut; jetzt Sitz der Universität und des Amtsgerichts; Führungen durch die Schauräume), mit der 1952-56 wiederaufgebauten *Schloßkirche.*

Nordwestlich vom Schloß die *Jesuitenkirche,* ein bedeutender Barockbau von 1760 (wiederhergestellt); nördlich das *Theatermuseum* und das *Zeughaus* (1777/78) mit dem nach den Mannheimer Ehrenbürgern Carl und Anna Reiß benannten *Reiß-Museum,* das die städtischen Sammlungen enthält (Archäologie, Völkerkunde und Geschichte der Stadt Mannheim).

Der **Mannheimer Hafen** besteht aus dem *Handelshafen* (auf der 3 km langen Landspitze zwischen Rhein und Neckar), dem *Industriehafen* (nördlich vom Neckar), dem *Rheinauhafen* (11 km stromaufwärts in Rheinau), dem *Altrheinhafen* und dem *Ölhafen* (auf der Friesenheimer Insel). Hafenrundfahrten ab Kurpfalzbrücke (linkes Neckarufer).

UMGEBUNG von Mannheim. – **Ludwigshafen** (1 km westlich) mit Wallfahrtskirche Mariä Himmelfahrt, Stadtmuseum, Schillerhaus und schönem Ebertpark. – **Schloß Schwetzingen** (15 km südöstlich), im 18. Jh. Sommerresidenz der pfälzischen Kurfürsten, mit *Schloßgarten und *Rokokotheater (1746-52 von Pigage errichtet; Festspiele).

Marburg an der Lahn

Bundesland: Hessen. – Kfz-Kennzeichen: MR. Höhe: 176-387 m ü.d.M. – Einwohnerzahl: 74000. Postleitzahl: D-3550. – Telefonvorwahl: 06421.
ⓘ **Verkehrsamt,** Neue Kasseler Straße 1 (am Hauptbahnhof); Telefon: 201249.

HOTELS. – *Europäischer Hof* (garni), Elisabethstr. 12, 90 B.; *Kurhotel Ortenberg,* Georg-Voigt-Str. 21, 70 B.; *Waldecker Hof,* Bahnhofstr. 23, 50 B.; *Bahnhofshotel Rump* (garni), Bahnhofstr. 29, 30 B.; *Haus Müller* (garni), Deutschhausstr. 29, 18 B.; *Zur Sonne,* Marktstr. 14, 20 B.; *Kreuz* (garni), Bahnhofstr. 14, 30 B. – In Gisselberg: *Fasanerie,* 46 B. – In Marbach: *Berggarten,* Emil-von-Behring-Str. 26, 49 B. (Kneippanwendungen, Sauna). – In Wehrshausen: *Dammühle,* 14 B. (Gartenterrasse). – JUGENDHERBERGE: *Emil-von-Behring-Jugendherberge,* Jahnstr. 1, 205 B. – CAMPINGPLÄTZE: *Lahnaue,* beim Sommerbad; *Kernbach,* Kernbach; *Dammhammer,* Brungershausen.

RESTAURANTS. – **Chez Claude,* Markt 19 (französ. Spez.); *Santa Lucia,* Deutschhausstr. 35 (italien. Küche); *Stadthallen-Restaurant,* Biegenstr. 15.

Die hessische Universitätsstadt liegt reizvoll an der Lahn. Die malerische Altstadt zieht sich mit engen, gewundenen Straßen und Treppengassen halbkreisförmig an dem steilen Schloßberg hinauf. Moderne Akzente setzen die Institute und Kliniken der Universität. Marburg ist Sitz bedeutender pharmazeutischer und optischer Industrie.

GESCHICHTE. – Der Ort entstand im Schutze einer Burg der Gisonen, die später an die Landgrafen von Thüringen überging. 1228 ist Marburg als Stadt bezeugt. Im 13. Jh. war das Landgrafenschloß Wohnsitz der hl. Elisabeth, die 1227 nach dem Tode ihres Gatten, des Landgrafen Ludwig IV. von Thüringen, von der Wartburg nach Marburg übersiedelte und sich hier der Pflege von Kranken und Armen widmete. 1527 gründete Landgraf Philipp der Großmütige von Hessen die nach ihm benannte Universität, die erste protestantische Hochschule in Deutschland. 1529 war das Schloß Stätte des berühmten Marburger Religionsgespräches zwischen Luther und Zwingli. 1604 kam Marburg an Hessen-Kassel, 1806-13 gehörte es zum Königreich Westfalen; 1866 wurde die Stadt preußisch.

SEHENSWERTES. – Der schönste Bau Marburgs ist die berühmte *St.-Elisabeth-Kirche, neben der Liebfrauenkirche in Trier die früheste in rein gotischen Formen aufgeführte Kirche Deutschlands (1235-83; Türme um 1340); die alte Ausstattung des Innern ist fast vollständig erhalten und umfaßt u. a. in der Sakristei den goldenen *Schrein der hl. Elisabeth (um 1249), im Chor ein holzgeschnitztes *Standbild der Heili-

gen (15. Jh.) sowie *Glasgemälde des
13. und 14. Jh., im südlichen Querschiff
Grabmäler hessischer Fürsten (13.-
16. Jh.); in der Kapelle unter dem Nordturm das Grabmal des Reichspräsidenten Paul von Hindenburg(1847-
1934). – Südlich, am Fuß des Schloßbergs, liegt reizvoll über der Lahn das
1874-91 errichtete Gebäude der 1527
gestifteten *Philipps-Universität* mit der
Universitätskirche (14. Jh.). Unweit
oberhalb der Markt mit dem *Rathaus*
(1525). Nördlich vom Rathaus, auf halber Höhe des Schloßbergs, die *Lutheri-
sche Kirche* (1297; vom Kirchhof schöner Blick über die Altstadt).

Marburg an der Lahn

Hoch über der Altstadt erhebt sich das
*Schloß (287 m), im 15. und 16. Jh. Sitz
der Landgrafen von Hessen und 1529
Stätte des berühmten 'Marburger Reli-
gionsgesprächs' zwischen Luther und
Zwingli; es enthält u. a. die wertvolle re-
ligionskundliche Sammlung der Universität, einen großartigen Rittersaal (um
1300) sowie die Schloßkapelle (13. Jh.).
Westlich dahinter der *Schloßpark* (mit
Freilichttheater). – In der Biegenstraße
im 'Ernst-von-Hülsen-Haus' das *Univer-
sitätsmuseum für Kunst- und Kulturgeschichte* (Sammlungen zur Geschichte
Nordhessens; Malerei und Graphik des
19. und 20. Jh.); im *Kugelhaus* eine völkerkundliche Sammlung.

Meersburg

Bundesland: Baden-Württemberg.
Kfz-Kennzeichen: FN (ÜB).
Höhe: 410 m ü.d.M. – Einwohnerzahl: 5000.
Postleitzahl: D-7758. – Telefonvorwahl: 0 75 32.
ⓘ **Kur- und Verkehrsamt,** Schloßplatz 4;
Telefon: 8 23 83.

HOTELS. – *Terrassen-Hotel Weisshaar*, Stefan-
Lochner-Str. 16, 40 B. (Gartenterrasse); *Strandhotel Wilder Mann*, Kugelwehrplatz 2, 60 B.
(Gartenterrasse); *Villa Bellevue* (garni), Am Rosenhag 5, 20 B.; *Bad-Hotel Meersburg* (garni), von-
Laßberg-Str. 23, 24 B., Hb., Sauna; *Drei Stuben*,
Winzergasse 1, 23 B. (Fachwerkhaus aus dem
16. Jh.; gutes Rest.); *Seehotel Zur Münz*, Seestr. 7,
30 B. (Dach-Liegeterrasse); *Zum Schiff*, Kugelwehrplatz 5, 70 B. (Seeterrasse).

RESTAURANTS. – *Weinstube zum Becher*, Höll-
gasse 4 (beim Neuen Schloß; älteste Weinstube am
Bodensee; bad. Weine); *Ratskeller*, im Rathaus.

CAFÉS. – *Droste*, Seestraße; *Café am See*, Seestraße; *Gross*, Unterstadtstraße.

VERANSTALTUNGEN. – Promenadenkonzerte
(Mai-September Do.); Serenaden (Mai-September
Mo.); *Internationale Schloßkonzerte* (Juni-Sep-
tember Sa.); *Bodensee-Weinfest* (Mitte September).

**Das weinbekannte Bodenseestädt-
chen *Meersburg liegt malerisch an
steilem Uferhang am Übergang vom
Obersee zum Überlinger See. Das Gesicht der Stadt wurde besonders in jener Zeit geprägt, als Meersburg Sitz
der Konstanzer Bischöfe war (1526-
1803). Zwischen Meersburg und dem
gegenüberliegenden Konstanz besteht Fährverkehr (20 Min.).**

SEHENSWERTES. – In der OBER-
STADT erhebt sich das bis ins 7. Jh. zu-
rückgehende **Alte Schloß** (die 'Meersburg'), ein 1508 mit vier Rundtürmen
bewehrter Bau, 1526-1803 die Residenz
der Konstanzer Bischöfe, 1838 vom
Freiherrn Joseph von Laßberg erwor-
ben, dem Schwager von Annette von
Droste-Hülshoff, die hier von 1841 bis zu
ihrem Tode längere Zeit lebte (Ar-
beits- und Sterbezimmer der Dichterin).
– Östlich am Schloßplatz das 1741-50

Die Meersburg

nach Plänen von Balthasar Neumann als neue Residenz der Konstanzer Bischöfe erbaute **Neue Schloß** (mit *Dornier-Museum* und *Heimatmuseum*). Nördlich davon in der Vorburggasse im Sterbehaus von Franz Anton Mesmer († 1815; er erfand die nach ihm Mesmerismus genannte Behandlungsmethode mittels 'magnetischer Heilströme') das *Weinbaumuseum* (u.a. sog. Türkenfaß mit über 50000 l Fassungsvermögen). Der Marktplatz mit seinen malerischen Fachwerkhäusern und dem *Obertor* bildet eines der bekanntesten deutschen Städtebilder. Unweit östlich vom Obertor in den Weinbergen das sog. *Fürstenhäusle*, 1640 als Rebhaus erbaut, jetzt *Droste-Museum* mit Erinnerungen an die Dichterin.

UMGEBUNG von Meersburg. – *Pfahlbauten Unteruhldingen** (6 km nordwestlich). Das 1922 von dem Archäologen Hans Reinerth begründete *Freilichtmuseum Deutscher Vorzeit* umfaßt zwei rekonstruierte Pfahlbausiedlungen und ein Pfahlbaumuseum mit Ausgrabungsfunden; die fünf Häuser des Bronzezeitdorfes im See sind nach einer Brandstiftung (1976) wieder aufgebaut.

Deutschordensschloß in Bad Mergentheim

Bad Mergentheim

Bundesland: Baden-Württemberg.
Kfz-Kennzeichen: TBB (MGH).
Höhe: 210 m ü.d.M. – Einwohnerzahl: 20000.
Postleitzahl: D-6990. – Telefonvorwahl: 07931.
ⓘ **Städtisches Kultur- und Verkehrsamt,** Marktplatz 3; Telefon: 57232.

HOTELS. – *Kurhotel Viktoria*, Poststr. 2, 150 B., Hb., Sauna, Solarium; *Kurhaus,* Dr.-Leopold-Str. 4, 160 B., Hb., Sauna;*Kursanatorium Stefanie,* Erlenbachweg 11, 52 B.; *Garni am Markt,* H.-H.-Ehrler-Platz 40, 50 B.; *Deutschmeister,* Ochsengasse 7, 54 B.; *Reichshof* (garni), Härterichstr. 10, 30 B. – JUGENDHERBERGE: Kaiserstr. 8. – CAMPINGPLATZ: Willinger Tal.

RESTAURANTS. – *Weinstube Kettler,* Krumme Gasse 12; *Kupferpfännle,* Marienstr. 12 (Gartenterrasse).

Bad Mergentheim bettet sich in ein von wald- und rebenbekränzten Höhen umrahmtes Talbecken der Tauber. Drei kohlensäurehaltige und kochsalzreiche Bitterwasserquellen (Karls-, Wilhelms- und Albertquelle) und eine Solequelle (Paulsquelle) sprudeln hier aus der Erde und werden zu Trink- und Badekuren gegen Gallen-, Leber-, Magen- und Darmleiden genutzt. Das historische Stadtbild kontrastiert reizvoll zu den modernen Kuranlagen.

GESCHICHTE. – 1058 erste urkundliche Erwähnung. 1229 wurde der Ort Niederlassung des Deutschen Ordens. 1525-1809 war er Residenz des Deutschordenshochmeisters. 1828 entdeckte ein Schäfer die Heilquellen. 1929 wurden Bade- und Brunnenhaus errichtet, Quellen erbohrt und der Kurort ausgebaut.

SEHENSWERTES. – An dem hübschen Marktplatz das *Rathaus* (1564), unweit nördlich die spätgotische *Stadtpfarrkirche* (13. Jh.; kath.); südlich vom Markt die *Marienkirche* (14. Jh.; kath.). – Am Rande der Altstadt das **Schloß** (16. Jh.), die ehem. Residenz des Deutschordenshochmeisters (jetzt Behördensitz und Heimatmuseum), mit 1730-35 nach Entwürfen von Balthasar Neumann und François Cuvilliés erbauten evang. *Schloßkirche*. – Durch den *Schloßpark* gelangt man in das am rechten Tauberufer gelegene Kurviertel mit **Kursaal,** *Trink- und Wandelhalle, Kur- und Badehäusern* und *Kurpark.*

UMGEBUNG von Bad Mergentheim. – **Stuppacher Kirche** (6 km südlich) mit berühmter *Grünewald-Madonna*. – *Schloß Weikersheim** (11 km östlich) mit prachtvollem Rittersaal. Am Marktplatz von Weikersheim das **Tauberländer Dorfmuseum**.

Miltenberg

Bundesland: Bayern. – Kfz-Kennzeichen: MIL.
Höhe: 127 m ü.d.M. – Einwohnerzahl: 9800.
Postleitzahl: D-8760. – Telefonvorwahl: 09371.
ⓘ **Städtisches Verkehrsbüro,** im Rathaus; Telefon: 3025.

HOTELS in Miltenberg. – *Riesen, Hauptstr. 97, 40 B. (eines der ältesten Gasthäuser Deutschlands, seit 1590); Brauerei Keller, Hauptstr. 66, 38 B.; Schönenbrunnen, Mainstr. 75, 31 B. (Mainterrasse); Deutscher Hof, Mainstr. 33, 30 B.

RESTAURANT. – Fränkische Weinstube, Hauptstr. 111.

Das malerische unterfränkische Städtchen mit seinen noch von einer Mauer mit Tortürmen umschlossenen schönen Fachwerkgassen liegt reizvoll zwischen Odenwald und Spessart am schmalen linken Ufer des Mains unter einem steilen bewaldeten Talhang, auf dem die Mildenburg thront. Miltenberg ist Kreisstadt und neben Wertheim der meistbesuchte Touristenort zwischen Aschaffenburg und Würzburg.

GESCHICHTE. – Die alte Siedlung war schon von den Römern in den Limes einbezogen, der hier auf den Main traf. Der Ort, um 800 urkundlich bezeugt, wurde um 1275 Stadt. Wechselvoll war die Vergangenheit der Stadt, die nacheinander zum Erzstift Mainz, zu Leiningen, Baden und Hessen gehörte und seit 1816 bayerisch ist.

SEHENSWERTES. – Den stimmungsvollen fachwerkgesäumten *Marktplatz schmückt der Marktbrunnen von 1583. An der Nordseite des Platzes die kath. Pfarrkirche St. Jakob aus dem 14. Jh. (Türme von 1820); beachtenswert auch das Haus Nr. 185 aus dem 15. Jh., die ehem. Amtskellerei (16. Jh.) mit dem Heimatmuseum und das ehem. Gasthaus Zur güldenen Kron sowie das Schnatterloch, ein Torturm, durch den man zur **Mildenburg** (13.-16. Jh., Privatbesitz) gelangt, die sich, im Wald versteckt, über der Stadt erhebt. – Unweit

Am Schnatterloch in Miltenberg

östlich vom Markt in der Hauptstraße das Hotel 'Zum Riesen', ein Fachwerkbau von 1590; hier wohnten schon König Gustav Adolf von Schweden, Wallenstein und Prinz Eugen. Am Engelplatz die barocke Franziskanerkirche (1667-87). Am Ostende der Hauptstraße das Würzburger Tor (1405). – Beim Spitzen Turm (Mainzer Tor) im Westen die Laurentiuskapelle (15.-16. Jh.).

UMGEBUNG von Miltenberg. – **Abteikirche Amorbach** (8 km südlich) mit prachtvoller Rokoko-Ausstattung und berühmter *Barockorgel.

Minden

Bundesland: Nordrhein-Westfalen.
Kfz-Kennzeichen: MI.
Höhe: 46 m ü.d.M. – Einwohnerzahl: 78 000.
Postleitzahl: D-4950. – Telefonvorwahl: 05 71.
ⓘ **Verkehrs- und Werbeamt**, Ritterstr. 31;
Telefon: 8 93 85.

HOTELS. – Exquisit, In den Bärenkämpen 2 a, 61 B., Hb., Sauna; Silke (garni), Fischerglacis 21, 36 B., Hb.; Kruses Parkhotel, Marienstr. 108, 40 B.; Victoria (garni), Markt 11, 64 B., Sauna; Bad Minden, Portastr. 36, 60 B. – JUGENDHERBERGE: Hausberge, Kirchsiek 30, 108 B. – CAMPINGPLATZ: Kanzlers Weide, am Ostufer der Weser.

RESTAURANTS. – Ratskeller, Markt 1 (mit Bierkeller Die Tonne); Laterne, Hahler Str. 38; Schwedenschänke, Martinikirchhof 9; Akropolis, Brüderstr. 2 (griech. Spez.). – In Haddenhausen: Landgasthaus Niemeier, Bergkirchener Str. 244.

VERANSTALTUNGEN. – Hafenkonzerte (von Mai bis September So. 10.30 Uhr) an der Schachtschleuse; Orgelkonzerte.

Die Domstadt Minden breitet sich in der Weserniederung nördlich der Porta Westfalica aus. Sie baut sich aus Unter- und Oberstadt auf. Minden ist Kreisstadt und ein wichtiger Eisenbahnknotenpunkt. Seine Bedeutung für die Schiffahrt wird durch das Wasserstraßenkreuz Weser-Mittellandkanal unterstrichen. Was weniger bekannt ist: Die Stadt besitzt ein Solbad.

GESCHICHTE. – Keimzelle der Stadt war eine Fischersiedlung an der Weserfurt. 798 gründete Karl der Große das Bistum Minden. Nun entstand mit der befestigten Domburg, dem Sitz des Bischofs, ein zweiter Siedlungskern. Im 10. Jh. bildete sich die Kaufmannssiedlung um den Markt. Im 15. Jh. wurde die Stadt Mitglied der Hanse. Nach dem Dreißigjährigen Krieg fiel Minden an Brandenburg. Der Große Kurfürst ließ es zur Festungs- und Garnisonstadt ausbauen. Im Siebenjährigen Krieg kam es 1759 zur Schlacht bei Minden. 1873 fielen die alten Befestigungsanlagen und machten Straßenzügen und Grünanlagen Platz. Aus der Beamten- und Soldatenstadt von einst wurde in unserer Zeit eine aufblühende Handels- und Industriestadt.

SEHENSWERTES. – Am Domhof in der UNTERSTADT erhebt sich der kath. *Dom (11.-13. Jh.; nach Kriegszerstörungen wiederhergestellt), die bedeutendste frühgotische Hallenkirche Westfalens mit frühromanischem Westbau sowie spätromanischem Chor und Querschiff; im *Domschatz wertvolle Gegenstände kirchlicher Kunst, u.a. Mindener Kreuz von 1070. Am nahen Marktplatz das **Rathaus** mit gewölbtem Laubengang aus dem 13. Jh. (wiederhergestellt). Am angrenzenden Scharn, der Hauptgeschäftsstraße Mindens, das *Haus Hagemeyer,* ein schöner Weserrenaissancebau von 1592.

Nordwestlich, auf dem höchsten Punkt der OBERSTADT, die **Marienkirche** (11. Jh., im 14. Jh. umgebaut; ev.) mit 57 m hohem Turm. Südlich davon die aus einer romanischen Basilika gotisch umgebaute *Martinikirche* (spätgotisches Chorgestühl, Renaissance-Taufbecken, Barockorgel); dahinter das sog. *Windloch,* ein schmales malerisches Fachwerkhaus, das kleinste Haus der Stadt. Die Ritterstraße führt südwärts am *Heimatmuseum* vorbei zur spätgotischen *Simeonskirche* und zur unmittelbar benachbarten *Mauritiuskirche* (15. Jh.). – Im Norden der Stadt das **Wasserstraßenkreuz:** Auf einer 375 m langen Kanalbrücke überquert der Mittellandkanal in 13 m Höhe die Weser. Die Verbindung zwischen beiden Wasserstraßen stellt die *Schachtschleuse* her.

UMGEBUNG von Minden. – *Porta Westfalica (6 km südlich). Hier durchbricht die Weser in einem 800 m breiten Einschnitt das Weser- und Wiehengebirge. Westlich auf dem Wittekindsberg das 1896 eingeweihte *Kaiser-Wilhelm-Denkmal* (prächtige Aussicht ins Wesertal), östlich auf dem 236 m hohen, steilen Jakobsberg ein *Fernmeldeturm.* – **Potts Park** in Dützen (5 km westlich), ein Kinderparadies mit Modelleisenbahn-Schauanlage, Aerodrom, Original-Dampflok, Flugzeug, Unterseeboot, Kindereisenbahn, Go-Kart-Bahn und Autoslalom, mit Abenteuerplatz und Familien-Spielgarten sowie einer Reihe anderer Attraktionen.

Mittenwald

Bundesland: Bayern. – Kfz-Kennzeichen: GAP. Höhe: 920 m ü.d.M. – Einwohnerzahl: 8600. Postleitzahl: D-8102. – Telefonvorwahl: 08823.
ⓘ **Kurverwaltung/Verkehrsamt,** Dammkarstraße 3; Telefon: 1051.

HOTELS. – *Wetterstein,* Dekan-Karl-Platz 1, 54 B., Hb., Sauna, Solarium; *Rieger,* Dekan-Karl-Platz 28, 80 B., Hb., Sauna, Solarium; *Gästehaus Franziska* (garni), Innsbrucker Str. 24, 32 B., Sauna, Solarium; *Wipfelder* (garni), Riedkopfstr. 2, 28 B., Liegeterrasse; *Post,* Obermarkt 9, 130 B., Terrasse, Sauna; *Jägerhof,* Partenkirchner Str. 35, 100 B.; *Gästehaus Royal* (garni), Kresenzerweg 5, 27 B., Sb., Terrasse. – *Berghotel-Café Latscheneck,* Kaffeefeld 1 (1100 m), 38 B., Hb., Sauna; *Lautersee,* am Lautersee, 34 B.

RESTAURANTS. – *Arnspitze,* Innsbrucker Str. 68; *Bozner Weinstuben,* Obermarkt 54 (mit Café).

Der Luftkurort und Wintersportplatz Mittenwald bettet sich reizvoll in den grünen Talboden der Isar unmittelbar unter der schroffen Karwendelkette, im Süden und Westen umrahmt von bewaldeten Höhen, über denen der schöngestaltete Gipfel der Wettersteinspitze aufragt. Das Bild des bekannten Geigenbauerortes wird von schönen freskengeschmückten alten Häusern bestimmt.

GESCHICHTE. – Im Mittelalter war Mittenwald ein wichtiger Handelsplatz an der Straße von Augsburg nach Italien und an der von hier an flößbaren Isar. Im 17. Jh. machte Mathias Klotz nach seiner Lehrzeit bei Amati in Cremona den Geigenbau hier heimisch.

SEHENSWERTES. – Vor allem Untermarkt und Obermarkt zeigen staffelförmig gestellte Häuser mit Lüftlmalerei. Vor der 1738-45 von Josef Schmuzer im Barockstil erbauten schönen **Pfarrkirche** mit von Matthäus Günther bemaltem Turm das *Denkmal für Mathias Klotz* (1653-1743), den Begründer des Mittenwalder Geigenbaus. In der nahen Ballenhausgasse das *Geigenbau- und Heimatmuseum.*

UMGEBUNG von Mittenwald. – *Westliche Karwendelspitze* (2385 m; östlich); Kabinenbahn bis zur *Hohen Karwendelgrube* (2244 m; Restaurant). – *Hoher Kranzberg* (1391 m; westlich); Sessellift bis *St. Anton,* von dort Kleinkabinenbahn. – **Lautersee** (1010 m; 3 km westlich) mit Sporthotel, Schwimmbad und Ruderbootverleih.

Moseltal

Bundesland: Rheinland-Pfalz.
ⓘ **Fremdenverkehrsverband Rheinland-Pfalz,** Hochhaus, D-5400 Koblenz; Telefon: (0261)35025.

Die anmutige *Mosel ist mit 545 km einer der längsten Nebenflüsse des Rheins. Ihren Namen Mosella ('die kleine Maas') verdankt sie den Rö-

Pünderich an der Mosel

te, bildete die Filmkulisse von Alexander Spoerls "Wenn wir alle Engel wären". Über einem Seitental der unteren Mosel erhebt sich *Burg Eltz, mit ihren hohen Giebeln, Türmen und Erkern eine der schönsten Burgen Deutschlands.

Reizvoll ist eine Schiffsreise auf der Mosel. Auch die Moseltalstraße folgt den zahlreichen Flußwindungen. Die Eisenbahn dagegen kürzt ab; ein 4,2 km langer Tunnel führt durch den Cochemer Krampen. Das einst berühmte 'Saufbähnchen' zwischen Bullay und Trier verkehrt leider nicht mehr.

München

mern. **Sie entspringt am Col de Bussang in den Vogesen. Über 242 km fließt sie auf deutschem Boden.**

Nach der Trierer Talweitung windet sich der Fluß in zahlreichen Schleifen (Mäandern) durch das Rheinische Schiefergebirge zwischen Hunsrück und Eifel und mündet bei Koblenz in den Rhein. Der Abschnitt von Perl bis Trier wird als Obermosel, der von Trier bis Bullay als Mittelmosel und der von Bullay bis Koblenz als Untermosel bezeichnet. Seit 1964 ist die Mosel kanalisiert. Zehn Staustufen (bei Trier, Detzem, Wintrich, Zeltingen, Enkirch, St. Aldegund, Fankel, Müden, Lehmen und Koblenz) regulieren das Flußgefälle.

Rebenbestandene Schieferhänge, Bergwald und burgengekrönte Höhen begleiten den Strom. Die Römer brachten die Weinrebe ins Moseltal. Das 'Neumager Weinschiff' im Landesmuseum Trier ist ein frühes künstlerisches Zeugnis des Weinbaus. Vom 12. Jh. an förderten die Kirchenfürsten den Weinbau mit Hilfe der Klöster. *Bernkastel-Kues, Zell, Traben-Trarbach, Wehlen* und *Cröv* zählen zu den bekanntesten Weinorten. Zu den Spitzenweinen der Mosel gehören "Bernkasteler Doktor" und "Wehlener Sonnenuhr".

Die alte Völkerstraße der Mosel belebt heute ein reger Touristenstrom. Zentren des Fremdenverkehrs sind die alte Bischofsstadt **Trier** mit Dom und **Porta Nigra, Bernkastel-Kues** mit seinen reizvollen Fachwerkwinkeln und **Cochem,** überragt von der wuchtigen, 1869-77 wiedererbauten Reichsburg. Das malerische *Beilnstein,* Treffpunkt für Verlieb-

Bundesland: Bayern. – Kfz-Kennzeichen: M. Höhe: 520 m ü.d.M. – Einwohnerzahl: 1,3 Millionen. Postleitzahl: D-8000. – Telefonvorwahl: 089.
(i) **Verkehrsamt,** Bahnhofplatz 2;
Telefon: 2391-256/259.
Informationsstelle in der 'Stachus'-Passage.

HOTELS. – *Vier Jahreszeiten,* Maximilianstr. 17, 560 B. (mit *Restaurant 'Walterspiel'), Hb., Sauna; *München Hilton, Am Tucherpark 7, 950 B., Hb., Sauna; *Bayerischer Hof, Promenadenplatz 6, 620 B.; *Continental, Max-Joseph-Str. 5, 227 B. (mit 'Conti-Grill'); *Königshof, Karlsplatz 25, 200 B.; Excelsior, Schützenstr. 11, 140 B.; Eden-Hotel Wolff, Arnulfstr. 4, 310 B.; Ambassador, Mozartstr. 4, 85 B.; Bundesbahnhotel, im Hauptbahnhof, Bahnhofsplatz 2, 300 B.; Deutscher Kaiser, Arnulfstr. 2, 250 B.; Drei Löwen, Schillerstr. 8, 240 B.; Reinbold (garni), Adolf-Kolping-Str. 11, 105 B.; Concorde (garni), Herrnstr. 58, 90 B.; Schlicker (garni), Tal 74, 100 B.; Ariston (garni), Unsöldstr. 10, 112 B.; Kraft (garni), Schillerstr. 49, 60 B.; Haberstock (garni), Schillerstr. 4, 110 B.; Torbräu, Tal 37, 165 B.

In Bogenhausen: *Sheraton, Arabellastr. 6, 1200 B., Hb., Sauna; *Arabella, Arabellastr. 5, 550 B., Hb.; *München EuroCrest Hotel, Effnerstr. 99, 240 B. – In Haidhausen: München Penta Hotel, Hochstr. 3, 1200 B. – In Oberwiesenfeld: *Olympiapark-Hotel, Helene-Mayer-Ring 12, 200 B. – In Schwabing: *Holiday Inn, Leopoldstr. 200, 660 B. (Nachtlokal 'Yellow Submarine'), überdachtes Sb.; *Residence, Artur-Kutscher-Patz 4, 300 B., Hb.; *Holiday Inn Olympic, Schleißheimer Str. 188, 220 B., Hb.; Motel Vitalis, Kathi-Kobus-Str. 24, 180 B., Sb., Dach-Liegeterrasse. – In Grünwald: Schloß-Hotel Grünwald, Zeillerstr. 1, 20 B. (Gartenterrasse).

JUGENDHERBERGEN. – Wendl-Dietrich-Str. 20, 585 B.; Jugendgästehaus, Miesingstr. 4, 344 B. – CAMPINGPLÄTZE: Städt. Campingplatz Thalkirchen; Waldcamping, Obermenzing; Nordwest, Dachauer Str. 571; Langwieder See, 50 m vom See.

RESTAURANTS. – *Boettner, Theatinerstr. 8; *Käfer, Prinzregentenstr. 73; *Maximilianstuben, Maximilianstr. 27; *Aubergine, Max-Joseph-Str. 8; Mövenpick, im Künstlerhaus, Lenbachplatz 8; Grüne Gans, Am Einlaß 5; Olympiaturm, Spiridon-Louis-Ring 7 (Drehrestaurant in 182 m Höhe); Dallmayr, Dienerstr. 14; Ratskeller, Marienplatz 8; Haxnbauer, Münzstr. 1; Donisl, Weinstr. 1. Ausländische Küche: *Tantris, Johann-Fichte-Str. 7; *Le Gourmet, Ligsalzstr. 46 (französ. Küche); *Piroschka, Prinzregentenstr. 1 (ungar. Spez.); *El Toula, Sparkassenstr. 5; Osteria Italiana Lombardi, Schellingstr. 62 (beide italien. Gerichte); Chesa Rüegg, Wurzerstr. 18 (Schweizer Spez.); Goldene Stadt, Oberanger 44 (böhm. Küche); Bei Milan am Dom, Weinstr. 7 (Balkangerichte); Tai-Tung, Amalienstr. 25 (chines. Küche).

WEINRESTAURANTS. – *Schwarzwälders Naturweinhaus, Hartmannstr. 2; Zur Kanne, Maximilianstr. 32; Torggelstuben, Platzl 6; Holzbaur, Frauenstr. 10; Pfälzer Weinprobierstuben, in der Residenz.

BRAUEREI-GASTSTÄTTEN. – *Hofbräuhaus, Platzl 9 (altberühmt; tägl. Blasmusik); Augustiner-Keller, Arnulfstr. 52; Franziskaner-Fuchsenstuben, Perusastr. 5; Mathäser Bierstadt, Bayerstr. 5; Salvator-Keller, Hochstr. 77; Pschorr-Bierhallen, Neuhauser str. 11; Spatenhof, Neuhauser Str. 26.

CAFÉS. – Brameshuber, Residenzstr. 17; Feldherrnhalle, Theatinerstr. 38; Glockenspiel, Marienplatz 28; Hag, Residenzstr. 26; Kreutzkamm, Maffeistr. 4; Luitpold; Brienner Str. 11; Zur Schönen Münchnerin, Karl-Scharnagl-Ring 60.

VERANSTALTUNGEN. – Münchner Fasching (mit vielen bekannten Faschingsbällen); Maidult; *Oktoberfest auf der Theresienwiese (mit Einzug der Wiesenwirte und Trachtenfestzug); Christkindlmarkt auf dem Marienplatz. – Zahlreiche Fachmessen.

Die Landeshauptstadt von Bayern und drittgrößte Stadt Deutschlands liegt 40-60 km vom Alpenrand entfernt an der Isar. Die Stadt ist als Zentrum von Kunst und Wissenschaft berühmt, dank ihrer Hochschulen (Universität, Technische Universität, Hochschulen für Fernsehen, Film und Musik), wissenschaftlichen Instituten, Museen und Theater. Das reizvolle Stadtbild schmücken bedeutende Baudenkmäler aus Gotik, Renaissance, Barock und Klassizismus. München präsentiert sich als 'Weltstadt mit Herz', die trotz unaufhaltsamen Wachstums ihren Charme behalten hat, als eine Stadt modischer Eleganz und vertraulicher Biergarten-Idylle.

München ist Sitz eines katholischen Erzbischofs und eines evangelischen Landesbischofs sowie von Rundfunk- und Fernsehanstalten, Zentrum des Fremdenverkehrs, wichtiger Bahn- und Straßenknotenpunkt, internationaler Flughafen, zudem eine Hochburg des Sports (Austragungsort der Olympischen Sommerspiele 1972) und des Faschings.

Für das Wirtschaftsleben sind von besonderer Bedeutung: feinmechanische, optische und elektrotechnische Industrie, Maschinen- und Fahrzeugbau, Verlagswesen, graphisches Gewerbe, Versicherungen, Bekleidungsindustrie, Brauereien, Obst- und Gemüsehandel.

GESCHICHTE. – München verdankt seine Entstehung Herzog Heinrich dem Löwen, der die von Reichenhall nach Augsburg führende Salzstraße hierhin verlegte und über eine neue Isarbrücke bei klösterlichen Siedlungen führte (daher der Namen Munichen und das Mönchlein = 'Münchner Kindl' im Wappen). Der Ort fiel 1180 an den Pfalzgrafen Otto von Wittelsbach, wurde unter Ludwig dem Strengen (1253-94) dauernde Residenz der Wittelsbacher, 1506 Hauptstadt des vereinigten Herzogtums und 1806 des Königreichs Bayern. Der eigentliche Schöpfer des neueren München ist König Ludwig I. (1825-48; † 1868), der es zu einer Kunststadt von europäischer Bedeutung und zu einem Mittelpunkt deutschen Geisteslebens machte. Im Zweiten Weltkrieg wurde die Stadt durch Bomben aufs schwerste getroffen.

SEHENSWERTES. – Mittelpunkt des alten München ist der belebte Marienplatz (Blumenmarkt) mit der Mariensäule (1638) und dem neugotischen Neuen Rathaus (1867-1908); am Turm eine Kunstuhr mit Spielwerk (11, im Sommer auch 17 und 21 Uhr), von der Galerie lohnende Rundschau und Alpensicht. An der Ostseite das **Alte Rathaus** (15. Jh.), von dem noch der Saalbau mit Durchfahrt erhalten ist (Turm nach 1945 rekonstruiert). Südlich die **Peterskirche,** wohl schon 1050 als älteste Pfarrkirche der Stadt gegründet, mit dem 'Alter Peter' genannten Turm (von oben schöne *Aussicht). Südlich der Kirche Münchens bekannter **Viktualienmarkt** (Obst- und Gemüse-, Fleisch- und Käsemarkt). Südwestlich der Peterskirche, am St.-Jakobs-Platz, das Münchner Stadtmuseum (mit Sammlungen zur Kulturgeschichte der Stadt, Foto- und Filmmuseum, Puppentheater- und Musikinstrumentensammlung sowie Brauereimuseum) und die Ignaz-Günther-Häuser (Barock). – Westlich vom St.-Jakobs-Platz und vom Sendlinger Tor (14. Jh.) begrenzten Sendlinger Straße die *Asamkirche (St. Johannes Nepomuk), von den Brüdern Asam 1733-46 erbaut, eine der phantasievollsten Schöpfungen des süddeutschen Rokokos.

Östlich vom Marienplatz das Tal, die vom Isartor (14. Jh., 1972 restauriert; originelles Karl-Valentin-'Musäum') kommende alte Herbergsstraße; gleich rechts die gotische Heiliggeistkirche (13.-14. Jh.). Unweit nördlich der Alte Hof, die 1252 gegründete älteste Resi-

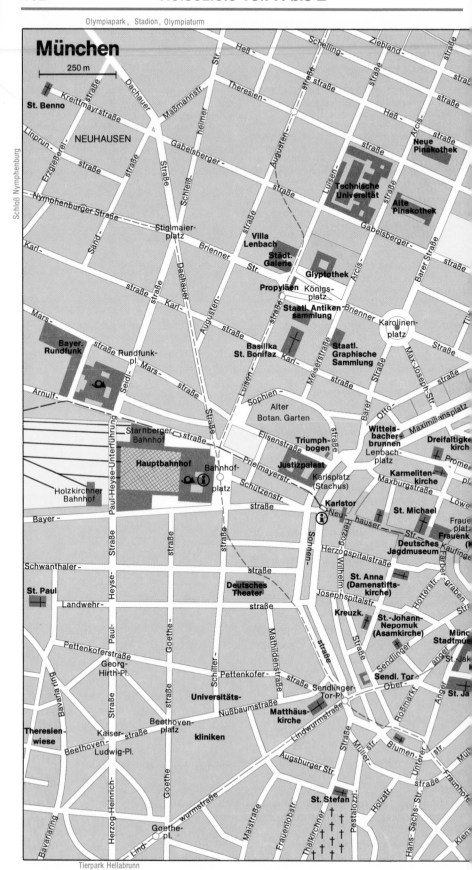

Olympiapark, Stadion, Olympiaturm

München

250 m

St. Benno

Kreittmayrstraße

NEUHAUSEN

Dachauer

Maßmannstr.

heimer

Gabelsberger-

Scheiß-

Straße

Theresien-

Heß-

Schelling-

straße

straße

Ziebland-

straße

straße

straße

straße

straße

Heß-

Arcis-

straße

Neue
Pinakothek

Linprun-

Erzgießerei-

Nymphenburger Straße

Karl-

Sand-

straße

straße

straße

Stiglmaier-
platz

Dachauer

Brienner

Str.

Augusten-

Villa
Lenbach

Städt.
Galerie

Propyläen

straße

Luisen-

Technische
Universität

Gabelsberger-

Glyptothek

Königs-
platz

Staatl. Antiken-
sammlung

Alte
Pinakothek

Arcis-

Brienner

Karolinen-
platz

Barer Straße

straße

Straße

Max-Joseph-Str.

straße

Mars-

Bayer.
Rundfunk

straße

Arnulf-

Bayer-

Seidl-

Rundfunk-
pl.

Mars-

straße

Karl-

straße

Augusten-

straße

Basilika
St. Bonifaz

Luisen-

Sophien-

Alter
Botan. Garten

Staatl.
Graphische
Sammlung

Meiser

straße

straße

Barer

Otto-

Holzkirchner
Bahnhof

Paul-Heyse-Unterführung

Starnberger
Bahnhof

Hauptbahnhof

straße

Elisenstraße

Bahnhof-
platz

Priemayerstr.

Schützenstr.

straße

Triumph-
bogen

Justizpalast

Karlsplatz
(Stachus)

Wittels-
bacher-
brunnen

Lenbach-
platz

Maximiliansplatz

Dreifaltigke
kirch

Prome

Karmeliten-
kirche

Maxburgstraße

Karlstor

Neu-

hauser-

Löwe

St. Michael

Fraue
platz

Schwanthaler-

St. Paul

Landwehr-

Heyse-

Paul-

Pettenkoferstraße

Georg-
Hirth-Pl.

Bavariaring

Theresien-
wiese

Kaiser-

Beethoven-
Ludwig-Pl.

Straße

straße

Goethe-

Schiller-

straße

straße

Deutsches
Theater

straße

Pettenkofer-

Universitäts-

Nußbaumstraße

platz

kliniken

Beethoven-
platz

Herzog-Heinrich-

Goethe

Lind-

Goethe-
pl.

wurmstraße

Maistraße

Mathildenstraße

Sonnen-

Herzogspitalstraße

St. Anna
(Damenstifts-
kirche)

Josephspitalstr.

Kreuzk.

Sendlinger-

Sendlinger-
Tor-Pl.

straße

Straße

Frauenlobstr.

Herzog-Wilhelm-

Deutsches
Jagdmuseum

Färber

Kaufinge

Frauenk

Str.

graben

Hotterstr.

St.-Johann-
Nepomuk
(Asamkirche)

Sendlinger-

Sendl. Tor

Ober-

Matthäus-
kirche

Lindwurmstraße

Müller-

Straße

Augsburger Str.

Thalkirchner-

Pestalozzi-

St. Stefan

Blumen-

Unterer

Münc
Stadtmu

St. Jak

St. Ja

Roßmarkt

Anger

str.

Holzstr.

Hans-Sachs-Str.

Fraunhofe

straße

Klen

Mül

Schloß Nymphenburg

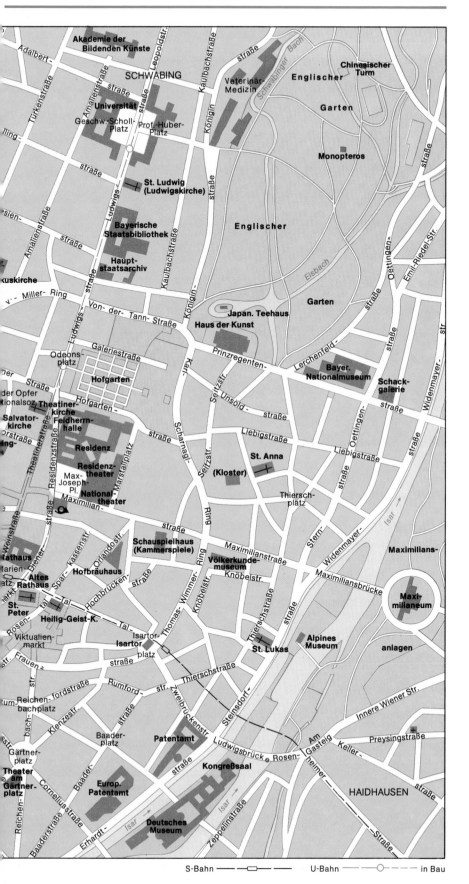

München – 'Weltstadt mit Herz'

denz der bayerischen Herzöge; am nahen Platzl das viel besuchte *Hofbräuhaus.

Nordwestlich vom Marienplatz die Fußgängerzone K a u f i n g e r und N e u h a u s e r S t r a ß e. Unweit nördlich die *Frauenkirche (Dom), ein von Jörg Ganghofer 1468-88 errichteter mächtiger spätgotischer Backsteinbau, dessen von 'welschen Hauben' gekrönten zwei Türme das architektonische Wahrzeichen Münchens bilden. In dem wiederhergestellten Innern *Glasgemälde aus dem 15. und 16. Jh.; unter dem Südturm das *Grabmal Kaiser Ludwigs des Bayern (1282-1347) von 1622; in der Unterkirche (1950 erneuert) die Bischofs- und Fürstengruft. – Weiter westlich an der Neuhauser Straße das Deutsche Jagdmuseum (in der ehem. Augustinerkirche) und die *Michaelskirche (Jesuitenkirche; ehem. Hofkirche), der epochemachende Renaissance-Kirchenbau des katholischen Süddeutschland (von F. Sustris; 1583-97), dessen Inneres von gewaltiger Raumwirkung ist (in der Gruft über dreißig Wittelsbacher, u. a. König Ludwig II.). Am Ende der Straße

führt das Karlstor (14. Jh.) zum verkehrsreichen K a r l s p l a t z, nach einem ehem. Gasthof meist Stachus genannt (großes unterirdisches Einkaufszentrum). An seiner Nordwestseite der Justizpalast.

Nördlich vom Karlsplatz der *K ö n i g s p l a t z, eine meisterhafte klassizistische Anlage von Leo von Klenze (1816-48); 1935-37 wurde die ursprüngliche Anlage durch Steinbelag und Neubauten im Osten im Charakter verändert. An der Nordseite die 1816-30 von Klenze erbaute Glyptothek (wiederaufgebaut) mit einer bedeutenden Sammlung griechischer und römischer Bildwerke (u. a. die berühmten *Ägineten). Gegenüber das 1838-48 errichtete, bis 1967 wiederhergestellte eindrucksvolle klassizistische Gebäude der *Staatliche Antikensammlungen (Goldschmiede- und Töpferkunst, Kleinplastiken, Gläser u. a.). An der Westseite des Königsplatzes die Propyläen, ein in Art des Athener Vorbildes von Klenze 1846-62 geschaffenes Prachttor. – Nordwestlich vom Königsplatz das Lenbach-Haus (einst Wohnsitz und Atelier des berühmten Malers

Franz Lenbach, 1836-1904) mit *Lenbach-Galerie* und *Städtischer Galerie,* der Gebäudekomplex der *Technischen Universität* und die nach Kriegszerstörung 1957 wiedereröffnete **Alte Pinakothek (1826-36 von Klenze errichtet), die zu den ältesten und bedeutendsten Bildergalerien Europas zählt (große Rubens- und Dürer-Sammlungen).

Vom Königsplatz führt die vornehme Brienner Straße über den Karolinenplatz, mit einem *Obelisken* für die 1812 in Rußland gefallenen 30000 Bayern, zum Odeonsplatz, einem der schönsten Plätze Münchens, südlicher Abschluß der 1 km langen repräsentativen Ludwigstraße (bedeutendste der monumentalen Schöpfungen Ludwigs I.), die an *Staatsbibliothek, Ludwigskirche* und *Universität* vorbei zum *Siegestor* in Richtung SCHWABING (Künstler-, Studenten- und Vergnügungsviertel) zieht. Im Südwesten des Odeonsplatzes die im römischen Barockstil erbaute *Theatinerkirche (17.-18. Jh.) mit mächtiger 71 m hoher Kuppel; das Innere ist reich mit Stukkaturen ausgeschmückt. Östlich davon die Feldherrnhalle, 1840-44 von Friedrich Gärtner nach dem Vorbild der Florentiner Loggia dei Lanzi errichtet (Standbilder des Feldherrn Tilly und des Fürsten Wrede, von Schwanthaler). Weiter östlich die ehem. Residenz, ein vom 16.-19. Jh. entstandener, im Kriege schwer getroffener Gebäudekomplex (wiederhergestellt); an der Residenzstraße die Alte Residenz (1611-19) mit der *Staatlichen Münzsammlung;* am Max-Joseph-Platz der Königsbau mit dem **Residenzmuseum* (Stilräume,

Porzellan, Silber u. a.) und der im Ostflügel gelegenen *Schatzkammer;* am Hofgarten der Festsaalbau (wie der Königsbau 1826-42 von Klenze erbaut) und die *Staatliche Sammlung Ägyptischer Kunst.* Im sog. Apotheken-Pavillon wurde das früher an der Stelle des heutigen 'Neuen Residenztheaters' stehende **Alte Residenztheater* ('Cuvilliés-Theater'; bedeutende Rokokoausstattung) neu eingerichtet.

Der nördlich an die ehem. Residenz anschließende, 1613-15 angelegte Hofgarten wird im Westen und Norden von Arkaden umschlossen (im Nordflügel das *Theatermuseum* mit Künstlerbildnissen, Dekorationsentwürfen, Handschriften u. a.). Nordöstlich vom Hofgarten führt am Südrand des 1789-1832 angelegten *Englischen Garten (350 ha großer Park mit prachtvollen Baumgruppen und Wiesen, *Monopterostempel, Chinesischem Turm* und *Kleinhesseloher See)* die Prinzregentenstraße entlang. An ihrem Anfang rechts das 1803-11 erbaute ehem. Prinz-Carl-Palais mit der Akademie der Schönen Künste. Weiter links das Haus der Kunst (mit Ausstellungen der **Bayerischen Staatsgemäldesammlungen* und wechselnden Kunstausstellungen), das **Bayerische Nationalmuseum, eines der bedeutendsten Museen deutscher Kunst und deutschen Kunstgewerbes (u. a. altdeutsche Plastik, Wandteppiche, Weihnachtskrippensammlung) und die*Schackgalerie (deutsche Malerei des 19. Jh.). In der nördlich abzweigenden Lerchenfeldstraße die *Prähistorische Staatssammlung.*

Der südlich der ehem. Residenz gelegene Max-Joseph-Platz wird von monumentalen Bauten umgeben. Im Osten das *Nationaltheater* (Oper; 1811-18 erbaut, 1959-63 wiederhergestellt); daneben das 1948-51 in die Ruine des 1944 ausgebrannten Alten Residenztheaters hineingebaute *Neue Residenztheater* (Staatsschauspiel); im Norden des Platzes der Königsbau der Residenz, im Süden die ehem. Hauptpost (jetzt Postamt I).

Vom Max-Joseph-Platz führt die 1852-59 unter König Maximilian II. in einheitlichem Stil angelegte Maximilianstraße östlich zur Isar. Am Anfang rechts die *Münze* mit schönem Innenhof

Münchner Residenz

von 1565 (Eingang Hofgraben), an einer platzartigen Erweiterung links das *Regierungsgebäude* (1856-64), rechts das *Museum für Völkerkunde.* Auf der Höhe des rechten Isarufers das 1857-74 errichtete **Maximilianeum** (jetzt Sitz des Bayerischen Landtags).

Isaraufwärts führt die Ludwigsbrücke über die durch die Museumsinsel in zwei Arme geteilte Isar. Am linken Isarufer das *Deutsche und Europäische Patentamt.* Auf der Insel das 1903 von dem Ingenieur Oskar von Miller gegründete **Deutsche Museum,** das größte technische Museum der Welt. Die Entdeckungen der Naturwissenschaften und die Erfindungen der Technik werden hier nicht nur an einzigartigen Schaustücken, sondern auch an beweglichen Demonstrationsmodellen gezeigt.

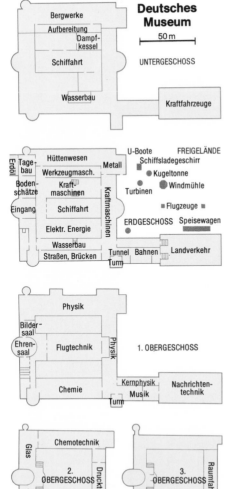

5. OBERGESCHOSS: Astronomie   6. OBERGESCHOSS: Planetarium

Im südlichen Stadtteil Thalkirchen liegt der *Tierpark Hellabrunn,** ein 1928 angelegter Naturpark, in dem die Tiere in großen Freigehegen nach Erdteilen geordnet sind.

Im Südwesten von München (1½ km vom 'Stachus') die **Theresienwiese,** der Schauplatz des viel besuchten Oktoberfestes; an ihrer Westseite das Riesenstandbild der *Bavaria* (nach Schwanthalers Entwurf 1850 gegossen), mit dem Sockel 30 m hoch (im Kopf Platz für 5 Personen; weite Aussicht); dahinter die 1843-53 von Klenze erbaute *Ruhmeshalle;* anschließend der *Ausstellungspark* mit Messehallen.

Im Nordwesten der Stadt das *Schloß **Nymphenburg,** eine 1664-1728 errichtete, um ein großes Rondell angeordnete Gebäudegruppe mit Wasseranlagen und prächtigem Park; im Hauptbau schön ausgestattete Räume, besonders beachtenswert die 'Schönheitsgalerie' König Ludwigs I. mit 24 Frauenbildnissen des Hofmalers Josef Stieler; im Südflügel das *Marstallmuseum.* Von den Parkburgen ist vor allem hervorzuheben die *Amalienburg,* ein 1734-38 von François de Cuvilliés erbautes Jagdschlößchen. Im nordöstlichen Teil des Schloßrondells die 1747 gegr. *Staatliche Porzellanmanufaktur Nymphenburg.* – Nördlich vom Schloßpark der schöne *Botanische Garten* (Café) mit ausgedehnten Gewächshäusern.

Im *Olympiapark (ehem. Oberwiesenfeld; etwa 5 km nordwestlich der Stadtmitte) der 290 m hohe **Olympiaturm** (1965-68; mit Drehrestaurant), das **Olympiastadion** (80000 Zuschauer), die *Schwimmhalle* (9000 Zuschauer) und die *Sporthalle* (11000 Zuschauer), alle drei von einem 76000 qm großen *Zeltdach überdeckt. Westlich davon das *Radstadion,* nördlich das *Olympische Dorf.* – Östlich das *BMW-Hochhaus* und das *BMW-Automobilmuseum.*

Im Münchner Olympiapark

UMGEBUNG von München. – **Schloß Oberschleißheim** (13 km nördl.) mit *Barockgalerie*. – **Klosterkirche Schäftlarn** (20 km südl.) mit Stukkaturen und Fresken von Johann Baptist Zimmermann. – **Starnberger See** (20 km südwestl. bis Starnberg). – **Ammersee** (30 km südwestl. bis Herrsching).

Münden
(Hannoversch Münden)

Bundesland: Niedersachsen.
Kfz-Kennzeichen: GÖ.
Höhe: 120-320 m ü.d.M. – Einwohnerzahl: 28 000.
Postleitzahl: D-3510. – Telefonvorwahl: 0 55 41.
(i) **Städtisches Verkehrsbüro,** im Rathaus;
Telefon: 7 53 13.

HOTELS. – *Schloßschänke,* Vor der Burg 7, 30 B.;
Berghotel Eberburg, Tillyschanzenweg 8, 44 B.;
Schmucker Jäger, Wilhelmshäuser Str. 20, 50 B.;
Jagdhaus Heede, Hermannshagen 26, 35 B. – Im
Werratal: *Gästehaus Weitemeyer* (garni), 22 B. –
JUGENDHERBERGE: Prof.-Oelkers-Weg 8, 177 B.
– CAMPINGPLÄTZE: *Oberer Tanzwerder,* auf einer
Fuldainsel; *Camping Hemeln,* auf dem rechten
Weserufer.

RESTAURANT. – *Brauereischänke,* Tanzwerderstr. 16.

CAFÉ. – *An der Werrabrücke,* Lange Straße.

VERANSTALTUNGEN. – *"Das Spiel vom Doktor Eisenbart"* (alle 14 Tage im Sommer Sonntag vormittags um 11 Uhr).

Die altertümliche Stadt, mehr unter ihrem volkstümlichen früheren Namen Hannoversch Münden bekannt, breitet sich reizvoll in einem von den Höhen des Reinhards-, Bram- und Kaufunger Waldes umgebenen Talkessel aus auf einer Landzunge zwischen Werra und Fulda, die sich hier zur Weser vereinigen. Alexander von Humboldt zählte sie zu den sieben am schönsten gelegenen Städten der Erde. Fachwerkhäuser aus dem 16. und 17. Jahrhundert, Kirchen und alte Befestigungstürme bestimmen das malerische Stadtbild. Münden ist Kreisstadt und Sitz der Forstlichen Fakultät der Universität Göttingen. Nicht zu vergessen: 1727 starb hier nach längerem Wirken der 'hocherfahrne, weltberühmte' Doktor Johann Andreas Eisenbart.

GESCHICHTE. – Ausgrabungen in der St.-Blasii-Kirche beweisen, daß schon zur Zeit Karls des Großen hier eine größere Siedlung bestand. Als Stadtgründer gilt Heinrich der Löwe (um 1170). Bereits 1247 erhielt Münden das für die wirtschaftliche Blüte der Stadt so wichtige Stapelrecht: Alle ankommenden Schiffe mußten hier ausgeladen und die Waren drei Tage lang zu Vorzugspreisen angeboten werden. Sie durften dann nur mit Mündener Schiffen oder Fuhrwerken weiterbefördert werden. – Im 16. Jh. machte Herzog Erich I. von Braun-

schweig-Lüneburg Münden zu seiner Residenz. 1626 im Dreißigjährigen Krieg eroberte den kaiserliche Feldherr Tilly die tapfer verteidigte Stadt. Die Aufhebung des Stapelrechts 1823 führte zum wirtschaftlichen Niedergang. Neue Impulse brachten die Errichtung einer hannoverschen Garnison 1850, die Gründung der preußischen Forsthochschule 1868 (jetzt Forstliche Fakultät der Universität Göttingen und die Entwicklung von Handel und Industrie im 19. und 20. Jh. 1973 erhielt die Stadt durch Eingemeindungen einen beträchtlichen Gebietszuwachs.

SEHENSWERTES. – Am fachwerkgesäumten **Marktplatz** steht das stattliche urspr. gotische **Rathaus,** dem Georg Crossmann 1603-13 seine eindrucksvolle Weserrenaissance-Fassade gab. Südlich gegenüber die **St.-Blasii-Kirche** (13.-16. Jh.); im Innern Bronzetaufbecken von 1392, Sandsteinkanzel von 1493 und Epitaphplatte für Welfenherzog Erich I., der Münden im 16. Jh. zu seiner Residenz machte ein wertvolles Werk des Bildhauers Loy Hering. – Am Südrand der Altstadt an der Wallanlage die *St.-Ägidii-Kirche* (17. Jh.); an der nördlichen Außenseite das *Grabmal* des durch das Volkslied bekannten *Dr. Eisenbart* (1661-1727). – Im Nordosten der Altstadt das dicht an der Werra gelegene **Schloß** (16. und 18. Jh.) mit dem sehenswerten *Heimatmuseum* (Fayencen, Fachwerk-Modelle, Sammlungen zu Handwerk und Stadtgeschichte, Gemach zum Weißen Roß und Römergemach mit Fresken des 16. Jh.). Unweit westlich die 1397-1402 erbaute steinerne *Werrabrücke.* Auf der Insel Unterer Tanzwerder zwischen Fulda und Werra der **Weserstein** (nahebei die Anlegestelle der Oberweser-Dampfschiffahrt).

UMGEBUNG von Münden. – **Märchenzoo Grundmühle** bei Laubach (4 km östlich). – *Klosterkirche **Bursfelde** (17 km nördlich). Ältester Teil ist die 1104 vollendete romanische Westkirche, an die 1130-40 die Ostkirche angebaut wurde (beide mit reichem Freskenschmuck). – *Sababurg (25 km nordwestlich). Das im Reinhardswald auf einer Basaltkuppe gelegene ehem. Jagdschloß der Landgrafen von Hessen beeindruckt heute noch als Ruine; im ehem. Kanzleigebäude ein *Schloßhotel; Tierpark* mit Dam- und Schwarzwild, Mufflons, Wildpferden, Auerochsen und Wisenten.

Münster in Westfalen

Bundesland: Nordrhein-Westfalen.
Kfz-Kennzeichen: MS.
Höhe: 62 m ü.d.M. – Einwohnerzahl: 267 000.
Postleitzahl: D-4400. – Telefonvorwahl: 02 51.
(i) **Verkehrsverein,** Am Berliner Platz 22;
Telefon: 4 04 95.

HOTELS. – *Rheinischer Hof* (garni), Alter Steinweg 39, 33 B.; *Kaiserhof*, Bahnhofstr. 14, 140 B.; *Conti* (garni), Berliner Platz 2a, 100 B.; *Martinihof* (garni), Hörster Str. 25, 50 B.; *Feldmann*, Klemensstr. 24, 48 B.; *Lindenhof* (garni), Kastellstr. 1, 43 B.; *Coerdehof*, Raesfeldstr. 2, 82 B.; *Frönd* (garni), Warendorfer Str. 58, 40 B. – *Schloß Wilkinghege* (3 km nördl.), Steinfurter Str. 374, 66 B. (Golfplatz); *Schloß Hohenfeld* (6 km westl.), 78 B. – Am Hiltruper See: *Waldhotel Krautkrämer*, 110 B., Seeterrasse, Hb. – In Handorf: *Haus Vennemann*, 40 B. – In St. Mauritz: *Tannenhof*, 10 B. – In Wolbeck: *Thier-Hülsmann*, 28 B. – JUGENDHERBERGE: *Bernhard-Salzmann-Jugendherberge*, Bismarckallee 31 (am Aasee), 158 B. – CAMPINGPLATZ: *Wersewinkel*, Handorf.

RESTAURANTS. – *Pinkus Müller*, Kreuzstr. 4-10 (Münsterländer Spez., Altbierbowle); *Altes Gasthaus Leve*, Alter Steinweg 37; *Stuhlmacher*, Prinzipalmarkt 6; *Wielers*, Spiekerhof 47; *Ratskeller*, Prinzipalmarkt 8.

WEINLOKAL: *Westfälischer Friede 1648* (Einrichtung aus dem 17. Jh.; bad. Weine, französ. Küche).

CAFÉS. – *Schucan*, Prinzipalmarkt 24; *Grotemeyer*, Salzstr. 24.

VERANSTALTUNGEN. – *Karneval* mit Rosenmontagszug; *Send* (Jahrmarkt; alljährlich im März, Juni und Oktober); Weihnachtsmarkt.

Rathaus in Münster

Die westfälische Stadt an der Aa und am Dortmund-Ems-Kanal ist der geographische und wirtschaftliche Mittelpunkt des Münsterlandes, Sitz eines katholischen Bischofs und einer Universität. Nach schweren Kriegszerstörungen erhielt die Stadt ihr anheimelndes Gepräge zurück. Münster ist eine Stadt der Kirchen, der Adelshöfe und der schönen alten Bürgerhäuser. Im Verlauf der ehem. Wallanlagen umgibt ein grüner Promenadenring die *Altstadt. In dieser Behaglichkeit ausströmenden, urwestfälischen Lebenswelt trieben einst Originale wie Professor Landois und der 'tolle Bomberg' ihren Schabernack.

GESCHICHTE. – 805 gründete Karl der Große das Bistum Münster. Erster Bischof war der Friese Liudger. Im 12. Jh. erhielt der Ort Stadtrechte und eine Befestigung. Im 13. Jh. trat Münster der Hanse bei. Zur Zeit der Reformation 1534-35 war es Schauplatz wüster Greuel der Wiedertäufer, die hier 'ein neues Zion' errichten wollten. 1648 beendete der Westfälische Friede von Münster und Osnabrück den großen Glaubensstreit des Dreißigjährigen Krieges. Bis 1803 war Münster Zentrum eines Fürstbistums. 1816 wurde es Hauptstadt der preußischen Provinz Westfalen. Nach 1945 ging Westfalen in dem neugebildeten Bundesland Nordrhein-Westfalen auf.

SEHENSWERTES. – An dem von Laubengängen und Giebelhäusern umrahmten Prinzipalmarkt steht das gotische **Rathaus** (14. Jh.; wiederaufgebaut) mit dem sehenswerten *Friedenssaal, in dem 1648 der Teilfriede zwischen Spanien und den Niederlanden unterzeichnet wurde. Daneben das *Stadtweinhaus*, ein Giebelbau der Spätrenaissance. – Am Nordende des Prinzipalmarktes die prächtige *Lambertikirche (14.-15. Jh.); am Westturm die drei eisernen Käfige, in denen die Leichen der Wiedertäufer Johann von Leyden, Knipperdollinck und Krechting zur Schau gestellt waren. Unweit nördlich das *Krameramtshaus* von 1588 (jetzt Stadtbücherei). An der Salzstraße (Nr. 38) der von dem großen westfälischen Barockbaumeister Johann Conrad Schlaun 1754 erbaute **Erbdrostenhof**, ein ehem. Adelshof (1953-70 originalgetreu wiederhergestellt). Dahinter die barocke *Clemenskirche*, ebenfalls ein mustergültig wiederhergestelltes Werk Schlauns.

Westlich vom Prinzipalmarkt, am weiten Domplatz, erhebt sich der 1225-65 im Übergangsstil aufgeführte *Dom (wiederaufgebaut), die größte Kirche Westfalens; an seiner Südseite in der Vorhalle (Paradies) des westlichen Querschiffs Apostel- und Heiligenfiguren aus dem 13. Jh.; im Innern (großartige Raumwirkung) beachtenswert die zahlreichen Grabmäler von Bischöfen und Domherren (u. a. Kardinal von Galen, † 1946) und die astronomische Uhr von 1540 (an der Chorwand); im Kapitelsaal prächtige Wandtäfelungen.

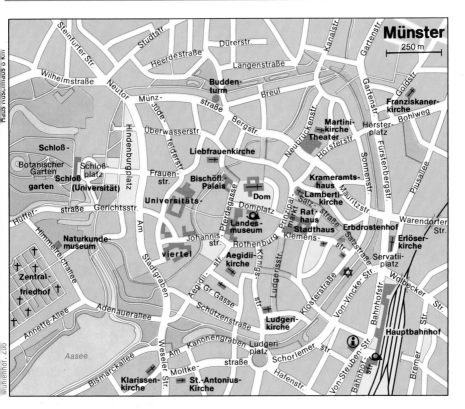

An der Südseite des Domplatzes das 1974 wiedereröffnete und vergrößerte *Westfälische Landesmuseum für Kunst und Kulturgeschichte* mit Bildwerken, Gemälden, Volkskunst und einer großartigen Glasfenstersammlung; an seiner Südseite ein 'Lichtwellenspiel' von Otto Piene. An der Westseite des Platzes das *Bischöfliche Palais*. – Unweit nordwestlich vom Domplatz die gotische *Liebfrauen-* oder *Überwasserkirche* (1340-46) mit reich gegliedertem Turm.

An der Westseite der Stadt erhebt sich das 1767-73 von Johann Conrad Schlaun erbaute ehem. fürstbischöfliche **Schloß** (nach Zerstörung wieder aufgebaut), das jetzt die *Westfälische Wilhelms-Universität* beherbergt; dahinter der prächtige Schloßgarten mit einem *Botanischen Garten*. Südlich das *Westfälische Landesmuseum für Naturkunde* (Tropenhaus; Aquarium).

Noch weiter südlich Münsters Wassersportparadies, der 40 ha große **Aasee** (Wasserbusfahrten, Segelschule, Segel- und Paddelbootverleih). – Südwestlich vom Aasee auf der Sentruper Höhe das *Freilichtmuseum Mühlenhof* sowie der *Allwetterzoo (1974 eröffnet; über 2000 Tiere in 470 Arten, Delphinschau).

Beachtenswert in seiner modernen Formgebung das *Zentralklinikum* an der Roxeler Straße mit pilzförmigen Bettentürmen.

UMGEBUNG von Münster. – **Rüschhaus** (7 km nordwestlich). Der Barockbau, den sich 1745-49 Johann Conrad Schlaun als Sommersitz erbaute, war später Wohnsitz der bedeutenden westfälischen Dichterin Annette von Droste-Hülshoff (Droste-Museum). – **Haus Hülshoff** (10 km westlich). Auf der reizvollen Wasserburg (Herrenhaus aus dem 16. Jh.) wurde 1797 Annette von Droste-Hülshoff geboren (Droste-Museum). – **Baumberge** (20 km westlich). Der über 180 m hohe Höhenrücken (Longinusturm) inmitten der weiten Parklandschaft des Münsterlandes ist ein beliebtes Ausflugsziel der Münsteraner. – **Burg Vischering** bei Lüdinghausen (28 km südwestlich). Die einstige Landesburg des Bischofs von Münster beherbergt heute das interessante *Münsterlandmuseum*.

Münsterland

Bundesland: Nordrhein-Westfalen.
ⓘ **Landesverkehrsverband Westfalen,**
Balkenstraße 4, D-4600 Dortmund 1;
Telefon: (0231) 571715 bzw. 5422 2175.

Den Raum zwischen Teutoburger Wald und Lippe nimmt das Münsterland ein, eine teils ebene, teils wellige bis hügelige (Baumberge, Beckumer Berge) Landschaft mit fruchtbaren Böden, aber auch mit großen Sand- und

Heidegebieten sowie ausgedehnten Mooren.

Ein Land der Wallhecken, der Buchenwälder und stolzer Bauernhöfe. Ein Gebiet gräftenumgebener Burgen und Schlösser, der Dome, Dorfkirchen und Wegkreuze. Ein Revier einsamer 'Pättkes' und lebenerfüllter gemütlicher Kneipen, in denen man bei Schinken und Korn noch das bodenständige Münsterländer Platt spricht.

Mittelpunkt ist die Domstadt **Münster.** Das nahe *Telgte* ist ein bekannter Wallfahrtsort. *Warendorf* hat einen guten Ruf als Zentrum der westfälischen Pferdezucht und Sitz des Deutschen Olympia-Komitees für Reiterei. Fachwerkschön präsentiert sich *Rheda-Wiedenbrück,* wie *Burgsteinfurt* ein alter Grafensitz. *Ahaus* war Sommerresidenz der Münsterschen Fürstbischöfe. Die Stadtbilder von *Rheine, Gronau* und *Bocholt* (Textilindustrie) sowie *Beckum* (Zementwerke) zeugen von intensiver Kulturpflege.

Die *Borkenberge* bei Haltern sind ein Revier der Segelflieger, der *Halterner Stausee* ist Treffpunkt der Wassersportfreunde. *Ems* und *Lippe, Werse* und *Vechte* bieten dem Paddler Gelegenheit, sein Hobby auszuüben.

Die Reihe der Wasserburgen führt **Schloß Nordkirchen** an, das 'Westfälische Versailles'. Auf **Burg Hülshoff** bei Münster wurde 1797 Annette von Droste-Hülshoff geboren, Deutschlands bedeutendste Dichterin. **Burg Vischering** bei Lüdinghausen birgt das interessante Münsterlandmuseum. **Burg Gemen** bei Borken ist heute katholische Jugendburg. – Bedeutendster Baumeister Westfalens, der Schlösser und Herrensitze, Kirchen und Klöster, Befestigungsanlagen und Fabriken schuf, war *Johann Conrad Schlaun* (1695-1773).

Malerische Orte reihen sich am Ufer: das Schmuck- und Edelsteinstädtchen **Idar-Oberstein** mit seiner Felsenkirche, der von der Ruine der Kyrburg überragte *Kirn,* der Felkekurort *Sobernheim,* **Bad Münster** *am Stein* am Fuße der Porphyrwand des *Rheingrafensteins,* die an Steilheit nur noch vom *Rotenfels* übertroffen wird. Gegenüber grüßt die *Ebernburg* von der Höhe, Geburtsstätte des Reichsritters Franz von Sickingen (1481-1523) und Zufluchtsort des Humanisten Ulrich von Hutten. In Münster am Stein und **Bad Kreuznach** sprudeln radioaktive Solquellen. Reizvoll die Brückenhäuser über dem Fluß. Bei *Bingen* mündet die Nahe nach 116 Flußkilometern in den Rhein.

Brückenhäuser in Bad Kreuznach

Die Weinrebe haben einst römische Legionäre an der Nahe heimisch gemacht. Auf Quarzit- und Schieferböden, Buntsandstein, Lehm- und Lößböden reift hier der **Wein,** dessen Besonderheit sein Nuancenreichtum ist. So ist das Nahe-Weinbaugebiet ein 'Probierstübchen' für den Weinfreund.

Nahetal

Bundesland: Rheinland-Pfalz.
ⓘ**Fremdenverkehrsverband Rheinland-Pfalz,** Hochhaus, D-5400 Koblenz; Telefon: (0261) 35025.

Die Nahe, die kleine Schwester der Mosel, entspringt im Hunsrück. Wiesen und Wälder, sonnige Rebhänge, aber auch steile Felswände begleiten den in zahlreichen Windungen dahinziehenden Fluß.

Bad Nauheim

Bundesland: Hessen. – Kfz-Kennzeichen: FB. Höhe: 144 m ü.d.M. – Einwohnerzahl: 25000. Postleitzahl: D-6350. – Telefonvorwahl: 06032.
ⓘ**Verkehrsamt der Kurverwaltung,** Ludwigstr. 20; Telefon: 3441.
Verkehrsverein, Pavillon in der Parkstraße; Telefon: 2120.

HOTELS. *Hilberts Parkhotel,* Kurstr. 2, 173 B.; *Astoria,* Bahnhofsallee 13, 65 B.; *Am Hochwald,* Carl-Oelemann-Weg 3, 95 B.; *Blumes Hotel am Kurhaus,* Auguste-Viktoria-Str. 3, 30 B.; *Spöttel,* Luisenstr. 5, 50 B.; *Kurhotel Geyer* (garni), Frankfurter Str. 34, 40 B.

RESTAURANTS. – *Krone,* Burgstr. 9; *Kurhaus-Restaurant,* Im nördlichen Park 12.

Das in der Wetterau am Ostabhang des Taunus gelegene, von der Usa durchflossene hessische Staatsbad mit regelmäßigen Straßenzügen sowie hübschen Parkanlagen wird wegen seiner kohlensäurereichen Thermalsolquellen besonders bei Herz- und Gefäßkrankheiten, Rheuma und Nervenleiden besucht; Raucherentwöhnungskuren.

SEHENSWERTES. – Im **Sprudelhof,** der von Badehäusern umgeben ist, der *Friedrich-Wilhelm-Sprudel* (34° C), der *Große Sprudel* (30° C) und der *Ernst-Ludwig-Sprudel* (32° C), mit einer täglichen Schüttung von 2,5 Mio. l Solwasser. Inmitten von dem westlich anschließenden und unmittelbar in die Taunuswälder übergehenden **Kurpark** (800 ha) das *Kurhaus* (große Terrasse) und das *Thermalsole-Hallenbad.* Nordöstlich von hier der *Große Teich* (Kahnfahrten). – Am Südrand des Kurparks die Parkstraße, die Hauptgeschäftsstraße der Stadt. – Weiter südlich die **Trinkkuranlage,** mit zahlreichen Trinkquellen. Am südöstlichen Stadtrand ausgedehnte *Gradierwerke.* – Westlich der bewaldete *Johannisberg* (269 m; Volkssternwarte); von oben Blick auf das Steinfurter Rosenzuchtgebiet.

UMGEBUNG von Bad Nauheim. – Unweit südlich die ehem. freie Reichsstadt **Friedberg** mit einer Burg aus dem 14./15. Jahrhundert und einem vom hübschen Schloßgarten umgebenen Barockschloß sowie dem Wetterau-Museum.

Neckartal

Bundesland: Baden-Württemberg.

(i) **Fremdenverkehrsverband
Neckarland-Schwaben,**
Theaterstraße 9, D-6900 Heidelberg 1;
Telefon: (06221) 58438.
Charlottenplatz 17, D-7000 Stuttgart 1;
Telefon: (0711) 290151/52.

Der 371 km lange Neckar entspringt bei Villingen-Schwenningen am Ostrand des Schwarzwaldes.

Erste größere Wegstation ist **Rottweil,** bekannt durch sein Fastnachtsbrauchtum ('Rottweiler Narrensprung'). Das malerische *Horb* umschließen stellenweise noch Mauern und Türme. *Rotten-*

burg mit seinen Kirchen ist katholischer Bischofssitz (zus. mit Stuttgart), **Tübingen,** überragt vom Schloß, eine altberühmte Universitätsstadt. **Esslingen** prunkt mit seiner gotischen Frauenkirche und dem Alten Rathaus. Nächste Wegstationen sind die Landeshauptstadt **Stuttgart,** die ehem. Barockresidenz **Ludwigsburg,** das Schiller-Städtchen *Marbach.* Eines der reizvollsten deutschen Kleinstadtbilder bietet *Besigheim.* Der Neckar bildet hier ein stellenweise scharf in den Muschelkalk eingeschnittenes Engtal. Der ehem. freien Reichsstadt **Heilbronn** setzte Heinrich von Kleist ein literarisches Denkmal ("Käthchen von Heilbronn"). Zwischen Heilbronn und Bad Wimpfen weitet sich

Burg Hornberg am Neckar

das Neckartal, nimmt das Industriegebiet von *Neckarsulm,* aber auch Weinberge, Obstgärten und Gemüsefelder auf. In *Bad Wimpfen* stand einst die Kaiserburg der Staufer, von der noch Reste künden. *Kocher* und *Jagst* strömen dem Neckar zu, als wollten sie ihm Kraft geben. Denn auf 50 km Länge durchbricht der Fluß in vielen Windungen nun den Odenwald. Das burgenreiche untere Neckartal zählt zu den schönsten Flußlandschaften Süddeutschlands. Glanzpunkte sind *Schloß Guttenberg* (mit Holzbibliothek), *Burg Hornberg* (einst Sitz des Ritters Götz von Berlichingen, der hier 1562 starb), das malerische *Zwingenberg, Hirschhorn* und das Vierburgenstädtchen *Neckarsteinach.* Bei der romantischen, vielgerühmten Universitätsstadt **Heidelberg** tritt dann der

Neckar in die Rheinebene ein und mündet bei **Mannheim** in den Rhein.

Von Plochingen bis Mannheim wurde der Neckar 1921-68 zum *Neckarkanal* ausgebaut (ca. 200 km mit 30 Staustufen). – Personenschiffahrt zwischen Stuttgart und Besigheim, Heilbronn und Neckarzimmern, Heidelberg und Hirschhorn.

Nordfriesische Inseln

Bundesland: Schleswig-Holstein.
ⓘ **Fremdenverkehrsverband Schleswig-Holstein,** Adelheidstraße 10, D-2300 Kiel; Telefon: (0431) 6 40 11.

Die Nordfriesischen Inseln liegen vor der nördlichen Westküste des Bundeslandes Schleswig-Holstein. Zahlreiche vorgeschichtliche Grabstätten zeugen von alter Besiedlung. Die freiheitsliebenden Inselfriesen behaupteten ihre Selbständigkeit gegen die dänischen Könige. Im 19. Jahrhundert entwickelten sich auf den Inseln die Seebäder. Das ozeanische Klima und die ungehinderte Sonneneinstrahlung sind von besonderer Heilwirkung.

Größte und nördlichste der Nordfriesischen Inseln ist *Sylt (s. dort). Man erreicht die 100 qkm große Insel mit der Bahn über den 11 km langen *Hindenburgdamm* (Autoverladung in Niebüll) oder mit dem Schiff von Hamburg oder Cuxhaven aus. Die 'Perle der Nordsee' fasziniert durch ihre großartige Dünenlandschaft, durch breite Strände und ein vielfältiges Freizeitangebot. Hauptort ist das elegante Nordsee-Heilbad *Westerland* mit Kurmittelhaus, Meerwasser-Wellen-Hallenbad, Spielbank und Tiefsee-Aquarium. *Kampen* am Roten Kliff ist bekannt als Treffpunkt des Jet Set und wegen seiner reetgedeckten Friesenhäuser. *List* ist das nördlichste deutsche Seebad. Hier liegen die letzten Wanderdünen Deutschlands. Der Lister Ellenbogen ist Naturschutzgebiet und Heimat vieler Seevögel.

Föhr, mit 82 qkm die zweitgrößte der Inseln, liegt in geschützter Lage zwischen Anrum und Küste. Von Dagebüll besteht eine Fährverbindung zum Hauptort *Wyk.* Die Insel bietet ausgezeichnete Bademöglichkeiten. Beliebt sind Wattwanderungen.

Amrum, 20 qkm groß, 10 km lang und 3 km breit, ist ideal für den Familienurlaub. Hauptbadestrand ist der 1 km breite, brandungsreiche *Kniepsand* im Westen. Vom Nordsee-Heilbad *Wittdün* am Nordostsporn der Insel besteht eine Schiffsverbindung nach Wyk auf Föhr und zum Festland.

Die vor Husum gelegene, 45 qkm große Insel **Nordstrand** dagegen ist durch einen Straßendamm mit dem Festland verbunden. Ein 24 km langer Deich umgibt das Marschgebiet, das vor der verheerenden Sturmflut von 1634 Teil des Festlands war. Trotz des Namens Nordstrand besitzt die Insel keinen Badestrand. – Die weiter westlich gelegene Insel **Pellworm,** 38 qkm groß, bietet einige Badeplätze. Von Husum besteht eine Schiffsverbindung.

Die benachbarten **Halligen** sind zehn von der Sturmflut des Jahres 1634 vom

Hallig bei stürmischer See

Festland abgerissenen, teilweise bewohnte Marscheninseln. Ihre Gehöfte liegen auf 4-6 m hohen Warften, künstlich aufgeworfenen Hügeln. Größte der Halligen sind die durch Deiche geschützten Halligen *Langeneß* (9,6 qkm; Dammverbindung über Oland mit dem Festland) und *Hooge* (5,7 qkm; Bootsverbindung mit Pellworm).

Nördlingen

Bundesland: Bayern. – Kfz-Kennzeichen: DON (NÖ). Höhe: 430 m ü.d.M. – Einwohnerzahl: 18 500. Postleitzahl: D-8860. – Telefonvorwahl: 0 90 81.
ⓘ **Verkehrsamt,** Marktplatz 15; Telefon: 43 80.

HOTELS. – *Sonne,* Marktplatz 3, 50 B.; *Am Ring,* Bürgermeister-Reiger-Str. 14, 46 B.; *Altreuter* (garni), Marktplatz 11, 20 B.; *Zum Goldenen Lamm,* Schäfflesmarkt 3, 22 B.; *Goldenes Rad,* Löpsinger

Str. 8, 15. B. – JUGENDHERBERGE: Kaiserwiese 1, 80 B.

RESTAURANTS. – *Klösterle,* Beim Klösterle; *Zum Engel,* Wemdinger Str. 4.

CAFÉ. – *Eickmann,* Marktplatz 7.

VERANSTALTUNGEN. – *Freilichtspiele* in der Alten Bastei (im Sommer).

Die bayerische Stadt ist der Hauptort des zwischen Schwäbischer und Fränkischer Alb eingesenkten fruchtbaren Rieses (Meteoritenkrater von 20-25 km Durchmesser). Um den von der großen Georgskirche überragten runden *Stadtkern legen sich zwei ringförmige Erweiterungen mit Häusern aus dem 16. und 17. Jahrhundert sowie eine vollständig erhaltene mittelalterliche Stadtmauer.

Nördlingen aus der Vogelschau

GESCHICHTE. – Nördlingen ist 898 als königliches Hofgut genannt. 1215-1803 war es freie Reichsstadt. In der Schlacht bei Nördlingen im Dreißigjährigen Krieg besiegten 1634 die Kaiserlichen die Schweden.

SEHENSWERTES. – Am M a r k t, im Mittelpunkt der Stadt, erhebt sich die nach einem verheerenden Brand (1974) wiederhergestellte spätgotische **Kirche St. Georg** (urspr. 1427-1505; ev.); im Innern barocker Hochaltar mit spätgotischen Schnitzfiguren; von dem 90 m hohen Turm ('Daniel') reizvoller Rundblick. Nördlich der Kirche das spätgotische, 1934 erneuerte **Rathaus** mit schöner Renaissance-Freitreppe von 1618. Weiter nördlich, im Spital, das *Stadtgeschichtliche Museum* und das *Museum für Vor- und Frühgeschichte.* Lohnend ist eine Rundwanderung ($^3/_4$ St.) auf dem Wehrgang der ***Stadtmauer,** die mit ihren Toren und Türmen aus dem 14.-16. Jahrhundert stammt.

UMGEBUNG von Nördlingen. – Benediktinerabtei **Neresheim** (20 km südwestlich) mit prächtiger *Barockkirche (1745-92) nach Plänen von Balthasar Neumann.

Nordseeküste

Bundesländer:
Schleswig-Holstein, Niedersachsen und Bremen.

(i) **Fremdenverkehrsverband Schleswig-Holstein,**
Adelheidstraße 10, D-2300 Kiel;
Telefon: (04 31) 6 40 11.
Fremdenverkehrsverband Nordsee-Niedersachsen-Bremen,
Gottorpstraße 18, D-2900 Oldenburg/Oldb.;
Telefon: (04 41) 1 45 35.

Die deutsche Nordseeküste, in der Luftlinie etwa 300 km lang, gliedert sich in das ostfriesische und nordfriesische Gebiet, die durch die Elbmündung getrennt sind. Vor beiden Küsten liegt eine Kette von Inseln, die zu vielbesuchten Seebädern geworden sind (s. Ostfriesische und Nordfriesische Inseln). Das Küstengebiet ist ein flaches Marschland, das durch Deiche geschützt ist. Vor diesen Deichen erstreckt sich das bei Ebbe trockene Watt, das einst ebenfalls Festland war. Es ist heute eines der größten europäischen Vogelschutzgebiete. – Die Mündungen der ostfriesischen Flüsse sind durch die interessanten 'Siele' (torartige Schleusen), die sich bei Flut von selbst schließen, gegen das Eindringen des Meerwassers verschlossen. – Vor der nordfriesischen Küste liegen die eigenartigen Halligen, Reste vom Küstenland abgerissener Marschlandes, die heute z.T. durch Dämme mit dem Festland verbunden sind.

In Ostfriesland führt eine Straße an den Küstendeichen entlang zu den Abfahrtsstellen der Inselschiffe, wo man das Kraftfahrzeug in den dort vorhandenen Großgaragen zurückläßt. Fährhäfen sind *Norddeich* (für Juist, Norderney und Baltrum), *Neßmersiel* (für Baltrum), *Bensersiel* (für Langeoog), *Neuharlingersiel* (für Spiekeroog) und *Carolinensiel* (für Wangerooge).

An der ostfriesischen Küste kommen als Seebäder fast nur die Inseln *Borkum* (Schiffsverbindung ab Emden), *Juist, Norderney, Baltrum, Langeoog, Spiekeroog* und *Wangerooge* in Frage. Einige kleinere Küstenorte bieten bei Flut die Möglichkeit zum Baden, bei Ebbe zum Wattlaufen. Nur **Cuxhaven** (Wrackmuseum) an der Elbmündung mit den kleineren Seebädern *Duhnen* und *Döse* und das nahe *Sahlenburg* haben bei Ebbe und Flut benutzbaren guten Strand.

Leuchtturm auf Amrum

An der nordfriesischen Küste liegt das vorzügliche Seebad *St. Peter-Ording* mit einer schönen Sandbank, die man bei Ebbe sogar mit dem Kraftfahrzeug erreichen kann (Strandsegeln). Auch der alte Krabbenfischerhafen *Büsum* ist Nordsee-Heilbad. Eine Touristenattraktion: Wattlaufen mit Musik. Im übrigen liegen die bekannten Seebäder auf den Inseln *Sylt, Föhr* und *Amrum*. Von *Husum* und *Dagebüll* aus besteht im Sommer Schiffsverkehr zu den Halligen und den Nordfriesischen Inseln. – Auch die in der Deutschen Bucht gelegene Insel *Helgoland* wird als Seebad viel besucht (Badedüne).

Nürnberg

Bundesland: Bayern. – Kfz-Kennzeichen: N.
Höhe: 330 m ü.d.M. – Einwohnerzahl: 490 000.
Postleitzahl: D-8500. – Telefonvorwahl: 09 11.
ⓘ **Verkehrsverein**, Eilgutstraße 5.
Tourist-Information, am Hauptmarkt (Rathaus) und im Hauptbahnhof (Mittelhalle); Telefon: 20 42 56.

HOTELS. – *Carlton*, Eilgutstr. 13-15, 185 B.; *Grand Hotel*, Bahnhofstr. 1-3, 225 B.; *Nürnberg EuroCrest Hotel*, Münchner Str. 283, 164 B.; *Deutscher Hof*, Frauentorgraben 29, 68 B. (Rest. 'Holzkistl'); *Am Sterntor*, Tafelhofstr. 8-14, 170 B; *Kaiserhof*, Königstr. 39, 110 B.; *Victoria* (garni), Königstr. 80, 90 B.; *Reichshof*, Johannesgasse 16, 110 B.; *Am Hauptmarkt* (garni), Hauptmarkt 6, 40 B. - JUGENDHERBERGE: Auf der Kaiserburg, 400 B. – CAMPINGPLATZ: Zeppelinstr. 30 (am Stadion beim Dutzendteich).

RESTAURANTS. – *Waffenschmied*, Obere Schmiedgasse 22; *Walliser Kanne*, Königstorgraben (Schweizer Spez.); *Stadtpark-Restaurant Kulturverein*, Berliner Platz 9; *Parkrestaurant Meistersingerhalle*, Münchner Str. 21; *Patrizier*, Pfannenschmiedgasse 1; *Ratsstuben*, Rathausplatz 2; *Mautkeller*, Königstr. 60 (abends Stimmungsmusik).

BRATWURSTSTUBEN. – *Bratwurst-Häusle*, Rathausplatz 1; *Bratwurst-Röslein*, Rathausgasse 6; *Bratwurst-Herzle*, Brunnengasse 11.

BIERLOKALE. – *Mautkeller*, Königstr. 60 (Stimmungsmusik); *Paulaner-Keller*, Kaiserstr. 1-9 (Stimmungsmusik); *Tucher-Bräustübl* (mit Garten).

WEINRESTAURANTS. – *Böhms Herrenkeller*, Theatergasse 19; *Goldenes Posthorn*, Glöckleinsgasse 4; *Heiliggeistspital*, Spitalgasse 10; *Nassauer Keller*, Karolinenstr. 2 (histor. Weinlokal, abends Musik).

CAFÉS. – *Kröll*, Hauptmarkt 6-8; *Corso*, Klaragasse 1.

VERANSTALTUNGEN. – Freilichtaufführungen in der Ruine von St. Katharina (ab Juni); *Internationale Orgelwoche* (Juli); *Burgserenaden* (Juli); Abendmusiken der Nürnberger Symphoniker (Mai-September); *Christkindlmarkt* (von Ende November bis zum 24. Dezember).

Die altberühmte Reichsstadt Nürnberg, in der waldreichen Ebene des Mittelfränkischen Beckens an der Pegnitz und am Rhein-Main-Donau-Kanal ('Europa-Kanal') gelegen, ist die zweitgrößte Stadt Bayerns und die Hauptstadt Frankens sowie einer der bedeutendsten Industrie- und Handelsplätze Süddeutschlands (elektrotechnische Werke, Fahrzeug- und Büromaschinenbau, Spielwarenindustrie, Fleisch- und Backwaren, Brauereien). Berühmt sind die Nürnberger Lebkuchen und Rostbratwürste. Alljährlich findet in Nürnberg die Internationale Spielwarenmesse statt. Die Stadt ist Sitz der wirtschafts- und sozialwissenschaftlichen Fakultät der Friedrich-Alexander-Universität Erlangen-Nürnberg.

Beim Wiederaufbau nach schweren Kriegszerstörungen blieb der historische Grundriß der Altstadt gewahrt. So vermitteln heute Ringmauern und Türme, die Burg sowie die wiederhergestellten Pfarrkirchen St. Lorenz und St. Sebaldus ein eindrucksvolles Bild des alten Nürnberg.

GESCHICHTE. – Nürnberg wurde 1050 erstmals urkundlich erwähnt. Zuvor hatte Kaiser Konrad II. am linken Pegnitzufer einen Königshof und Kaiser Heinrich III. auf dem 'Nürnberg', einem Felsvorsprung am rechten Flußufer, eine Burg gegründet.

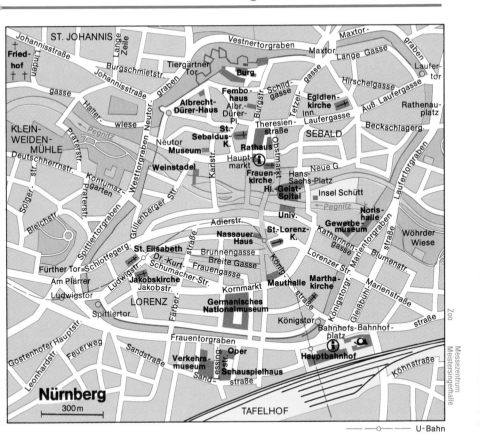

Nürnberg
300 m

————◦———— U-Bahn

Beide Gründungen entfalteten sich zunächst getrennt um ihre Mittelpunkte St. Lorenz und St. Sebaldus und wuchsen erst Anfang des 14. Jh. zu einem Gemeinwesen zusammen. 1219 verlieh König Friedrich II. dem Ort Stadtrechte. Nürnberg entwickelte sich bald zum mächtigsten Handelsplatz Frankens (neben Augsburg Hauptstapelplatz des durch Venedig vermittelten Orienthandels mit dem Norden), der zu Beginn des 16. Jh. seine größte wirtschaftliche und kulturelle Blüte erreichte. Hier wirkte der Humanist Willibald Pirkheimer (1470-1530), der Kosmograph Martin Behaim (1459-1506), der Schöpfer des ersten Globus, der Dichter Hans Sachs (1494-1576). In Nürnberg erfand Peter Henlein 1500 die erste Taschenuhr, das 'Nürnberger Ei'. Hier lebten und wirkten der Bildhauer Adam Krafft (1450-1509) und Veit Stoß (1445-1533), der Erzgießer Peter Vischer d. Ä. (1460-1529) mit seinen Söhnen. Aus der Nürnberger Malerschule des 15.-16. Jh. ragen Michael Wolgemut (1434-1519) sowie sein größter Schüler Albrecht Dürer (1471-1528) hervor, eine der beherrschenden Gestalten in der Geschichte der deutschen Kunst. Im 19. Jh. ließ ein technisches Ereignis aufhorchen: Von Nürnberg nach Fürth verkehrte 1835 die erste deutsche Eisenbahn. Die Verbesserung der Verkehrsmittel brachte auch die alten Handelswege zu neuer Belebung und für Nürnberg einen großen Aufschwung.

SEHENSWERTES. – Die ALTSTADT wird von der Pegnitz in die nach den Hauptkirchen benannte südliche Lorenzer und nördliche Sebalder Seite geteilt. Verkehrsmittelpunkt der Stadt ist der Bahnhofplatz mit dem Haupt-

bahnhof, der Hauptpost, dem Frauentorturm und dem Handwerkerhof 'Alt Nürnberg'. Von hier aus führt die belebte Königstraße durch die Lorenzer Seite der Altstadt; rechts am Anfang der Straße die Marthakirche (14. Jh.), in der 1578-1620 die Meistersinger ihre Singschulen abhielten;˙ weiter links die ehem. Mauthalle (1489-1502 als Kornhaus erbaut, später Zollamt; Restaurant 'Mautkeller').

Auf dem Lorenzer Platz erhebt sich die gotische *St.-Lorenz-Kirche (ev.), die größte Kirche Nürnbergs (13.-15. Jh.; wiederhergestellt); in dem an Kunstwerken reichen Innern beachtenswert vor allem der am Chorgewölbe hängende *Engelsgruß (von Veit Stoß; 1517-18; 1971 restauriert), das *Sakramentshäuschen von Adam Krafft (1493-96), das Kruzifix von Veit Stoß auf dem Hauptaltar, der dahinter liegende Krellsche Altar (mit der ältesten erhaltenen Darstellung der Stadt, um 1480) und die prächtigen Glasgemälde des Chores (1477-93). – Nordwestlich vor der Kirche der Tugendbrunnen von 1589; gegenüber das turmartige sog. Nassauer Haus aus dem 13.-15. Jh. (Restaurant).

Schöner Brunnen in Nürnberg

Die Museumsbrücke führt über die Pegnitz auf die Sebalder Seite zum **Hauptmarkt** mit dem figurenreichen *Schönen Brunnen* (14. Jh.). An der Ostseite des Platzes die gotische *Frauenkirche** (kath.; wiederaufgebaut); über der schönen Vorhalle das Michaels-Chörlein mit dem alten Uhrwerk des sog. 'Männleinlaufens' (12 Uhr; die sieben Kurfürsten umschreiten Karl IV., eine Erinnerung an den Erlaß der Goldenen Bulle im Jahre 1356); im Kircheninnern der bedeutende *Tucher-Altar (um 1440) und zwei schöne Grabmäler von Adam Krafft. – An der Nordseite des Hauptmarktes ein 1954 errichteter Neubau für das **Rathaus;** nördlich dahinter der wiederaufgebaute Altbau von Jakob Wolff (1616-22; an der Westseite prächtige Portale; Lochgefängnisse); zwischen beiden Gebäuden das berühmte *Gänsemännchen* (um 1555), die Brunnenfigur eines fränkischen Bauern mit zwei Gänsen unter dem Arm, aus deren Schnäbeln Wasser fließt.

Westlich vom Rathaus die *St.-Sebaldus-Kirche** (ev.), 1225-73 errichtet, mit dem großartigen gotischen Ostchor von 1379 (wiederhergestellt); außen am Chor das Schreyer-Landauersche Grabmal (ein Hauptwerk von Adam Krafft; 1492). Im Innern der Kirche an einem Pfeiler im nördlichen Seitenschiff die "Madonna im Strahlenkranz"

(1420-25); im Ostchor das **Sebaldusgrab von Peter Vischer, der dieses Meisterwerk deutscher Gießkunst 1508-19 mit seinen Söhnen ausführte (in dem Silbersarg von 1397 die Reliquien des Heiligen, an der östlichen Schmalseite Peter Vischer mit Schurzfell und Meißel), hinter dem Grab eine ergreifende *Kreuzigungsgruppe von Veit Stoß (1507 und 1520); neue Orgel mit 6000 Pfeifen. – Westlich, Karlstr. 13, das *Spielzeugmuseum.*

Am Nordende der Albrecht-Dürer-Straße liegt am Fuße des Burgberges das **Albrecht-Dürer-Haus** (15. Jh.; wiederhergestellt), in dem der Meister von 1509 bis zu seinem Tode (1528) wohnte; im Innern Kopien Dürerscher Werke. Am nahen *Tiergärtner Tor* ist noch ein geschlossenes mittelalterliches Platzbild erhalten. – In der vom Rathaus zur Burg führenden Burgstraße links Nr. 15 das **Fembohaus** (1591 bis um 1596), das am besten erhaltene Beispiel eines Alt-Nürnberger Patrizierhauses; im Innern das *Altstadt-Museum.*

Im Norden der Altstadt erhebt sich die *Burg** (351 m). Von 1050 bis 1571 weilten alle anerkannten deutschen Könige und Kaiser auf ihr; zahlreiche Reichs-, Hof- und Gerichtstage wurden hier abgehalten. Die gesamte Anlage ist 220 m lang und 50 m breit. Unten die sog. *Kaiserstallung* (1495 als Kornhaus errichtet; jetzt Jugendherberge; Noricama-Schau); westlich anschließend als Rest der Zollerschen *Burggrafenburg* der um 1040 erbaute 'Fünfeckige Turm' (das älteste Gebäude der Stadt); weiter aufwärts die im 12. Jh. errichtete, später mehrfach umgebaute *Kaiserburg* mit dem 'Sinnwellturm' (Rundsicht) und dem 'Tiefen Brunnen'; im Innern (Führung) sehenswerte Räume (u. a. *Kaiserkapelle, 12. Jh.) und Kunstwerke. – In der nordwestlichen Johannis-Vorstadt der **St.-Johannis-Friedhof** (zahlreiche Gräber bedeutender Nürnberger

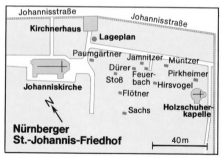

(u. a. Dürer, Veit Stoß, Pirkheimer, Hans Sachs).

Im östlichen Teil der Sebalder Seite am Egidienplatz die **Egidienkirche** (1711-18; wiederhergestellt), Nürnbergs einziger barocker Kirchenbau (gotische Tetzelkapelle mit Landauerschen Grabmal von Adam Krafft); nordwestlich gegenüber der schöne Neubau der **Stadtbibliothek** mit den Arkaden des zerstörten Pellerhauses (von 1605). – Unweit südlich, auf dem Hans-Sachs-Platz, ein Denkmal für den Dichter und Meistersinger *Hans Sachs* (1494-1576), der in der Nähe seine Schusterwerkstatt hatte. An der Südseite des Platzes das 1331 gestiftete *Heilig-Geist-Spital* (wiederhergestellt, Altersheim; Weinstube), im schönen Hof eine Kreuzigungsgruppe von Adam Krafft. Von hier aus führt die Spitalbrücke zu der von zwei Armen der Pegnitz gebildeten *Insel Schütt* mit dem *Männerschuldturm* (14. Jh.). Südöstlich der *Katharinenbau* (Serenaden) und das *Gewerbemuseum* (Möbel, Fayencen).

Im südwestlichen Teil der Lorenzer Seite am Jakobsplatz die ev. *Jakobskirche* (14. Jh.; wiederhergestellt); an der Nordseite des Platzes die kath. *Elisabethkirche* (18.-19. Jh.; wiederhergestellt). – Unweit südwestlich das *Spittlertor,* außerhalb der Stadtmauer der Plärrer, Nürnbergs verkehrsreichster Platz. – Zwischen dem Spittlertor und dem ehem. Maxtor liegen die schönsten Teile der ca. 5 km langen, 46türmigen *Stadtmauer (14.-17. Jh.; z. T. Wohnungen), auf die sich am *Fürther Tor* der beste Blick bietet. – Reizvolle Stadtansichten gewähren auch die Pegnitzbrücken, vor allem die Maxbrücke, die Partie am *Weinstadel* (15. Jh.; 1950 zu einem Studentenheim umgebaut) und der *Henkersteg.*

Am Südrand der Altstadt das einzigartige ****Germanische Nationalmuseum,** das, teilweise in den Gebäuden eines ehem. Klosters (Haupteingang Kornmarkt), überaus reiche Sammlungen aus vielen Gebieten der deutschen Kunst und Kultur enthält (Gemälde, Plastiken, Kupferstiche, Kunsthandwerk, Musikhistorische Sammlung). – In der Nähe (Lessingstr. 6) das sehenswerte ***Verkehrsmuseum** (Entwicklung des Eisenbahn- und Postwesens; u. a. *erste deutsche Eisenbahn).

Im Südosten der Stadt, im *Luitpoldhain,* die **Meistersingerhalle** (1963); $^1/_2$ km nördlich das 17stöckige Hochhaus der *Bundesanstalt für Arbeit* (1973; 78 m hoch). Südlich des Luitpoldhains der *Volkspark Dutzendteich.* Noch weiter südlich, im Stadtteil LANGWASSER, das **Messezentrum.** 5 km südwestlich der 1972 eingeweihte **Hafen** (Rundfahrten), am vorläufigen Ende des 'Europa-Kanals' (Rhein-Main-Donau-Kanal; auch Personenschiffe). 5 km nordwestlich vom Hafen befindet sich im Stadtteil SCHWEINAU ein *Fernsehturm* im Bau. – Im Osten der Stadt am Schmausenbuck der vielbesuchte **Tiergarten** (u. a. Delphinarium; Restaurant).

UMGEBUNG von Nürnberg. – **Schloß Neunhof** (9 km nördlich), besterhaltenes Beispiel von einst 50-60 alten Ansitzen Nürnberger Patrizierfamilien – **Erlangen** (19 km nördlich) mit Schloß (jetzt Universität) und Markgrafentheater.

Oberammergau

Bundesland: Bayern. – Kfz-Kennzeichen: GAP. Höhe: 840 m ü. d. M. – Einwohnerzahl: 4800. Postleitzahl: D-8103. – Telefonvorwahl: 08822.
ⓘ **Verkehrsamt,** Schnitzergasse 6-8; Telefon: 4921.

HOTELS. – **Alois Lang,* St.-Lukas-Str. 15, 80 B. (Gartenterrasse); *Böld,* König-Ludwig-Str. 10, 90 B.; *Turmwirt,* Ettaler Str. 2, 44 B.; *Wolf,* Dorfstr. 1, 60 B., Sb.; *Alte Post,* Dorfstr. 19, 60 B.; *Schilcherhof* (garni), Bahnhofstr. 17, 43 B.; *Rose,* Dedlerstr. 9, 50 B.

Oberammergau, in einer Talweitung der Ammer gelegen und von den Vorbergen der Ammergauer Alpen umgeben, ist ein beliebter Luftkurort und Wintersportplatz sowie Sitz einer staatlichen Schnitzschule. Viele seiner Bewohner sind Holzschnitzer. Die Oberammergauer *Passionsspiele (alle 10 Jahre; das nächste Mal 1980) haben den Ort weltberühmt gemacht.

GESCHICHTE. – Der Ort bestand bereits in römischer Zeit. Seine mittelalterliche Blüte verdankte er dem Warenverkehr von Italien nach Augsburg. Die Holzschnitzerei geht ins 17. Jh. zurück. Ebenso alt sind die Passionsspiele, die 1634 zum ersten Mal stattfanden. Anlaß war ein Pestjahr 1633 gegebenes Gelöbnis.

SEHENSWERTES. – Zahlreiche Häuser zeigen Fresken des Ammergauer 'Lüftlmalers' Franz Zwink (1748-92) so das *Pilatushaus* (1784) und das *Geroldhaus* (1778). Die prachtvolle **Pfarrkirche**

Pfarrkirche in Oberammergau

im Rokokostil (1736-42) ist eine der besten Schöpfungen Josef Schmuzers; die ausgezeichneten Deckengemälde im Innern stammen von Matthäus Günther. In der Dorfstraße Nr. 8 das *Heimatmuseum* mit alten Oberammergauer Schnitzwerken und einer Krippenschau. Am Nordende des Dorfes das **Passionsspielhaus** (1930) mit offenem, die Landschaft einbeziehenden Bühnenhaus und einem Zuschauerraum mit 5200 Sitzplätzen (Besichtigung).

UMGEBUNG von Oberammergau. – **Laber** (1680 m; südöstlich), Seilbahn vom Ortsteil St. Gregor. – ✱**Schloß Linderhof** (11 km südwestlich; s. bei Ettal).

Oberschwaben

Bundesländer: Baden-Württemberg und Bayern.
ⓘ **Fremdenverkehrsverband Bodensee-Oberschwaben,**
Schützenstraße 8, D-7750 Konstanz;
Telefon: (075 31) 2 22 32.
Landesfremdenverkehrsverband Baden-Württemberg,
Bussenstraße 23, D-7000 Stuttgart 1;
Telefon: (07 11) 48 10 45.

Oberschwaben wird im Norden von der Donau, im Westen von den Ausläufern des Schwarzwaldes und im Süden vom Bodensee begrenzt. Im Osten geht es allmählich ins Allgäu über. Die Eiszeit mit ihren Ablagerungen hat dieses Gebiet geprägt. Aus dem leicht welligen bis buckeligen Land erheben sich einzelne Berge bis über 750 m Höhe. Der Bussen unweit der Donau ist mit 757 m die höchste und markanteste Erhebung. Eine Menge kleiner Seen, teilweise vermoort, verteilen sich über das gesamte Gebiet.

Oberschwaben ist reich an Klöstern und

Barockkirchen. In **Ulm** *an der Donau* (✱✱Münster) beginnt die 'Oberschwäbische Barockstraße', die Höhepunkte des süddeutschen Barocks erschließt. *Obermarchtal* (Klosterkirche von Michael Thumb), *Zwiefalten* (✱ Münster von Johann Michael Fischer), *Bad Schussenried* (Bibliothekssaal von Dominikus Zimmermann) und *Weingarten* (✱Klosterkirche von Michael Thumb, Franz Beer, G. D. Frisoni u. a.) sind hier die großen Namen.

Die ehem. Reichsstädte *Biberach* und **Ravensburg** zeigen noch gut erhaltene mittelalterliche Stadtbefestigungen.

Obertor in Ravensburg

Bad Waldsee, Bad Buchau und *Bad Wurzach* sind bekannte Moorbäder. Bei *Tettnang* werden Spargel und Hopfen angebaut. Wer erstklassige Spargelspezialitäten kosten möchte, der kehre hier im Hotel Rad ein.

Oberstdorf

Bundesland: Bayern. – Kfz-Kennzeichen: SF.
Höhe: 843 m ü.d.M. – Einwohnerzahl: 12 000.
Postleitzahl: D-8980. – Telefonvorwahl: 0 83 22.
ⓘ **Kurverwaltung und Verkehrsamt,**
Marktplatz 71;
Telefon: 10 14.

HOTELS. – *Parkhotel Frank*, Sachsenweg 11, 130 B., Hb.; *Kurhotel Adula*, im Ortsteil Jauchen, 130 B., Hb.; *Alpenhof*, 45 B, Sb., Hb.; *Filser*, Freibergstr. 15, 120 B., Hb.; *Kurhotel Exquisit*, Prinzenstr. 17, 75 B., Hb.; *Wittelsbacher Hof*, Prinzenstr. 24, 130 B., Sb., Hb.; *Gästehaus Weller* (garni), Fellhornstr. 22, 30 B., Sb.; *Kappeler-Haus* (garni), Am Seeler 2, 100 B., Sb.

UMGEBUNG von Oberstdorf. – Etwa 2,5 km nördlich von Oberstdorf zweigt von der B 19 die Straße zur *Breitachklamm westwärts ab. Von dem Großparkplatz am Ausgang der Klamm gelangt man zu Fuß auf dem Klammweg bergauf zum Gasthaus Walser Schanz (1 St.). – Im Stillachtal aufwärts nach 5 km rechts abseits die *Heini-Klopfer-Schanze (Skiflugschanze; 170 m max. Sprungweite); im Inneren der freitragenden Betonkonstruktion Schrägaufzug zum Anlauf (schöner Blick auf den Freibergsee). Die Straße endet bei der Talstation der Großkabinenbahn auf das aussichtsreiche *Fellhorn (2037 m) mit ausgedehntem Höhenwander- und Skigebiet (schöne Alpenflora; zahlreiche Skilifte). – Auf das *Nebelhorn führt vom südöstlichen Ortsrand von Oberstdorf eine Großkabinenbahn bis zur Bergstation (1932 m; Skilifte) und von dort eine Sesselbahn zum Gipfel (2224 m).

Oberstdorf im Allgäu

Odenwald

Bundesländer: Baden-Württemberg und Hessen.

ⓘ **Fremdenverkehrsamt Odenwald,** Landratsamt, D-6120 Erbach/Odenwald; Telefon: (06062) 70220 oder 70217.

RESTAURANTS. – Sieben Schwaben, im Kurhaus, Prinzenstraße; Sonnenkeller, Weststr. 5; Weinstube Kohler, Pfarrstr. 9.

FREIZEIT. – Golfplatz (9 Löcher); Tennis; Frei- und Hallenbad; Eisstadion; Sprungschanzen.

Der stattliche Markt Oberstdorf liegt am Ende des tief in die Allgäuer Alpen eingeschnittenen Tals der Iller, deren Quellbäche Trettach, Stillach und Breitach sich unterhalb des Ortes vereinigen. Wegen des günstigen Klimas und der ausgesprochen schönen *Lage inmitten eines großartigen Bergkranzes ist Oberstdorf der meistbesuchte heilklimatische Kurort, Tourenstützpunkt und Wintersportplatz des Allgäus. Der größte Teil des Ortskerns wurde nach dem Brand von 1865 neu erbaut.

SEHENSWERTES. – Hinter der neugotischen Pfarrkirche der alte Friedhof mit einer Kriegergedächtniskapelle. Unweit südlich der Kurplatz mit Wandelhalle; von hier herrlicher *Blick auf das Gebirge. Südwestlich der Pfarrkirche das 1973 vollendete Kur- und Kongreßzentrum mit dem Alten Kurhaus und dem Kurmittelhaus; nahebei das Brandungsbad. Östlich der Pfarrkirche das Heimatmuseum, ferner die Talstation der Nebelhornbahn und unmittelbar jenseits der Trettach das große Kunsteisstadion sowie die Kuhbergschanze und die Schattenbergschanze.

Der *Odenwald gehört zu den reizvollsten deutschen Mittelgebirgen. Er steigt im Westen steil aus dem Oberrheingraben auf und wird im Nordosten vom Main, im Süden vom Neckar begrenzt. Etwa entlang der Linie Heidelberg-Aschaffenburg verläuft eine bis 150 m hohe Schichtstufe, die den Vorderen Odenwald vom Hinteren Odenwald scheidet.

Der Vordere Odenwald, eine reich zertalte, mit Laubwald besetzte Kuppenlandschaft, wird aus kristallinen Gesteinen aufgebaut. Er gipfelt im 517 m hohen Melibokus östlich von Zwingenberg an der Bergstraße. In diesem Teil des Odenwaldes finden sich zahlreiche Steinbrüche, in denen vor allem Granit und Porphyr gebrochen werden. Eine erdgeschichtliche Attraktion ist das Felsenmeer bei Lautertal-Reichenbach mit mächtigen Granitblöcken südlich vom 515 m hohen Felsberg.

Im Hinteren Odenwald überlagern Deckschichten des Rotliegenden und Buntstandsteins das kristalline Grundgebirge. Langgezogene, breite, überwiegend mit Nadelwald bestandene Höhenrücken bestimmen hier das Landschaftsbild. Höchste Erhebung ist der 626 m hohe Katzenbuckel bei Eberbach im Nordosten. Durch den östlichen Odenwald verlief einst die Grenze des Römischen Reiches gegen Germanien, der Limes (s. dort). – Seit 1960 besteht der 2320 qkm große *Naturpark Berg-straße-Odenwald* mit einem weitver-zweigten Netz von Wanderwegen.

Wichtige Touristenstraßen, **Nibelungenstraße** (Worms - Bensheim - Lindenfels - Erbach - Amor-bach - Miltenberg - Wertheim) und **Siegfried-straße** (Worms - Lorsch - Heppenheim - Fürth - Hetzbach - Amorbach) durchqueren das Waldge-birge in west-östlicher Richtung. Die **Bundes-straße 45** (Hanau - Dieburg - Höchst - Michelstadt - Hetzbach - Beerfelden - Eberbach), die weit-gehend dem Mümlingtal folgt, stellt die Nord-Süd-Verbindung zwischen Main und Neckar her.

Eine Reihe von Luftkurorten und Heil-bädern laden zum Odenwald-Urlaub ein: *Amorbach* (mit berühmter *Bene-diktinerabteikirche, *Barockorgel und sehenswerter Klosterbibliothek), *Bad König, Beerfelden,* die Kreisstadt *Erbach* (ein Zentrum der Elfenbein-schleiferei mit Schloß), *Fürth, Grasel-lenbach* (am nahen Siegfriedbrunnen soll Hagen den Siegfried getötet haben), *Höchst, Lindenfels* (von der gleichna-migen Burgruine überragter heilklima-tischer Kurort), *Michelstadt* (mit *Fach-

Rathaus in Michelstadt

werk-Rathaus von 1484 und karolingi-scher *Einhardsbasilika), *Schönau, Waldbrunn* und *Wald-Michelbach* sind die bekanntesten.

Offenbach

Bundesland: Hessen. – Kfz-Kennzeichen: OF.
Höhe: 103 m ü.d.M. – Einwohnerzahl: 112000.
Postleitzahl: D-6050. – Telefonvorwahl: 0611.
ⓘ **Verkehrsbüro,** Frankfurter Straße 35;
Telefon: 80 65 29 46.

HOTELS. – *Kaiserhof* (garni), Kaiserstr. 8, 60 B.;
Handelshof, Speyerstr. 2, 60 B.; *Euler,* Lud-

wigstr. 45, 51 B.; *Hansa* (garni), Bernardstr. 101, 30 B.; *Offenbacher Hof* (garni), Ludwigstr. 37, 70 B.; *Graf,* Ziegelstr. 2, 28 B. – In Bürgel: *Lin-denhof,* Mecklenburger Str. 10, 51 B. – CAMPING-PLATZ: *Offenbach-Bürgel,* am Main.

RESTAURANTS. – *Alt-Offenbach,* Domstr. 39; *Grill-Taverne,* Löwenstr. 26; *China-Restaurant Mandarin,* Schloßstr. 20. – In Bürgel: *Zur Post,* Offenbacher Str. 33.

Die am linken Ufer des Mains oberhalb von Frankfurt gelegene lebhafte Indu-striestadt ist bekannt als Zentrum der deutschen Lederwarenindustrie und Sitz des Deutschen Wetterdienstes. Alljährlich findet in Offenbach die In-ternationale Lederwarenmesse statt. In der 1885 erbohrten Kaiser-Fried-rich-Quelle besitzt Offenbach die alka-lireichste Natronquelle Deutschlands (Tafelwasser).

GESCHICHTE. – Offenbach, bereits 977 urkundlich erwähnt, wurde erst um 1800 Stadt. 1486-1815 war es Gebiet der Grafen von Isenburg. 1816 fiel es an Hessen-Darmstadt.

SEHENSWERTES. – Am Main erhebt sich das 1564-78 im Stil der Frührenais-sance erbaute ehem. **Isenburgische Schloß,** die einstige Residenz der Gra-fen von Isenburg. – An der Frankfurter Straße 86 das einzigartige *Deutsche Ledermuseum / Deutsche Schuhmu-seum** (Herstellung und Verarbeitung des Leders sowie Kulturgeschichte des Schuhs). An der Herrnstraße (Nr. 80) das *Klingspor-Museum* (neue Buch- und Schriftkunst).

UMGEBUNG von Offenbach. – **Heusenstamm** (4¹⁄₂ km südwestlich) mit Schönbornschem Schloß und Pfarrkirche St. Cäcilia und St. Barbara (von Baltha-sar Neumann).

Offenburg

Bundesland: Baden-Württemberg.
Kfz-Kennzeichen: OG.
Höhe: 161 m ü.d.M. – Einwohnerzahl: 54000.
Postleitzahl: D-7600. – Telefonvorwahl: 0781.
ⓘ **Städtisches Verkehrsamt,** Gärtnerstraße 6;
Telefon: 8 22 48.

HOTELS. – *Palmengarten,* Okenstr. 17, 120 B. (Gartenterrasse); *Parkhotel Waldhorn* (garni), Franz-Volk-Str. 11, 52 B.; *Sonne* (seit 1350), Haupt-str. 94, 55 B.; *Offenburger Hof,* Hauptstr. 44, 80 B.; *Union* (garni), Hauptstr. 19, 65 B. – In Zell-Wei-erbach: *Rebenhof,* Talweg 32, 30 B., Hb.

RESTAURANT. – *Traube,* in Offenburg-Fessen-bach, Fessenbacher Str. 115 (bad. und elsäss. Spez.).

VERANSTALTUNGEN. – *Weinmarkt* in der Oberrheinhalle (am ersten Juni-Dienstag); *Weinfest* auf dem Marktplatz (am letzten September-Wochenende); *Badischer Gütezeichen-Weinmarkt* (am ersten November-Samstag).

Die Stadt am Austritt der Kinzig aus den rebenbedeckten Vorbergen des Schwarzwalds in die fruchtbare Oberrheinebene, ist der Hauptort der wein- und obstreichen Ortenau, des 'Goldenen Landes'. Offenburg, Verwaltungssitz des Ortenaukreises, besitzt ein großes Verlagshaus und graphische Industrie sowie Leder- und Zigarrenfabriken. Auch als Straßen- und Eisenbahnknotenpunkt hat es Bedeutung.

GESCHICHTE. – Offenburg ist 1101 erstmals urkundlich erwähnt, erhielt 1223 Stadtrechte und war von 1289 bis 1803 Reichsstadt. 1551/56-1701 und 1771-1803 war es österreichisch, danach kam es zu Baden.

SEHENSWERTES. – Am Markt stehen das **Rathaus** (1741) und das **Landratsamt** (1714-17), der ehem. Amtshof der kaiserlichen Landvogtei. Nahebei, an der Ritterstraße, das *Ritterhausmuseum* mit stadt- und landeskundlichen sowie kolonialgeschichtlichen Sammlungen. – Westlich der Hauptstraße die kath. **Stadtkirche Zum Heiligen Kreuz** (Anfang des 18. Jh. erneuert); auf dem Vorplatz eine *Ölberggruppe* von 1524. – Stellenweise künden noch *Stadtmauern* von der alten Befestigungsanlage. – Westlich der Kinzig die *Oberrheinhalle* und der Messeplatz.

UMGEBUNG von Offenburg. – **Kinzigtal** (südöstlich) mit Gengenbach (11 km), Haslach (28 km) und Hausach (35 km; *Freilichtmuseum Vogtsbauernhof).

Oldenburg in Oldenburg

Bundesland: Niedersachsen.
Kfz-Kennzeichen: OL.
Höhe: 7 m ü.d.M. – Einwohnerzahl: 135000.
Postleitzahl: D-2900. – Telefonvorwahl: 0441.
ⓘ **Verkehrsverein,** Lange Straße 3;
Telefon: 25092.

HOTELS. – *Wieting,* Damm 29, 55 B.; *Graf von Oldenburg,* Heiligengeiststr. 10, 40 B.; *Posthalter* (garni), Mottenstr. 13, 36 B.; *Heide,* Melkbrink 49, 100 B.; *Sprenz* (garni), Heiligengeiststr. 15, 60 B.; *Bavaria,* Bremer Heerstr. 196, 90 B., Hb., Sauna; *Parkhotel,* Cloppenburger Straße 418, 38 B. – JUGENDHERBERGE: Huntestr. 6, 70 B. – CAMPINGPLATZ: *Freibad Nord* (Anfahrt Rennplatzstraße-Mühlenhofsweg).

RESTAURANTS. – *Patentkrug,* Wilhelmshavener Heerstr. 359; *Ratskeller,* Markt 1; *Sartorius-Stuben,* Herbertgang 6; *Shangri-La,* Ammerländer Heerstr. 61; *Nanking,* Staulinie 11 (chines. Küche).

CAFÉ. – *Klinge,* Theaterwall 47.

Die einstige großherzogliche Residenz und heutige Hauptstadt des niedersächsischen Verwaltungsbezirks Oldenburg liegt an der Hunte. Sie ist Sitz einer Universität und eines Oberverwaltungsgerichts, Umschlagplatz eines agrarisch reichen Hinterlandes und Sitz einer vielseitigen Industrie, die sich seit dem Ausbau des Küstenkanals zur Ems beachtlich entwickelt hat.

GESCHICHTE. – Im Jahre 1108 erstmals als *Aldenburg* erwähnt, wurde der Ort 1150 Sitz der Grafen des Ammerlandes, deren letzter und bedeutendster, Graf Anton Günther, 1667 starb. Dann kam die Stadt an Dänemark. Von 1773 bis 1918 war Oldenburg Residenz der Herzöge bzw. Großherzöge des Hauses Holstein-Gottorf und erlebte eine neue Blütezeit. 1918-1933 war es Hauptstadt des Freistaates Oldenburg. 1970 wurde die Universität gegründet.

SEHENSWERTES. – In der Mitte der von Wallanlagen und Wasserläufen umgebenen ALTSTADT liegt der Markt mit dem 1887 erbauten *Rathaus* und der **Lambertikirche** (13., 18. und 19.Jh.). Westlich vom Markt das *Haus Degode,* ein schönes Fachwerkhaus von 1617.

Unweit südöstlich des Platzes das im 17. und 18. Jh. erbaute ehem. großherzogliche **Schloß** mit dem sehenswerten *Landesmuseum für Kunst und Kulturgeschichte;* dahinter der hübsche *Schloßgarten.* Im ehem. *Augusteum* eine Gemäldegalerie. An dem vom Schloßplatz nach Südosten führenden Damm das *Staatliche Museum für Naturkunde und Vorgeschichte.* Am Nordrand der Altstadt der **Lappan** (Turm der ehem. Heiligengeistkapelle von 1468), ältestes Bauwerk und Wahrzeichen der Stadt.

Weiter nördlich das *Stadtmuseum* (Raiffeisenstr. 32-33). – Nördlich vom Hauptbahnhof die *Weser-Ems-Halle* (1954). – Im Nordwesten der Stadt der *Botanische Garten.*

UMGEBUNG. – **Zwischenahner Meer** (17 km nordwestlich), ein über 3 km langer und bis 2½ km breiter Binnensee im Süden des Oldenburger Ammerlandes; an seinem Südufer der Moor- und Kneippkurort *Bad Zwischenahn.*

Museumsdorf Cloppenburg (42 km südwestlich) im oldenburgischen Münsterland. Prunkstück die-

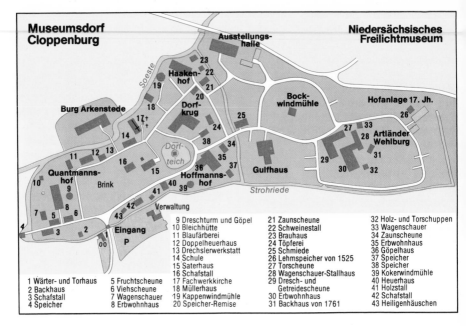

Museumsdorf Cloppenburg

Niedersächsisches Freilichtmuseum

9 Dreschturm und Göpel	21 Zaunscheune	32 Holz- und Torschuppen
10 Bleichhütte	22 Schweinestall	33 Wagenschauer
11 Blaufärberei	23 Brauhaus	34 Zaunscheune
12 Doppelheuerhaus	24 Töpferei	35 Erbwohnhaus
13 Drechslerwerkstatt	25 Schmiede	36 Göpelhaus
14 Schule	26 Lehmspeicher von 1525	37 Speicher
15 Saterhaus	27 Torscheune	38 Speicher
16 Schafstall	28 Wagenschauer-Stallhaus	39 Kokerwindmühle
17 Fachwerkkirche	29 Dresch- und	40 Heuerhaus
18 Müllerhaus	Getreidescheune	41 Holzstall
19 Kappenwindmühle	30 Erbwohnhaus	42 Schafstall
20 Speicher-Remise	31 Backhaus von 1761	43 Heiligenhäuschen

1 Wärter- und Torhaus	5 Fruchtscheune
2 Backhaus	6 Viehscheune
3 Schafstall	7 Wagenschauer
4 Speicher	8 Erbwohnhaus

ses größten deutschen Freilichtmuseums mit Bauernhäusern, Windmühlen und ländlichen Werkstätten ist die Artländer Hofanlage Wehlburg (1750).

Osnabrück

Bundesland: Niedersachsen.
Kfz-Kennzeichen: OS.
Höhe: 64 m ü.d.M. — Einwohnerzahl: 160000.
Postleitzahl: D-4500. — Telefonvorwahl: 0541.
ⓘ **Städtisches Verkehrsamt,** Markt 22;
Telefon: 3232202.

HOTELS. — *Hohenzollern,* Heinrich-Heine-Str. 17, 130 B., Hb., Sauna, Solarium; *Parkhotel,* Am Heger Holz, 200 B., Hb., Sauna; *Kulmbacher Hof,* Schloßwall 67, 26 B.; *Ueckmann* (garni), Maschstr. 10, 30 B.; *Welp,* Natruper Str. 227, 22 B.; *Central* (garni), Möserstr. 42, 40 B.; *Walhalla,* Bierstr. 24, 37 B. (Fachwerkhaus um 1690); *Klute,* Lotter Str. 30, 28 B.; *Biermann,* Lotter Str. 81, 33 B.; *Neustadt* (garni), Miquelstr. 34, 45 B. — In Nahne: *Himmelreich* (garni), Zum Himmelreich 11, 50 B., Hb. — JUGENDHERBERGE: Am Tannenhof 6. — CAMPINGPLÄTZE: *Niedersachsenhof,* Nordstr. 109; *Zum Attersee,* am Attersee.

RESTAURANTS. — *Viti-Schanze,* Vitihof 15a; *Ratskeller,* Markt 30; *Dalmatinische Deele,* Hasestr. 26 (jugoslaw. Spez.); *Zum Landgraf,* Domhof; *Ellerbrake,* Neuer Graben 7.

WEINSTUBEN. — *Aldermann,* Johannisstr. 93; *Weinkrüger,* Marienstr. 18; *Rebstock,* Markt.

CAFÉS. — *Leysieffer,* Krahnstr. 61; *Brüggemann,* Bierstr. 13; *Hügelmeyer,* Schillerstr. 23.

VERANSTALTUNGEN. — *Osnabrücker Musiktage* (alljährlich im Sommer); *Folk Festival* (am Wochenende vor Ostern und am letzten Wochenende im Oktober); *Rasthausspiele* auf dem historischen Marktplatz (im Sommer); *Lob des Friedens* mit Steckenpferdreiten der Osnabrücker Schuljugend (am 25. Oktober); Straßenkarneval.

Die alte Bischofs- und junge Universitätsstadt Osnabrück bettet sich in das Hasetal, reizvoll umrahmt von den Höhenzügen des Wiehengebirges und des Teutoburger Waldes. Die rege Großhandels- und Industriestadt (Automobil-, Metall-, Textil- und Papierindustrie) ist durch einen Stichkanal mit dem Mittellandkanal verbunden.

GESCHICHTE. — Keimzelle der Stadt war die Domburg. 785 erhob Karl der Große Osnabrück zum Bischofssitz. 889 gab König Arnulf von Kärnten dem Ort Marktrecht, Zollrecht und Münze. 1147 ist Osnabrück erstmals als Stadt erwähnt. 1157 verlieh Kaiser Barbarossa der Stadt das Befestigungsrecht. Auch die sich um die Johanniskirche bildende Neustadt befestigte sich. Bereits im 13. Jh. war Osnabrück Mitglied der Hanse und des Westfälischen Städtebundes. 1306 wurden Altstadt und Neustadt vereint, in den folgenden Jahrhunderten die Schutzanlagen verstärkt. 1643-48 fanden in Osnabrück zwischen den protestantischen Mächten die Verhandlungen zum Westfälischen Frieden statt. 1876/77 wurden die Befestigungswälle abgebrochen (bis auf den Herrenteichswall). Die Stadt wuchs nun über ihre alten Grenzen hinaus. 1970 wurde Osnabrück Universitätsstadt. — Osnabrück ist der Geburtsort des Schriftstellers Erich Maria Remarque (1898-1970), dessen Weltruf durch den Roman ''Im Westen nichts Neues'' begründet wurde.

SEHENSWERTES. — Historisches Zentrum im Herzen der ALTSTADT ist der **Dom** (St. Peter; kath.), Ende des 8. Jh. von Karl d. Gr. gegründet, in seiner heutigen Gestalt mit dem wuchtigen Südwestturm und dem schmaleren Nordwestturm aus dem 13. Jh.; im Innern sehenswert das kostbare Bronzetaufbecken von 1225, das Triumphkreuz von

1250 und die Apostelstatuen (16 Jh.) an den Pfeilern des Langhauses. Das angrenzende **Diözesanmuseum** (Eingang Kleine Domsfreiheit) zeigt u. a. den wertvollen *Domschatz. Auf dem Domhof der *Löwenpudel,* auf der von *Bischöflicher Kanzlei* und *Bischöflichem Palais* gesäumten Großen Domsfreiheit das *Möserdenkmal* (von Drake).

Unweit westlich vom Dom der von Giebelhäusern (im alten Stil wiederaufgebaut) umgebene Markt mit dem 1487-1512 erbauten **Rathaus** (sehenswerter Ratsschatz), in dessen *Friedenssaal 1648 der Teilfriede zwischen dem Kaiser, den protestantischen Reichsständen und den Schweden geschlossen wurde, der gotischen **Marienkirche** (13.-15. Jh.; ev.; schöner Antwerpener Flügelaltar des 16. Jh., Triumphkreuz aus dem 14. Jh.; Mösergrab), der alten *Stadtwaage* (16. Jh.; jetzt Standesamt) und dem wiederaufgebauten *Möserhaus,* Geburtshaus des Staatsmannes und Schriftstellers Justus Möser (1720-94), dessen ''Patriotische Phantasien'' Goethe beeindruckten.

Krahn- und Bierstraße zeigen noch alte Fachwerkhäuser wie das *Haus Willmann* von 1586 (1891 erneuert; Krahnstr. 7) und den *Gasthof Walhalla* von 1690; (Bierstr. 24). Die Heger Straße mit Altstadtkneipen und Antiquitätengeschäften führt zum **Heger Tor** *(Waterloo-Tor),* Teil der alten Stadtbefestigung, von der im Zuge der Wallstraßen auch *Bocksturm* (mit Sammlung mittelalterlicher Folterinstrumente und Waffen; Führungen), *Bürgergehorsam, Barenturm* und *Pernickelturm* künden. Am Heger-Tor-Wall das **Kulturgeschichtliche Museum** (volkskundliche, geschichtliche und Kunstsammlungen) und das *Naturwissenschaftli-*

che Museum. Der Neue Graben kennzeichnet die Grenze zwischen Altstadt und Neustadt. Hier stehen Osnabrücks moderne *Stadthalle,* das ehem. fürstbischöfliche **Schloß** (1668-90; jetzt Universitätsgebäude) sowie der *Ledenhof,* ein mittelalterliches Steinwerk mit schönem Renaissanceglockengiebel; dahinter die *Katharinenkirche* (14. Jh.; ev.) mit 103 m hohem Turm.

Verkehrsreicher Mittelpunkt der Stadt ist der Neumarkt, in den von Norden die Große Straße (Hauptgeschäftsstraße und Fußgängerzone), von Süden die Johannisstraße einmünden. Die **Johanniskirche** (13. Jh.; kath.) ist Pfarrkirche und Keimzelle der NEUSTADT; im Innern Hauptaltar von 1525 aus der Schule des 'Meisters von Osnabrück'. – Weiter im Süden der **Waldzoo** am Schölerberg (Freigehege, Seehundsbecken, Südamerikahaus).

UMGEBUNG von Osnabrück. – **Bad Iburg** (16 km südlich), Kneippheilbad am Teutoburger Wald (Dörenberg, 331 m; Aussichtssturm), mit Schloß. – **Tecklenburg** (22 km südwestlich), Bergstädtchen im Teutoburger Wald, mit Burgruine (Freilichtbühne). – **Bad Essen** (24 km nordöstlich), Solbad am Wiehengebirge.

Ostfriesische Inseln

Bundesland: Niedersachsen.
ⓘ **Fremdenverkehrsverband Nordsee-Niedersachsen-Bremen,** Gottorpstraße 18, D-2900 Oldenburg / Oldb.; Telefon: (04 41) 1 45 35.

Die sieben Ostfriesischen Inseln liegen in einer Reihe wie ein Schutzschild vor der Küste Ostfrieslands zwischen Ems- und Wesermündung, im Norden gesäumt von der offenen See, im Süden vom Wattenmeer (auf allen Inseln geführte Wattwanderungen). Die meisten Inseln sind für den Kraftfahrzeugverkehr gesperrt, nur Borkum und Norderney erlauben die Mitnahme des eigenen Wagens.

Westlichste und größte der Ostfriesischen Inseln ist die vor der Emsmündung gelegene 35 qkm große Insel **Borkum** (8 km lang und 4 km breit), die man in $2^1/_2$ St. von Emden aus mit dem Fährschiff erreicht. Eine Inselbahn führt vom Schiffsanleger zum Nordseeheilbad *Borkum* mit breitem Nord- und Südstrand sowie Meerwasser-Wellen-Hallenbad.

Osnabrück

Nach Osten schließt sich **Juist** an, eine langgestreckte Insel von 17 km länge und nur $^1/_2$ km Breite (Fährverbindung von Norddeich) mit schönem steinfreien Nordstrand und dahinterliegender Dünenkette. Am Südstrand das Nordseeheilbad *Juist* (2,5 km lange Inselbahn von der Mole zum Ort) mit Meerwasser-Wellen-Hallenbad. Im Insel-Westen das Naturschutzgebiet *Bill* mit Hammersee und Vogelkoje. Südwestlich vorgelagert die Vogelschutzinsel *Memmert*.

Norderney ist mit 25 qkm die zweitgrößte der Ostfriesischen Inseln (14 km lang und bis 2 km breit). Das im Westen gelegene niedersächsische Staatsbad *Norderney* (Fährverkehr mit Autotransport von Norddeich) ist das älteste deutsche Nordseebad (1797 gegr.) und zugleich das eleganteste. Auch das 1931 erbaute Meerwasser-Wellen-Hallenbad ist das erste seiner Art in Deutschland. Sehenswert das in einem Norderneyer Fischerhaus untergebrachte Heimatmuseum.

Baltrum, das 'Dornröschen der Nordsee' ist mit 6,5 qkm (6 km lang und bis 1$^1/_2$ km breit) die kleinste der Ostfriesischen Inseln. Ihr feinsandiger Badestrand wird gern von Familien besucht. Auch hier steht ein Meerwasser-Hallenbad zur Verfügung. 1$^3/_4$ St. dauert die Überfahrt von Norddeich, nur 20 Min. die von Neßmersiel (im Sommer).

Langeoog, weiter östlich, ist 14 km lang und 1-2$^1/_2$ km breit. In 1 St. führt das Fährschiff von Bensersiel heran. Vom Anleger geht eine Inselbahn zum Nordseeheilbad *Langeoog* (mit Meerwasser-Wellen-Hallenbad) im Westen der Insel. Östlich der *Melkhörndüne* in der Inselmitte eine der größten Vogelkolonien der Nordsee mit Tausenden von Silbermöwen. Eine Langeooger Spezialität ist das Dünensingen.

Spiekeroog erreicht man von Neuharlingersiel in einstündiger Schiffsreise. Den Kern der über 8 km langen und 2 km breiten Insel (Naturschutzgebiet) bildet eine im Westteil z.T. bewaldete Dünenlandschaft, die nach Süden zum Wattenmeer hin in einen Grünstreifen übergeht. Nach Osten erstreckt sich ein über 5 km langer und 2 km breiter, größtenteils erst in der zweiten Hälfte des 19. Jh. angewachsener Sandstrand. So

ist Spiekeroog ein Musterbeispiel für das langsame, aber stetige Ostwärtswandern aller Ostfriesischen Inseln. Die 1696 erbaute Inselkirche im Ort *Spiekeroog* enthält Wrackstücke eines 1588 vor der Insel gestrandeten Schiffes der spanischen Armada.

Wangerooge

Wangerooge (Bäderschiffe von Carolinensiel-Harlesiel, Mai-Sept. auch von Wilhelmshaven und Bremerhaven), 9 km lang und bis 1$^1/_2$ km breit, ist die östlichste der Ostfriesischen Inseln. Das in der Inselmitte gelegene Nordseeheilbad und niedersächsische Staatsbad *Wangerooge* (1804 gegr.; der frühere Ort wurde 1854 durch eine Sturmflut zerstört) ist das zweitälteste deutsche Nordseebad; im Alten Leuchtturm (Aussicht) ein Museum. Westlich des Ortes in den Stranddünen ein beheiztes Meerwasser-Freischwimmbad (25°C). Die Insel besitzt mehrere Vogelschutzgebiete.

Ostseeküste

Bundesland: Schleswig-Holstein.
ⓘ **Fremdenverkehrsverband Schleswig-Holstein,**
Adelheidstraße 10, D-2300 Kiel;
Telefon: (0431) 64011.

Die bundesdeutsche Ostseeküste zwischen Lübeck-Travemünde und Flensburg ist 383 km lang. Buchten und fjordartige Flußmündungen greifen tief ins Land ein: Lübecker Bucht, Kieler Förde, Eckernförder Bucht, Schlei und Flensburger Förde. Die Fehmarnsundbrücke verbindet das Festland und Fehmarn, mit 185 qkm die größte Insel der Bundesrepublik. Im Gegensatz zu der waldlosen Marschenlandschaft der Nordseeküste ist die Küste der Ostsee vielfach schön bewaldet (meist

Buchenwälder). Die Ostsee hat kaum merkliche Gezeiten (Ebbe und Flut).

An der Lübecker Bucht reihen sich die Ostseebäder: das elegante *Travemünde* und *Timmendorfer Strand-Niendorf* (Sport- und Freizeitzentrum), *Haffkrug-Scharbeutz, Sierksdorf* (mit Freizeitpark 'Hansaland'), die kleinen zu *Neustadt in Holstein* gehörenden Seebäder *Pelzerhaken* und *Rettin,* dann *Grömitz, Kellenhusen* und *Dahme.* 90 % aller Ostseeurlauber verbringen hier ihre Ferien.

Die Insel Fehmarn bietet bei *Burg-Südstrand* ein schönes Strandgebiet. An der Westküste im Bereich des Vogelschutzgebietes *Wallnau* befinden sich einige Naturstrände. Die Strandzone des Fehmarn gegenüberliegenden Ferienzentrums *Heiligenhafen* befindet sich auf der Halbinsel Steinwarder. An das bewaldete Steilufer von *Hohwacht* lehnen sich reizvolle Strände an. – Freizeitzentrum *Weißenhäuser Strand.*

Im Bereich der Kieler Förde liegen die Seebäder *Heikendorf, Laboe* (Marine-Ehrenmal) und das moderne Segelsportzentrum *Marina Wendtorf* sowie der Olympiahafen *Schilksee,* Austragungsort der Segelwettbewerbe während der Olympischen Sommerspiele 1972, und das benachbarte kleine *Strande.* – Schwedeneck mit seinen Sandstränden bei *Dänisch Nienhof* und

Surendorf, Ostseeheilbad und Hafenstadt *Eckernförde* sowie das moderne Ferienzentrum *Damp 2000* gehören zum Bereich der Eckernförder Bucht. – *Glücksburg* an der Flensburger Förde (mit malerischem *Wasserschloß) beschließt den Reigen der Ostseebäder.

Bootshafen an der Fehmarnsundbrücke

Durch den Bau von Hallenbädern und Meerwasser-Wellen-Hallenbädern trugen viele Seebäder bei zu einer Verlängerung der Saison.

Die türmereiche mittelalterliche Stadt **Lübeck,** einst die 'Königin der Hanse', die schleswig-holsteinische Landeshauptstadt **Kiel,** die Domstadt **Schleswig** und **Flensburg** mit seinen Kirchen und Toren laden zu einem Besuch ein. Im Hinterland der Lübecker Bucht lockt die hügel- und seenreiche **Holsteinische Schweiz** (s. dort).

Freizeitzentrum Weißenhäuser Strand an der Hohwachter Bucht

Paderborn

Bundesland: Nordrhein-Westfalen.
Kfz-Kennzeichen: PB. – Höhe: 119 m ü.d.M. – Einwohnerzahl: 107 000.
Postleitzahl: D-4790. – Telefonvorwahl: 05251.
ⓘ **Verkehrsverein,** Marienplatz 2a;
Telefon: 2 95 95.

HOTELS. – *Arosa,* Westernmauer 38, 150 B., Hb., Sauna; *Zur Mühle,* Mühlenstraße (Paderaue), 52 B. (mit Rest. 'Fauler Sack'); *Deutscher Hof,* Bahnhofstr. 14, 50 B.; *Südhotel,* Borchener Str. 23, 40 B.; *Krawinkel,* Karlsplatz 33, 45 B. – In Elsen: *Kaiserpfalz,* von-Ketteler-Str. 20, 38 B. – JUGENDHERBERGE: *Heiersburg,* Meinwerkstr. 16, 110 B. – CAMPINGPLATZ: *Am Waldsee,* im Ortsteil Schloß Neuhaus.

RESTAURANTS. – *Schweizer Haus,* Warburger Str. 99 (Schweizer Küche); *Ratskeller,* Rathausplatz; *Domhof,* Markt 9. – In Marienloh: *Haus Hentze,* Detmolder Str. 388.

VERANSTALTUNGEN. – *Libori-Fest* (am Sonnabend nach dem 23. Juli), verbunden mit einer achttägigen Kirmes.

Paderborn, die alte westfälische Kaiser-, Bischofs- und Hansestadt, liegt im Ostteil der Münsterschen Tieflandsbucht westlich vom Eggegebirge an den Quellen der Pader. Die nach schweren Kriegszerstörungen neuerstandene Stadt ist heute ein rühriges Geschäfts- und Wirtschaftszentrum Ostwestfalens sowie Sitz einer Universität (Gesamthochschule).

GESCHICHTE. – Im Schnittpunkt bedeutender Handelswege bildete sich hier bereits früh eine Siedlung. 777 hielt Karl der Große hier seinen ersten Reichstag im eroberten Sachsenland ab. Im selben Jahr wurde Paderborn Stadt. 799 kam es in Paderborn zur weltgeschichtlichen Begegnung des Frankenkönigs mit Papst Leo III. Im Jahre 806 wurde das Bistum gegründet, das im 11. Jahrhundert unter Bischof Meinwerk eine hohe künstlerische Blüte erlebte. 1180 erhielt die Stadt einen starken Befestigungsring. 1294 war sie bereits Hansestadt, 1497 Prinzipalstadt der Hanse. 1614 wurde die Universität gegründet, die erste Westfalens (bis 1844; Neugründung als Katholisch-Theologische Hochschule). 1803 wurde Paderborn Kreisstadt.

SEHENSWERTES. – Am Domplatz, im Mittelpunkt der Stadt, erhebt sich der *Dom (11.-13. Jh.; kath.), dessen 94 m hoher Turm das Wahrzeichen Paderborns ist; am südlichen Haupttor (Paradiesportal) bedeutende romanische Bildwerke (um 1250-60), im Innern beachtenswerte Grabmäler und eine reiche Schatzkammer; in der Krypta (12. Jh.) ein Ebenholzschrein mit den Reliquien des hl. Liborius. An der Nordseite des Doms die 1017 erbaute *Bartholomäuskapelle,* die älteste Hallenkirche

Deutschlands. In ihrer Nachbarschaft wurden bei Ausgrabungen Reste einer *Pfalzaula* und einer *Pfalzkapelle* aus karolingischer Zeit entdeckt. Das in einem Neubau aus Glas und Beton untergebrachte **Diözesanmuseum,** westlich vom Dom, birgt als größte Kostbarkeiten den Libori-Schrein (1627) und die *Imad-Madonna (um 1050). Die gegenüberliegende *Gaukirche St. Ulrich* (12 Jh.; kath.) mit achteckigem Turm ist Paderborns älteste Pfarrkirche.

Südwestlich vom Domplatz führt die belebte Geschäfts- und Fußgängerstraße Schildern zum Rathausplatz, der vom **Rathaus,** einem prachtvollen dreigiebeligen Spätrenaissancebau (1613-15; wiederaufgebaut), beherrscht wird. – Nordwestlich vom Domplatz die romanische **Abdinghofkirche** (11 Jh.; ev.); unterhalb in schönen Grünanlagen die *Paderquellen.* Im Osten der von einer Wallstraße umgebenen Altstadt die *Busdorfkirche* (11. Jh.; kath.); im Süden der Altstadt die barocke *Franziskanerkirche* (1691) und die *Jesuitenkirche* (1682-84; ehem. Universitätskirche). – **Schloß Neuhaus** (13.-16. Jh.) im gleichnamigen Stadtteil, ein Vierflügelbau mit wuchtigen Ecktürmen, war einst Residenz der Paderborner Fürstbischöfe.

UMGEBUNG von Paderborn. – *Wewelsburg (17 km südwestlich), eine mächtige Burganlage aus dem 17. Jahrhundert. – *Büren (28 km südwestlich) mit barocker Jesuitenkirche.

Passau

Bundesland: Bayern. – Kfz-Kennzeichen: PA. – Höhe: 290 m ü.d.M. – Einwohnerzahl: 51 000. Postleitzahl: D-8390. – Telefonvorwahl: 08 51.
ⓘ **Fremdenverkehrsverein,**
Nibelungenhalle; Telefon: 5 14 08.

HOTELS. – *Weißer Hase,* Ludwigstr. 23, 160 B.; *Schloß Ort* (garni), am Dreiflußeck, 54 B.; *Dreiflüsse-Stadion,* Danziger Str. 40, 76 B.; *Schwarzer Ochse,* Ludwigstr. 22, 115 B.; *Stiehler* (garni), Spitalhofstr. 73, 24 B.; *Zum König,* Rindermarkt 2, 20 B.; *Zur Laube,* Im Ort 14, 18 B. (Caféterrasse mit Donaublick). – JUGENDHERBERGE: auf der Veste Oberhaus, 200 B. – CAMPINGPLÄTZE: im Hof der Veste Oberhaus; am Donauufer in Oberzell (18 km östlich); ADAC-Zeltplatz bei Gottsdorf (22 km östlich).

RESTAURANTS. – *Heilig-Geist-Stiftsschänke,* Heiliggeistgasse 4 (mit mittelalterlichem Stiftskeller und Garten); *Taormina,* Schillerstr. 4 (italien. Küche); *Dalmatinerstuben,* Neuburger Str. 49 (mit Garten; jugoslaw. Spez.); *Goldener Ochse,* Mariahilfstraße.

Die Altstadt von Passau zwischen Donau (links) und Inn (rechts)

BIERLOKALE. – *Peschlbräu*, in der Roßtränke (mit Donauterrasse), *Löwenbräu* im Bräustübl, Kleiner Exerzierplatz; *Weißbrauerei Andorfer*, auf der Ries (mit Aussichtsterrasse).

CAFÉS. – *Hoft*, Ludwigstr. 17; *Residenzcafé*, am Residenzplatz; *Inncafé*, an der Innpromenade; *Restaurant-Café* auf der Veste Oberhaus (schöne Lage).

VERANSTALTUNGEN. – *Frühjahrsmesse* in der Nibelungenhalle; *Maidult* mit großem Trachten- und Schützenfestzug; *Europäische Wochen* mit Konzerten und Theateraufführungen (Juni/Juli); Trachtenfeste; *Herbstdult* (1. Septemberwoche); *Christkindlmarkt* in der Nibelungenhalle (Dezember).

Die alte Bischofsstadt Passau liegt prächtig an der Vereinigung der hier nur 240 m breiten Donau mit dem 290 m breiten Inn und der Ilz und bildet mit ihren von der Veste Oberhaus und der Mariahilfkirche überragten Häusern in der italienisierenden Bauweise der Inn- und Salzachstädte ein einzigartiges *Stadtbild. Alexander von

Humboldt zählte die 'Drei-Flüsse-Stadt' zu den sieben am schönsten gelegenen Städten der Erde. Passau ist seit 1978 Sitz einer Universität. Die bayerische Grenzstadt gegen Österreich ist überdies Ausgangspunkt für die Personenschiffahrt auf der Donau. Alljährlich findet in der Nibelungenhalle die Passauer Frühjahrsmesse statt.

GESCHICHTE. – Passau, in frühgeschichtlicher Zeit eine befestigte Siedlung der keltischen Bojer *(Bojodurum)*, erhielt seinen Namen von dem um 200 n. Chr. auf dem südlichen Innufer gegründeten Römerlager *Castra Batava* (Standort einer batavischen Kohorte), auf dessen Trümmern im 7. Jh. eine Herzogsburg der Bayern stand. Um 735 wurde das Bistum gegründet, das später bis an die Grenze von Ungarn reichte; der tatkräftige Bischof Piligrim (971-91) wird im Nibelungenlied gerühmt; Bischof Ulrich II. erhielt 1217 die Würde eines Reichsfürsten. Im Mittelalter war Passau dank seiner günstigen Lage ein bedeutender Handelsplatz. Die glanzvollsten Tage brachte das 16. Jahrhundert; der

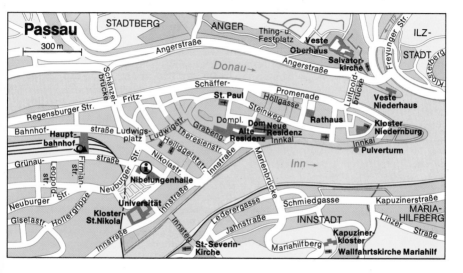

Passauer Vertrag von 1552 zwischen Kaiser Karl V. und dem Kurfürsten Moritz von Sachsen bildete die Grundlage des Augsburger Religionsfriedens. 1662 und 1680 wurde die Stadt von zwei verheerenden Bränden heimgesucht. Zum Wiederaufbau riefen die Fürstbischöfe italienische Baumeister in die Stadt. Durch sie erhielt Passau barockes Gepräge. 1784 verlor das Bistum seine österreichischen Landesteile; 1803 wurde es verweltlicht und kam an Bayern. Seit 1821 ist die Stadt wieder Bischofssitz.

SEHENSWERTES. – Brennpunkt des Verkehrs in der zwischen Donau und Inn zusammengedrängten ALTSTADT ist der Ludwigsplatz. Hier beginnt die Ludwigstraße, die mit dem sie fortsetzenden Rindermarkt der Hauptsitz des geschäftlichen Lebens ist. Am Rindermarkt die *Paulskirche,* ein Barockbau von 1678.

An dem von ehem. Domherrenhöfen umsäumten Domplatz erhebt sich der *Dom St. Stephan (15.-17. Jh.), dessen Inneres durch die 1680-86 ausgeführten Stuckarbeiten von G. B. Carlone italienisches Gepräge zeigt; die 1924-28 erbaute *Orgel ist mit über 17000 Pfeifen und 208 Registern die größte Kirchenorgel der Erde (Mai-Sept. tägl. Konzerte). – Der schöne Domchor begrenzt den stimmungsvollen Residenzplatz mit der 1712-72 erbauten *Neuen Bischöflichen Residenz.*

Am rechten Donau-Ufer der Rathausplatz mit dem **Rathaus,** einer seit 1298 entstandenen Gebäudegruppe (Ratskeller) mit einem 68 m hohen Turm von 1893. – Am linken Ufer des Inns die ehem. *Jesuitenkirche St. Michael* (Studienkirche; 17 Jh.) mit prächtigem Innern; weiter das im 8. Jh. gegründete ehemalige Benediktinerinnenkloster **Niedernburg** (jetzt Institut der Englischen Fräulein) mit der ehem. *Marienkirche* (11.-17. Jh.); in der Maria-Parz-Kapelle das Hochgrab der Äbtissin Gisela († um 1060), der Schwester Kaiser Heinrichs II. und Witwe des Ungarnkönigs Stephan des Heiligen. – Am *Dreiflußeck* (Anlegestelle der Donau-Passagierschiffe nach Linz, Wien und zum Schwarzen Meer) interessanter Blick auf den Zusammenfluß der gelbgrünen Donau, des grauen Inns und der moorbraunen Ilz.

Am rechten Ufer des Inns liegt an der Stelle der keltischen Siedlung Bojodurum die INNSTADT, in deren Westen sich die *Severinskirche* (urspr. 8. Jh.) erhebt; 1974 wurden hier die Funda-

mente einer spätrömischen Siedlung, vermutlich der 'Stadt des hl. Severin', entdeckt. Auf der Höhe über der Innstadt die 1627 erbaute Wallfahrtskirche **Mariahilf** (358 m; reizvolle Aussicht).

Über dem linken Donauufer die ehem. bischöfliche *Veste Oberhaus (408 m; Fußweg ¹/₂ St., Auffahrt 1 km) aus dem 13. bis 16. Jh.; *Stadtmuseum, Gemäldegalerie, Böhmerwaldmuseum, Feuerwehrmuseum.* Von der Gaststätte und vom Aussichtsturm prächtige Aussicht. – Ein Wehrgang verbindet die Veste Oberhaus mit der ehem. *Veste Niederhaus* (jetzt Privateigentum) auf der Landzunge zwischen Ilz und Donau. Unweit nördlich, jenseits eines Felsentors, die eigenartige *Salvatorkirche* (15. Jh.; jetzt Konzertsaal).

UMGEBUNG von Passau. – **Schloß Neuburg** (11 km südlich) auf dem Hochufer über dem Inn (Europ. Akademie des G.-Stresemann-Instituts). – *Donaukraftwerk Jochenstein** (21 km östlich), eines der bedeutendsten Stromkraftwerke Westeuropas.

Pforzheim

Bundesland: Baden-Württemberg.
Kfz-Kennzeichen: PF.
Höhe: 274 m ü.d.M. – Einwohnerzahl: 109000.
Postleitzahl: D-7530. – Telefonvorwahl: 07231.
ⓘ **Stadtinformation,** Marktplatz 1;
Telefon: 392190.

HOTELS. – *Ruf, Bahnhofplatz 5, 65 B. (mit Rest. 'Schüttelfaß'); *Schloß-Hotel,* Lindenstr. 2, 40 B.; *City* (garni), Bahnhofstr. 8, 33 B.; *Schwarzwald-Hotel,* Am Schloßgatter 7, 45 B.; *Gute Hoffnung,* Dillsteiner Str. 9, 40 B. (mit Rest. 'Hubertus-Grill'); *Europa* (garni), Kronprinzenstraße 1, 32 B. – JUGENDHERBERGE: *Burg Rabeneck,* Krähenecksstr. 4, 86 B. – CAMPINGPLATZ: *International Camping Schwarzwald,* Pforzheim-Schellbronn.

RESTAURANTS. – *Ratskeller,* Marktplatz 1; *Goldener Adler,* Leopoldplatz; *Ketterers Bräustüble,* Jahnstr. 10. – In Büchenbronn: *Adler,* Lerchenstr. 2.

Die weitbekannte 'Goldstadt' liegt am Nordrand des Schwarzwaldes in einem Talkessel am Zusammenfluß von Enz, Nagold und Würm. Als Ausgangspunkt in die schönen Täler dieser Wasserläufe und auf die drei Schwarzwald-Höhenwanderwege ist Pforzheim die Pforte des Nördlichen Schwarzwaldes.

GESCHICHTE. – Pforzheim entwickelte sich im 13. Jh. am Fuße des Schloßberges. Bis 1565 war es Residenz der Markgrafen von Baden-Durlach. 1767 begründete der badische Markgraf Karl Friedrich die hiesige Gold-, Silber- und Schmuckindustrie. Im Februar 1945 wurde die Stadt durch einen Luftangriff fast völlig zerstört, nach dem Zweiten Weltkrieg jedoch großzügig wiederaufgebaut.

SEHENSWERTES. – Von der alten Residenz der Markgrafen von Baden-Durlach kündet neben dem *Archivturm* nur noch die **Schloßkirche** (urspr. 11. Jh., wiederaufgebaut; im Chor die Wandgräber der badischen Markgrafen) am Schloßberg. Südlich am Marktplatz (Fußgängerzone) das *Rathaus* (Glockenspiel). Weiter südlich, in dem von Enz und Nagold gebildeten Flußdreieck, die 1964-68 neu erbaute *Stadtkirche;* schöner Rundblick von dem freistehenden, 76 m hohen Turm (Fahrstuhl). Südwestlich steht am Nordrand vom Stadtgarten das **Reuchlinhaus;** darin das *Schmuckmuseum* und das *Heimatmuseum.*

Im Pforzheimer Schmuckmuseum

Im Osten der Stadt die romanische Altstadtkirche St. Martin (12. Jh.; im Chor spätgotische Wandmalereien). – Im westlichen Stadtteil ARLINGER die moderne, zeltförmige *Matthäuskirche* (von Egon Eiermann, 1953). – 5$^1/_2$ km südlich vom Stadtzentrum, im Stadtteil WÜRM, ein gut angelegter, sehenswerter *Alpengarten.*

UMGEBUNG von Pforzheim. – *Zisterzienserabtei Maulbronn (18 km nordöstlich), die besterhaltene mittelalterliche Klosteranlage Deutschlands (gegr. 1146; jetzt ev.-theolog. Seminar). – Bad Liebenzell (24 km südlich) im Nagoldtal, überragt von einer Burg (447 m; internationales Jugendforum).

Recklinghausen

Bundesland: Nordrhein-Westfalen.
Kfz-Kennzeichen: RE.
Höhe: 76 m ü.d.M. – Einwohnerzahl: 121000.
Postleitzahl: D-4350. – Telefonvorwahl: 02361.
ⓘ **Städtisches Reisebüro,** Kunibertistraße 23;
Telefon: 587667.

HOTELS. – *Barbarossa-Hotel,* Am Löhrhof 8, 90 B., Hb.; *Parkhotel Die Engelsburg,* Augustinesstr. 10, 40 B.; *Wüller* (garni), Hammer Str. 1 (beim Ostbahnhof), 85 B. – *Autobahn-Rasthaus Hohenhorst,* 4 km südlich, 11 B.

RESTAURANTS. – *Ratskeller,* im Rathaus; *Zum Drübbelken,* Münsterstr. 5.

VERANSTALTUNGEN. – **Ruhrfestspiele** (Juni bis Juli).

Die rege Industriestadt Recklinghausen liegt im Neuen Revier zwischen Emscher und Lippe. Ihr wirtschaftliches Gefüge wird vor allem vom Steinkohlenbergbau bestimmt. Auf kulturellem Gebiet haben die alljährlich hier stattfindenden Ruhrfestspiele die Stadt bekannt gemacht.

GESCHICHTE. – Recklinghausen (althochdeutsch: Ricklinchusen) gehört zu den ältesten Städten des Reviers. Die Altstadt entwickelte sich um einen karolingischen Reichshof. Seit etwa 1150 gehörte Recklinghausen als Hauptort des gleichnamigen Vestes (Gerichtsbezirk) zum Erzstift Köln. 1236 erhielt es erweiterte Stadtrechte. 1316 wurde es Mitglied der Hanse. Im 14. und 15. Jh. erlangte es eine wirtschaftliche Blüte. Im 16. und 17. Jh. suchten mehrere Brände die Stadt heim. 1802 wurde Recklinghausen Residenz des Herzogs von Arenberg. 1815 fiel es mit dem Vest an Preußen. Seit der Mitte des 19. Jh. brachte der Steinkohlenbergbau einen neuen wirtschaftlichen Aufschwung. 1926 vergrößerte sich das Stadtgebiet durch Eingemeindungen.

SEHENSWERTES. – Inmitten der ALTSTADT mit ihren engen Gassen erhebt sich die Propsteikirche St. Peter (13. Jh., später erweitert; kath.); westlich gegenüber das in Westeuropa einzigartige *Ikonenmuseum* (rd. 600 Ikonen aus dem 15.-19. Jh.). – Weiter westlich die *Engelsburg* (1701; jetzt Hotel). – Nördlich der Altstadt am Wickingplatz die *Städtische Kunsthalle* (moderne Kunst; Sonderausstellungen während der Ruhrfestspiele). – Im Stadtgarten im Nordwesten der Stadt das moderne **Festspielhaus** (*Haus der Ruhrfestspiele;* 1965 eröffnet), der *Tiergarten* und die 1953 eröffnete große *Volkssternwarte.*

Regensburg

Bundesland: Bayern. – Kfz-Kennzeichen: R.
Höhe: 333 m ü.d.M. – Einwohnerzahl: 134000.
Postleitzahl: D-8400. – Telefonvorwahl: 0941.
ⓘ **Verkehrsamt,** im Alten Rathaus;
Telefon: 5072141.

HOTELS. – *Avia-Hotel,* Frankenstr. 1-3, 120 B.; *Kaiserhof am Dom,* Kramgasse 10, 55 B.; *Karmeli-

ten, Dachauplatz 1, 126 B.; *Bischofshof,* Krautermarkt 3, 100 B.; *St. Georg,* Karl-Stieler-Str. 8, 54 B.; *Lukullus* (garni), Puricellistr. 15, 40 B.; *Münchner Hof,* Tändlergasse 9, 65 B.; *Straubinger Hof,* Adolf-Schmetzer-Str. 33, 100 B.; *Weidenhof* (garni), Maximilianstr. 23, 70 B.; *Zum Fröhlichen Türken* (garni), Fröhliche-Türken-Str. 11, 65 B. – JUGENDHERBERGE: Wöhrdstr. 6, 170 B. – CAMPINGPLATZ: *Weinweg,* Westheimsiedlung/Donaubogen.

RESTAURANTS. – *Ratskeller,* Rathausplatz 1 (Spez.: Donau-Waller); *Historisches Eck Zur Stritzelbäckerin,* Watmarkt 6; *Kaiserhof,* Domplatz (mit Terrasse); *Historische Wurstküche,* Weiße-Lamm-Gasse 3 (Spez.: Schweinswürstl vom Rost).

BIERHÄUSER. – *Brandl-Brauerei,* Ostengasse (mit Garten); *Kneitinger-Brauerei,* Arnulfplatz 3; *Hofbräuhaus,* Rathausplatz.

CAFÉ. – *Prinzess,* Rathausplatz 2.

Die alte Reichsstadt Regensburg, Hauptstadt des Regierungsbezirks Oberpfalz sowie Bischofssitz, liegt am nördlichsten Punkt der flußabwärts schiffbaren Donau (Hafenanlagen; Personenschiffahrt zur Walhalla, nach Kelheim/Weltenburg und nach Passau), die hier noch den Regen aufnimmt. Für die Kunst- und Kulturgeschichte des Früh- und Hochmittelalters hat Regensburg die gleiche Bedeutung wie Nürnberg und Augsburg für die späteren Jahrhunderte. Das mittelalterliche *Stadtbild prägen zahlreiche Kirchen und Geschlechtertürme, Patrizierhäuser des 13. und 14. Jh., wie man sie in dieser Form sonst nirgends nördlich der Alpen findet. – Die Stadt ist Sitz der vierten bayerischen Landesuniversität, einer Kirchenmusikschule und weiterer Fachschulen.

Die Industrie umfaßt elektrotechnische und chemische Werke, Bekleidungsfabriken, Zuckerfabrik, Teppichwerk und Brauereien.

GESCHICHTE. – An der Stelle des heutigen Regensburg befand sich einst die keltische Siedlung *Radasbona.* Im Jahre 77 n. Chr. wurde hier ein römisches Kohortenlager, 179 von Kaiser Marc Aurel das große Legionslager *Castra Regina* gegründet. Anfang des 6. Jh. wurde Regensburg Residenz der agilolfingischen Herzöge Bayerns. 739 stiftete der hl. Bonifatius das Bistum. Karl d. Gr. machte 788 der Herrschaft der Agilolfinger ein Ende, und die Stadt wurde Residenz der Karolinger. Im 12. und 13. Jh. schwang sich Regensburg, seit 1245 freie Reichsstadt, zur wohlhabendsten und volkreichsten Stadt Süddeutschlands auf; der ausgedehnte Handel kam von Venedig über den Brenner. Bereits im 14. Jh. begann aber ein langsamer Abstieg, verursacht durch das Aufblühen von Augsburg und Nürnberg. Im Jahre 1542 wurde die Reformation eingeführt. 1663-1806 tagte in Regensburg der 'Immerwährende Reichstag', das erste deutsche

Regensburger Dom

Parlament. 1748 nahmen die Fürsten von Thurn und Taxis als Prinzipalkommissäre beim Reichstag hier ihren Sitz; sie besaßen seit 1595 das Generalpostmeisteramt im Deutschen Reich, das in den mitteldeutschen Kleinstaaten erst 1866 erlosch. 1803 kam Regensburg als weltliches Fürstentum an den bisherigen Kurfürsten von Mainz, Karl von Dalberg († 1817). 1809 wurde die Stadt von den Franzosen erstürmt, 1810 mit Bayern vereinigt. Im Zweiten Weltkrieg blieb Regensburg in seinen alten Vierteln, abgesehen von der Zerstörung der Obermünsterkirche, von Schäden verschont.

SEHENSWERTES. – Den schönsten *Blick auf Regensburg bietet die 310 m lange **Steinerne Brücke** über die Donau (12. Jh.), ein Meisterwerk hochmittelalterlicher Ingenieurkunst; flußabwärts die *Nibelungenbrücke.* – Unweit von der Steinernen Brücke liegt der Domplatz, der Mittelpunkt der Stadt. Der ***Dom** (kath.; 13.-16. Jh.), das Hauptwerk der Gotik in Bayern, mit zwei 105 m hohen Türmen an der großartigen Westfassade, ist besonders im Inneren von großer Schönheit und enthält u. a. prächtige Glasgemälde (meist 14. Jh.), eine spätgotische Steinkanzel von 1482 und an den westlichen Vierungspfeilern eine bedeutende Verkündigungsgruppe (um 1280) mit dem sog. 'Engel von Regensburg'; an dem schönen Kreuzgang (in seiner jetzigen Gestalt größtenteils 14.-16. Jh.) u. a. die romanische *Allerheiligenkapelle* (Wandgemälde). Der wertvolle *Domschatz birgt schöne Reliquiare, Vortrage- und Reliquienkreuze, Kelche, Ornate und Kaseln des frühen bis späten Mittelalters. Berühmt ist der Knabenchor der 'Regensburger Domspatzen'.

Nördlich neben dem Dom die *Johanniskirche* (14. Jh.), weiterhin der ehem. *Bischofshof* (Hotel), seit dem frühen 11. Jh. Bischofssitz und häufig als Kaiserherberge benutzt. An der Nordseite des Bischofshofes sind Torbogen und Ostturm der **Porta Praetoria,** des Nordtores des römischen Legionslagers Castra Regina (2. Jh. n. Chr.) erhalten. – An der Südseite des Domgartens die frühgotische Kirche *St. Ulrich* (um 1250). Nahebei am *Bischöflichen Palais* die *Niedermünsterkirche* mit bedeutenden Ausgrabungen.

Am Alten Kornmarkt der sog. *Römerturm* und der schon 988 erwähnte *Herzogshof* der bayerischen Herzöge (Herzogssaal); an der Südseite des Platzes die **Alte Kapelle** (1002 erbaut; Chor von 1441-52) mit reicher Rokoko-Ausstattung. An der Ostseite des Platzes die barocke *Karmelitenkirche* (nach 1660). Dahinter, am Dachauplatz (56 m lange *Römermauer),* im ehem. Minoritenkloster das *Museum der Stadt Regensburg* mit kunst- und kulturhistorischen Sammlungen aus zwei Jahrtausenden; südlich das *Neue Rathaus* (1936-38).

Im ehem. Kaufmannsviertel (um das Alte Rathaus), mehrere alte Geschlechterburgen mit hohen Türmen nach italienischem Vorbild. – Am Haidplatz die 'Neue Waage', ehem. Trinkstube und Ort des Streitgesprächs zwischen Melanchthon und Dr. Eck (1541). – Das malerische

*Alte Rathaus stammt aus dem 14. bis 18. Jh.; im großen Reichssaal hielt der 'Immerwährende Reichstag' (das erste deutsche Parlament) seine Sitzungen ab (Reichstagsmuseum); im Erdgeschoß eine unverändert erhaltene mittelalterliche Gerichtsstätte mit Folterkammer. Der mit dem älteren Teil durch den Turm verbundene barocke östliche Teil wurde 1661 erbaut. – Unweit nordwestlich vom Alten Rathaus, Keplerstr. 5, das Sterbehaus des Astronomen Johannes Kepler (1571-1630; Erinnerungen).

Im Westen der Altstadt die **Schottenkirche St. Jakob** (12. Jh.), deren von nordischer Vorstellungswelt beeinflußtes *Nordportal rätselhaftes Steinbildwerk zeigt. – Südöstlich die raumschöne **Dominikanerkirche* (13. Jh.).

Am Südrand der Altstadt liegt der Emmeramsplatz mit dem *Regierungsgebäude* und dem ehem. ***Benediktinerstift St. Emmeram,** einem der ältesten in Deutschland (an der Stelle einer spätrömischen Anlage im 7. Jh. gegründet); in der romanischen Vorhalle (um 1170) links der Eingang in die barock umgebaute *St.-Rupert-Kirche;* geradeaus das von drei sehr frühen Kalksteinreliefs (Christus, Emmeram und Dionysius; um 1050) geschmückte Portal der *Kirche St. Emmeram* (8.-12. Jh.), deren 1731 von den Brüdern Asam barock ausgeschmücktes Inneres hervor-

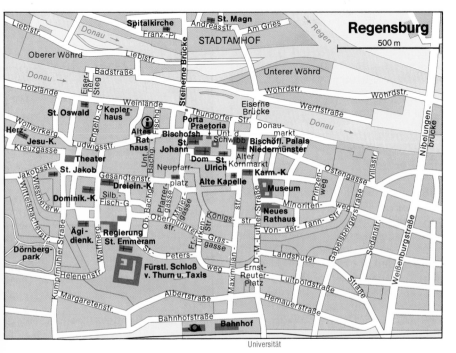

ragende *Grabmäler aus dem 12. bis 15. Jh. enthält (Hemma, Gemahlin König Ludwigs des Deutschen; Herzog Heinrich der Zänker; hl. Emmeram u. a.); unter der Kirche drei Krypten (Emmeram-Krypta, 8.-9. Jh.; Ramwold-Krypta, Ende 10. Jh.; Wolfgang-Krypta, 1052). – Die ehem. Stiftsgebäude sind seit 1812 *Residenz der Fürsten von Thurn und Taxis,* die bis 1866 das Generalpostmeisteramt in Deutschland innehatten (im Südflügel reiche Kunstschätze; schöner gotischer Kreuzgang; *Marstallmuseum;* Bibliothek).

UMGEBUNG von Regensburg. – *Walhalla bei Donaustauf (11 km östlich), ein dem Parthenon in Athen ähnlicher 'Ruhmestempel der Deutschen', 1830-42 unter Ludwig I. nach Entwürfen von Leo von Klenze aus Marmor errichtet. – *Befreiungshalle bei Kelheim (26 km südwestlich), ein 1842-63 unter Ludwig I. auf dem aussichtsreichen Michaelsberg über der Donau errichteter 59 m hoher Rundbau zur Erinnerung an die Befreiungskriege 1813-15 (Entwürfe von Friedrich Gärtner und Leo von Klenze); die 34 Siegesgöttinnen im Innern schuf Ludwig von Schwanthaler.

Bad Reichenhall

Bundesland: Bayern. – Kfz-Kennzeichen: REI. Höhe: 470 m ü.d.M. – Einwohnerzahl: 14500. Postleitzahl: D-8230. – Telefonvorwahl: 08651.
ⓘ **Kur- und Verkehrsverein,** am Bahnhof; Telefon: 1467.

HOTELS. – *Steigenberger-Hotel Axelmannstein,* Salzburger Str. 4, 220 B., Sb., Hb., Sauna; *Kurhotel Luisenbad,* Ludwigstr. 33, 130 B. Hb., Sauna; *Panorama,* Baderstr. 6, 126 B., Hb.; *Bayerischer Hof,* Bahnhofsplatz 14, 80 B.; *Kurhotel Alpina,* Adolf-Schmid-Str. 5, 70 B.; *Tiroler Hof,* Tiroler Str. 12, 60 B., Hb.; *Salzburger Hof,* Mozartstr. 7, 40 B.; *Deutsches Haus,* Poststr. 32, 50 B. – In N o n n: *Alpenhotel Fuchs,* 60 B. – Am T h u m s e e: *Haus Seeblick,* 80 B., Hb. – CAMPINGPLATZ: *Staufeneck,* Piding bei Bad Reichenhall.

RESTAURANT. – *Weinhaus Klosterklause,* Poststraße 52.

CAFÉS: *Reber,* Ludwigstr. 10; *Dreher,* Am Kurpark.

Spielbank (Roulette, Baccara) im Kurhaus.

Bad Reichenhall liegt windgeschützt in einem weiten Talkessel der Saalach und bergumrahmt am Eingang zum Berchtesgadener Land nahe der österreichischen Grenze. Predigtstuhl (1613 m) und Hochstaufen (1771 m) erheben hier ihre Gipfel. Starke Solequellen bilden die Kurmittel des Heilbades bei Asthma, Bronchitis, Erkrankungen der oberen Luftwege und Rheuma.

GESCHICHTE. – Um 700 erwarb das Bistum Salzburg einen Besitz in Reichenhall. 1159 erste urkundliche Erwähnung als Stadt. 1507 wurden zahlreiche Quellen erbohrt. Diente die Sole zunächst der Salzgewinnung, so begann man seit Anfang des 18. Jh. mit ihrer Nutzung zu Heilzwecken. 1846 eröffnete man die Kuranstalt, 1890 wurde Reichenhall als Bad anerkannt.

SEHENSWERTES. – Mittelpunkt des Badelebens ist der **Kurgarten** mit Kurhaus, Gradierhaus, Trinkhalle und Kurmittelhaus. – Im südlichen Teil der Stadt das *Rathaus,* die *Salinengebäude* (Führungen durch den unterirdischen Quellenbau) und die *Pfarrkirche* (1181 gegründet; Fresken von Moritz von Schwind); östlich oberhalb das *Schloß Gruttenstein* (13.-17. Jh.; Wohnungen). – Am Nordostrand der Stadt das ehem. Augustinerkloster *St. Zeno* (jetzt Englische Fräulein) mit beachtenswerter romanischer *Kirche (12. und 16. Jh.).

UMGEBUNG von Bad Reichenhall. – Seilbahn auf den aussichtsreichen *Predigtstuhl (1613 m).

Predigtstuhlbahn bei Bad Reichenhall

Rendsburg

Bundesland: Schleswig-Holstein. Kfz-Kennzeichen: RD. Höhe: 7 m ü.d.M. – Einwohnerzahl: 34000. Postleitzahl: D-2370. – Telefonvorwahl: 04331.
ⓘ **Amt für öffentliche Einrichtungen und Fremdenverkehr,** Herrenstr. 25; Telefon: 206358.

HOTELS. – *Coventgarden,* Hindenburgstr. 42, 100 B.; *Töpferhaus,* 10 km nördlich am Bistensee, 30 B.; *Germania,* Paradeplatz 3, 25 B.; *Hansen,* Bismarckstr. 29, 23 B.

RESTAURANTS. – *Zum Landsknecht* (Haus von 1541), Schleifmühlenstr. 2; *Alt Nürnberg,* Pastor-Schröder-Str. 16.

FREIZEIT. – Golfplatz (9 Löcher); Freibad, Hallenbad.

Die alte Stadt Rendsburg, ein wichtiges Industriezentrum von Schleswig-Hol-

stein, dessen beide Landesteile sie verbindet, liegt hübsch zwischen der seeartig erweiterten Eider und dem Nord-Ostsee-Kanal, dessen wichtigster Binnenhafen sie ist.

SEHENSWERTES. – In der auf der Eiderinsel gelegenen Altstadt am Altstädter Markt das alte **Rathaus**, ein schöner Fachwerkbau von 1566, mit dem reichhaltigen *Stadt- und Heimatmuseum.* In der nahen *Marienkirche* (13. Jh.) ein prächtiger Barockaltar von 1649. – Im Süden der Altstadt das 1690-95 angelegte Neuwerk, mit dem großen Paradeplatz; hier die interessante *Christ-Kirche* (1695-1700), mit dem 'Königstuhl'.

Südöstlich vor der Stadt die Rendsburger **Hochbrücke (darunter eine Schwebefähre), auf der die Eisenbahn in einer elliptischen Schleife den Nord-Ostsee-Kanal überquert; westlich der Stadt ein dem Straßenverkehr dienender *Tunnel.

UMGEBUNG von Rendsburg. – **Eckernförde** (26 km nordöstlich), zwischen der Eckernförder Bucht und dem Windebyer Noor; in der gotischen Nikolaikirche ein sehenswerter barocker Schnitzaltar und eine geschnitzte Kanzel von 1605, im Chor Wandmalereien (1578); im Stadtteil Borby eine romanische Feldsteinkirche.

Reutlingen

Bundesland: Baden-Württemberg.
Kfz-Kennzeichen: RT.
Höhe: 382 m ü.d.M. – Einwohnerzahl: 92000.
Postleitzahl: D-7410. – Telefonvorwahl: 07121.
ⓘ **Verkehrsbüro**, Listplatz 1;
Telefon: 303526.

HOTELS. – *Ernst,* Leonhardsplatz, 100 B., Hb.; *Reutlinger Hof* (garni), Kaiserstr. 33, 60 B., Hb.; *Württemberger Hof,* Kaiserstr. 3, 75 B.; *Achalm-Hotel* (garni), östlich außerhalb auf der Achalm, 70 B.

RESTAURANTS. – *Stadt Reutlingen,* Karlstr. 55; *Ratskeller,* Marktplatz 22.

FREIZEIT. – Tennis; Hallenbad, Freibad; Eisbahn.

Die einstige freie Reichsstadt liegt am Nordwestabfall der Schwäbischen Alb. Heute ist Reutlingen ein bedeutendes Zentrum der Textilindustrie, des Maschinenbaues und der Lederverarbeitung (westdeutsche Gerberschule).

SEHENSWERTES. – Die evangelische **Marienkirche* ist eine der schönsten Schöpfungen der Hochgotik in Schwa-

ben (13.-14. Jh.), mit 73 m hohem Turm von 1343. Im nahen 'Spendhaus' (ehem. Stadtmagazin) die *Stadtbücherei,* ein Naturkundemuseum und wechselnde Kunstausstellungen; nahebei in einem Fachwerkbau des 15. Jahrhunderts ein *Heimatmuseum,* mit *List-Zimmer.* Unweit westlich das 1963–65 erbaute *Rathaus,* mit dem *List-Archiv.* Vor dem Bahnhof ein Standbild für den in Reutlingen als Sohn eines Gerbers geborenen großen deutschen Volkswirtschaftler Friedrich List (1789-1846).

In der Weststadt die ehem. Arbeiterkolonie *Gmindersdorf* (1903). – Östlich über der Stadt der Zeugenberg *Achalm* (705 m; Burgreste, Aussichtsturm; zu Fuß 1 St.).

UMGEBUNG von Reutlingen. – 20 km östlich das reizvoll im Tal der Erms gelegene alte Städtchen **Urach,** mit schönen Fachwerkhäusern (15. und 16. Jh.) und der spätgotischen Stadtkirche sowie einem Schloß (15. Jh.; reichhaltige Sammlungen), Geburtsstätte des Grafen Eberhard im Bart. Im Westen das neue Kurzentrum mit Thermalbad. Über der Stadt die umfangreiche Burgruine Hohenurach; in der Nähe der 26 m hohe Uracher Wasserfall.

Rheintal

Der *Rhein (kelt. Renos, latein. Rhenus; im Volksmund 'Vater Rhein') ist die bedeutendste Wasserstraße und zugleich der landschaftlich schönste Strom Europas. Der insgesamt 1320 km lange Fluß entsteht im ostschweizerischen Kanton Graubünden aus Vorderrhein und Hinterrhein, die sich zum Alpenrhein vereinen. Er durchfließt den Bodensee, bildet danach den Rheinfall bei Schaffhausen und fließt als Hochrhein nach Basel. Dort wendet er sich nach Norden und durchzieht als Oberrhein die Oberrheinische Tiefebene. Zwischen Mainz und Bingen fließt er in westliche Richtung und durchströmt dann nordwestwärts als Mittelrhein das Rheinische Schiefergebirge; unterhalb von Bonn heißt er dann Niederrhein. Auf niederländischem Gebiet verzweigt sich der Rhein in mehrere Mündungsarme, die sich in die Nordsee ergießen.

Die Senke der Oberrheinischen Tiefebene, ein Erdeinbruch mit einer Breite von 30-40 km, wird östlich vom Schwarzwald, dem Kraichgau und dem Odenwald, westlich von den Vogesen, der

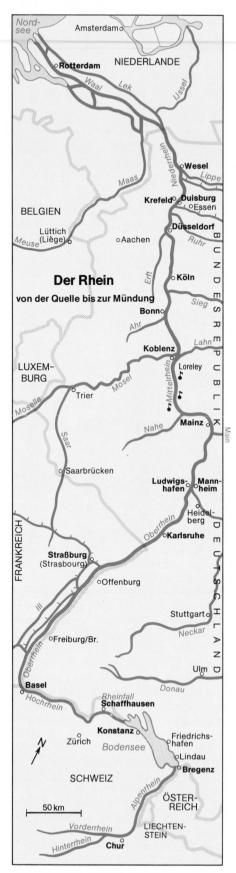

Der Rhein
von der Quelle bis zur Mündung

Haardt und dem Nordpfälzer Bergland begrenzt. Ihre Lößablagerungen bilden ein fruchtbares Obst- und Weinbaugebiet (Markgräflerland, Ortenau, Deutsche Weinstraße, Bergstraße). Auf steilem Felsen baut sich die alte Festungsstadt Breisach über dem Rhein auf. Die Altstadt von Karlsruhe ist auf das Schloß hin orientiert. Mannheim zeigt in der Innenstadt ein regelmäßiges Schachbrettmuster. Die Domstädte Speyer, Worms und Mainz begleiten den Fluß.

Am Mittellauf des Rheins haben der RHEINGAU (rechts) und RHEINHESSEN (links) mit zusammen rund 100 km Uferlänge Anteil. Beide Landschaften liegen im westlichen Mainzer Becken, das den nördlichen Abschluß der grabenförmigen Senke der Oberrheinischen Tiefebene bildet und wie diese einen im Tertiär erfolgten Einbruch bezeichnet. – Der Rheingau und das Rheinhessische Hügelland waren überflutet und wurden erst in geologisch jüngerer Zeit voneinander getrennt. Wie weit das Wasser früher reichte, zeigen die interessanten, fossilienreichen Ablagerungen, die in Sand- und Mergelgruben bei Gau-Algesheim, Sprendlingen und Weinheim sichtbar werden. Der Strom, der bei Mainz angesichts der Taunuswand unvermittelt nach Westen abbiegt, ändert bei Bingen wieder seine Richtung und fließt mitten durch das Rheinische Schiefergebirge, quer zu dessen Aufbau, indem er unterhalb von Bingen den harten Quarzitzug von Hunsrück und Taunus teilt. In diesem widerstandsfähigen Gestein konnte er nur ein schluchtartig enges Tal bilden. Das Gebirge hob sich seit dem mittleren Tertiär allmählich, währenddessen sich der Rhein in einer vorgezeichneten Mulde stufenweise einschnitt und eine Terrassenlandschaft schuf; Rheinschotter ist daher in verschiedenen Höhen zu finden.

Der Durchbruch durch das Rheinische Schiefergebirge ist auch wegen seines wechselnden Gefälles für die Schiffahrt sehr hinderlich: zuerst im Binger Loch, dann wieder bei dem sagenumwobenen Loreleyfelsen und bei St. Goar. In den dazwischen liegenden offeneren Talsenken mit Lößablagerungen wird wieder Raum für reiche Siedlungen, für Weinkulturen und Obstbau. Zusammen mit den auf den steilen Talrändern thronenden **Burgen** und einer

Burg Stahleck über Bacharach am Rhein

Reihe von Strominseln ergibt sich ein überaus abwechslungsreiches Landschaftsbild. Oestrich, Rüdesheim und Assmannshausen sind bekannte Weinorte. Bacharach und Oberwesel faszinieren durch ihr mittelalterliches Stadtbild. Bei St. Goarshausen grüßen die Burgen Katz und Maus von der Höhe, bei Kamp-Bornhofen die 'Feindlichen Brüder'. Den Eingang zum Lahntal bewacht Burg Lahneck. Unterhalb von Koblenz, wo der Rhein am 'Deutschen Eck' die Mosel aufnimmt, verbreitert sich das Tal zu dem kleinen *Neuwieder Becken,* in dem sich eine rege Industrie entwickelt hat. Kurz vor dem Eintritt des Rheins in die niederrheinische Ebene erhebt sich auf dem rechten Ufer als Ausläufer des Westerwaldes das formenreiche Siebengebirge (460 m), das seinen Namen den sieben hervorragenden Höhen (am bekanntesten ist der Drachenfels) verdankt und das den prächtigen Abschluß des mittelrheinischen Abschnitts bildet.

Dahinter erreicht der Strom die Kölner oder Niederrheinische Tieflandsbucht, ein ziemlich flachwelliges Land, wo sich bedeutende Orte wie die Bundeshauptstadt Bonn, die Domstadt Köln, die Kunststadt Düsseldorf und die Hafenstadt Duisburg entwickelt haben. In Duisburg beginnt der eigentliche Niederrhein. Die Städte sind hier kleiner, zeigen aber noch altehrwürdiges Gepräge. Wesel war eine bedeutende Festung. Xanten hat römische Vergan-

genheit. Kalkar wurde berühmt durch seine Holzschnitzerschule. Kleve war einst herzogliche Residenz. Am Fuß des von einem Kloster gekrönten Eltener Berges passiert der Rhein dann die niederländische Grenze.

Der **Wasserstand** des Rheins ist der gleichmäßigste aller deutschen Flüsse. Tage mit für die Schiffahrt unzureichender Wasserführung sind selten (Sept./Okt.). Ausgleichend wirken die zahlreichen Nebenflüsse, als deren größter bei Mainz der vielbefahrene *Main* (kanalisiert; Rhein-Main-Donau-Großschiffahrtsweg im Ausbau) mündet; bei Bingen fließt von Süden die *Nahe,* bei Lahnstein von Osten die *Lahn* und bei Koblenz von Südwesten die *Mosel* zu. Das milde Klima läßt den Rhein nur selten zufrieren; Treibeis kommt jedoch häufiger vor. – Es besteht ein verhältnismäßig starkes **Stromgefälle:** Basel 250 m, Mainz 80 m, Koblenz 60 m, Emmerich nur noch 10 m über dem Meeresspiegel.

Die **Breite** des Rheins ist zwischen Mainz und Bingen mit etwa 400–800 m am größten. Im Durchbruchstal verengt er sich am Binger Loch auf 250 m und an der Loreley auf 90–150 m; bei Köln ist er wieder etwa 350 m breit. – Der Fluß verwildert gern und bildet **Inseln;** sie werden bis Bingen 'Aue', unterhalb 'Werthe' genannt und bereichern die Landschaft.

Die **Schiffahrt** muß zwischen Bingen und St. Goar wegen des starken Gefälles und der Enge die schwierigste Strecke bewältigen. Die Stromverwaltungen sind bemüht, den Rhein durch Ausbaggern des Gerölls und Sprengung der gefährlichen Klippen schiffbar zu erhalten. Die künstlich geschaffene Fahrrinne ist durch Bojen, Baken und Schwimmstangen markiert; an unübersichtlichen Stellen regeln Warnzeichen (Ampeln, Flaggen, Bälle, Drehzeichen; früher 'Wahrschauer') die Berg- und Talfahrt. Rechtlich ist die auf deutschem Gebiet dem Bundesverkehrsministerium (Wasser- und Schiffahrtsdirektion Mainz) unterstehende Rheinschiffahrt seit 1831 internationalisiert. – Unmittelbar entlang beiden Ufern des Mittelrheins verlaufen äußerst verkehrsreiche *Eisenbahnstrecken* sowie *Bundesstraßen* (linksrhein. B 9 'Rheingoldstraße'; rechtsrhein. B 42 'Loreley-Burgenstraße').

Die **Köln-Düsseldorfer Deutsche Rheinschiffahrt AG** *(KD;* Hauptsitz: Frankenwerft 15, 5000 Köln 1; Tel. 0221/20881, Telex 08/882723) versieht den regelmäßigen Personenverkehr auf dem Rhein mit einer Flotte von gut eingerichteten Motorschiffen und Dampfern ('Die weißen Schiffe der KD'; Restaurants an Bord). Der Schiffahrtsdienst beginnt alljährlich zu Ostern und endet Mitte Oktober (Hauptsaison Juli und August). – Gemeinsamer *KD/DB-Service:* An jeder KD-Agentur (nicht bei der DB) kann man seine Eisenbahnfahrkarte gegen eine Übergangsgebühr in einen entsprechenden Schiffsfahrschein (und umgekehrt, auch nur bei der KD) umschreiben lassen. – Die KD bietet darüber hinaus diverse *organisierte Rheinreisen* (Schweiz-Frankreich-Deutschland-Niederlande; Autotransport auf dem Landwege) mit wohlausgerüsteten Kabinenschiffen an.

Die reizvolle Uferlandschaft und der gute Ausbau des Strombettes lohnen eine Fahrt mit dem eigenen Motor- oder Paddelboot, wobei man auf den Rheininseln zelten kann. Der *Deutsche Kanu-Verband (DKV)* hat viele Bootshäuser, Wanderheime, Zeltplätze und Kanustationen eingerichtet, über die "Das Deutsche Fluß- und Zeltwanderbuch" informiert. Auskunft und Beratung für Wassersportfreunde erteilt auch der *ADAC.* Zahlreiche Spezialkarten für die Flußschiffahrt sind im Buchhandel erhältlich.

Infolge der hochgradigen Wasserverschmutzung, der allerdings in jüngster Zeit nach Kräften entgegengewirkt wird, ist der Fischbestand im Rhein bedrohlich dezimiert, der Fischfang (früher v. a. Salm) praktisch erloschen. Vom Baden im Fluß muß dringend abgeraten werden.

Rhön

Bundesländer: Bayern und Hessen.
ⓘ **Fremdenverkehrsverband Hessen,** Abraham-Lincoln-Str. 38-42, D-6200 Wiesbaden; Telefon: (06121) 7375-26.

Die Rhön ist ein Mittelgebirge zwischen Fulda und Bad Kissingen mit Gipfeln bis 950 m Höhe. Der südliche und östliche Teil des Gebietes mit Brückenau und Bischofsheim am Kreuzberg gehört zu Bayern, der Nordwesten mit Gersfeld und der Wasserkuppe zu Hessen, der nordöstliche Zipfel zu Thüringen (DDR). Vulkanische Ergüsse der Tertiärzeit haben einen Sockel von Buntsandstein und Muschelkalk mit mächtiger Decke von Basalt und Phonolith überlagert, aus denen die spätere 200-400 m tiefe Zertalung die heutigen eigenartigen, oft kuppigen Bergformen geschaffen hat.

Die Hohe Rhön ist eine mit Gras und Hochmooren bedeckte Hochfläche von 700-900 m. Westlich daran schließt sich die Vorderrhön mit einzelstehenden Bergen in Kegel- ('Küppel'; Wachtküppel, 706 m, ein Basaltkegel) oder Sargform (Milseburg, 835 m, ein zerklüfteter Phonolithfelsen, die im Süden von der *Wasserkuppe* (950 m; 'Berg der Segelflieger', auch Drachenflug), der höchsten Erhebung der Rhön, überragt werden. Südlich von Bischofsheim und Gersfeld erstreckt sich die Waldreiche Rhön mit größeren Mischwald-Höhenrücken, die im aussichtsreichen *Kreuzberg* (932 m; mit Franziskanerkloster und Kreuzigungsgruppe) gipfeln.

Am schönsten ist die Gegend um *Gersfeld,* von wo man zum Segelfluggebiet der Wasserkuppe und auch zum kegelförmigen Wachtküppel hinauffahren kann. – Große Teile des Gebirges sind heute Naturpark. Der Wald, der vor der frühmittelalterlichen Besiedlung das ganze Gebiet bedeckte, nimmt heute nur noch etwa 27 % der Fläche ein.

Als Luftkurorte und Sommerfrischen sind vor allem *Gersfeld* und *Bischofsheim* zu nennen, wo auch Wintersport betrieben wird. Vielbesuchte Heilbäder sind *Bad Brückenau* im Sinntal und *Bad Neustadt an der Saale.* Der bedeutendste Badeort der Rhön und ganz Bayerns ist *Bad Kissingen* im anmutigen Tal der Fränkischen Saale.

Rothenburg
ob der Tauber

Bundesland: Bayern. – Kfz-Kennzeichen: AN (ROT). Höhe: 425 m ü.d.M. – Einwohnerzahl: 13000. Postleitzahl: D-8803. – Telefonvorwahl: 09861.
ⓘ **Kultur- und Fremdenverkehrsamt,** Rathaus, Marktplatz; Telefon: 2038.

HOTELS. – **Eisenhut,* Herrngasse 3, 145 B.; **Goldener Hirsch,* Untere Schmiedgasse 16, 145 B.; *Burg-Hotel* (garni), Klostergasse 1, 38 B.; *Stadt Rothenburg,* An der Hofstatt 3, 60 B.; *Markusturm,* Rödergasse 1, 58 B., Sauna; *Bären,* Hofbronnengasse 9, 90 B., Hb., Sauna; *Adam,* Burggasse 29, 20 B.; *Reichs-Küchenmeister,* Kirchplatz 8, 56 B.; *Roter Hahn,* Obere Schmiedgasse 21, 60 B. – JUGENDHERBERGE: *Roßmühle,* Mühlacker, 156 B. – CAMPINGPLATZ: *Tauber-Idyll,* am Nordrand von Detwang.

RESTAURANTS. – *Baumeisterhaus,* Obere Schmiedgasse 3; *Ratsstube,* Marktplatz 6.

CAFÉ. – *Prezel,* Marktplatz 5.

VERANSTALTUNGEN. – Festspiel **"Der Meistertrunk",** *Schäfertanz* (Pfingsten und mehrmals im Sommer); *Reichsstadttage* (September).

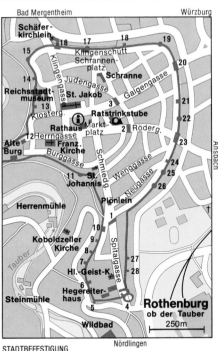

STADTBEFESTIGUNG

1 Sieberturm	15 Strafturm
2 Markusturm	16 Klingentor
mit Röderbogen	17 Pulverturm
3 Weißer Turm	18 Henkersturm
4 Spitalbastei	19 Kummereeksturm/
5 Sauturm	Ganserturm
6 Stöberleinsturm	20 Galgentor
7 Kalkturm	21 Thomasturm
8 Fischturm	22 Weiberturm
9 Kohlturm	23 Rödertor
10 Koboldzeller Bastei	24 Hohennersturm
11 Johanniterturm	25 Schwefelturm
12 Burgturm mit Bastei	26 Faulturm
13 Bettelvogtsturm	27 Großer Stern
14 Klosterturm (Durchgang)	28 Kleiner Stern

Die alte fränkische Reichsstadt Rothenburg liegt malerisch auf dem steilen Talrand der Tauber und bietet mit ihren seit dem Dreißigjährigen Kriege fast unberührten Mauern und Türmen ein **Stadtbild von einzigartigem Reiz.

GESCHICHTE. – Rothenburg entstand im 12. Jh. im Schutze einer Hohenstaufenburg. Die um 1274 reichsunmittelbar gewordene Stadt erreichte um die Wende des 14. Jh. unter dem tatkräftigen Bürgermeister Heinrich Toppler ihre höchste Blüte. Im Dreißigjährigen Krieg wurde Rothenburg, das auf Gustav Adolfs Seite stand, 1631 von den Kaiserlichen unter Tilly erstürmt.

SEHENSWERTES. – Am Marktplatz das *Rathaus,* eines der schönsten Süddeutschlands; an der Herrngasse die gotische Schmalseite (13. Jh.) mit 50 m hohem Turm (16. Jh.; Aussicht); am Markt der 1572–78 errichtete Renaissancebau (beachtenswert der Kaisersaal; Theater, Konzerte). An der Nordseite des Marktes die ehem. *Ratstrinkstube* (von 1466) mit einer Kunstuhr, die um 11, 12, 13, 14, 15, 21 und 22 Uhr eine Darstellung des Meistertrunkes zeigt, mit dem 1631 Altbürger-

meister Nusch die Stadt vor der Brandschatzung durch die Kaiserlichen rettete (Festspiel an Pfingsten sowie an einigen weiteren Sonntagen). Am Eingang der breiten Herrngasse, mit Herrenhäusern der Gotik und Renaissance, links der *Herterich-* oder *St.-Georgs-Brunnen* (1608), der schönste der Stadt; weiterhin die frühgotische *Franziskanerkirche* (ev.; beachtenswerte Grabsteine). Die Herrngasse endet am *Burgtor* (dabei das *Figurentheater*), durch das man den **Burggarten** betritt, an der Stelle der 1356 durch ein Erdbeben zerstörten Burg der Hohenstaufen (prächtiger *Ausblick*).

Unweit nördlich vom Rathaus die 1373–1436 erbaute *Kirche St. Jakob* (ev.); im Innern ein Hochaltar von 1466, in Aufbau und Gesamtwirkung einer der bedeutendsten Deutschlands; im Westchor der *Heiligblutaltar* von Tilman Riemenschneider (1501-04). – Nordwestlich hinter der Kirche im ehem. Dominikanerinnen-Kloster das *Reichsstadtmuseum.*

Südlich vom Marktplatz die Obere Schmiedgasse; gleich links (Nr. 3) das 1596 erbaute *Baumeisterhaus* (Restaurant); daneben (Nr. 5) das *Gasthaus zum Greifen,* das frühere Wohnhaus des tatkräftigen Bürgermeisters Heinrich Toppler († 1408), weiterhin rechts die 1393-1403 aufgeführte *St.-Johannis-Kirche.* Am Ende der Unteren Schmiedgasse die Straßengabelung am *Plönlein,* einer der malerischsten

Am Plönlein in Rothenburg ob der Tauber

Punkte der Stadt. – Weiter durch den *Siebersturm* in die Spitalgasse und an der frühgotischen *Spitalkirche* (rechts) sowie am *Spital* vorüber (1574-78; im malerischen Hof das 'Hegereiterhäuschen', 1591) zum mächtigen **Spitaltor** (16. Jh.).

Lohnend ist eine Wanderung auf dem Wehrgang der *Stadtmauer vom Spitaltor über das *Rödertor* (Aussicht) in 25 Min. bis zum *Klingentor* und der 1473-92 erbauten *St.-Wolfgangs-Kirche.* – Vor der Stadt im Taubertal das **Topplerschlößchen,** ein turmartiges, 1388 von Bürgermeister Toppler errichtetes Gebäude.

UMGEBUNG von Rothenburg. – **Detwang** im Taubertal (3 km nordwestlich) mit *Kreuzigung von Tilman Riemenschneider (um 1512/13) im Mittelschrein des Hochaltars der kleinen romanisch-gotischen Kirche. – **Creglingen** im Taubertal (17 km nordwestlich) mit ergreifendem geschnitzten **Marienaltar von Tilman Riemenschneider (etwa 1505–10) in der 1386–96 erbauten Herrgottskirche.

Rottweil

Bundesland: Baden-Württemberg.
Kfz-Kennzeichen: RW.
Höhe: 600 m ü.d.M. – Einwohnerzahl: 25 000.
Postleitzahl: D-7210. – Telefonvorwahl: 07 41.
ⓘ **Städtisches Verkehrsbüro,** Rathaus;
Telefon: 9 42 80 und 9 42 81.

HOTELS. – *Johanniterbad,* Johannsergasse 12, 46 B.; *Lamm,* Hauptstr. 45, 35 B.; *Bären,* Hochmaurenstr. 1, 30 B.

FREIZEIT. – Tennis; Hallenbad; Eisbahn.

VERANSTALTUNG. – **Rottweiler Narrensprung** (Rosenmontag und Fastnachtsdienstag).

Die einstige freie Reichsstadt liegt malerisch über dem steilen Talrand des oberen Neckars und besitzt zahlreiche sehenswerte Baudenkmäler. Berühmt ist die Rottweiler Fastnacht ('Fasnet') mit ihren *Masken.

SEHENSWERTES. – In der Hauptstraße das spätgotische **Rathaus** (1521); gegenüber das *Stadtmuseum* (u. a. Sammlung von Fastnachtsmasken). Unweit nördlich das gotische *Heiligkreuz-Münster* (kath.; 13.-15. Jh.), mit zahlreichen Schnitzaltären (über dem Hochaltar ein Kruzifix, vielleicht von Veit Stoß). – Am Friedrichsplatz die barocke *Evang. Stadtpfarrkirche,* früher Dominikanerkirche, mit Deckengemälden (1755); nahebei die *St. Lorenz-*

kapelle (16. Jh.; Sammlung mittelalterlicher Stein- und Holzbildwerke). *Marktbrunnen* von 1540 (z. T. Nachbildung). In der Hochbrücktorstraße die barocke *Kapellenkirche* (kath.), mit gotischem Turm. Im ehem. Unteren Burrhaus das *Salzmuseum.* Im Südosten *römische Thermen.*

Ruhrgebiet

Bundesland: Nordrhein-Westfalen.
ⓘ **Fremdenverkehrsverband Westfalen e. V.,** Balkenstraße 4, D-4600 Dortmund 1; Telefon: (02 31) 57 17 15.

Das zwischen Ruhr und Lippe gelegene Ruhrgebiet ist einer der größten Industriebezirke Europas und das bedeutendste Wirtschaftsgebiet Deutschlands. Grundlage der Wirtschaft ist der Steinkohlenbergbau und damit verknüpft eine hochentwickelte Industrie, die besonders Eisen- und Stahlwerke, chemische und Maschinenfabriken sowie Textilgewerbe umfaßt. Ein dichtes Netz von Straßen, Eisenbahnen und Wasserwegen durchzieht das stark bevölkerte Revier, in dem Siedlungen und Industrieanlagen weithin ohne deutliche Grenzen ineinander übergehen. Durch den 1929 erfolgten Zusammenschluß verschiedener Landgemeinden und Städte entstand eine Anzahl von Großstädten.

Größte Stadt des Ruhrgebiets ist mit 664 000 Einwohnern **Essen,** Zentrum des Kohlenbergbaus und einer bedeutenden Schwerindustrie. 1812 zählte die Stadt nur 3500 Einwohner. Die ehem. Hansestadt **Dortmund** verdankt ihre wirtschaftliche Blüte der Kohle, dem Eisen und dem Bier. **Duisburg** besitzt den größten Binnenhafen Europas. **Bochum** setzt wissenschaftliche Akzente durch Ruhruniversität und Institut für Weltraumforschung. **Recklinghausen** gewann kulturelle Bedeutung durch seine Ruhrfestspiele.

Trotz vorherrschender Industrie bietet das Ruhrgebiet auch zahlreiche Erholungsmöglichkeiten: etwa die Wälder zwischen Emscher und Lippe oder das Ruhrtal mit den Wassersportgebieten von *Baldeneysee, Harkort-* und *Hengsteysee.* Auch die Städte schufen 'grüne Lungen': Essen mit dem *Grugapark,* Dortmund mit dem *Westfalenpark.*

Kunstgeschichtliche Sehenswürdigkeiten sind vor allem die *Münsterkirche* in Essen, die *Abteikirche Werden* sowie die *Reinoldikirche* in Dortmund, technische Sehenswürdigkeiten der 220 m hohe *Fernsehturm* in Dortmunds Westfalenpark, das *Planetarium* in Bochum und das *Schiffshebewerk Henrichenburg* bei Datteln.

Saarbrücken

Bundesland: Saarland. – Kfz-Kennzeichen: SB. Höhe: 182 m ü.d.M. – Einwohnerzahl: 199000. Postleitzahl: D-6600. – Telefonvorwahl: 0681.
ⓘ **Verkehrsverein/Städtisches Verkehrsamt**, Rathaus und Trierer Straße 2; Telefon: 35197 und 36515.

HOTELS. – *Novotel*, Metzer Straße / Zinzinger Straße, 200 B., Sb.; *Haus Berlin*, Faktoreistraße, 130 B.; *Windsor*, Hohenzollernstr. 41, 80 B., Sauna; *Am Triller*, Trillerweg 57, 220 B. (mit Rôtisserie 'Chez Marianne'); *Park-Hotel*, Deutschmühlental, 82 B.; *Christine*, Gersweiler Str. 39, 92 B., Hb., Sauna; *Am Staden* (garni), Am Staden 18, 30 B.; *Wien*, Gutenbergstr. 29, 30 B. (nur Abendessen). – In Dudweiler: *Seewald*, Beethovenstr. 68, 40 B. – JUGENDHERBERGE: Meerwiesertalstr. 31, 147 B. – CAMPINGPLÄTZE: *Campingplatz Saarbrücken*, an der Saar, Saarbrücken-Burbach; *Am Spicherer Berg*, Saarbrücken.

RESTAURANTS. – *Welsch*, Breite Str. 12; *Fröschengasse*, Fröschengasse 18; *Légère*, Cecilienstr. 7; *Rôtisserie Nantaise*, Preußenstr. 68 (alle französ. Küche); *Ratskeller*, im Rathaus, Rathausplatz; *Kongreßhalle*, Hafenstraße. – In Dudweiler: *Burkhart*, Kantstr. 58.

WEINSTUBEN. – *Winzerstube d'Alsace*, Deutschherrnstr. 3; *Weinstube Hauck*, St. Johanner Markt 7.

CAFÉS. – *Menn*, Victoriastr. 32; *Fretter*, Ecke Hohenzollern-/Eisenbahnstraße.

Saarbrücken, die im waldumrahmten Tal der Saar inmitten des Saarkohlebeckens gelegene Hauptstadt und der wirtschaftliche und kulturelle Mittelpunkt des Saarlandes, ist Sitz einer Universität, einer Pädagogischen und einer Musikhochschule sowie des Saarländischen Rundfunks und Fernsehens. Eisenhütten, elektrotechnische und optische Betriebe, Kalk- und Zementwerke bestimmen das Wirtschaftsbild. Auch als Messeort hat die Stadt im deutsch-französischen Grenzgebiet Bedeutung.

GESCHICHTE. – Ursprung Saarbrückens war eine keltische Siedlung. Die Römer errichteten hier eine Steinbrücke über die Saar und sicherten den Flußübergang durch ein Kastell. Später stand hier der fränkische Königshof *Villa Sarabrucca*. Ihre Blüte-

zeit als Residenz der Grafen und späteren Fürsten von Nassau-Saarbrücken erlebte die Stadt im 18. Jh. unter Fürst Heinrich (1741-68), dessen Hofbaumeister Friedrich Joachim Stengel Saarbrücken durch mehrere repräsentative Barockbauten verschönerte. Die umfangreichen Eisenerz- und Kohlevorkommen machten die Stadt im 19. und 20. Jh. zu einem bedeutenden Wirtschaftszentrum.

SEHENSWERTES. – Am rechten Saarufer erstreckt sich der belebte Stadtteil ST. JOHANN mit den Hauptgeschäftsstraßen, dem *Hauptbahnhof* und dem 1897-1900 erbauten *Rathaus*. Südlich vom Hauptbahnhof direkt an der Saar die *Kongreßhalle* (Restaurant). Am barocken St. Johanner Markt das reichhaltige *Saarland-Museum* (Kunst des Rokoko und Biedermeier, moderne Kunst); nahebei die kath. Kirche *St. Johann* (1758). Südlich vom Museum das *Stadttheater* und die *Moderne Galerie*.

Im Stadtteil ALT-SAARBRÜCKEN, am linken Saarufer, am Schloßplatz das *Alte Rathaus* und das ehem. *Erbprinzenpalais* (beide 18. Jh.) sowie das im 19. Jh. neuerbaute *Schloß* (jetzt Sitz von Behörden); vom Schloßgarten schöne Aussicht auf die Stadt. Etwas unterhalb die spätgotische *Schloßkirche* (moderne *Glasfenster* von G. Meistermann, Fürstengräber). Nordwestlich vom Schloßplatz in der Mitte des von Barockhäusern umgebenen Ludwigsplatzes die 1762-65 von Fried-

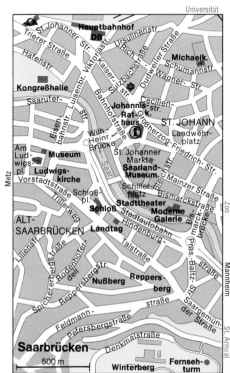

Saarbrücken
500 m

Ludwigskirche in Saarbrücken

rich Joachim Stengel errichtete ev.
*Ludwigskirche (wiederhergestellt; moderne Innenausstattung); Ludwigsplatz Nr. 15 das *Museum für Vor- und Frühgeschichte.*

In dem 3 km südöstlich gelegenen Stadtteil ST. ARNUAL die ehem. *Stiftskirche St. Arnual (13.-14. Jh.; ev.) mit zahlreichen Grabmälern des Hauses Nassau-Saarbrücken. Im Südwesten der Stadt der *Deutsch-Französische Garten* (Vergnügungspark mit Wasserorgel und Ausstellung *Gulliver-Miniwelt*).

5 km nordöstlich der Stadtmitte liegt im Wald am Fuß des *Schwarzenbergs* die **Universität des Saarlandes** mit modernen Bauten. – An der Ausfahrt nach St. Ingbert (B 40) rechts der *Halberg* (Schloß; Saarländischer Rundfunk), links Zufahrt zum *Zoo* (über 600 Tiere).

Saartal

Bundesländer: Saarland und Rheinland-Pfalz.
ⓘ **Fremdenverkehrsverband Saarland e. V.,** Am Stiefel 2, D-6600 Saarbrücken; Telefon: (0681) 35376.

Die 246 km lange Saar, von den Römern Saravus genannt, entspringt in den Vogesen. Zwischen Saargemünd (Sarreguemines) und Saarbrücken bildet sie die Grenze zwischen Deutschland (Saargebiet) und Frankreich (Lothringen).

Industriestädte dehnen sich im weiten Saartal aus: **Saarbrücken** (s. dort), die Hauptstadt des Saarlandes, *Völklingen, Saarlouis* und *Dillingen.* Ab *Merzig* – hier säumen reiche Obstgärten den Strom – verengt sich das Saartal. Wald umgibt die große *Saarschleife bei *Mettlach* (keramische Industrie; Keramikmuseum), einen landschaftlichen Höhepunkt des Saartals. Den besten

Überblick hat man vom Aussichtspunkt *Cloef* oder der Burgruine *Montclair.* In zahlreichen Windungen durchbricht der Fluß das Gebirge. *Saarburg,* überragt von der gleichnamigen Burgruine, ist das Zentrum des saarländischen Weinhandels. Mitten im Ort bildet der Leukbach einen 20 m hohen Wasserfall. Nun reihen sich die idyllischen Weinorte: *Ockfen, Schoden, Wiltingen, Kanzem, Filzen* und *Könen.* Bei *Konz* mündet die Saar in die Mosel.

Sauerland

Bundesland: Nordrhein-Westfalen.
ⓘ **Fremdenverkehrsverband Westfalen e. V.,** Balkenstraße 4, D-4600 Dortmund 1; Telefon: (0231) 571715.
Kreisverkehrsverband Südsauerland e. V., Seminarstraße 22, D-5960 Olpe/Biggesee; Telefon: (02761) 63131.

Das reizvolle Sauerland, dessen Name 'Südland' bedeutet, ist ein schön bewaldetes Bergland südlich des Rheinisch-Westfälischen Industriegebiets, das von vielen gewundenen Flußtälern zerschnitten ist und das im Hegekopf und Langenberg bei Willingen 843 m sowie im Kahlen Asten (Rothaargebirge) bei Winterberg 841 m Höhe erreicht. Der größte Fluß des im Süden von der Sieg begrenzten, relativ dicht besiedelten Gebietes, dessen wichtigsten Wirtschaftszweig das Kleineisengewerbe bildet, ist die Ruhr, die bei Neheim-Hüsten die Möhne und bei Hohensyburg die Lenne aufnimmt. Der größte Teil des Gebirges besteht aus Schiefer, in den inselartig Eruptiv- und Kalkgestein eingesprengt sind.

Malerische alte Städte wie *Altena, Arnsberg, Attendorn, Brilon, Hohenlimburg, Iserlohn* und *Marsberg* besetzen Talgründe und Berghänge. Groß ist die Zahl der Ferien- und Luftkurorte. Beliebte Wintersportplätze sind *Willingen* und **Winterberg.** Talsperren dienen der Energiegewinnung und Wasserversorgung: am bekanntesten sind *Bigge-, Diemel-, Ennepe-, Henne-, Lister-, Möhne-, Sorpe-* und *Verse-Talsperre.* Die tiefeingeschnittenen Flußtäler von *Hönne, Lenne, Möhne, Ruhr, Sorpe* und *Volme,* aussichtsreiche Höhen wie *Kahler Asten* (841 m, bei Winterberg) und *Hohe Bracht* (584 m, bei Bilstein), die eindrucksvollen Porphyrfelsen der

Biggesee im südlichen Sauerland

Bruchhauser Steine, das ausgedehnte *Felsenmeer* bei Hemer, bizarre Tropfsteinhöhlen wie *Attahöhle* (bei Attendorn), *Dechenhöhle* (bei Iserlohn) und *Bilsteinhöhle* (bei Warstein) geben dem Sauerland seinen besonderen landschaftlichen Reiz. Eine Touristenattraktion: *Fort Fun* bei Olsberg mit Westernstadt, Feriendorf und Schloßhotel, Doppelsessellift (zum 732 m hohen Stüppel) und Rutschbahnen, Reitgelegenheit, Sloper- und Planwagenfahrten.

Schleswig

Bundesland: Schleswig-Holstein.
Kfz-Kennzeichen: SL.
Höhe: 14 m ü.d.M. – Einwohnerzahl: 30000.
Postleitzahl: D-2380. – Telefonvorwahl: 04621.
ⓘ **Verkehrs- und Touristenbüro,**
Friedrichstraße 7;
Telefon: 24031.

HOTELS. – *Strandhalle,* Strandweg 2, 45 B., Hb., Sb., Sauna; Gartenterrasse; *Waldhotel,* Stampfmühle 1 (am Schloß Gottorf), 20 B.; *Skandia,* Lollfuß 89, 50 B.; *Deutsches Haus,* Lollfuß 114, 30 B. – In Pulverholz: *Waldschlößchen,* Kolonnenweg 152. – In Haddeby (2,5 km südöstlich): *Historisches Gasthaus Haddeby,* 30 B. – JUGEND-

HERBERGE: *Nordmark-Jugendherberge,* Spielkoppel 1, 146 B.

RESTAURANTS. – *Schloßkeller,* im Schloß Gottorf; *Schleimöve,* Süderholm 8 (Spez.: Möweneier, Mai/Juni).

CAFÉ. – *Rausch,* Stadtweg 27a.

VERANSTALTUNGEN. – *Frühjahrsmarkt* (Ende April) und *Peermarkt* (im Herbst); *Schloßhofspiele* (im Sommer); **Schlei-Woche** mit Segelregatten (im Juli).

Die alte Residenzstadt der Herzöge von Gottorf liegt reizvoll am inneren Ende der Schlei, einer flußartigen Ostseebucht, die aber für größere Schiffe unpassierbar ist. Schleswig ist Sitz zahlreicher Landesbehörden (Oberlandesgericht, Landesverwaltungsgericht u. a.) und eines ev. Bischofs. Bekannt ist das Wetteramt Schleswig, das über das erste Radar-Wetterrundsichtgerät der Bundesrepublik verfügt. Auch als Garnisonstadt hat Schleswig Bedeutung.

GESCHICHTE. – Der schon 808 als Siedlung *Sliesthorp* und *Slieswic* erwähnte Ort (Vorläufer war der alte Handelsplatz Haithabu) wurde 947 Bischofssitz und erhielt um 1200 Stadtrechte. Von 1544-1713 war Schloß Gottorf Residenz der Herzöge von Schleswig-Holstein-Gottorf, einer Nebenlinie des dänischen Königshauses. Seit 1867 war Schleswig Hauptstadt der neugeschaffenen Provinz Schleswig-Holstein. Nach dem Zweiten Weltkrieg wurde der Sitz der Landesregierung nach Kiel verlegt.

SEHENSWERTES.– Im Kern der ALT-STADT steht der reich ausgestattete gotische **Dom** (12.-15. Jh.) mit 110,5 m hohem Turm von 1894; im Inneren der berühmte ****Bordesholmer Altar** von Hans Brüggemann, mit seinen 392 Figuren (gekrönt von der Muttergottes) das Meisterwerk spätgotischer Schnitzkunst in Norddeutschland; prächtig

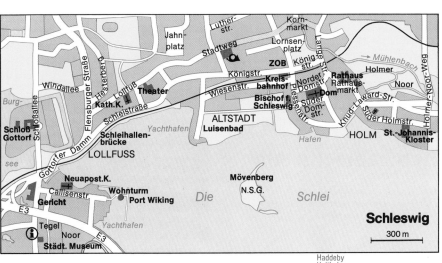

auch das marmorne Freigrab des Dänenkönigs Friedrich I., der zuvor Herzog von Schleswig war und 1533 in der Stadt starb; sehenswerter Kreuzgang mit Wandmalereien aus dem 14. Jahrhundert. – Östlich der Altstadt das alte Fischerviertel HOLM mit dem *St.-Johannis-Kloster* (jetzt adeliges Fräuleinstift; im Kapitelsaal schönes Gestühl des 13. Jh.). In der Schlei die *Möweninsel* (im Frühjahr 1000 Möweneier täglich).

Im Stadtteil FRIEDRICHSBERG am Westende der Schlei liegt das große **Schloß Gottorf** (16.-18. Jh.; besonders schön die prunkvolle Schloßkapelle, die Königshalle und der Hirschsaal), einst Festung und Residenzschloß, jetzt Heimstatt der zwei bedeutendsten Museen Schleswig-Holsteins: Das **Landesmuseum* (früher in Kiel) zeigt reiche Kunstschätze des ganzen Landes vom Mittelalter bis zum 19. Jh.; das **Landesmuseum für Vor- und Frühgeschichte* ist das größte seiner Art in Deutschland, da Schleswig-Holstein das ergiebigste Fundgebiet ist (einzigartig das 23 m lange **Nydamboot aus der Zeit um 400 n. Chr. in der Nydamhalle, ein im Moor gefundener Schädel mit dem bei Tacitus erwähnten sog. Suebenknoten, ferner Moorleichen und die Runensteine von Haithabu). Unweit südlich vom Schloß Gottorf in dem 1834-36 für eine persische Gesandtschaft erbauten ehem. Günderothschen Haus (Friedrichstr. 9) das *Städtische Museum.* – Am Jachthafen Port Wiking der *Wikingturm,* ein 85 m hoher Wohnturm.

UMGEBUNG von Schleswig. – **Haithabu** (2 km südl.), ein im 11. Jh. zerstörter Hafen- und Handelsplatz der Wikinger am Haddebyer Noor mit halbkreisförmiger Wallanlage. – **Danewerk** (südwestl. der Stadt), ein im 9. Jh. angelegter, bis zum 13. Jh. ausgebauter 15 km langer Erdwall, der einst die Südgrenze des Dänenreichs schützen sollte. In der Mitte wurde er im 12. Jh. durch eine 3,5 km lange, 7 m hohe und 2 m breite Backsteinmauer, die sog. Waldemarsmauer, verstärkt (noch gut erkennbar in Klein-Dannewerk, 4$^1/_2$ km südwestlich von Schleswig). – **Märchenpark Tolk** (9 km nordöstlich).

Schwäbische Alb

Bundesland: Baden-Württemberg.
(i) **Fremdenverkehrsverband Neckarland-Schwaben,** *Geschäftsstelle Stuttgart,* Charlottenplatz 17, D-7000 Stuttgart 1; Telefon: (07 11) 29 01 51.

Die Schwäbische Alb, ein aus Jurakalken bestehender Mittelgebirgszug von etwa 700 m Höhe, erstreckt sich in einer Länge von 210 km und einer Breite von 15 bis 40 km vom Südostrand des Schwarzwalds bis zum Nördlinger Ries. Im Lemberg, östlich von Rottweil, erreicht sie mit 1015 m ihre größte Höhe. Im Nordwesten fällt das Gebirge zu den Tälern des Neckars, der Fils und der Rems in einer etwa 400 m hohen Steilstufe ab, die durch tief in das Gebirge eingreifende Täler reich gegliedert ist und auf vorgelagerten Bergkegeln berühmte Burgruinen trägt. Nach Südosten dacht sich die Alb ganz allmählich zur Donau ab und bildet eine flachwellige Hochebene, in deren durchlässigen Kalkgesteinen das Wasser großenteils versickert und zur Bildung von Höhlen, Dolinen (Erdtrichtern) und Trockentälern führt.

Den besonderen Anziehungspunkt der Alb bildet die Mannigfaltigkeit ihrer Landschaftsformen: obstreiche Täler mit freundlichen Dörfern und kunstberühmten Städtchen, schroffe Talschlüsse mit Riesenquellen (am bekanntesten der Blautopf bei Blaubeuren) und mächtigen Höhlen (Nebelhöhle; Bärenhöhle; Falkensteiner Höhle, nicht erschlossen; u. a.), felsige Hänge mit prächtigen Buchenwaldungen und zahlreichen Burgruinen (Hohenneuffen, Teck u. a.) und endlich die herbe Schönheit der Hochflächen mit ihren Bergwiesen und einsamen Heideflächen.

Zu den meistbesuchten Gebieten gehört das Honauer Tal mit dem *Schloß Lichtenstein* sowie der nahen *Nebel-* und *Bärenhöhle,* ferner das Ermstal mit dem reizvollen Städtchen *Urach,* das

Fachwerkhäuser in Urach

Lenninger Tal als Ausgangspunkt der Auffahrten auf die *Teck* und den *Hohenneuffen*, die Gegend zwischen Göppingen und Schwäbisch Gmünd mit dem *Hohenstaufen* und *Hohenrechberg*, im Südwesten die Zollernalb mit dem *Hohenzollern* sowie der *Heuberg* mit den höchsten Erhebungen.

Als Luftkurorte und Sommerfrischen werden zahlreiche Orte der Alb besucht. Aufstrebende Thermalbadeorte wie *Beuren, Boll, Ditzenbach, Überkingen* und *Urach* liegen in dem einstigen Vulkangebiet bei Kirchheim und Urach.

Die mit einer Silberdistel auf grünem Grund markierte **Schwäbische-Alb-Straße** führt von *Nördlingen* über *Heidenheim* und *Geislingen* nach *Urach*, weiter über *Ebingen* nach *Tuttlingen* oder *Trossingen* und bildet damit eine sehr lohnende Längsstrecke über den ganzen Gebirgszug.

Schwäbisch Gmünd

Bundesland: Baden-Württemberg.
Kfz-Kennzeichen: AA (GD).
Höhe: 321 m ü.d.M. – Einwohnerzahl: 56000.
Postleitzahl: D-7070. – Telefonvorwahl: 07171.
ⓘ **Städtisches Verkehrsamt,**
 Kulturzentrum Prediger,
 Johannisplatz 3;
 Telefon: 603544.

HOTELS. – *Pelikan*, Freudental 26, 57 B.; *Goldene Krone* (garni), Marktplatz 18, 27 B.; *Patrizier*, Kornhausstr. 25, 35 B.; *Bahnhofshotel*, Bahnhofstr. 12, 32 B.; *Weber* (garni), Ledergasse 14, 25 B. – In Hussenhofen: *Gelbes Haus*, 40 B. – JUGENDHERBERGE: Taubentalstr. 46/I, 75 B.

RESTAURANTS. – *Postillion*, Königsturmstr. 35 (schwäb. und internationale Spez.); *Bahnhofshotel*, Bahnhofstr. 12.

CAFÉ. – *Kucher*, Vordere Schmiedgasse 18.

Die einstige Reichsstadt liegt am Nordrand der Schwäbischen Alb im Tal der Rems. Sie ist bekannt durch ihre Gold- und Silberwarenindustrie (Fachschule) sowie ihre an böhmische Glasmachertradition anknüpfenden Glashütten. Schwäbisch Gmünd ist die Geburtsstadt des Baumeisters Peter Parler und des Malers Hans Baldung, gen. Grien.

GESCHICHTE. – Schwäbisch Gmünd wurde um 1160 an der Stelle des Klosters *Gamundia* als erste Stauferstadt gegründet. Nach dem Ende der staufischen Ära war Gmünd bis 1803 Freie Reichsstadt und erlangte vor allem durch sein Goldschmiedegewerbe Bedeutung. Im Zweiten Weltkrieg blieb die Stadt weitgehend von Zerstörungen verschont;

nach 1945 wurden die hier neu angesiedelten Gablonzer Betriebe zu einem wichtigen Wirtschaftsfaktor.

SEHENSWERTES. – Am reizvollen langgestreckten Markt stehen das *Rathaus* (1783–85) und die bedeutende spätromanische **St.-Johannis-Kirche** (um 1210-30; kath.) mit reichem plastischen Schmuck. Unweit südwestlich das gotische **Münster (Zum Heiligen Kreuz;* kath.), Anfang des 14. Jh. von dem Gmünder Baumeister Heinrich Parler (dem Vater des späteren Prager Dombaumeisters Peter Parler) begonnen, eine der ersten großen Hallenkirchen Süddeutschlands. Von der mittelalterlichen *Stadtbefestigung* (15. Jh.) sind noch mehrere Türme erhalten.

Westlich der Altstadt, an der Rektor-Klaus-Straße, das *Museum* (u.a. spätgotische und barocke Plastiken; Schmuck). – Jenseits des Bahnhofs die in den Fels gehauene Wallfahrtskapelle *St. Salvator* (1617-20; schöne Aussicht). – In der Weststadt Reste des römischen Kastells *Schirenhof.*

UMGEBUNG von Schwäbisch Gmünd. – **Hohenrechberg** (707 m, 9 km südlich) mit Burgruine und Wallfahrtskapelle; Rundsicht. – **Hohenstaufen** (684 m, 15 km südwestlich). Hier stand einst die Stammburg der Staufer, die im Bauernkrieg 1525 zerstört und später abgetragen wurde; **Aussicht.

Schwäbisch Hall

Bundesland: Baden-Württemberg.
Kfz-Kennzeichen: SHA.
Höhe: 270 m ü.d.M. – Einwohnerzahl: 32500.
Postleitzahl: D-7170. – Telefonvorwahl: 0791.
ⓘ **Informations- und Kulturamt,**
 Am Markt 9;
 Telefon: 751321.

HOTELS. – *Ratskeller*, Am Markt 12, 100 B., Hb., Sauna; *Hohenlohe*, Weilertor 14, 60 B.; *Simon* (garni), Schweickerweg 25, 26 B.; *Dreikönig*, Neue Str. 25, 20 B. – In Hessental: *Krone*, Schmiedgasse 1, 18 B.

RESTAURANTS. – *Schuhbäck*, Untere Herrengasse 1 (Grillrestaurant).

CAFÉ. – *Am Markt*, Markt 10.

VERANSTALTUNGEN. – **Freilichtspiele** auf der Freitreppe vor St. Michael (Juni bis August); *Salzsiedertanz, Fischerstechen.*

Die ehemalige Reichsstadt Hall liegt am Nordostrand des Schwäbischen Waldes im tiefeingeschnittenen Tal des Kochers. Mitten in der Stadt entspringt auf dem rechten Flußufer die

früher der Salzgewinnung dienende, heute für Bäder genutzte Solquelle. Reizvoll ist das Stadtbild: die Kirche des Salzheiligen St. Michael mit ihrer großen Freitreppe, die überdachten Holzstege über den Kocher, die übereinander gestaffelten Fachwerkhäuser am Hang, die alten Stadttürme und malerischen Winkel.

GESCHICHTE. – Dem Salz verdankt Schwäbisch Hall seinen Namen und seinen Wohlstand. Schon früher wurde hier Salz gewonnen. 1156 verlieh Kaiser Barbarossa Hall Stadtrechte. Im Mittelalter wurde die Stadt bekannt als Münzstätte der wohl schon Anfang des 11. Jh. hier geprägten Häller Pfennige (Heller). 1229 erbaute der kaiserliche Vogt Schenk von Limpurg seine Burg über der Stadt, doch Hall behauptete seine Unabhängigkeit. 1276 wurde es freie Reichsstadt.

SEHENSWERTES.– Am *Marktplatz, der in der Geschlossenheit seiner architektonischen Umrahmung zu den eindrucksvollsten Marktplätzen Deutschlands gehört, steht das barocke *Rathaus* (1728–35). Eine Freitreppe (im Sommer Freilichtspiele) führt hinauf zur **Kirche St. Michael** (15. Jh.; ev.) mit beachtenswertem Inneren (Hochaltar von

Schwäbisch Hall – St. Michael mit Fischkasten

1470). Oberhalb der Kirche das *Crailsheimer Tor* (1515) und der stattliche *Neubau* (Großes Büchsenhaus; 1527 als Zeughaus erbaut; Festsaal). An der nahen Unteren Herrengasse das *Keckenburg-Museum* (stadtgeschichtliche Sammlungen). Über den Kocher und die Insel Unterwöhrd (Solbad) führen hüb-

sche alte Brückenstege. Auf dem linken Kocherufer im Stadtteil ST. KATHA-RINA die *Katharinenkirche* (Chor von 1343) und der *Pulverturm* (1490). – In der südlich vom Markt gelegenen Vorstadt UNTERLIMPURG die *St.-Urban-Kirche* (13. Jh.). Von hier führt ein Fußweg zu den spärlichen Resten der Burgruine *Limpurg* (13. Jh., später erweitert).

UMGEBUNG von Schwäbisch Hall. – *Comburg (Groß-Comburg; 3 km südöstlich). Die auf einem 340 m hohen Bergkegel über dem rechten Kocherufer thronende ehem. Benediktinerabtei (1073 gegr.; jetzt Pädagogische Akademie) zeigt in einzigartiger Weise das Bild eines befestigten Klosters aus der Blütezeit des Benediktinerordens.

Schwarzwald

Bundesland: Baden-Württemberg.
ⓘ **Fremdenverkehrsverband Schwarzwald,** Bertoldstraße 45, D-7800 Freiburg/Brsg.; Telefon: (0761) 31317.

Der **Schwarzwald, mit seinen dunklen Waldbergen wohl das meist besuchte Mittelgebirge Europas, bildet den südwestlichsten Eckpfeiler Deutschlands und ist von Pforzheim bis Waldshut am Hochrhein 160 km lang sowie im Norden etwa 20 km, im Süden 60 km breit. Nach Westen wendet das Gebirge zu der fruchtbaren Oberrheinebene einen Steilabfall, der von wasserreichen Tälern zerschnitten ist; nach Osten dacht es sich sanfter gegen das obere Neckartal und Donautal ab. Der wellige Rücken ist durch zahlreiche Täler gegliedert und wird von den flachen Kuppen der mattenbedeckten Gipfel nur wenig überragt. Die bislang festgestellten Uranvorkommen sind nicht unbeträchtlich; ihr Abbau wird erwogen.

Der **Nördliche Schwarzwald,** nördlich des von Freudenstadt bis Offenburg das ganze Gebirge durchquerenden Kinzigtals, hat breite Buntsandsteinrükken und gipfelt in der *Hornisgrinde* (1166 m), an deren Hang in eiszeitlichen Karen mehrere stimmungsvolle kleine Seen wie *Mummelsee* und *Wildsee* liegen. Die hier vorüberführende aussichtsreiche *Schwarzwald-Hochstraße,* die prächtigen Kuranlagen von *Baden-Baden,* die Täler der *Murg* mit dem interessanten Murgkraftwerk, der *Alb* mit dem Kurort *Herrenalb,* der *Enz* mit dem heilkräftigen *Wildbad* und der *Nagold*

mit dem anmutigen *Bad Liebenzell*
nebst dem malerischen *Hirsau* sowie
die schönen Wälder um *Freudenstadt*
sind die Glanzpunkte dieses Gebietes.

Der **Mittlere Schwarzwald,** etwa
zwischen dem Kinzigtal und der Höllentalstraße, besteht vorwiegend aus
Granit und Gneis und erreicht in dem
zwischen dem reizvollen Simonswäl-
der-, Elz- und Glottertal aufragenden
Kandel eine Höhe von 1241 m. Die
meistbefahrene Strecke folgt der
'Schwarzwaldbahn' und hat ihren Mittelpunkt in *Triberg* mit seinen berühmten Wasserfällen. Östlich schließt sich
an den mittleren Schwarzwald die
Hochebene der *Baar* an, die zum
Schwäbischen Jura überleitet.

Der **Südliche Schwarzwald,** wohl
der landschaftlich großartigste Teil,
wird beherrscht von dem 1493 m hohen
Feldberg, von dem ein Rücken zum
schöngeformten *Belchen* (1414 m) und
weiter zum *Blauen* (1165 m) zieht, der
am weitesten gegen die Rheinebene
vorgeschoben ist. Besonders schön
sind die hier am Hang des Feldbergs gelegenen großen ehem. Gletscherbecken
Titisee und *Schluchsee* sowie die vom
Feldberg ausstrahlenden Täler, vor allem das wildromantische *Höllental,* ferner das *Wiesental* und das *Albtal,* die
zum Hochrhein hinabführen.

Sommerfrischen und Luftkurorte
gibt es im Schwarzwald in so großer
Zahl, daß nur auf die wichtigsten hinge-
wiesen werden kann. Im Nördlichen
Schwarzwald sind es neben den altbe-
rühmten Badeorten **Baden-Baden** und
Wildbad vor allem **Freudenstadt,** *Her-*
renalb, Gernsbach, Schönmünzach,
Bad Liebenzell, Hirsau, Bad Teinach, die
Renchtalbäder sowie die *Höhen-Kur-*

häuser an der Schwarzwald-Hochstraße; im Mittleren Schwarzwald *Triberg*
mit seinen Nachbarorten *Schonach* und
Schönwald, dann *Königsfeld, St. Mär-*
gen, das gepflegte *Glotterbad* und das
höchstgelegene europäische Solbad
Dürrheim (700-850 m); im Südlichen
Schwarzwald *Titisee, Hinterzarten* und
das ganze Gebiet um den *Feldberg,*
ferner *St. Blasien, Menzenschwand,*
Schönau und das gepflegte Thermalbad
Badenweiler.

Kurhaus am Burgberg von Badenweiler

Bevorzugte Wintersportplätze in
diesem ältesten Skigebiet Deutschlands
(1891 wurde in Todtnau der erste
'Schneeschuhverein' gegründet) sind
der *Feldberg* (1493 m) und seine Umgebung, *Freudenstadt* (740 m), der *Kniebis*
(875-1054 m), *Dobel* (691 m), *Baiersbronn*
(584 m), *Triberg* und seine Umgebung
(650-1000 m), *Furtwangen* (870 m), *Neu-*
stadt-Titisee (805 m) und *Lenzkirch*
(810 m).

Die berühmte, vielbefahrene **Schwarzwald-*
Hochstraße (754-1166 m) führt von *Baden-Ba-*
den auf dem aussichtsreichen Kamm des Gebirges
durch prächtigen Tannenhochwald an der *Hornis-*
grinde entlang zum *Kniebis* und weiter bis *Freuden-*
stadt. An ihr liegen viele Hotels.

Schweinfurt

Bundesland: Bayern. – Kfz-Kennzeichen: SW.
Höhe: 218 m ü.d.M. – Einwohnerzahl: 54000.
Postleitzahl: D-8720. – Telefonvorwahl: 09721.
ⓘ **Städtisches Verkehrsamt**
und Verkehrsverein,
Rathaus, Metzgergasse;
Telefon: 51497.

HOTELS. – *Panorama-Hotel* (garni), Am oberen Ma-
rienbach 1, 150 B., Hb.; *Parkhotel,* Hirtengasse 6 a,
55 B.; *Central* (garni), Zehntstr. 20, 55 B.; *Roß,*
Postplatz 9, 100 B., Hb.; *Roter Ochse,* Manggas-
se 18, 65 B.

RESTAURANTS. – *Weinhaus Gößwein,* Fischer-
rain 67; *Alt-Nürnberg,* Jägersbrunnen 6 a.

St. Blasien im Südlichen Schwarzwald

FREIZEIT. – Freibad, Hallenbad; Reiten; Eisbahn.

Die am Main gelegene ehemalige Reichsstadt besitzt bedeutende Kugellager-, Kleinmotoren- und Spezialmaschinenwerke (Fichtel & Sachs, Kugelfischer) sowie Farbenfabriken.

SEHENSWERTES. – Am Markt (Fußgängerzone) das 1570-72 von dem sächsischen Meister Nikolaus Hofmann erbaute **Rathaus**, eine Glanzleistung der deutschen Renaissance. Ecke Rückertstraße steht das Geburtshaus des Dichters *Friedrich Rückert* (1788-1866), sein Denkmal auf dem Markt. An der nördlich vom Markt gelegenen, urspr. spätromanischen *Johanniskirche* das schöne Brauttor; nördlich gegenüber das *Städtische Museum*, mit Vogelsammlung. Im Nordwesten die kath. *Kirche St. Kilian* (1953), mit einem 250 qm großen farbigen Chorfenster.

Fachwerkhäuser in Freudenberg

Siegerland

Bundesland: Nordrhein-Westfalen.

ⓘ **Landesverkehrsverband Westfalen,** Balkenstraße 4, D-4600 Dortmund 1; Telefon: (0231) 571715.
Kreisverkehrsverband Siegerland/Wittgenstein e. V., Koblenzer Straße 73, D-5900 Siegen 1; Telefon: (0271) 3377478.

Das vom schönen Tal der Sieg durchquerte industriereiche Siegerland schließt sich südlich an das Sauerland an. Nach Westen wird es vom Bergischen Land begrenzt, nach Süden vom Westerwald, nach Osten geht es in das Wittgensteiner Land um die alte Residenzstadt Berleburg über, mit dem es eine landschaftliche und wirtschaftliche Einheit bildet.

Das 400 bis 800 m hohe kuppige Bergland ist von weiten Wäldern bedeckt (der waldreichste Kreis in der Bundesrepublik). Die Kreisstadt **Siegen**, einst Stammsitz der Fürsten von Nassau-Oranien und Geburtsstadt des Malers Peter Paul Rubens, ist das kulturelle (Gesamthochschule) und wirtschaftliche Zentrum des Siegerlands. Eisenhämmer und Köhlerei gehören im Siegerland der Vergangenheit an. Längst ist man hier zu modernen Verhüttungsmethoden übergegangen. Steigende Bedeutung hat der Fremdenverkehr

gewonnen, nachdem die Autobahn ('Sauerlandlinie') dieses Erholungsgebiet näher an die Großstädte an Rhein, Main und Ruhr herangerückt hat.

Beliebte Sommerfrischen und Luftkurorte sind das an *Fachwerkhäusern reiche *Freudenberg*, ferner *Eitorf*, *Hüttental*, *Kreuztal-Krombach* u. a. *Berleburg* und *Laasphe* im Wittgensteiner Land sind vielbesuchte Kneipp-Heilbäder.

Soest

Bundesland: Nordrhein-Westfalen.
Kfz-Kennzeichen: SO.
Höhe: 98 m ü.d.M. – Einwohnerzahl: 40000.
Postleitzahl: D-4770. – Telefonvorwahl: 02921.
ⓘ **Verkehrsamt,** im Rathaus; Telefon: 103323.

HOTELS. – *Andernach zur Börse,* Thomästr. 31, 40 B.; *Stadt Soest,* Brüderstr. 50, 23 B.; *Im Wilden Mann,* Markt 11, 11 B.; *Pilgrim-Haus,* Jakobistr. 75, 22 B.; *Zur Börde,* Nöttenstr. 1, 15 B. – JUGENDHERBERGE: Jahnstadion an der Arnsberger Straße, 82 B.

RESTAURANTS. – *Brauerei Christ,* Walburger Str. 36; *Im Wilden Mann,* Markt 11 (in einem alten Fachwerkhaus). – In Bad Sassendorf: *Hof Hueck,* im Kurpark (westfäl. Gerichte).

CAFÉ. – *Fromme,* Markt 1.

Die alte westfälische Stadt Soest (spr. Soost) liegt in der fruchtbaren Soester Börde am Nordrand des Sauerlandes. Sehenswerte Kirchen, reizvolle Fachwerkhäuser und eine guterhaltene Umwallung kennzeichnen den Stadtkern.

GESCHICHTE. – Die Soester Schrae (um 1120) ist das älteste deutsche Stadtrecht. Im 12. Jh. fand es Verbreitung bis in den Ostseeraum. Soest war eine bedeutende Hansestadt. Auf dem Höhepunkt ihrer wirtschaftlichen Macht sagte sich die Stadt 1444-49 in der berühmten Soester Fehde vom Erzbistum Köln los. Später kam sie an Brandenburg.

SEHENSWERTES. – Im Mittelpunkt der Stadt erhebt sich der wuchtige kath. *St.-Patrokli-Dom (12. Jh.; wiederhergestellt), eine der bedeutendsten frühromanischen Kirchen Westfalens; im Chor Wandmalereien aus dem 12. Jh. und Glasgemälde des 13. Jahrhunderts. Westlich die romanische *Petrikirche* (um 1150 erbaut; ev.); östlich die *Nikolaikapelle* (kath.) mit Wandmalereien aus der Reifezeit des romanischen Stils (Mitte des 13. Jh.) und einem Altarbild des Meisters Konrad von Soest (15. Jh.); südlich (Thomasstraße) das *Wilhelm-*

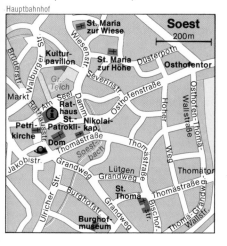

Hauptbahnhof

Mogner-Haus mit der *Städtischen Kunstsammlung;* nördlich vom Dom das *Rathaus* (1713) mit dem *Stadtarchiv* (u. a. Soester Schrae und zwei Exemplare des 'Sachsenspiegels', des ältesten und bedeutendsten Rechtsbuches des deutschen Mittelalters).

Im Norden der Stadt die um 1225 vollendete Kirche **St. Maria zur Höhe** (*Hohnekirche;* ev.), deren *Wandmalereien zu den bedeutendsten des 13. Jh. gehören. Die nahe Kirche *St. Maria zur Wiese (*Wiesenkirche;* 14.-15. Jh.; ev.) ist das Hauptwerk der Gotik in Soest; im linken Seitenschiff das 'Westfälische Abendmahl', Glasgemälde um 1500. – Von der alten Stadtbefestigung ist das 1523-26 erbaute *Osthoventor* (im Innern eine historische Waffensammlung) hervorzuheben.

UMGEBUNG von Soest. – **Bad Sassendorf** (5 km nordöstlich), kleines Sol- und Moorbad mit Kurpark. – *Möhnetalsperre (10 km südlich), 10 km langer und bis 3½ km breiter Stausee mit 650 m langer und 40 m hoher Sperrmauer.

Spessart

Bundesländer: Hessen und Bayern.
ⓘ **Fremdenverkehrsverband Hessen,** Abraham-Lincoln-Straße 38-42, D-6200 Wiesbaden; Telefon: (06121) 73725-26.
Fremdenverkehrsverband Franken, Am Plärrer 14, D-8500 Nürnberg 18; Telefon: (0911) 264202.

Der Spessart ('Spechteshart', d. h. Spechtswald) ist ein wegen seiner Laubwälder bekanntes kleines Mittelgebirge von etwa 500 m Höhe, das vom Mainviereck Hanau-Miltenberg-Wertheim-Gemünden im Westen, Süden und Osten umschlossen wird und im Norden bis gegen Schlüchtern in Hessen reicht. Die wellige Hochfläche, ohne überragende Einzelgipfel, wird durch 150-200 m tiefe gewundene Täler mit schmaler Wiesensohle in breite Rücken gegliedert.

Den südlichen Teil bildet der im *Geyersberg* (585 m) gipfelnde Hochspessart, der von prächtigem Eichen- und Buchenhochwald bedeckt ist. – Nördlich der Linie Aschaffenburg-Lohr erstreckt sich der Hinterspessart, in dem die Forstwirtschaft seit dem Ende des 18. Jh. den Kiefernwald bevorzugt hat. Der nördlich von Aschaffenburg gelegene Vorspessart ist ein aus Buntsandstein, Gneis und Glimmerschiefer bestehendes fruchtbares Hügelland, das im *Hahnenkamm* 437 m Höhe erreicht.

Die Besiedlung wurde lange Zeit durch die Kirchenfürsten mit Rücksicht auf ihre Jagdgründe ferngehalten und drang erst im 13. und 14. Jahrhundert in die Waldtäler vor.

Die lohnendsten Punkte des Spessarts liegen bei dem malerischen *Wasserschloß Mespelbrunn,* in der Umgebung von *Rohrbrunn* sowie bei dem ehem. Klosterhof *Lichtenau,* wo z. B. im 'Metzgergraben' wohl die schönsten 400 bis 500 Jahre alten Eichenbestände in Deutschland erhalten sind. – Das den Spessart umziehende **Maintal** lohnt eine Fahrt vor allem wegen seiner altertümlichen Städtchen, von denen *Miltenberg* und *Wertheim* zu den reizvollsten in Mainfranken gehören. In den nordwestlichen Ausläufern des Spessarts liegt das vielbesuchte *Bad Orb.*

Speyer

Bundesland: Rheinland-Pfalz.
Kfz-Kennzeichen: SP.
Höhe: 104 m ü.d.M. — Einwohnerzahl: 44000.
Postleitzahl: D-6720. — Telefonvorwahl: 06232.
ⓘ **Verkehrsamt,**
Maximilianstraße 11;
Telefon: 143 92.

HOTELS. — *Goldener Engel,* Mühlturmstr. 27, 60 B.; *Kurpfalz* (garni), Mühlturmstr. 5, 30 B.; *Schlosser* (garni), Maximilianstr. 10, 28 B. (Café). — Jenseits des Rheins: *Rheinhotel Luxhof,* an der Rheinbrücke, 80 B. — JUGENDHERBERGE: Am Leinpfad 4 (beim Städt. Freibad), 124 B.

RESTAURANTS. — *Zum Domnapf,* Domplatz; *Weißes Roß,* Johannesstr. 2; *Stadthalle,* Obere Langgasse 11. — CAFÉ: *Hindenburg,* Maximilianstr. 91.

Die alte Kaiserstadt liegt am linken Ufer des Rheins, ein früher Bischofssitz und Stätte vieler Reichstage, beherrscht vom romanischen Kaiserdom; Kreisstadt und Weinhandelszentrum.

GESCHICHTE. — Ursprung war die *Civitas Nemetum* der Römer. Im 7. Jh. tauchte der Name *Spira* auf. Im selben Jahrhundert wurde Speyer Bischofssitz. Von 1294-1797 war es freie Reichsstadt, in der zahlreiche Reichstage stattfanden (1529 Protestation der ev. Fürsten und Stände gegen die reformationsfeindlichen Beschlüsse der Mehrheit), im 16. und 17. Jh. Sitz des Reichskammergerichts. 1689 im Pfälzer Erbfolgekrieg schwere Zerstörungen.

SEHENSWERTES. — Der sechstürmige ****Dom** (kath.), die eindrucksvollste und umfangreichste hochromanische Kathedrale Deutschlands, wurde um 1030 vom Salierkaiser Konrad II. begonnen und 1061 geweiht; von 1082-1125 erfolgte unter den Kaisern Heinrich IV. und Heinrich V. ein umfassender Umbau. In der Westvorhalle Standbilder der acht im Dom beigesetzten Kaiser; im Inneren der erhöhte 'Königschor' sowie der Zugang zu den schon 1039 geweihten *Krypta und zur *Kaisergruft mit den Überresten aus den 1689 von den Franzosen teilweise geplünderten Kaisergräbern (u. a. Konrad II., † 1039; Hein-

rich III., † 1056; Heinrich IV., † 1106; Heinrich V., † 1125; Rudolf von Habsburg, † 1291). Vor dem Dom der *Domnapf,* eine Steinschüssel von 1490, die bei der Einführung eines neuen Bischofs für das Volk mit Wein gefüllt wurde. — Unweit südlich vom Dom das **Historische Museum der Pfalz** mit hervorragenden Sammlungen aus Altertum, Mittelalter und Neuzeit sowie dem *Diözesanmuseum* und einem interessanten *Weinmuseum.* Am Ende der nahen Judenbadgasse liegt in einem Gärtchen fast 10 m unter der Erde das um 1100 angelegte *Judenbad,* der Rest einer Synagoge.

Vom Dom führt die breite **Maximilianstraße,** die Hauptstraße der Stadt, westlich zum *Altpörtel,* einem schönen Torturm aus dem 13. und 16. Jh. — Im südwestlichen Stadtteil die zum Gedächtnis der Protestation 1893-1904 errichtete *Gedächtniskirche.* Östlich in der Allerheiligenstr. 4 das *Feuerbach-Museum.* — Unweit östlich vom Hauptbahnhof die *Kirche St. Bernhard* (1953-54; freistehender Turm).

UMGEBUNG von Speyer. — ***Holiday-Park Haßloch** (14 km nordwestlich), 350000 qm großer Freizeitpark mit Märchenpark, Liliputanerstadt, Delphinarium, Circus-Varieté, 'Kino Monumental' (Cinema 180°) und anderen Attraktionen. — **Schloß Schwetzingen** (17 km nordöstlich; s. bei Heidelberg).

Staffelstein

Bundesland: Bayern. — Kfz-Kennzeichen: LIF.
Höhe: 264 m ü.d.M. — Einwohnerzahl: 9900.
Postleitzahl: D-8623. — Telefonvorwahl: 09573.
ⓘ **Verkehrsverein Obermain,**
Bamberger Straße 5;
Telefon: 200.

HOTELS. — *Post,* 16 B. — In Vierzehnheiligen: *Stern,* 20 B., Brauerei. — Im Kloster Banz: *Schloßgasthof,* 40 B.

Das alte Städtchen Staffelstein, Geburtsort des Rechenmeisters Adam Riese (1492-1559), liegt im Maintal am Rande der Fränkischen Alb und wird überragt von dem aussichtsreichen Staffelberg (539 m), der durch Scheffels Wanderlied "Wohlauf, die Luft geht frisch und rein" berühmt geworden ist.

SEHENSWERTES. — In dem schönen **Rathaus,** einem Fachwerkbau von 1687, ist u. a. das *Heimatmuseum* untergebracht. — Thermalbad geplant.

Speyerer Kaiserdom

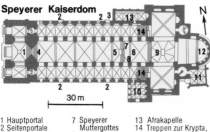

├─ 30 m ─┤

1 Hauptportal
2 Seitenportale
3 Portal der Afrakapelle
4 Orgel
5 Pfarraltar
6 Königschor
7 Speyerer Muttergottes
8 Ambo
9 Hauptaltar
10 Taufkapelle
11 Sakristei
12 Bischofsthron
13 Afrakapelle
14 Treppen zur Krypta, Vorkrypta und Kaisergruft (4 Kaiser, 4 Könige, 3 Kaiserinnen, 1 Prinzessin, 5 Bischöfe)

Der nordöstlich gelegene Ortsteil Grundfeld-Vierzehnheiligen, auf halber Strecke nach Lichtenfels, wird beherrscht von der hoch über dem linken Mainufer gelegenen, vielbesuchten Wallfahrtskirche **Vierzehnheiligen (387 m), dem Glanzpunkt des fränkischen Barocks. Sie wurde 1743-72 nach Plänen von Balthasar Neumann erbaut.

Wallfahrtskirche
Vierzehnheiligen

ALTÄRE:
1 Gnadenaltar
2 Hochaltar
3 St. Franziskus
4 St. Antonius
5 St. Blasius
6 St. Georg

DECKENGEMÄLDE:
a Anbetung der Hl. Drei Könige
b Abrahams Opfer
c Jakobsleiter
d Kaiser Heinrich und Kaiserin Kunigunde
e 14 Nothelfer mit Dreifaltigkeit
f Verkündigung
g Josephs Traum
h Anbetung der Hirten

K Kanzel   O Orgel

Einzigartig der Grundriß mit ineinandergreifenden Ovalen und Kreisen; kühn und phantasievoll der Kirchenraum, dessen Ausschmückung Johann Michael Feuchtmayr und Johann Georg Übelherr besorgten. Die schönen Deckenfresken schuf Giuseppe Appiani. Über der Stelle, an der im Jahre 1445 einem Schäfer die vierzehn Nothelfer erschienen sein sollen, erhebt sich der kostbare Gnadenaltar von Johann Michael Küchel.

UMGEBUNG. – Gegenüber von Staffelstein am rechten Mainufer das hochgelegene, schloßartige ehem. **Benediktinerkloster Banz.** 1695 begann Johann Leonhard Dientzenhofer mit dem Klosterbau, dessen großes Geviert von einem Torflügelbau Balthasar Neumanns gekrönt wird. Die prachtvolle zweitürmige *Klosterkirche* erbaute 1710-19 Johann Dientzenhofer; im Innern reiche Stuckierung und Deckenfresken, Hochaltar von Balthasar Esterbauer (1714). Im ehem. Benediktinerkloster sind die Abtskapelle und der Kaisersaal sehenswert, ferner eine kleine ägyptische Sammlung und die Petrefaktensammlung mit Versteinerungen aus dem Jura der Umgebung (Saurier u. a.).

Starnberger See

Bundesland: Bayern.
(i) **Fremdenverkehrsverband München-Oberbayern e. V.,** Sonnenstraße 10, D-8000 München 2; Telefon: (089) 596351.

Der im Alpenvorland 25 km südwestlich von München gelegene *Starnberger See oder Würmsee, an dessen Nordende die Würm austritt, füllt ein von waldigen Moränenhügeln umschlossenes ehemaliges Gletscherbecken in einer Länge von 20 km und einer Breite von 2-5 km. Die Fläche des Sees beträgt 57,2 qkm, seine größte Tiefe 123 m.

Die an schönen Sommertagen von zahlreichen Segelbooten und Ausflugsschiffen belebte Wasserfläche, umrahmt von bewaldeten Uferhöhen, vielbesuchten Ausflugs- und Ferienorten, Villensiedlungen und Parkanlagen, bietet ein anmutiges, abwechslungsreiches Bild, dem im Süden die ferne Alpenkette einen eindrucksvollen Abschluß gibt. An allen Orten gibt es Strandbäder. Die bekanntesten Seefische sind Renken (Felchen).

In **Starnberg** im Norden haben viele Prominente ihren Wohnsitz. Ein beliebtes Ausflugsziel ist das Strandhotel *Schloß Berg* am östlichen Seeufer mit reizvoller Seeterrasse. Bei der nahen *Votivkirche* markiert ein Kreuz im See die Stelle, an der am Pfingstsonntag 1886 König Ludwig II. ertrank. *Feldafing* am westlichen Seeufer ist vor allem Freunden des Golfsports ein Begriff. Im nahen *Schloß Possenhofen* verbrachte Kaiserin Elisabeth von Österreich ('Sissi') ihre Kindheit. Der Luftkurort *Tutzing* ist bekannt durch seine Evangelische Akademie und die Tutzinger Musiktage. Von der 728 m hohen *Ilkahöhe* öffnet sich ein prachtvoller *Blick auf den See mit der Sommerfrische *Seeshaupt* am Südufer und die Alpengipfel.

Straubing

Bundesland: Bayern. – Kfz-Kennzeichen: SR. Höhe: 332 m ü.d.M. – Einwohnerzahl: 45000. Postleitzahl: D-8440. – Telefonvorwahl: 09421.
(i) **Städtisches Verkehrsamt,** Rathaus, Theresienplatz; Telefon: 16307.

HOTELS. – *Seethaler,* Theresienplatz 25, 40 B.; *Wittelsbach,* Stadtgraben 25, 64 B.; *Motel Lermer* (garni), Landshuter Str. 55, 44 B.; *Schedlbauer* (garni), Landshuter Str. 78, 38 B.; *Goldener Löwe,* Innere Passauer Str. 20, 25 B.; *Heimer,* Schlesische Str. 131, 32 B. – JUGENDHERBERGE: Friedhofstr. 12, 66 B. – CAMPINGPLATZ: *Campingplatz Straubing,* am linken Donauufer.

RESTAURANT. – *Taxis-Stuben*, Mühlsteingasse 12.

CAFÉS. – *Krönner*, Theresienplatz 22; *Isabell*, Stettheimerplatz.

VERANSTALTUNGEN. – *Agnes-Bernauer-Festspiele* im Schloßhof (alle geraden Jahre im Juli); *Gäuboden-Volksfest* (im August).

Die niederbayerische Stadt Straubing liegt am rechten Ufer der Donau am Fuße des Bayerischen Waldes in einer fruchtbaren Ebene, dem Gäuboden, der Kornkammer Bayerns. Die Agnes-Bernauer-Stadt ist ein bedeutender landwirtschaftlicher Markt und besitzt mehrere Brauereien.

GESCHICHTE. – Die Altstadt entstand in der Gegend der Peterskirche an der Stelle der römischen Siedlung *Sorviodurum*. Die 1218 gegründete befestigte Neustadt war 1353-1425 Hauptstadt eines selbständigen Herzogtums, das dann an Herzog Ernst von Bayern fiel. Dessen Sohn Albrecht III. vermählte sich 1432 mit der schönen Augsburger Baderstochter Agnes Bernauer. Diese wurde auf Betreiben von Herzog Ernst 1435 der Zauberei angeklagt und in die Donau gestürzt. Hebbel setzte ihr mit seinem Trauerspiel "Agnes Bernauer" ein literarisches Denkmal.

Theresienplatz in Straubing

SEHENSWERTES. – In der Mitte der NEUSTADT erhebt sich zwischen Theresienplatz im Westen und Ludwigsplatz im Osten der 66 m hohe *Stadtturm* (14. Jh.; Aussicht); nördlich gegenüber · das gotische *Rathaus* (1382); westlich der *Tiburtiusbrunnen* (1685) und die 1709 nach einer Belagerung errichtete *Dreifaltigkeitssäule*. Nördlich des Theresienplatzes die mächtige **Kirche St. Jakob,** im 15.-16. Jh. nach Plänen von Hans Stet-

haimer erbaut, mit 86 m hohem Turm und sehenswertem Inneren. – Auf dem Ludwigsplatz steht der *Jakobsbrunnen* (1644); in der Löwenapotheke (Nr. 11) wirkte 1828-30 der Maler *Karl Spitzweg* als Apothekerlehrling. An der von der Mitte des Platzes nach Norden führenden Fraunhofergasse Nr. 1 das Geburtshaus des Physikers *Joseph Fraunhofer* (1787-1826), Nr. 9 das *Gäubodenmuseum* (Stadtgeschichte, Volkskunde, Vorgeschichte; 1950 entdeckter *Straubinger Römerschatz). Unweit östlich die ebenfalls von Hans Stethaimer erbaute, im 18. Jh. barockisierte *Karmelitenkirche* (hinter dem Hochaltar das Grabmal des Herzogs Albrecht II., † 1397) und die von den Brüdern Asam prunkvoll ausgestattete *Ursulinenkirche* (1738). Nördlich an der Donau das ehem. herzogliche *Schloß* (15. Jh.). – Westlich der Neustadt der 1905 angelegte *Stadtpark* mit dem *Tiergarten*.

Östlich von der Neustadt in der ländlichen ALTSTADT die **Peterskirche** (1180), eine romanische Pfeilerbasilika (Türme von 1886); im Inneren über dem Hochaltar ein beachtenswertes Kruzifix (um 1200). Auf dem stimmungsvollen Kirchhof u. a. die *Agnes-Bernauer-Kapelle* (1436) mit dem Grabstein der mit Herzog Albrecht III. vermählten schönen Augsburger Bürgerstochter Agnes Bernauer; nahebei die *Totentanzkapelle* (1486; Adelsgruft) mit Totentanzfresken von 1763.

UMGEBUNG von Straubing. – **Klosterkirche Oberalteich** (10 km nordöstlich), 1630 vollendet; im Inneren reiche Rokoko-Ausstattung.

Stuttgart

Bundesland: Baden-Württemberg.
Kfz-Kennzeichen: S.
Höhe: 207 m ü.d.M. – Einwohnerzahl: 585000.
Postleitzahl: D-7000. – Telefonvorwahl: 07 11.

ⓘ **Touristik-Zentrum i-Punkt,**
Klett-Passage am Hauptbahnhof (bis 22 Uhr); Telefon: 29 94 11.

HOTELS. – **Steigenberger Hotel Graf Zeppelin,* Arnulf-Klett-Platz 7, 400 B., Hb., Sauna, Grill-Restaurant; **Am Schloßgarten*, Schillerstr. 23, 170 B.; *Royal*, Sophienstr. 35, 130 B.; *Park-Hotel*, Villastr. 21, 130 B.; *Intercity-Hotel*, Arnulf-Klett-Platz 2, 140 B.; *Ruff*, Friedhofstr. 21, 110 B., Hb., Sauna; *Ketterer*, Marienstr. 3, 100 B.; *Wartburg-Hospiz*, Lange Str. 49, 100 B.; *Rieker* (garni), Friedrichstr. 3, 80 B.; *Azenberg* (garni), Seestr. 114-116, 75 B.; *Unger* (garni), Kronenstr. 17, 100 B.; *Haus* von Lippe (garni), Rotenwaldstr. 68, 50 B.; *Bäcker-schmide*, Schurwaldstr. 44, 22 B.; *Mack*, Krieger-str. 7, 78 B.; *Höhenhotel Wielandshöhe* (garni), Alte Weinsteige 71, 50 B. – In Botnang: *Hirsch*, Eltinger Str. 2, 50 B. – In Feuerbach: *Europe*, Siemensstr. 26, 300 B. – In Möhringen: *Stuttgart International*, Plieninger Str. 100, 300 B., Hb. – In Plieningen: *Traube*, Brabandtgasse 2, 30 B. – An der Solitude: *Waldhotel Schatten*, 85 B.; *Schloßhotel Solitude*, beim Schloß Solitude, 45 B. – JUGENDHERBERGE: Haußmannstr. 27, 340 B. – CAMPINGPLATZ: *Cannstatter Wasen*, zwischen Bad Cannstatt und Neckar.

RESTAURANTS. – **Alte Post*, Friedrichstr. 43; *Breuninger Exquisit*, im Kaufhaus Breuninger, Karlstraße; *Alter Simpl*, Hohenheimer Str. 64; *Scheffelstuben*, Haußmannstr. 5; *Alte Kanzlei*, Schillerplatz 5 a; *Mövenpick*, Kleiner Schloß-platz 11; *Ratskeller*, Marktplatz 1; *Eulenspiegel*, Bärenstr. 3; *Liederhalle*, Berliner Platz 1.

Ausländische Küche: *Walliser Stuben*, Lange Str. 35 (Schweizer Spez.); *Lotos*, Königstr. 17 (chines. Küche); *Balkan-Grill*, im Hindenburgbau, Arnulf-Klett-Platz; *Santa Lucia*, Steinstr. 3 (italien. Gerichte).

Höhengaststätten: *Fernsehturm*, Jahnstr. 120, im Stadtteil Degerloch; *Schönblick*, Hölzelweg 2; *Parkrestaurant Killesberg*, Stresemannstr. 39.

WEINSTUBEN. – *Bäcka-Metzger*, Aachener Str. 20, im Stadtteil Bad Cannstatt; *Hirsch-Weinstuben*, Maierstr. 3, im Stadtteil Möhringen; *Paule*, Augsburger Str. 643, im Stadtteil Obertürkheim.

CAFÉS. – *Königsbau*, Königstr. 28; *Schloßgarten*, beim gleichnamigen Hotel (Terrasse); *Schapmann*, Königstr. 25; *Sommer*, Charlottenplatz 17.

VERANSTALTUNGEN. – *Frühlingsfest* auf dem Cannstatter Wasen (April); Stuttgarter Ballettwoche (Mai); *Cannstatter Brezelfest* (Juni); Lichterfest auf dem Killesberg mit Feuerwerk (Juli); *Schwäbischer Sonntag* (1. Sonntag im September); **Cannstatter Volksfest** (September); *Weihnachtsmarkt* (Dezember).

Die baden-württembergische Landes-hauptstadt Stuttgart bettet sich über-aus reizvoll in einen von Bergwald, Obstgärten und Weinbergen umrahm-ten Talkessel, der sich nur zum Neckar hin öffnet. Aus der Talsohle, wo sich die historischen Bauten befinden, klet-tern die Häuserzeilen der Stadt die Hänge hinauf. Wo diese für die Anlage der Straßen zu steil sind, führen Trep-pen und Treppchen – hier Staffeln ge-nannt – bergauf und bergab.

Stuttgart ist Sitz zweier Universitäten (Stuttgart und Hohenheim), einer Aka-demie der Bildenden Künste, einer Hochschule für Musik und darstellende Kunst und einer Berufspädagogischen Hochschule sowie zahlreicher Fach-hochschulen. Die Stadt besitzt ein reges Theater- und Konzertleben. Stuttgarter Ballett und Stuttgarter Kammerorche-ster genießen internationalen Ruf. Auch die populären Fischerchöre sind in Stuttgart beheimatet. Fahrzeugbau

Panorama der baden-württembergischen Landeshauptstadt Stuttgart

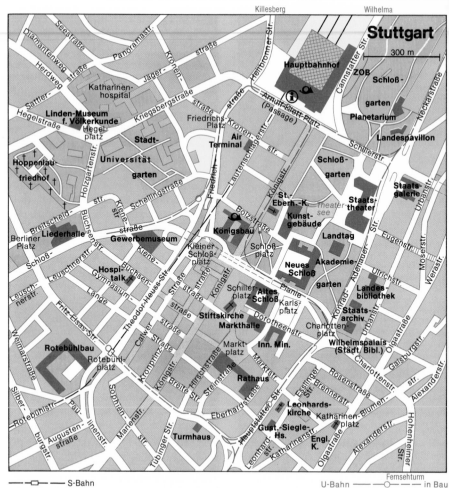

(Daimler-Benz, Porsche), Elektroindustrie (Bosch), Maschinenbau, feinmechanische und optische Werke, Textil- und Papierindustrie bestimmen das Wirtschaftsbild. Auch auf dem Gebiete des Verlagswesens nimmt die Stadt eine wichtige Stellung ein.

Überdies ist Stuttgart einer der größten Obst- und Weinbauorte der Bundesrepublik. In den Stadtteilen Berg und Bad Cannstatt besitzt es nach Budapest die ergiebigsten Mineralquellen Europas.

GESCHICHTE. – Der Name Stuttgart leitet sich her von einem um 950 angelegten Gestütshof ('Stutkarten') des Alemannenherzogs Liutolf; daher auch das schwarze Pferd im Stadtwappen. Neben einer von Ulrich I., dem Stifter (1241-65), errichteten Wasserburg entwickelte sich die Stadt bald zu einem bedeutenden befestigten Marktort für die fruchtbare Filderebene. Nach der Zerstörung seiner Stammburg Wirtemberg auf dem Rotenberg verlegte Graf Eberhard I., der Erlauchte, 1321 seinen Sitz nach Stuttgart. Als Residenz der Württemberger Grafen wuchs die Stadt rasch über ihren alten Mauerring hinaus. 1495 erhob Kaiser Maximilian den Grafen Eberhard im Bart zum Herzog. Stuttgart wurde Hauptstadt eines Herzogtums. Um das vergrößerte Stadtgebiet entstand in der folgenden Zeit eine neue äußere Mauer, die auch die Obere und

Untere Vorstadt einbezog. 1717 verlegte Herzog Eberhard Ludwig, der ein verschwenderisches Hofleben nach französischem Vorbild führte, seinen Sitz nach seiner Neugründung Ludwigsburg und erklärte dieses 1724 zur alleinigen Residenz. Herzog Karl Eugen (1737-93) residierte später wieder in Stuttgart. Er gründete 1770 auch die berühmte Karlsschule (zunächst auf der Solitude, 1775 nach Stuttgart verlegt), deren berühmtester Schüler Friedrich Schiller war. Herzog Friedrich II. wurde 1803 durch den Reichsdeputationshauptschluß von Regensburg zum Kurfürsten und 1805 als Friedrich I. von Napoleon zum König erhoben. Stuttgart wurde Hauptstadt des Königreichs Württemberg. 1813 sagte sich Friedrich von Napoleon los, 1815 trat er dem Deutschen Bund bei. Unter König Wilhelm I. (1816-64) wurde 1819 die Verfassung eingeführt. Eine rege Bautätigkeit setzte ein. Die Stadt wuchs, und die Stadtmauern wurden größtenteils beseitigt. 1845 fuhr die erste württembergische Eisenbahn, 1868 die erste Pferde-Straßenbahn von Stuttgart nach Cannstatt. 1918 verzichtete König Wilhelm II. auf den Thron. Der Freistaat Württemberg mit Stuttgart als Hauptstadt entstand. Der Zweite Weltkrieg traf die Stadt schwer, insbesondere die Altstadt. 1945 wurde Stuttgart Sitz der Landesregierung von Württemberg-Baden, 1951 Hauptstadt des Bundeslandes Baden-Württemberg.

SEHENSWERTES. – Am Arnulf-Klett-Platz mit unterirdischer Geschäftspassage steht der 1914-27 von P. Bonatz und F. E. Scholer errichtete wuchtige *Hauptbahnhof mit 58 m hohem Turm. Gegenüber der *Hindenburgbau* (1927/28; 1951 erweitert), weiterhin an der Lautenschlagerstraße der *Zeppelinbau* (Hotel) und die *Oberpostdirektion* (1926-27). Links gegenüber vom Hauptbahnhof der als ·Geschäftshaus 1960-61 errichtete *Schloßgartenbau* (Hotel). – Vom Hauptbahnhof führt die Königstraße, die Hauptgeschäftsstraße (Fußgängerzone) der Stadt, an der *Domkirche St. Eberhard* (1955 wiederaufgebaut; kath. Bischofskirche) vorbei, zum Schloßplatz und weiter zum Wilhelmsbau.

Den *Schloßplatz umgeben Bauten aus Stuttgarts Residenzzeit. In der Mitte der Anlagen die *Jubiläumssäule,* zum Gedächtnis an das 25. Regierungsjahr König Wilhelms I. (1841). An der Nordwestseite des Platzes der 1856-60 errichtete, 1957-59 wiederhergestellte *Königsbau* mit einer Säulenhalle; südwestlich anschließend erhöht der Kleine Schloßplatz (1968) mit Geschäften und Lokalen (zuweilen Flohmarkt). An der Nordostecke des Schloßplatzes das 1912-13 aufgeführte, 1956-61 wiederaufgebaute *Kunstgebäude* mit der Städtischen Galerie und wechselnden Ausstellungen. Das den Platz beherrschende umfangreiche **Neue Schloß** (1746-1807) wurde nach Kriegszerstörung 1959-62 wiederaufgebaut (Repräsentationsräume; Kultus- und Finanzministerium).

Südwestlich an der Planie das **Alte Schloß,** 1553-78 von A. Tretsch erbaut (1948-69 wiederhergestellt) mit malerischem Hof; im Innern das reichhaltige und gut aufgestellte *Württembergische Landesmuseum* (mittelalterliche Sammlung, profanes und sakrales Kunsthandwerk, württembergische Kronjuwelen, Uhren, astronomische und Musikinstrumente, historische Moden, archäologische Funde u. a.). Im Südflügel die *Schloßkapelle* (1560-62).

Hinter dem Schloß der *Schillerplatz (Tiefgarage) mit einem *Schillerdenkmal* von Thorwaldsen; an der Nordostseite die *Alte Kanzlei,* um 1500 als Sitz der herzoglichen Kanzleien erbaut; an der Nordwestseite des Platzes der unter Herzog Eberhard Ludwig (1677-1733) dem Erbprinzen Friedrich Ludwig als

Wohnung dienende *Prinzenbau* (1605 von Schickhardt begonnen, aber erst nach 100 Jahren von Matthias Weiß vollendet), jetzt Sitz des Justizministeriums; an der Südwestseite des Platzes der urspr. 1390 erbaute *Fruchtkasten* (röm. Lapidarium), daneben der Chor der Stiftskirche.

Die zweitürmige *Stiftskirche (ev.) wurde im 12. Jh. gegründet und im 15. Jh. durch Aberlin Jörg u. a. spätgotisch umgebaut (nach schwerer Kriegszerstörung 1958 wieder eingeweiht); im Chor eine großartige Reihe von elf Grafenstandbildern, reiche Renaissancearbeiten des Simon Schlör (zwischen 1576

Stiftskirche in Stuttgart

und 1608 ausgeführt). – Unweit südöstlich der Marktplatz mit dem **Rathaus** (1956, Glockenspiel; Ratskeller). – Am Südrand der Altstadt das 1927-28 errichtete 61 m hohe *Turmhaus* der Stuttgarter Zeitung und die 1463-74 erbaute *Leonhardskirche.*

Am verkehrsreichen Charlottenplatz (Fahrbahn-, Straßenbahn- und Fußgängerunterführung in mehreren Ebenen) beginnt bei dem 1840 von Salucci als Prinzessinnenpalais erbauten *Wilhelmspalais* (rechts; ehem. Wohnsitz des letzten württembergischen Königs Wilhelm II., 1944 ausgebrannt, 1964-65 wiederaufgebaut; Stadtgeschichtliche Sammlungen, Stadtbücherei) die Konrad-Adenauer-Straße. An dieser rechts die **Landesbibliothek** (1970; auch Ausstellungen); weiterhin links der 1960-61 errichtete Bau für den baden-württembergischen **Landtag** (Restaurant) sowie die Gebäudegruppe der **Staatstheater,** eine wirkungsvolle Doppelanlage, urspr. 1907-12 von Max Littmann erbaut, von dem noch das *Große Haus* (Oper) stammt, während das *Kleine Haus* (Schauspiel) nach Kriegszerstörung 1960-62 neu errichtet wurde. Darauf folgt rechts die *Staatsgalerie (Werke niederländischer Meister, u.a. ein Rembrandt-Selbstbildnis, schwäbische Meister des 15. Jh., schwäbische Malerei des 19. und 20. Jh.; ferner eine reichhaltige moderne Abteilung sowie eine graphische Sammlung). Hinter der Staatsgalerie zweigt rechts der in die östlichen Stadtteile führende 824 m lange *Wagenburg-Tunnel* ab (nur für Kfz über 30 km/h).

Westlich von Konrad-Adenauer-Straße und Neckarstraße die vom Neuen Schloß bis an den Neckar nach Berg und Bad Cannstatt (Mineralquellen; Bade- und Trinkkuren, Freischwimmbäder) reichenden **Schloßgarten-Anlagen** mit *Planetarium* (nahe der Ecke Schiller-/Neckarstraße), hübschen Teichen und originellen 'Sprudlern'.

Im Stadtteil B E R G, am linken Ufer des Neckars, liegt auf einer Anhöhe das *Schloß Rosenstein* (1824-29; Naturkunde-Museum); unterhalb der nach einem 1842-53 im maurischen Stil erbauten Schlößchen (1962 wieder aufgebaut) benannte *Botanisch-zoologische Garten* *Wilhelma mit prächtigen Gartenanlagen (Gewächshäuser), modernen Tierhäusern (bes. Menschenaffen u. Dickhäuter), Gehegen und *Aquarium.

Auf dem rechten Neckarufer der alte Stadtteil BAD CANNSTATT (220 m) mit dem *Kursaal* (zwei Mineralquellen, Restaurant) und Kurpark. In der hier beginnenden Taubenheimstraße (Nr. 13) hatte Gottlieb Daimler seine Werkstatt (Daimler-Gedächtnisstätte; Denkmal im Garten, in dem der Erfinder 1885 sein erstes Auto gefahren hat). Beim *Cannstatter Wasen* das große *Neckarstadion*.

Im nordwestlichen Teil der Stadt, nahe dem *Wirtschaftsministerium,* der mächtige Bau des *Landesgewerbemuseums* (umfangreiche Sammlungen mit wechselnden Ausstellungen); am *Stadtgar-ten* die *Technische Universität* mit mehreren Institutsneubauten. Unweit südwestlich, am Berliner Platz, das 1955-56 neu erbaute Stuttgarter Konzerthaus **Liederhalle** (Restaurant). Am nahen Hegelplatz das reichhaltige *Lindenmuseum** für Länder- und Völkerkunde (z.Z. geschlossen).

Nördlich über der Stadt liegen bei der *Akademie der bildenden Künste* die einst bahnbrechende *Weißenhofsiedlung* (1927) und der schöne Höhenpark **Killesberg** (383 m; Restaurant) mit Ausstellungshallen, Sesselbahn und Schwimmbad. – Im nördlichen industriereichen Stadtteil ZUFFEN-HAUSEN das *Porsche-Werksmuseum*.

Im Südwesten der Stadt der aus Trümmerschutt aufgeschüttete *Birkenkopf* (511 m; *Aussicht). – Auf der im Süden der Stadt aufragenden Waldhöhe *Hoher Bopser* (481 m) erhebt sich der *Fernsehturm* des Süddeutschen Rundfunks, eine Betonnadel (inkl. Antenne 217 m) mit Restaurant in 150 m Höhe; darüber eine Aussichtsplattform (nur Aufzug).

Östlich der Stadt im Stadtteil UNTERTÜRKHEIM das *Daimler-Benz-Museum,* eine nahezu lückenlose Dokumentation der Entwicklung des Automobil- und Motorenbaus (nur nach Voranmeldung). – *Aussicht vom **Württemberg** (411 m). – Zwischen den Stadtteilen Unter- und Obertürkheim erstreckt sich der 1958 eröffnete **Neckarhafen.**
In UHLBACH ein Weinmuseum.

UMGEBUNG von Stuttgart. – * **Schloß Solitude** (10 km westlich), unter Herzog Karl Eugen 1763-67 im Rokokostil erbautes Lustschloß (Hotel-Restaurant im Nebenbau).

Sylt

Bundesland: Schleswig-Holstein.
Kfz-Kennzeichen: NF.
Höhe: 0-50 m ü.d.M. – Fläche: 102 qkm.
(i) **Fremdenverkehrszentrale,**
Bundesbahnhof, D-2280 Westerland;
Telefon: (04651) 24801.

HOTELS. – In Westerland: *Stadt Hamburg,* Strandstr. 2, 125 B.; *Roth,* Strandstr. 31, 80 B.; *Dünenburg,* Elisabethstr. 9, 65 B.; *Wulff,* Margarethenstr. 9, 80 B., Hb.; *Wünschmann* (garni), Andreas-Dirks-Str. 4, 54 B.; *Strandhotel Monbijou* (garni), im Kurzentrum, 50 B.
In Wenningstedt: *Strandhotel Seefrieden,* 70 B.; *Seehotel Heidehof* (garni), 65 B.; *Klasen,* 70 B., Hb. – In Kampen: *Waltershof,* 70 B., Hb.;

Rungholt, 100 B.; *Westerheide,* 35 B. – In List: *Zum Alten Seebär,* 14 B. – In Keitum: *Benen-Diken-Hof,* 35 B., Hb.; *Wolfshof* (garni), 24 B., Hb. – In Hörnum: *Seepferdchen* (garni), 25 B.; *Haus Helene* (garni), 15 B.

RESTAURANTS. – In Westerland: *Käpt'n Hahn,* Trift 10; *Altfriesische Weinstube,* Elisabethstr. 5. – In Wenningstedt: *La bonne auberge.* – In Kampen: *Kupferkanne.* – In Keitum: *Fisch-Fiete.* – In Tinnum: *Landhaus Stricker.*

FREIZEIT. – Strandleben; Meerwasser-Wellen-Hallenbäder (Westerland, Keitum); Tennis; Reiten; zahlreiche FKK-Strände an der Westküste.

ANREISE. – Sylt ist auf dem Landweg mit der Eisenbahn über den 11 km langen, 1923-27 erbauten *Hindenburgdamm* erreichbar (auch Autoverladung; ca. 1 St.); die Strecke durchquert das Wattenmeer (Naturschutzgebiet). – Lokaler *Flugplatz* bei Westerland.

Die im Sommer vielbesuchte *Insel Sylt ist die nördlichste deutsche und mit 37 km Länge die größte der Nordfriesischen Inseln. Ihre Gestalt ähnelt einer großen Spitzhacke; das in der Mitte gelegene Kernland ist ein größtenteils heidebestandener Geestrükken. Besonders reizvoll sind die Dünen und der rund 40 km lange *Brandungsstrand.

In der Mitte der Westküste liegt am offenen Meer das mondäne Seebad **Westerland** (1857 gegr.; 12 000 Einw.; D-2280,

Kurpromenade in Westerland auf Sylt

Vorwahl 04651; Flugplatz), der Inselhauptort mit langem feinsandigem Strand, umfangreichen Kureinrichtungen, Meerwasser-Hallen-Wellenbad, Nordsee-Aquarium und Spielbank sowie alter Dorfkirche des 17.-19. Jahrhunderts (Sonnenuhr von 1789).

Eine ca. 35 km lange Inselstraße (Autobusverkehr) führt von Westerland nach Norden über die Badeorte **Wenningstedt** (4 km; 2800 Einw.; D-2283,

Vorwahl 04651; Kurverwaltung, Tel. 41081), mit langem Strand und Kuranlagen sowie dem Hünengrab 'Denghoog', und **Kampen** (6 km; 800 Einw.; D-2285, Vorwahl 04651; Kurverwaltung, Tel. 41091), mit Reetdachhäusern und dem 4 km langen und bis 27 m steil zur Nordsee abfallenden *Roten Kliff,* durch das unter Naturschutz stehende LIST-LAND (große Dünen; Vogelkoje) zu dem Seebad **List** (16 km; 3200 Einw.; D-2282, Vorwahl 04652; Kurverwaltung, Tel. 215; Seetiermuseum), an der Südseite des heute versandeten großen Königshafens, der nördlich von der 4 km langen bogenförmigen Landzunge 'Ellenbogen' (zwei Leuchttürme) umschlossen wird; Autofähre zur dänischen Insel Rømø (Röm).

Die Inselstraße zieht von Westerland nach Süden und durch die schöne *Dünenlandschaft der schmalen HÖR-NUMER HALBINSEL über das Dorf *Rantum* (7 km; 600 Einw.; D-2280, Vorwahl 04651; Kurverwaltung, Tel. 6076; nordwestlich das große Vogelschutzgebiet 'Rantum Becken') und die Häusergruppe *Puan Klent* (13 km) nach **Hörnum** (18 km; 1500 Einw.; D-2284, Vorwahl 04653; Kurverwaltung, Tel. 1065), Seebad nahe der Südspitze von Sylt (starkes Leuchtfeuer), mit kleinem Hafen (Schiffsverkehr mit Helgoland).

Von Westerland nach Osten erstreckt sich die vorwiegend aus Marschland bestehende Halbinsel SYLT-OST: gute Straße über *Tinnum* (2 km; 1800 Einw.; D-2280), mit dem Ringwall 'Tinnumburg', zu dem am Wattenmeer gelegenen alten Hauptort der Insel **Keitum** (5 km; 1800 Einw.; D-2286, Vorwahl 04651; Kurverwaltung, Tel. 31860), mit Friesenhäusern (u. a. das 'Altfriesische Haus' von 1739), dem Sylter Heimatmuseum und der nördlich etwas erhöht stehenden spätromanischen St. Severinkirche. – Von Keitum südöstlich noch 7 km bis *Morsum* (Kirche a. d. 12. Jh.), unweit der Ostspitze von Sylt, wo der Hindenburgdamm beginnt.

Taunus

Bundesland: Hessen.
ⓘ **Fremdenverkehrsverband Hessen,**
Abraham-Lincoln-Straße 38-42,
D-6200 Wiesbaden;
Telefon: (06121) 737 25-26.

Der Taunus ist ein etwa 70 km langer Höhenrücken zwischen Rhein, Main, Lahn und Wetterau. Er gipfelt im Großen Feldberg (881 m), der höchsten Erhebung des Rheinischen Schiefergebirges. Das kleine Mittelgebirge besteht aus Schiefern mit Quarzitbänken und einigen Basaltkuppen, die vulkanischen Ursprungs sind. Die höheren Lagen sind von prächtigen Buchen- und Eichenwäldern, aber auch von Nadelwald bedeckt. Der südliche Steilabfall gibt dem Taunus, von Frankfurt am Main gesehen, erst das Gepräge eines Gebirges. Dieser vor rauhen Nordwinden geschützte Südhang ist klimatisch sehr begünstigt und zählt zu den mildesten Gegenden Deutschlands, wo vorzügliches Obst, Mandeln und bei Kronberg sogar Edelkastanien reifen. Dazu ist der Taunus das an Mineralquellen reichste Gebiet in Deutschland. Die am Südrand gelegenen bedeutendsten Quellen ließen berühmte Kurorte entstehen, wie Wiesbaden, Bad Nauheim, Bad Homburg vor der Höhe, Bad Schwalbach, Bad Soden und andere.

Zu den landschaftlich schönsten Punkten des Taunus gehört das Städtchen *Königstein,* von dem ebenso wie von *Oberursel* eine gute Straße auf den *Großen Feldberg* (881 m; Fernmeldeturm) hinaufführt, mit großartiger Aussicht. – Von *Bad Homburg vor der Höhe* mit seinem schönen Kurpark führt die B 456 zur *Saalburg,* dem einzigen wiederaufgebauten Römerkastell am Limes (Grenzwall; s. bei Bad Homburg v.d.H.). – Im nordwestlichen Teil des Taunus liegen unweit von Wiesbaden die hübschen Kurorte *Bad Schwalbach* und *Schlangenbad,* von denen die 'Bäderstraße' (B 260) über die nordwestlichen Ausläufer des Gebirges zum Lahntal nach Bad Ems führt.

Als Luftkurorte und Sommerfrischen werden zahlreiche Taunusorte viel besucht. Neben den obengenannten Badeorten sind hervorzuheben: *Königstein, Kronberg, Falkenstein, Eppstein, Oberreifenberg* und *Schmitten.*

Teutoburger Wald

Bundesländer:
Nordrhein-Westfalen und Niedersachsen.
ⓘ **Fremdenverkehrsverband Westfalen,**
Balkenstraße 4, D-4600 Dortmund;
Telefon: (0231) 571715.

Der Teutoburger Wald begrenzt in etwa 110 km Länge die weite Parklandschaft der Münsterschen Bucht nach Norden. Er beginnt dort, wo der Mittellandkanal in den Dortmund-Ems-Kanal mündet und endet, von Nordwesten nach Südosten ansteigend, in seiner höchsten Erhebung, der 468 m hohen Preußischen Velmerstot. Das Gebirge besteht aus Plänerkalken und Sandstein, was sich auch im Vegetationsbild widerspiegelt: auf den Kalkböden wachsen Buchen-, auf den Sandböden Fichtenwälder.

Die landschaftlich schönsten Punkte sind die *Dörenther Klippen* bei Brochterbeck, der *Dörenberg* (331 m) bei Bad Iburg, die *Ravensburg* bei Borgholzhausen, das *Hermannsdenkmal* bei

Hermannsdenkmal im Teutoburger Wald

Detmold und die *Externsteine* unweit von Horn – Bad Meinberg. Besondere Touristenattraktionen sind das *Großwild-Safariland* (Löwen, Tiger, Elefanten, Nashörner, Antilopen, Zebras, Strauße, Affen u.a.) bei *Stukenbrock,* südlich der Dörenschlucht, die *Adlerwarte* bei Berlebeck und der *Vogel- und Blumenpark* bei Heiligenkirchen.

Zahlreiche Sommerfrischen und Luftkurorte bietet das reizvolle Waldgebirge: das malerische Bergstädtchen *Tecklenburg,* den Kneippkurort *Bad Iburg,* die Solbäder *Bad Laer* und *Bad Rothenfelde,* die Lebkuchenstadt *Borg-*

holzhausen, die Bergstadt *Oerlinghausen,* die alte lippische Residenzstadt **Detmold** mit den Luftkurorten *Hiddesen* und *Berlebeck* sowie *Horn - Bad Meinberg* und viele andere.

Südlich schließt sich an den Teutoburger Wald das **Eggegebirge** an, das, etwa 35 km lang, im Süden vom Diemeltal begrenzt wird. Im westlich vorgelagerten, weiten Heide-Sand-Gebiet der Senne liegt *Bad Lippspringe,* östlich des Gebirges befinden sich *Bad Driburg* und der reizvolle Luftkurort *Willebadessen.*

Zwei Naturparks wurden hier geschaffen: *Nördlicher Teutoburger Wald – Wiehengebirge* und *Südlicher Teutoburger Wald – Eggegebirge.*

kennzeichnen den alten Bischofssitz (seit dem 4. Jh.). Die Stadt ist Sitz einer Universität und einer Philosophisch-Theologischen Hochschule sowie ein bekannter Weinbau- und Weinhandelsplatz.

GESCHICHTE. – Der Ort wurde 15 v. Chr. von Kaiser Augustus an der Stelle einer Siedlung der von Caesar bezwungenen keltischen Treverer gegründet und *Augusta Treverorum* genannt. 117 n. Chr. wurde Trier Hauptstadt der Provinz Belgica prima und später kaiserliche Residenz. Hier residierten mehrere römische Kaiser, darunter Konstantin d. Gr. (306-312). Als bedeutende Stadt des Römischen Reiches erlebte Trier eine große kulturelle Blüte. Im 4. Jh. wurde es Bischofssitz, der erste nördlich der Alpen. Im 9. Jh. machte Karl d. Gr. Trier zum Erzbistum. Vom 12.-18. Jh. war es Hauptstadt eines Kurfürstentums. Der Trierer Erzbischof war bis 1794 einer der drei geistlichen Kurfürsten des Deutschen Reiches.

Trier

Bundesland: Rheinland-Pfalz.
Kfz-Kennzeichen: TR.
Höhe: 124 m ü.d.M. – Einwohnerzahl: 101000.
Postleitzahl: D-5500. – Telefonvorwahl: 0651.
ⓘ **Tourist-Information,**
An der Porta Nigra;
Telefon: 718448.

HOTELS. – **Dorint-Hotel Porta Nigra,* Porta-Nigra-Platz 1, 100 B.; **Holiday Inn,* Am Verteilerring, 350 B., Hb., Sauna; Spezialitäten-Restaurant 'La Brochette'; *Constantin,* St.-Barbara-Ufer 12, 30 B.; *Petrisberg* (garni), Sickingenstr. 11, 39 B.; *Dorint-Hotel Europäischer Hof* (garni), Paulinstr. 1, 60 B.; *Am Hügel* (garni), Bernhardstr. 14, 30 B.; *Dom-Hotel* (garni), Hauptmarkt 18, 36 B.; *Deutscher Hof,* Südallee 25, 160 B. – In Euren: *Eurener Hof,* Eurener Str. 171, 100 B., Hb., Sauna. – In Pfalzel: *Klosterschenke,* Klosterstr. 10. – In Olewig: *Blesius-Garten,* 120 B. – JUGENDHERBERGE: Maarstr. 156, 312 B. – CAMPINGPLÄTZE: *Trier City,* an der Mosel; *Horsch Camping,* Konz-Könen bei Trier.

RESTAURANTS. – *Pfeffermühle,* Zurlaubener Ufer 76; *Lion d'or,* Glockenstr. 7 (Elsässer Gerichte); *Ratskeller Zur Steipe,* Hauptmarkt 14; *Brunnenhof,* im Simeonstift; *Zum Krokodil,* Böhmerstr. 10.

WEINSTUBEN. – *Kurtrierische Weinstube Zum Domstein,* Hauptmarkt 5 (mit 'Römischem Weinkeller' und Gerichten nach altrömischen Rezepten); *Kupferkanne,* Pfützenstr. 6.

Die lebhafte Regierungsbezirkshauptstadt liegt in einer Talweitung der schiffbaren Mosel (Hafenanlagen). Trier gilt als die älteste Stadt Deutschlands. Von ihrer einstigen Bedeutung zeugen großartige Römerbauten, wie sie sonst kein Ort nördlich der Alpen aufzuweisen hat. Zahlreiche Kirchen

Porta Nigra in Trier

SEHENSWERTES. – Am Nordeingang der ALTSTADT steht die mächtige ****Porta Nigra,** eine Torburg der römischen Stadtbefestigung vom Ende des 2. Jh. n. Chr., die um 1040 zu einer Kirche umgewandelt und 1804-17 wieder in den alten Zustand versetzt wurde (Besichtigung). In dem anschließenden *Simeonstift* (11. Jh.; frühromanischer Kreuzgang) das *Städtische Museum.*

Von hier führt die Simeonstraße (*Dreikönigenhaus,* um 1230) zum *Hauptmarkt (Fußgängerzone) mit der spätgotischen *Kirche St. Gangolf.* Unweit westlich in der Dietrichstraße der *Frankenturm,* eines der frühesten erhal-

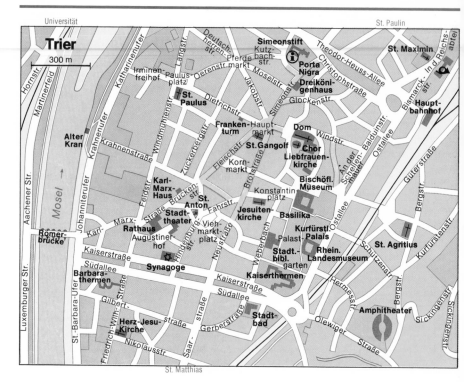

tenen Wohngebäude in Deutschland (11. Jh.).

Östlich vom Markt der *Dom, eine der ältesten Kirchen Deutschlands (4., 11. und 12. Jh.; 1964-74 restauriert); im Inneren hervorragende Steindenkmäler aus dem 16.-18. Jh. und ein reicher *Domschatz (u. a. St.-Andreas-Grabaltar aus dem 10. Jh., eines der bedeutendsten Werke ottonischer Kunst; der wichtigste Reliquienschatz des Domes, der Heilige Rock Christi, wird nur in größeren Zeitabständen ausgestellt). Neben dem Dom die *Liebfrauenkirche, eine der frühesten gotischen Kirchen in Deutschland (um 1270 vollendet). – $1/2$ km südwestlich vom Hauptmarkt, Brückenstr. 10, das Geburtshaus von Karl Marx (1818-83; Museum).

Südöstlich vom Hauptmarkt, am Konstantinplatz, das Bischöfliche Museum und die als ev. Kirche dienende römische *Basilika (wiederhergestellt), unter Kaiser Konstantin d. Gr. erbaut, der 306-312 in Trier residierte und das Christentum zur römischen Staatsreligion erhob. Anschließend das ehem. Kurfürstliche Palais (17. und 18. Jh.; Sitz der Bezirksverwaltung). Südlich vom Palais liegt außerhalb der den Palastgarten (Barockplastiken) begrenzenden mittelalterlichen Stadtmauer das Rheinische Landesmuseum

mit kunst- und kulturgeschichtlichen Sammlungen, besonders aus der Römerzeit.

Weiter südlich die Ruinen der römischen **Kaiserthermen** (4. Jh. n. Chr.; im Mittelalter Kastell; Juni/Juli Theater- und Opernaufführungen); am Ende der von hier nach Westen führenden Südallee die Reste der Barbarathermen (2. Jh. n. Chr.). Die nahe Römerbrücke über die Mosel ruht noch auf römischen Fundamenten. – In östlicher Richtung gelangt man von den Kaiserthermen über die Olewiger Straße zu dem interessanten römischen **Amphitheater,** das um das Jahr 100 n. Chr. angelegt wurde und Platz für etwa 25 000 Besucher bot.

Nordöstlich von der Porta Nigra liegt nahe der Einfahrt vom Moseltal (Paulinstraße) die *St.-Paulinus-Kirche, nach Plänen von Balthasar Neumann errichtet und einer der bedeutendsten Barockbauten des Rheinlands (1732-54). – Am Südrand der Stadt die zu einem aus einer frühchristlichen Anlage hervorgegangenen, 1097 erneuerten Benediktinerkloster gehörende Wallfahrtskirche St. Matthias (12. Jh.; restauriert) mit den Gebeinen des Apostels Matthias.

UMGEBUNG von Trier. – *Igeler Säule (9 km südwestlich im Dorf Igel), ein 22 m hohes Grabdenkmal (Pfeiler mit reichem Reliefschmuck) einer gallo-römischen Familie aus dem dritten nachchristlichen Jahrhundert.

Tübingen

Bundesland: Baden-Württemberg.
Kfz-Kennzeichen: TÜ.
Höhe: 332 m ü.d.M. – Einwohnerzahl: 72000.
Postleitzahl: D-7400. – Telefonvorwahl: 07071.
ⓘ Verkehrsverein, an der Eberhardsbrücke;
Telefon: 35011.

HOTELS. – *Krone,* Uhlandstr. 1, 75 B.; *Barbarina,* Wilhelmstr. 94, 35 B.; *Stadt Tübingen,* Stuttgarter Str. 97, 70 B.; *Haus Katharina* (garni), Lessingweg 2, 14 B.; *Hospiz,* Neckarhalde 2, 80 B. – JUGENDHERBERGE: Hermann-Kurz-Str. 4, 180 B. – CAMPINGPLATZ: am linken Neckarufer am westlichen Stadtrand.

RESTAURANTS. – *Museumsgaststätte,* Wilhelmstr. 3; *Rosenau,* am Neuen Botanischen Garten. – In Bebenhausen: *Waldhorn,* Hauptstr. 31.

WEINSTUBE. – *Forelle,* Kronenstr. 8.

Die altberühmte schwäbische Universitätsstadt liegt reizvoll im Tal des mittleren Neckars, unweit der Einmündung der Ammer, nordwestlich vor der Schwäbischen Alb. Zwischen dem Schloßberg und dem turmgekrönten Österberg (438 m) baut sich die malerische *Altstadt stufenartig über dem steilen linken Neckarufer auf. Den schönsten Blick auf die Neckarfront der Altstadt gewährt die Platanenallee am rechten Flußufer.

GESCHICHTE. – 1078 wurde Tübingen erstmals urkundlich erwähnt. Aus zwei Siedlungen an Neckar und Ammer wuchs die Stadt zusammen. Zeitweise war Tübingen Residenz der württembergischen Herzöge. Graf Eberhard im Bart gründete 1477 die Universität. Eine wichtige Pflanzstätte württembergischen Geisteslebens war auch das 1536 gegründete Evangelisch-Theologische Stift. Der 1659 gegründete Cotta-Verlag verlegte die Werke der bedeutendsten deutschen Dichter.

SEHENSWERTES. – Am Holzmarkt steht die spätgotische **Stiftskirche**

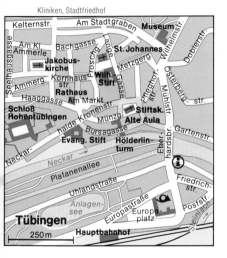

Tübingen
250m

(15. Jh.; ev.), die schöne Grabdenkmäler von Angehörigen des württembergischen Fürstenhauses birgt (u.a. Graf Eberhard im Bart und Herzog Ludwig); im Chor Glasgemälde aus dem 15. Jh. Dahinter als älteste Teile der **Universität** (gegr. 1477) die *Alte Aula,* der *Alte Karzer* und die prachtvolle *Bursa,* in der 1514-18 der Reformator Philipp Melanchthon Vorlesungen hielt. Unterhalb am Neckar der *Hölderlin-Turm* (hier lebte der Dichter von 1807 bis zu seinem Tode 1843 in geistiger Umnachtung). Am Ende der Bursagasse das *Stift* (1536 gegr.), ein ev.-theol. Seminar, zu dessen Schülern Kepler, Schelling, Hegel, Hölderlin, Mörike und Hauff gehörten. Oberhalb, Neckarhalde 24, das Geburtshaus des Dichters *Ludwig Uhland* (1787-1862), Nr. 31 das *Stadtmuseum.*

Am nahen Marktplatz steht das malerische **Rathaus,** ein Fachwerkbau von 1435; davor der *Marktbrunnen* von 1617. Oberhalb des Marktes führt die aussichtsreiche Burgsteige steil hinauf zum im 16. Jh. auf den Resten einer alten Pfalzgrafenburg errichteten **Schloß Hohentübingen** (372 m).

An der belebten Wilhelmstraße die *Neue Aula* der Universität (1930-31 erweitert). Weiterhin rechts die *Universitätsbibliothek.* Nördlich, an den Hängen des Schnarrenberges, die *Universitätskliniken;* darüber, auf der Morgenstelle, Neubauten der Naturwissenschaftlichen Fakultät.

UMGEBUNG von Tübingen. – *Zisterzienserabtei **Bebenhausen** (5 km nördlich), um 1185 gestiftet, neben Kloster Maulbronn eine der schönsten und besterhaltenen Klosteranlagen Deutschlands (heute z.T. Eigentumswohnungen). – **Wurmlinger Kapelle** (475 m; 9 km südwestlich), bekannt durch Ludwig Uhlands Hirtenlied "Droben stehet die Kapelle". – **Rottenburg** (12 km südwestlich), katholischer Bischofssitz (gemeinsam mit Stuttgart) mit Dom St. Martin und Stiftskirche St. Moritz.

Ulm an der Donau

Bundesland: Baden-Württemberg.
Kfz-Kennzeichen: UL.
Höhe: 478 m ü.d.M. – Einwohnerzahl: 100000.
Postleitzahl: D-7900. – Telefonvorwahl: 0731.
ⓘ Verkehrsbüro, Münsterplatz 51;
Telefon: 64161.

HOTELS. – *Bundesbahn-Hotel,* Bahnhofsplatz 1, 170 B.; *Neutor-Hospiz,* Neuer Graben 23, 115 B.; *Stern,* Sterngasse 17, 55 B.; *Goldenes Rad* (garni), Neue Str. 65, 34 B.; *Am Rathaus,* Kronengasse 8,

67 B.; *Schwarzer Adler*, Frauenstr. 20, 42 B. – An der Autobahnausfahrt Ulm-Ost: *Rasthaus Seligweiler*, 206 B., Hb. – In Böfingen: *Sonnenhof*, Eberhard-Finckh-Str. 17, 32 B. – JUGENDHERBERGE: *Geschwister-Scholl-Jugendherberge*, Grimmelfinger Weg 45, 221 B.

RESTAURANTS. – *Zum Pflugmerzler*, Pfluggasse 6 (Weinstube); *Ratskeller*, im Rathaus; *Kornhauskeller*, Hafengasse 19; *Zur Forelle*, Fischergasse 25.

CAFÉ. – *Tröglen*, Münsterplatz 5.

VERANSTALTUNGEN. – *City-Fest* auf dem Münsterplatz (Juni); *Schwörmontag* mit Wasserfestzug 'Nabada' auf der Donau (Juli); *Fischerstechen* auf der Donau mit Fischertänzen (alle 4 Jahre Juni/Juli; das nächste Mal 1981).

Die alte Reichsstadt an der Einmündung der Blau auf dem linken Ufer der Donau zeigt heute wieder stellenweise ein altvertrautes Bild: mit dem hochaufragenden Münster, dem reichverzierten Rathaus, mit malerischen Brunnen, idyllischen Gassen und Winkeln in Altstadt und Blauviertel und mit der schönen Stadtsilhouette vom anderen Donauufer aus. Ulm ist das wirtschaftliche und kulturelle Zentrum des württembergischen Oberlandes, Sitz von Universität und Fachhochschule, ein reger Handelsplatz mit Fahrzeug-, elektrotechnischer, Textil- und Lederindustrie. Die Stadt ist überdies Ausgangspunkt der Oberschwäbischen Barockstraße. – Am rechten Donauufer liegt die bayerische Stadt Neu-Ulm.

GESCHICHTE. – Dank der günstigen Verkehrslage an der Donau und am Schnittpunkt wichtiger Straßen entwickelte sich Ulm im Mittelalter zu einem bedeutenden Handelszentrum. 1164 erhielt es Stadtrecht, 1274 wurde es Reichsstadt. Im Zweiten Weltkrieg erlitt Ulm starke Zerstörungen. – Ulm ist der Geburtsort des Physikers Albert Einstein (1879-1955).

SEHENSWERTES. – In der Mitte der Stadt erhebt sich das ****Münster** (ev.), nach dem Kölner Dom die größte gotische Kirche Deutschlands (1377 begonnen, bis 1529 fortgeführt, 1844-90 ausgebaut); der hochragende **Turm* (Besteigung lohnend; bei klarem Wetter Fernsicht bis zu den Alpen), unter Ulrich von Ensingen 1392 begonnen, 1880-90 nach dem von Matthäus Böblinger hinterlassenen Aufriß vollendet, ist mit 161 m Höhe der höchste Kirchturm der Erde (Kölner Domtürme 157 m); im Innern des Münsters besonders hervorzuheben das *Chorgestühl von J. Syrlin d. Ä. (1469-74), eines der schönsten Deutschlands. – Nordöstlich vom Münster das 1591 errichtete *Kornhaus* (erneuert; Konzertsaal).

Südlich vom Münster am Marktplatz das stattliche gotische **Rathaus** (1944 ausgebrannt; wiederhergestellt; Fresken von 1540); davor ein schöner Brunnen, der sog. *Fischkasten*, von J. Syrlin d. Ä. (1482). – Im **Museum der Stadt Ulm* (Neue Str. 92) wertvolle kunst- und stadtgeschichtliche Sammlungen. – An der Donau noch ein Teil der alten Stadtmauer (15. Jh.) mit dem schiefen *Metzgerturm* (2,05 m Neigung). – Im Südwesten der Stadt (Fürstenecker

Ulmer Münster von der Donaufront

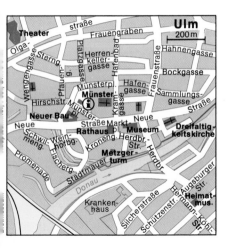

Str. 17) das *Deutsche Brotmuseum* (Überblick über die Geschichte des Brotes und des Bäckerhandwerks). – Im südlichen Stadtteil WIBLINGEN die spätbarocke ehem. Klosterkirche *St. Martin* (18. Jh.; Fresken von J. Zick); im Nordflügel des Klostergebäudes (1714-60) ein schöner *Bibliothekssaal* im Rokokostil.

UMGEBUNG von Ulm. – *Blautopf bei Blaubeuren (20 km westlich), der 20 m tiefe Quellsee der Blau (2000 l in der Sekunde).

Wangen im Allgäu

Bundesland: Baden-Württemberg.
Kfz-Kennzeichen: RV (WG).
Höhe: 556 m ü.d.M. – Einwohnerzahl: 24 000.
Postleitzahl: D-7988. – Telefonvorwahl: 0 75 22.
(i) Städtisches Gästeamt, Rathaus;
Telefon: 40 81.

HOTELS. – *Romantik-Hotel Alte Post,* Postplatz 2, mit *Hotel-Villa Alte Post,* Leutkircher Str. 20, zus. 70 B.; *Waltersbühl,* Max-Fischer-Str. 4, 70 B., Hb., Sb.; *Alpina* (garni), Am Waltersbühl 6, 46 B., Hb.

RESTAURANTS. – *Fidelisbäck,* Paradiesstr. 3; *Fuggerstuben,* Saumarkt 1.

FREIZEIT. – Geheiztes Freibad und Weiher-Strandbäder; Tennis; Reiten.

VERANSTALTUNGEN. – Fastnacht ('Fasnet').

Die einstige Reichsstadt Wangen liegt über dem Oberen Argen. Sie ist ein beliebter Luftkurort sowie Hauptort des württembergischen Allgäus und seiner Milch- und Käsereiwirtschaft (Milchwirtschaftl. Lehr- und Forschungsanstalt). Wegen des fast unverfälscht mittelalterlichen Stadtbildes wurde die gesamte 8 ha große *Altstadt 1976 unter Denkmalschutz gestellt.

GESCHICHTE. – Der schon im frühen Mittelalter bestehende Ort erhielt 1217 Stadtrecht und wurde 1281 freie Reichsstadt. Vom 13. bis 15. Jahrhundert blühte der Leinenhandel (bes. mit Italien). 1539 und 1793 wüteten verheerende Stadtbrände. Im Dreißigjährigen Krieg verarmte die Stadt; 1802 kam sie an Bayern, 1810 an Württemberg.

SEHENSWERTES. – Am *Marktplatz steht das z. T. noch aus dem 15. Jahrhundert (urspr. 13. Jh.) stammende, 1719-21 im Barockstil größtenteils neu erbaute **Rathaus;** links daneben ein *Ratloch* gen. Torturm. Rechts neben dem Rathaus die spätgotische **Stadtpfarrkirche St. Martin** (13. Jh.; 1684 innen barockisiert), mit Altar- und Deckengemälden des 19. Jahrhunderts.

Vom Marktplatz zieht die Herrenstraße nördlich zum **Ravensburger Tor** (auch *Liebfrauentor,* 1608; urspr. 13. Jh.), mit Uhr und Sonnenuhr.

Von der Südwestecke des Marktes führt die reizvolle Paradiesstraße westwärts zu dem bemalten **Martinstor** (*Lindauer Tor,* 1608; urspr. 14. Jh.). Jenseits des Tores rechts der nach italienischem Vorbild angelegte **Alte Friedhof** (jetzt Stadtpark), mit der *Kapelle St. Rochus* (1593; bemalte Holzdecke).

Durch das Ratloch gelangt man östlich zum malerischen Postplatz (Kornhausplatz, Kornmarkt), dem Hauptplatz der Unterstadt, mit dem *Kornhaus* (1595). Von hier führt die Spitalstraße nordöstlich zum *Alten Spital* mit der 1719-32 errichteten **Spitalkirche** (Rokoko) und zur ehem. *Eselmühle* (Heimatmuseum). Hier ist an der Nordost- und Ostseite der Altstadt längs der Argen noch ein Stück von *Stadtmauer* mit dem *Pulverturm* (15. Jh.) erhalten.

Etwa 1 km südöstlich der Altstadt auf dem *Atzenberg* (584 m) das **Deutsche Eichendorffmuseum** (mit Archiv) für den schlesischen Dichter Joseph Freiherr von Eichendorff (1788-1857), angeschlossen das *Archiv* für den schlesischen Schriftsteller *Hermann Stehr* (1864-1940), und das **Gustav-Freytag-Museum** (Archiv), mit Erinnerungen an den schlesischen Kulturhistoriker und Dichter (1816-95).

Rund 1 km südwestlich, auf dem *Gehrenberg* (582 m), der stimmungsvolle große **St.-Wolfgang-Friedhof** *(Neuer Friedhof),* mit der *St.-Wolfgang-Kapelle* (Chor 15. Jh., Langhaus 17. Jh.; prächtige *Aussicht). Der Friedhof liegt an dem 16 km langen reizvollen und aussichtsreichen Rundwanderweg rings um Wangen.

UMGEBUNG von Wangen. – 20 km östlich das altertümliche Städtchen **Isny** mit Rathaus aus dem 17. Jh., der romanischen Nikolauskirche, der Georgskirche (1635-71; Rokoko-Ausstattung) und ehem. Benediktinerkloster (17. Jh.; Altersheim).

Weserbergland

Bundesländer:
Hessen, Nordrhein-Westfalen und Niedersachsen.
(i) **Fremdenverkehrsverband**
Weserbergland-Mittelweser,
Falkestraße 2, D-3250 Hameln 1;
Telefon: (0 51 51) 2 45 66.

Porta Westfalica im Weserbergland

Das Weserbergland besteht aus mehreren selbständigen Gebirgszügen zu beiden Seiten der Weser zwischen Münden und Minden. Im Norden grenzt es an die Norddeutsche Tiefebene, im Westen geht es in das Lippische Bergland, im Osten in das Leinebergland, im Süden in das Hessische Bergland über.

Östlich der Weser erhebt sich unterhalb von Münden der **Bramwald,** der im Basaltkegel der *Bramburg* 400 m und im *Totenberg* 408 m erreicht. Anschließend folgt der **Solling,** ein 500 qkm großes Buntsandsteinplateau mit schönem Laub- und Nadelwald, das in der *Großen Blöße* (528 m) gipfelt, der höchsten Erhebung des Wesergebietes. Der **Vogler** zwischen Stadtoldendorf und Bodenwerder, ein kleineres Buntsandsteinmassiv mit Höhen, flachen Mulden und tiefeingeschnittenen Tälern, erreicht im *Ebersnacken* (Aussicht) mit 460 m seine größte Höhe. Dahinter zwei schön bewaldete Höhenzüge aus Jurakalk: der **Hils** mit der *Bloße Zelle* (477 m) und dem *Großen Sohl* (472 m; Aussicht) sowie der langgestreckte klippenreiche **Ith** mit dem *Knüllbrink* (439 m; Aussicht). – Nördlich der B 1 von Hameln nach Elze der *Osterwald* (419 m) und der Hügelzug des *Sauparks* (Wisentgehege). Nordwestlich der B 217 Hameln-Springe-Hannover der **Deister** mit *Annaturm* (405 m) und *Nordmannsturm* (379 m) sowie der **Süntel** mit der *Hohen Egge* (437 m; Aussicht) und den prachtvollen Kalksteinklippen des *Hohensteins. – Westlich anschließend das **Wesergebirge,** im *Amelungsberg* 320 m hoch, und nördlich vorgelagert die **Bücke-**berge (367 m) mit großen Sandsteinbrüchen.

Westlich der Weser liegt unterhalb von Münden der **Reinhardswald,** mit seinen 210 qkm das größte geschlossene Waldgebiet Niedersachsens (70 ha großes Naturschutzgebiet um die *Sababurg*), dessen höchste Erhebung der 472 m hohe *Staufenberg,* eine Basaltkuppe, ist. – Zwischen Höxter und Vlotho erstreckt sich das **Lippische Bergland** mit dem aussichtsreichen *Köterberg* (497 m; Fernsehturm, Köterberghaus). Den Nordrand des Weserberglandes bildet schließlich das langgestreckte **Wiehengebirge** (*Heidbrink* und *Wurzelbrink*; 320 m), das westlich der Porta Westfalica das Wesergebirge fortsetzt.

Die reizvollste Strecke des Weserberglandes ist die Wesertalstraße zwischen Münden und Minden mit stets wechselnden Landschaftsbildern sowie zahlreichen hübschen Dörfern und Städten. Hervorzuheben sind das an Fachwerkhäusern reiche 'Hannoversch' **Münden** in reizvoller Lage an der Vereinigung der Fulda und Werra zur Weser, weiter flußabwärts *Bad Karlshafen,* **Höxter** mit dem *Kloster Corvey,* die Münchhausenstadt *Bodenwerder,* die Rattenfängerstadt **Hameln** mit schönen Bauten der Weserrenaissance, die ehem. Universitäts- und Festungsstadt *Rinteln,* und schließlich die Domstadt **Minden** mit dem Wasserstraßenkreuz Weser-Mittellandkanal. – Lohnende Abstecher führen zwischen Münden und Bad Karlshafen in den Reinhardswald mit der *Sababurg,* von Höxter auf den aussichtsreichen *Köterberg* und nach dem heilklimatischen Kurort *Neuhaus im Solling,* von Emmern zu der großartigen

Hämelschenburg und nach *Bad Pyrmont* mit seinem prächtigen Kurpark. Den Höhepunkt einer Weserfahrt bildet der Weserdurchbruch in der *Westfälischen Pforte* unweit oberhalb von Minden, in dessen Nähe die alte Residenzstadt *Bückeburg* sehenswert ist.

Unter den zahlreichen Luftkurorten und Sommerfrischen des Weserberglandes gelten **Porta Westfalica,** *Bodenwerder, Polle* und *Neuhaus im Solling* als die bekanntesten. An Heilbädern sind *Bad Karlshafen,* **Bad Pyrmont,** *Bad Eilsen, Bad Münder am Deister, Bad Nenndorf, Bad Oeynhausen* und *Bad Essen* zu nennen.

Alte Lahnbrücke und Dom in Wetzlar

Wetzlar

Bundesland: Hessen. – Kfz-Kennzeichen: WZ (L).
Höhe: 145 m ü.d.M. – Einwohnerzahl: 40000.
Postleitzahl: D-6330. – Telefonvorwahl: 06441.
ⓘ **Städtisches Verkehrsamt Wetzlar,**
Karl-Kellner-Ring 46;
Telefon: 405338/48.

HOTELS. – *Bergstraße,* Friedenstr. 20, 80 B., Hb.; *Wetzlarer Hof,* Obertorstr. 3, 35 B.; *Euler-Haus* (garni), Buderusplatz 1, 47 B.; *Bürgerhof,* Konrad-Adenauer-Promenade 20, 45 B. – JUGEND-HERBERGE: *Altes Schützenhaus,* Brühlsbachstr. 49, 94 B. – CAMPINGPLÄTZE: *Niedergirmes,* Am Lahnufer; *Iserbachtal,* Braunfels bei Wetzlar.

RESTAURANTS. – *Bürgerhof,* Konrad-Adenauer-Promenade 20; *Pizza-Pie – La Chapelle Culinaire,* Sophienstraße; *Balkan-Restaurant,* Braunfelser Str. 62.

Die alte Reichsstadt liegt malerisch an der Lahn oberhalb der Einmündung der Dill. Sie wird überragt von der Burgruine Kalsmunt (13. Jh.). Wetzlar besitzt bedeutende Industriewerke (u. a. Leitz) und Eisenhütten (Buderus).

GESCHICHTE. – Wetzlar entstand um ein Kanonikerstift. 1142 wurde es als *Wetlaria* erstmals urkundlich erwähnt. Schon früh wurde es Reichsstadt und erlangte durch Eisenhandel und Wollindustrie eine große wirtschaftliche Blüte. Aus dem 13. Jh. datiert die Stadtbefestigung. 1693-1806 war Wetzlar Sitz des Reichskammergerichts, des höchsten Gerichtes des Reiches. Mit Erschließung des Eisenerzgebietes an Lahn und Dill durch die Eisenbahn wurde Wetzlar in der zweiten Hälfte des 19. Jh. zu einem Zentrum der Eisenindustrie.
Die 1977 vorgenommene Vereinigung der beiden Städte Wetzlar und Gießen zur Stadt Lahn wurde 1979 wieder aufgehoben.

SEHENSWERTES. – Die auf dem linken Ufer der Lahn ansteigende ALTSTADT

mit engen Gassen und zahlreichen schönen alten Bürgerhäusern wird beherrscht von dem hochragenden **Dom** (*Stiftskirche St. Maria*; ev.-kath.), einem reichgegliederten Bau aus dem 12.-15. Jh. Am Fischmarkt, südwestlich vom Domplatz, bezeichnet ein Doppeladler das Gebäude des 1693-1806 in Wetzlar befindlichen *Reichskammergerichts;* hier arbeitete 1772 als Praktikant der junge Goethe. Östlich vom Domplatz, in der Lottestr. 8, das *Lottehaus* (ehem. Deutschordenshof), einst Wohnsitz von Charlotte Buff, zu der Goethe damals in leidenschaftlicher Liebe entbrannte ("Werthers Leiden"; Museum). – Am rechten Ufer der Lahn die industriereiche NEUSTADT mit modernen Hochhäusern.

Wiesbaden

Bundesland: Hessen. – Kfz-Kennzeichen: WI.
Höhe: 117 m ü.d.M. – Einwohnerzahl: 270000.
Postleitzahl: D-6200. – Telefonvorwahl: 06121.
ⓘ **Verkehrsbüro,** Brunnenkolonnade;
Telefon: 312847.
Im Hauptbahnhof; Telefon: 312848.

HOTELS. – *Nassauer Hof,* Kaiser-Friedrich-Platz 3, 220 B., Thermalbad; *Schwarzer Bock,* Kranzplatz 12, 280 B., Thermal-Hallenbad, Dachrestaurant und Abendrestaurant 'Le Capricorne'; *Aukamm-Hotel,* Aukamm-Allee 31, 260 B.; *Forum-Hotel,* Abraham-Lincoln-Str. 17, 330 B., geh. Sb.; *Blum,* Wilhelmstr. 44, 144 B.; *Fürstenhof-Esplanade,* Sonnenberger Str. 32, 112 B.; *Hôtel de France,* Taunusstr. 49, 31 B.; *Central,* Bahnhofstr. 65, 100 B.; *Hansa,* Bahnhofstr. 23, 120 B. – *Penta Hotel,* 200 Z., Eröffnung 1980. – JUGENDHERBERGE: Blücherstr. 66, 257 B. – CAMPINGPLÄTZE: *Rheininsel Maaraue,* in Kostheim; *Rheinwiesen Biebrich,* nahe der Nordrampe der Schiersteiner Brücke; *Rheininsel Rettbergsaue* vor Biebrich.

RESTAURANTS. – *Mutter Engel,* Bärenstr. 5; *Alte Münze,* Kranzplatz 5; *Mövenpick,* Sonnenberger Str. 2; *Kurhaus-Restaurant,* John-F.-Kennedy-Platz; *Alt-Prag,* Taunusstr. 41 (böhmische Spez.); *Steakhouse Cattle Baron,* Büdingenstr. 4; *Ratskeller,* Schloßplatz 6; *Pfeffermühle,* Uhlandstr. 15; *Bobbeschänkelche,* Röderstr. 39; *China-Restaurant Dachgarten,* Wilhelmstr. 52. – In Biebrich: *Weinhaus Rheinterrassen,* Rheingaustr. 139.

CAFÉS. – *Blum,* Wilhelmstr. 44-46; *Rathaus-Café,* Rathauspassage; *Maldaner,* Marktstr. 34.

Internationale Spielbank (Roulette, Black Jack) im Kurhaus.

VERANSTALTUNGEN. – *Rheinische Fassenacht* mit närrischen Sitzungen, Bällen und Fastnachts-Sonntagsumzug; *Reitturnier* im Schloßpark in Biebrich (im Mai); *Internationale Maifestspiele;* Sommerfeste mit Illuminationen, Feuerwerk und Tanzpartys im Kurpark (im August); *Rheingauer Weinfest* im Kurhaus (im September); *Andreasmarkt* auf dem Elsässer Platz (Dezember).

Die hessische Landeshauptstadt liegt am Fuß bewaldeter Taunushöhen und erstreckt sich mit ihren Vororten bis zum Rhein. Die 26 Thermalquellen (46 bis 67° C), das milde Klima und die reizvolle Umgebung machen die Stadt zu einem beliebten Kurort. Bedeutung hat Wiesbaden auch als Theater- und moderne Einkaufsstadt sowie als Sitz des Bundeskriminalamtes, des Statistischen Bundesamtes, der Spitzenorganisation der deutschen Filmwirtschaft und bekannter Verlage. Im Raum Wiesbaden befinden sich mehrere große Sektkellereien.

GESCHICHTE. – Wiesbadens Heilquellen waren schon den Römern bekannt, die den Ort *Aquae Mattiacorum* nannten (nach den hier beheimateten Mattiakern, einem Stamm der germanischen Chatten). Wohl seit der Zeit des Kaisers Claudius (41-50 n. Chr.) befand sich hier ein römisches Kastell. Römische Bäder befanden sich etwa an der Stelle des heutigen Kochbrunnens. 406 gaben die Römer die Rheingrenze endgültig auf. Die Franken machten Wiesbaden zum Hauptort des Königssundragaues. Eine fränkische Turmburg erhob sich im Gebiet des Schlosses. Der Name *Wisibada,* Bad in den Wiesen, wurde zuerst 829 durch Einhard, den Biographen Karls d. Gr., überliefert. Anfang des 13. Jh. begann die Entwicklung zur Reichsstadt. 1236 feierte Friedrich II. das Pfingstfest in Wiesbaden. 1242 wurde die kaiserliche Stadt vom Mainzer Erzbischof erobert und zerstört. Um 1270 fiel sie an die Grafen von Nassau, die sie zur Nebenresidenz machten. 1744 verlegte Fürst Karl von Nassau-Usingen seine Residenz in das neuerbaute Schloß in Biebrich. 1816 wurde Wiesbaden Regierungssitz des neuerrichteten Herzogtums Nassau und erlebte seine erste Blütezeit als biedermeierlich-schlichte Residenz- und Badestadt, in der die europäischen Fürstlichkeiten und auch Goethe (1814/15) zur Kur weilten. Die Herzöge Friedrich August (1803-16) und Wilhelm (1816-39) legten großzügige Straßen und repräsentative klassizistische Bauten an. 1868 wurde das Herzogtum Nassau preußisch. Wiesbaden wurde

Hauptstadt eines Regierungsbezirks. Bis zum Ersten Weltkrieg erlebte die Kurstadt eine Glanzzeit als sommerlicher Treffpunkt des Kaisers und des Hofes. 1926-28 wuchs die Stadt durch Eingemeindungen stark an. Seit 1945 ist Wiesbaden die Landeshauptstadt von Hessen.

SEHENSWERTES. – Hauptverkehrsader ist die breite Wilhelmstraße. An ihrem Nordende rechts der *Kurbezirk,* der südlich von der *Theater-Kolonnade* mit dem 1892-94 erbauten *Hessischen Staatstheater,* nördlich von der *Brunnenkolonnade* begrenzt wird. Östlich im Hintergrund erhebt sich das **Kurhaus,** ein 1904-07 von Friedrich von Thiersch errichteter stattlicher Festbau mit mächtiger ionischer Säulenvorhalle; im linken Flügel die *Spielbank.* Hinter dem Kurhaus erstreckt sich der gepflegte *Kurpark.* – Östlich an der Aukamm-Allee das *Thermal-Hallenbad.* – Nordwestlich der *Kochbrunnen* (15 Quellen; 66° C) unweit südwestlich davon das *Kaiser-Friedrich-Bad* (1910-13) mit der Rheuma-Kurklinik.

Am Schloßplatz im Zentrum der Stadt (westlich der Wilhelmstraße) steht das 1837-41 erbaute **Schloß** (Landtag; Ministerien). Zwischen Schloßplatz und Marktplatz das *Rathaus* (1884-88;

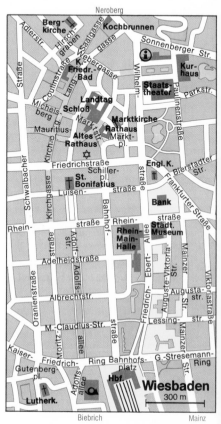

1951 wiederhergestellt) und die ev. *Marktkirche* (1852-62). – Am Südende der Wilhelmstraße das *Städtische Museum* (Friedrich-Ebert-Allee 2) mit Altertümer- und naturwissenschaftlichen Sammlungen sowie wertvoller Gemäldegalerie; gegenüber die moderne **Rhein-Main-Halle.**

Nördlich über der Stadt erhebt sich der bewaldete *Neroberg (245 m; Zahnradbahn) mit der weithin sichtbaren *Griechischen Kapelle* (185 m; russ.-orth.), dem schön gelegenen *Opel-Bad* (Freischwimmbad) und einem Café-Restaurant. – Im Nordwesten der Stadt am Schützenhausweg der **Tier- und Pflanzenpark Fasanerie** (Rot-, Muffelwild, Wisente, Wildschweine, Waschbären, Wölfe u. a.). – 5 km südlich der Stadtmitte im Stadtteil BIEBRICH das **Schloß Biebrich,** die 1698-1744 erbaute barocke Residenz der Nassauer Herzöge (heute u.a. Sitz der Spitzenorganisation des deutschen Films).

UMGEBUNG von Wiesbaden. – *Kloster Eberbach (17 km westlich) mit Kirche von 1186 und wohlerhaltenen Klostergebäuden aus dem 12.-14. Jh. (Weinbaudomäne; Sommerkonzerte).

Wieskirche

Bundesland: Bayern.
Höhe: 870 m ü.d.M.
Postleitzahl: D-8924 Steingaden/Oberbayern.
Telefonvorwahl: 0 88 62.
ⓘ **Verkehrsamt Steingaden,** Krankenhausstraße 1;
Telefon: 2 00 und 2 83.

UNTERKUNFT. – Bei der Wieskirche: *Moser,* 30 B. – In Steingaden: *Graf,* 40 B.; *Post,* 40 B.

Die weitbekannte **Wieskirche liegt auf einer Waldwiese im bayerischen Oberland etwa 45 km nordwestlich von Garmisch-Partenkirchen bei Steingaden. Die 'Wallfahrtskirche in der Wies' ist das 1746-54 entstandene Hauptwerk des großen Baumeisters Dominikus Zimmermann (1685-1766) und eine der reifsten Schöpfungen des deutschen Rokoko. Das Äußere ist der Berglandschaft angepaßt. Die Kirche mit ihren in Gruppen zusammengefaßten Fenstern wird durch einen Haubenturm mit zwei Wohnbauten verbunden.

Das I n n e r e entfaltet in der glücklichen Verbindung von Architektur und Ausschmückung eine großartige Licht- und Raumwirkung. Aus einer Vorhalle betritt man den ovalen, flachgewölbten Hauptraum, in dem acht Säulen eine Art Umgang bilden. Der Chor mit dem Gnadenbild ist schmäler und langgestreckt und wird von einem Gang umschlossen. Kanzel und Chor zeigen besonders schön die letzten Möglichkeiten barokker 'Märchenarchitektur'. Die Stukkaturen und Deckenmalereien stammen von Johann Baptist Zimmermann, dem Bruder des Architekten. Dominikus Zimmermann verbrachte seinen Lebensabend in dem von seinem Sohn geführten Wallfahrtsgasthof.

UMGEBUNG. – 5 km nordwestlich liegt der Ort Steingaden (763 m; 2500 Einw.), mit zahlreichen alten Häusern. Das 1147 gegründete Prämonstratenserstift wurde 1802 aufgelöst. Die zweitürmige ehemalige *Stiftskirche zeigt noch ein romanisches Äußeres; der Chor wurde 1740-45 barock umgestaltet und mit Wessobrunner Stukkaturen ausgeschmückt, das Renaissancegestühl stammt aus dem Jahre 1534. Von dem schönen spätromanischen Kreuzgang (Anfang 13. Jh.; Gewölbe spätgotisch) ist ein Flügel erhalten. Auf dem Friedhof steht die kleine romanische Johanneskapelle.

Wildbad
im Schwarzwald

Bundesland: Baden-Württemberg.
Kfz-Kennzeichen: CW.
Höhe: 426 m ü.d.M. – Einwohnerzahl: 12 000.
Postleitzahl: D-7547. – Telefonvorwahl: 0 70 81.
ⓘ **Verkehrsbüro,** König-Karl-Straße 7;
Telefon: 4 31.

HOTELS. – *Sommerberg-Hotel, auf dem Sommerberg, 130 B. Hb.; *Badhotel,* Kurplatz 5, 120 B.; Thermalbäder; *Valsana,* Kernerstr 182, 65 B., Hb.; *Traube,* König-Karl-Str. 31, 60 B.; *Weingärtner,* Olgastr. 15, 65 B.; *Bergfrieden,* Bätznerstr. 78, 65 B.; *Post,* Kurplatz, 100 B., Sb., Hb.

RESTAURANTS. – *Kurpark-Restaurant,* im Kurpark; *Ratsstuben,* Uhlandplatz 5.

FREIZEIT. – Tennis; Reiten.

Wildbad, im tiefeingeschnittenen Enztal gelegen, ist nächst Baden-Baden der besuchteste Kurort des Nördlichen Schwarzwalds, mit den berühmten, schwach alkalischen Thermalquellen (33-39°C), die vor allem gegen Rheuma, Gicht, Ischias und Nervenleiden sowie bei Folgen von Lähmungen und Verletzungen wirksam sind.

SEHENSWERTES. – Am Kurplatz das denkmalgeschützte **Graf-Eberhard-Bad** (schöne Mosaikbecken), dahinter das terrassenförmige neue *Behand-*

Thermalbad in Wildbad

lungszentrum (1977) unmittelbar auf dem Quellgebiet. In der Olgastraße das *Schwimm- und Thermalbad;* weiter flußaufwärts das *Kurtheater* und die *Trink- und Wandelhalle.* Am linken Enzufer das *König-Karl-Bad,* dahinter, am Neuen Weg, das *Thermalschwimmbad* (zwei Hallen und ein Freibecken); flußaufwärts das *Kurhaus* (Kursaal). Zu beiden Seiten der Enz erstrecken sich die hübschen Kuranlagen.

Westlich über der Stadt der schön bewaldete **Sommerberg** (733 m), auf den eine elektrische Standseilbahn (8 Min.) sowie eine Straße führen (2³⁄₄ km, 16 % Steigung; Anfang oberhalb des Bahnhofs). Auf der Höhe zahlreiche Spazierwege und eine lange Kunststoffskipiste.

UMGEBUNG von Wildbad. – 14 km östlich liegt im Nagoldtal der bekannte Luftkurort **Hirsau** mit den malerischen *Ruinen eines Benediktinerklosters (1059 gestiftet) und eines Jagdschlosses (bekannt durch Uhlands Gedicht "Die Ulme zu Hirsau"). – 3 km weiter die an Fachwerkhäusern reiche Kreisstadt **Calw**, Geburtsort des Dichters Hermann Hesse (1877-1962); auf der Nagoldbrücke die zierliche gotische Nikolauskapelle.

Wolfenbüttel

Bundesland: Niedersachsen.
Kfz-Kennzeichen: WF.
Höhe: 75 m ü.d.M. – Einwohnerzahl: 51000.
Postleitzahl: D-3340. – Telefonvorwahl: 05331.
ⓘ **Verkehrsverein,** Breite Herzogstraße 25;
Telefon: 2337.

HOTELS. – *Forsthaus,* Neuer Weg 5, 18 B.; *Waldhaus,* Adersheimer Str. 75, 40 B., Sb.; *Zum Schimmel,* Kornmarkt 8, 22 B.; *Kronprinz,* Bahnhofstr. 12, 19 B. – JUGENDHERBERGE: *Städtisches Jugendheim,* Schloßplatz 13, 64 B. – CAMPINGPLATZ: Beim Stadtbad.

RESTAURANT. – *Ratskeller,* Stadtmarkt 2.

Die von zwei Armen der Oker umflossene und von hübschen Wallanlagen umgebene alte Herzogstadt bietet mit ihren zahlreichen schönen Fachwerkhäusern noch heute das unversehrte Bild einer Fürstenresidenz. Das Obst und Gemüse der fruchtbaren Umgebung verarbeiten Konservenfabriken.

GESCHICHTE. – Keimzelle der Stadt war eine 1255 zerstörte Burg, an deren Stelle Herzog Heinrich Mirabilis 1283 ein Wasserschloß errichten ließ. 1308-1753 war Wolfenbüttel Residenz der Herzöge von Braunschweig und eine Pflegestätte von Kunst und Wissenschaft. Herzog Heinrich Julius (1589-1613), der selbst Prosadramen verfaßte, berief englische Komödianten, die ersten Berufsschauspieler in Deutschland, an seinen Hof. Herzog August (1635-66) gründete die berühmte, nach ihm benannte Bibliothek, an der später Leibniz und Lessing wirkten.

SEHENSWERTES. – Am Schloßplatz erhebt sich das vom Hausmannsturm überragte **Schloß,** eine im 16. Jh. entstandene Anlage, die Anfang des 18. Jh. barock umgestaltet wurde (Barockfassade von Hermann Korb, 1716); es beherbergt heute das *Stadt- und Kreisheimatmuseum.* An der Nordseite des Platzes das ehem. *Zeughaus* (1613-18), ein stattlicher Renaissancebau mit viergeschossigem Giebel. Westlich davon das *Lessinghaus,* seit 1777 Wohnhaus des Dichters (Lessingmuseum), wo Lessing 1779 seinen "Nathan" vollendete. Dahinter die **Herzog-August-Bibliothek** (Neubau 1882-87; das 1705 von Hermann Korb errichtete alte Bibliotheksgebäude, in dem Leibniz und Lessing wirkten, wurde 1887 abgerissen), die 8000 Handschriften (darunter das *Reichenauer Evangeliar des 10. Jh. und der *Sachsenspiegel des 14. Jh.), 4000 Wiegendrucke und 450000 Bücher beherbergt.

Am östlich vom Schloß gelegenen Stadtmarkt das um 1600 errichtete *Rathaus,* ein schöner Fachwerkbau mit Holzarkaden. Unweit östlich der Renaissancebau der **Kanzlei,** bis 1753 Sitz der Landesregierung, jetzt *Museum für Vor- und Frühgeschichte.* – Südlich von hier, im Mittelpunkt der Stadt, die **Hauptkirche** *(Marienkirche),* 1607-23 von Paul Francke erbaut, eine eigenartige Verbindung von gotischer Anlage und Renaissanceformen und Hauptwerk des frühen Protestantismus in Deutschland; im Inneren barocker

Hochaltar von 1618, geschnitzte Kanzel von 1623 und Chorgestühl von 1625 sowie Grabsteine des 16. Jh.; Fürstengruft.

Wolfsburg

Bundesland: Niedersachsen.
Kfz-Kennzeichen: WOB.
Höhe: 70 m ü.d.M. – Einwohnerzahl: 128000.
Postleitzahl: D-3180. – Telefonvorwahl: 05361.
ⓘ Informationszentrum, Porschestraße 47a; Telefon: 14333.

HOTELS. – *Holiday Inn*, Rathausstr. 1, 420 B., Hb., Sauna; Spezialitäten-Restaurant; *Parkhotel Steimkerberg*, Unter den Eichen 55, 60 B.; *Primas*, Büssingstr. 18, 62 B.; *Wienerwald*, Kleiststr. 29, 20 B. – In Sandkamp: *Jäger*, Fasanenweg 5, 24 B. – CAMPINGPLATZ: *Allersee*, beim Naturfreundehaus Allerwiesen.

RESTAURANTS. – *Stadtkeller*, Porschestr. 50; *Ratskeller*, im Rathaus (Dalmatiner Stuben). – In Vorsfelde: *Xanthos*, Friederikenring 5.

VERANSTALTUNGEN. – *Lichterfest* im Schloßpark (Juli); *Internationales Jazz- und Folklore-Festival*; *City-Fest* (September).

Die Volkswagenstadt an Mittellandkanal und Elbe-Seitenkanal ist ein Musterbeispiel neuzeitlichen Städtebaus, eine auf dem Reißbrett entstandene Stadt im Grünen mit breiten, mehrspurigen Hauptverkehrsadern und modernen Wohnvierteln, mit vielseitigem Kultur- und Freizeitangebot.

GESCHICHTE. – Das an der Aller gelegene Schloß Wolfsburg wurde bereits 1135 urkundlich bezeugt. 1938 wurde das Volkswagenwerk gebaut. Damit begann die rapide Entwicklung der Stadt Wolfsburg vom 150-Einwohner-Ort zur modernen Großstadt.

SEHENSWERTES. – Östlich vom Volkswagenwerk (Mo.-Fr. Führungen) erhebt sich an der Aller das **Schloß** (16. und 19. Jh.; Bergfried aus dem 13.-14. Jh.; Städtische Galerie), das bedeutendste historische Zeugnis der Stadt. Von den modernen Bauten im weiträumigen Stadtgebiet verdienen Beachtung: das von Hans Scharoun erbaute **Theater** (1973 eröffnet) und die *Stadthalle* am Klieversberg, das von dem berühmten finnischen Architekten Alvar Aalto errichtete **Kulturzentrum** neben dem *Rathaus* (1958) an der Porschestraße, der Hauptgeschäftsstraße der Stadt sowie die ebenfalls von Aalto erbaute *Heilig-Geist-Kirche* (1962) am Klieversberg und die *Stephanus-*

Kirche (1968) am Detmeroder Markt. – Vorgeschichtliche und volkskundliche Sammlungen birgt das *Heimatmuseum* in der Goetheschule (Eingang Lessingstraße).

UMGEBUNG von Wolfsburg. – **Fallersleben** (6 km westlich) mit Hoffmann-Haus, Geburtshaus von August Heinrich Hoffmann von Fallersleben (1798-1874), dem Dichter des Deutschlandliedes, und Hoffmannmuseum im alten Schloß.

Worms

Bundesland: Rheinland-Pfalz.
Kfz-Kennzeichen: WO.
Höhe: 100 m ü.d.M. – Einwohnerzahl: 74000.
Postleitzahl: D-6520. – Telefonvorwahl: 06241.
ⓘ Verkehrsverein, Neumarkt 14; Telefon: 25045.

HOTELS. – *Dom-Hotel*, Obermarkt 10, 80 B.; *Central* (garni), Kämmererstr. 5, 42 B.; *Hüttl* (garni), Peterstr. 5, 40 B.; *Kriemhilde*, Hofgasse 2, 29 B.; *Malepartus* (garni), Luisenstr. 1, 39 B. – In Pfeddersheim: *Pfeddersheimer Hof*, Zellertalstr. 35, 29 B. – JUGENDHERBERGE: Dechaneigasse 1, 139 B. – CAMPINGPLATZ: an der Nibelungenbrücke.

RESTAURANTS. – *Domschänke*, Stephansgasse 16; *Neue Post*, Rheinstr. 2. – In Rheindürkheim: *Rôtisserie Dubs*, Kirchstr. 6.

CAFÉ. – *Schmerker*, Wilhelm-Leuschner-Str. 9.

VERANSTALTUNGEN. – *Backfischfest* (Ende August).

Die am linken Rheinufer gelegene Domstadt zählt zu den ältesten Städten Deutschlands. Worms ist ein bekanntes Weinhandelszentrum und besitzt eine bedeutende Industrie. In den Weingärten um die Liebfrauenkirche reift die berühmte 'Liebfrauenmilch'.

GESCHICHTE. – Worms ist eine alte Keltensiedlung *(Borbetomagus)*. Später errichteten die Römer hier ein Kastell *(Civitas Vangionum)*. Im 4. Jh. wurde Worms Bischofssitz. Zur Zeit der Völkerwanderung war es Hauptstadt des Burgunderreichs, das 437 von den Hunnen vernichtet wurde. Diese Kämpfe bilden die geschichtliche Grundlage des Nibelungenliedes. Im Mittelalter war Worms Schauplatz von fast 100 Reichstagen, am berühmtesten der Reichstag von 1521, auf dem Luther seine Thesen verteidigte.

SEHENSWERTES. – In der Mitte der ALTSTADT erhebt sich der sechstürmige ***Dom** (*St. Peter und Paul*; kath.), neben den größeren von Speyer und Mainz eines der besten Zeugnisse des hochromanischen Baustils (11. und 12. Jh.). Das Innere ist 110 m lang, 27 m

Kaiserdom in Worms

breit und im Mittelschiff 26 m hoch (Kuppeln 40 m). Im nördlichen Seitenschiff fünf bedeutende spätgotische Sandsteinreliefs aus dem früheren gotischen Kreuzgang; im Chorraum schönes Chorgestühl und ein barocker Hochaltar nach Plänen von Balthasar Neumann. – Östlich vom Dom, am Marktplatz, die nach schwerer Kriegszerstörung 1954-59 wiederaufgebaute *Dreifaltigkeitskirche* (ehem. 1709-25; beachtenswertes Inneres) und das 1956-58 erbaute *Rathaus.* Unweit nordöstlich die romanische *Pauluskirche,* deren zwei Rundtürme von eigenartigen, auf orientalische Vorbilder zurückgehenden Kuppeln gekrönt sind.

Südwestlich vom Dom die spätromanische *Magnuskirche* (ev.; 10.-14. Jh.), die erste Kirche der Stadt, mit spitzem

Turm, und die ehem. *Andreaskirche* (12.-13. Jh.; 1927-29 erneuert), die heute mit den angrenzenden Stiftsgebäuden das reichhaltige *Museum der Stadt Worms* enthält, mit Bodenfunden, Kunstwerken und Altertümern aus dem Raume um Worms. Unweit nordwestlich der beiden Kirchen, am Andreasring, der älteste und größte *Judenfriedhof* Europas (Grabsteine vom 11.-12. Jh.).

Nördlich vom Dom das *Kunsthaus Heylshof,* ein 1884 an der Stelle des ehem. Bischofshofs erbautes Palais (Malerei des 16.-19. Jh., Plastiken, Glasgemälde, Porzellan-Kabinett u. a.); noch weiter nördlich am Lutherplatz das 1868 nach Ernst Rietschels Entwurf errichtete **Lutherdenkmal,** zur Erinnerung an Luthers Erscheinen auf dem Reichstag 1521. Östlich von hier, an der unter Denkmalschutz stehenden Judengasse, die nach Zerstörung (1938) im Jahre 1961 wiederaufgebaute *Synagoge* (urspr. 12.-13. Jh.; Ritualbad von 1186). – Nahe bei der nördlich nach Mainz führenden Straße (B 9) steht, umgeben von Weingärten, die kath. *Liebfrauenkirche* (13.-15. Jh.); im Innern u. a. ein Sakramentshäuschen und eine Madonna aus dem 15. Jahrhundert.

Wuppertal

Bundesland: Nordrhein-Westfalen.
Kfz-Kennzeichen: W.
Höhe: 146 m ü.d.M. – Einwohnerzahl: 399 000.
Postleitzahl: D-5600. – Telefonvorwahl: 02 02.

ⓘ **Informationszentrum,**
Pavillon Döppersberg,
Wuppertal-Elberfeld;
Telefon: 5 63 22 70 und 5 63 21 80.

HOTELS. – In Barmen: *Haus Juliane,* Mollenkotten 195, 60 B., Hb., Sb., Sauna; *City-Hotel* (garni), Fischertal 21, 33 B.; *Imperial* (garni), Heckinghauser Str. 10, 40 B.; *Villa Christina* (garni), Richard-

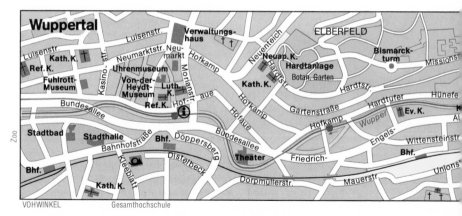

Strauss-Allee 18, 14 B., Fb., Sauna; *Zur Krone* (garni), Gemarker Ufer 19, 30 B.; *Park-Hotel* (garni), Mollenkotten 245, 30 B.; *Waldhotel Vesper* (garni), Mollenkotten 183 a, 36 B. – In Cronenberg: *Zur Post* (garni), Hauptstr. 49, 22 B. – In Elberfeld: *Kaiserhof*, Doppersberg 50, 116 B.; *Rathaus* (garni), Wilhelmstr. 7, 34 B.; *Rubin* (garni), Paradeplatz 59, 27 B.; *Zur Post* (garni), Poststr. 4, 80 B.; *Hubertus-Café am Zoo*, Hubertusallee 25, 20 B. – JUGEND-HERBERGE: Obere Lichtenplatzer Str. 70, Barmen, 154 B.

RESTAURANTS. – In Barmen: *Palette-Röderhaus*, Sedanstr. 68; *Taverne Aramis*, Alter Markt 5; *Jagdhaus Mollenkotten*, Mollenkotten 144; *China-Restaurant Mandarin*, Alter Markt 5; *Parkrestaurant Wicküler an der Oper*, Friedrich-Engels-Allee 378. – In Elberfeld: *Ratskeller*, Neumarkt 10; *Turmrestaurant*, Islandufer (im 16. Stockwerk des Sparkassenhochhauses). – In Sonnborn: *Il Castello*, im Schloß Lüntenbeck (italien. Spez.).

Die hübsch im Bergischen Land gelegene Industriestadt (vor allem Textil- und Metallindustrie) besteht hauptsächlich aus den Stadtteilen Barmen, Elberfeld und Vohwinkel, die sich im schmalen Tal der Wupper 19 km lang hinziehen und die durch die 1898-1901 erbaute einzigartige *Schwebebahn (13,3 km lang; jetzt moderne Gelenkzüge) miteinander verbunden sind.

GESCHICHTE. – Elberfeld entstand schon im 10. Jh. bei einer Wasserburg der Herren von Elverfelde und erhielt 1610 Stadtrechte. Barmen dagegen, bereits 1070 als Besitz des Klosters Werden genannt, bestand bis zum Ende des 17. Jh. nur aus Bauernhöfen, 1808 erhielt es Stadtrechte. Das Textilgewerbe beider Städte erhielt einen außerordentlichen Aufschwung durch die 1806 von Napoleon verhängte Kontinentalsperre, durch die der englische Wettbewerb ausgeschaltet wurde. 1929 wurden die Städte Elberfeld, Barmen, Vohwinkel, Cronenberg und Ronsdorf sowie Teile angrenzender Gemeinden zu einem Stadtbezirk zusammengeschlossen, der 1930 den Namen Wuppertal erhielt.

SEHENSWERTES. – In BARMEN das 1912-22 erbaute *Rathaus;* südöstlich das *Haus der Jugend* (ehem. Ruhmeshalle) mit der Stadtbücherei und wechselnden Kunstausstellungen. An der Friedrich-Engels-Allee die *Oper*

(1956) und die *Friedrich-Engels-Gedenkstätte* (im Geburtshaus des Mitbegründers des wissenschaftlichen Sozialismus). Im Westen auf der Hardt das *Missionshaus* mit einer völkerkundlichen Sammlung der Rheinischen Missions-Gesellschaft. – Südlich von Barmen der *Toelleturm* (Auffahrt) mit schöner Aussicht über das Wuppertal.

In ELBERFELD am Neumarkt das 1900 erbaute *Verwaltungshaus* (früher Rathaus). Am Turmhof 8 das **Von-der-Heydt-Museum** (französischer Impressionismus, deutsche Malerei des 19. und 20. Jh.); östlich, Poststr. 11, das *Historische Uhrenmuseum* (Zeitmesser verschiedener Epochen) mit einer Kronensammlung. An der Bundesallee das *Schauspielhaus* (1966). Auf dem Johannisberg, neben der *Stadthalle,* das eigenwillige *Stadtbad* (1957). Am Westrande Elberfelds der **Zoologische Garten** (Freigehege mit ca. 3500 Tieren). Südöstlich der zweistöckige *Kiesbergtunnel* (obere Fahrbahn 854 m, untere Fahrbahn 1043 m lang).

Müngstener Eisenbahnbrücke

UMGEBUNG von Wuppertal. – **Kluterthöhle (9 km östlich) im Ennepetal, mit 5,2 km Gesamtlänge eine der größten Naturhöhlen Deutschlands; dient seit 1951 als Asthmaheilstätte. – *Müngstener Brücke (13 km südlich), mit 107 m Höhe und 500 m Länge die höchste Eisenbahnbrücke Europas.

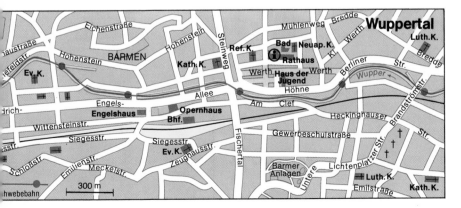

Würzburg

Bundesland: Bayern. – Kfz-Kennzeichen: WÜ.
Höhe: 182 m ü.d.M. – Einwohnerzahl: 126 000.
Postleitzahl: D-8700. – Telefonvorwahl: 09 31.
ⓘ **Fremdenverkehrsamt,**
Haus zum Falken;
Telefon: 5 22 77.
Tourist-Information,
Pavillon vor dem Hauptbahnhof.

HOTELS. – *Rebstock,* Neubaustr. 7, 110 B.; *Bahn-hofhotel Excelsior,* Haugerring 2, 74 B.; *Würzburger Hof* (garni), Barbarossaplatz 2, 89 B.; *Walfisch,* Am Pleidenturm 5, 60 B.; *Amberger* (garni), Lud-wigstr. 17, 80 B.; *Central* (garni), Koellikerstr. 1, 30 B.; *Schönleber,* Theaterstr. 5; *Franziskaner,* Franziskanerplatz 2, 73 B.; *Kilianshof* (garni), Go-tengasse 3, 48 B.; *Stift Haug* (garni), Textorstr. 16, 35 B. – Auf dem Steinberg: *Schloß Steinburg,* 66 B., Gartenterrasse, geh. Sb. – JUGENDHER-BERGEN: *Tilman-Riemenschneider-Jugendher-berge,* Burkarder Str. 44, 250 B.; *Heidingsfeld,* Frau-Holle-Weg 27, 66 B. – CAMPINGPLÄTZE: *Kalte Quelle,* Heidingsfeld, Winterhäuser Straße; *Kanu-Club,* Mergentheimer Str. 13 b, am linken Mainufer (vorzugsweise für Wasserwanderer).

RESTAURANTS. – *Ratskeller,* Langgasse 1 (im Rathaus); *Klosterschänke,* Franziskanerplatz 2; *Schiffbäuerin,* Katzengasse 7 (Fischgerichte); *Dio-cletian,* Domstr. 24 (jugoslaw. Spez.).

WEINSTUBEN. – *Hofkellerei,* Residenzplatz 1 (im Gesandtenbau der Residenz); *Bürgerspital,* Thea-terstr. 19; *Juliusspital,* Juliuspromenade 19; *Zum Stachel,* Gressengasse 1 (älteste Weinstube Würz-burgs, seit 1413); *Maulaffenbäck,* Maulhardgasse 9.

CAFÉS. – *Ludwig,* Kaiserstr. 5; *Steffan,* Augusti-nerstr. 8; *Hofgartencafé,* Residenzplatz (Gartenter-rasse); *Am Dom,* Kürschnerhof 2 (Terrasse).

VERANSTALTUNGEN. – *Mozartfest* mit Konzerten im Kaisersaal der Residenz und Serenaden im Hof-garten (im Juni); *Würzburger Bachtage* (Ende No-vember/Anfang Dezember).

Die alte mainfränkische Haupt- und Bi-schofsstadt liegt anmutig in einer re-benumkränzten Talweitung des Mains.

Würzburg ist Sitz einer Universität und einer Musikhochschule sowie Haupt-platz des fränkischen Weinhandels und Weinbaus. Bürgerspital, Julius-spital und Staatsweingut (Hofkellerei) sind die größten Weingüter Deutsch-lands. An den Hängen von Schloßberg und Steinberg reift ein vorzüglicher Wein. Nach Beseitigung der schweren Kriegsschäden zeigt die Altstadt heute stellenweise wieder das vertraute Ge-präge, das durch zahlreiche Kirchen und die prächtigen Barockbauten der Fürstbischöfe bestimmt wird. Hoch über dem Main thront die mittelalterli-che Festung Marienberg.

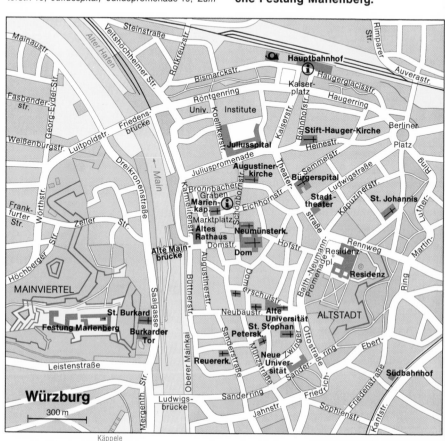

GESCHICHTE. – Die Anfänge des 704 erstmals als *Castellum Virteburg* erwähnten Siedlungsplatzes an der Mainfurt im Schutze des Würzberges liegen im 7. Jh. Damals entstand auf dem rechten Mainufer ein fränkischer Herzogshof, der durch das Wirken iroschottischer Mönche unter Führung des Frankenapostels Kilian (689 ermordet) zum Hauptort des Frankenlandes wurde. Im Jahre 706 erbaute Herzog Hedan II. die der hl. Maria geweihte Kapelle auf dem Würzberg, später nach ihr Marienberg benannt. Erster Bischof war der vom hl. Bonifatius 741 geweihte hl. Burkard († 758). Unter den Salier- und Stauferkaisern entstanden zwischen 1000 und 1200 etwa 20 Kirchen. Im 12. Jh. hielt Kaiser Friedrich I. Barbarossa fünf Reichstage in Würzburg ab. 1156 feierte er hier seine Hochzeit mit Beatrix von Burgund. Er war es auch, der die Würzburger Bischöfe zu Herzögen von Franken erhob. Auch Barbarossas Sohn, Heinrich VI., hielt zahlreiche Reichs- und Hoftage in Würzburg ab. Sein Kanzler Konrad von Querfurt, ab 1201 Bischof von Würzburg, schuf mit dem trutzigen Bergfried die Anfänge der Burg als Zufluchtsstätte und Zwingburg über die erstarkende Bürgerschaft. Im 15. und 16. Jh. wirkte der 1483 aus dem Harz nach Würzburg zugewanderte begnadete Bildhauer und Holzschnitzer Tilman Riemenschneider in der Stadt. Er war auch Bürgermeister. Das 17. und 18. Jh. wurde beherrscht von der Bauleidenschaft der Fürstbischöfe aus dem Hause Schönborn. Balthasar Neumann (1678-1753) schuf mit der Würzburger Residenz sein bedeutendstes Werk. 1803 säkularisiert, war Würzburg in den Jahren 1806-14 ein rheinbündisches Großherzogtum unter dem Habsburger Ferdinand von Toskana; 1815 fiel es endgültig an Bayern.

SEHENSWERTES. – Am weiten Residenzplatz steht die ehem. fürstbischöfliche **Residenz** (1945 bis auf den Mittelbau und die Hofkirche ausgebrannt, Einrichtung fast ganz erhalten; jetzt größtenteils wiederhergestellt), der bedeutendste Profanbau des deutschen Barock, 1720-44 im wesentlichen unter der Leitung von Balthasar Neumann errichtet; im Innern erhalten das monumentale *Treppenhaus mit dem riesigen Freskogemälde von G. B. Tiepolo, der mit schönen Rokoko-Stukkaturen geschmückte Weiße Saal und der einzigartig dekorierte Kaisersaal, ferner die *Hofkirche. Im Südflügel der Residenz das *Martin-von-Wagner-Museum* der Universität (Antikensammlung, Gemäldesammlung und Kupferstichkabinett). – Hinter der Residenz der *Hofgarten* (18. Jh.) mit prächtigen schmiedeeisernen Toren.

Westlich von der Residenz der *Dom (11.-13. Jh.), dessen Inneres (1945 ausgebrannt; z. T. modern wiederhergestellt) berühmte Grabmäler von Bischöfen enthält (u. a. *Grabmäler von Rudolf von Scherenberg und Lorenz von Bibra von Tilman Riemenschneider); am nördlichen Querschiff die 1721-36 von

Balthasar Neumann erbaute *Schönbornkapelle. – Nördlich gegenüber dem Dom die **Neumünsterkirche** mit romanischem Ostteil (11. und 13. Jh.) und einem 1711-19 aufgeführten barocken Westbau; im Inneren im Kuppelbau eine Muttergottes und ein Kruzifix, beide von Riemenschneider, in der Westkrypta der Steinsarg des hl. Kilian, des hier 689 ermordeten Frankenapostels; im ehem. Kreuzgang ('Lusamgärtlein') an der Nordseite der Kirche ein Denkstein für *Walther von der Vogelweide,* den um 1230 in Würzburg verstorbenen größten deutschen Minnesänger.

Unweit nordwestlich der Neumünsterkirche der Marktplatz mit der 1945 ausgebrannten *Marienkapelle (1377 bis 1479; 1945-61 wiederhergestellt), dem bedeutendsten spätgotischen Bauwerk Würzburgs (prächtige Portale; am 3. Pfeiler des Mittelschiffs das Grab Balthasar Neumanns; Grabmal des Ritters Konrad von Schaumberg, gest. 1499, von Tilman Riemenschneider).

Östlich daneben das **Haus zum Falken** mit der schönsten Rokokofassade der Stadt (renoviert; Fremdenverkehrsamt). – Südwestlich vom Marktplatz an der Domstraße das **Alte Rathaus,** eine Baugruppe aus verschiedenen Zeiten (13. bis 19. Jh.). – Am Main, am Kranenkai,

Würzburg – Mainbrücke, Dom und Neumünster

der *Alte Kranen* von 1773. – An der Juliuspromenade das große *Juliusspital* (18. Jh.; wiederhergestellt), in der Theaterstraße das *Bürgerspital* (18. Jh.), beide mit altbekannten Weinstuben.

Im südlichen Teil der Altstadt liegt die 1582-92 errichtete **Alte Universität;** im Ostflügel die *Universitätsbibliothek,* im Südflügel die *Universitäts-* oder *Neubaukirche,* eine der wenigen bedeutenden Kirchenbauten im deutschen Renaissancestil (Ausbau als Fest- und Konzertsaal). – Weiter südlich am Sanderring die **Neue Universität** (1892-96; nach ihrer Zerstörung wiederaufgebaut).

Über die mit barocken Heiligenstandbildern geschmückte *Alte Mainbrücke (1473-1543) gelangt man in den linksmainischen Stadtteil und hinauf zu der hochgelegenen ehem. *Festung Marienberg (266 m; Auffahrt), die seit der Mitte des 13. Jh. bis zur Erbauung der Residenz Sitz der Fürstbischöfe war; im Zeughaus das *Mainfränkische Museum* mit Werken fränkischer und für Franken tätiger Künstler (u. a. bedeutende *Riemenschneider-Sammlung); neben dem *Bergfried* (1201) die *Marienkirche* (merowingischer Rundbau von 706). Prächtige Aussicht vom *Fürstengarten. –* Oberhalb der Alten Mainbrücke die Pfarrkirche *St. Burkard* (11., 12. und 15. Jh.), dahinter das *Burkarder Tor.* Weiter flußaufwärts führt ein Treppenweg mit Stationsbildern hinauf zum *Käppele, einer 1747-50 von Balthasar Neumann errichteten malerischen Wallfahrtskirche (Fresken von Matthias Günther; reizvolle Aussicht, besonders abends).

UMGEBUNG von Würzburg. – **Schloß Veitshöchheim** (7 km nordwestlich; auch Schiffsverbindung), ehem. Lustschlößchen der Würzburger Fürstbischöfe von 1682, dessen *Hofgarten (1703-74) der besterhaltene Rokokogarten Deutschlands ist.

Xanten

Bundesland: Nordrhein-Westfalen.
Kfz-Kennzeichen: WES.
Höhe: 24 m ü.d.M. – Einwohnerzahl: 16000.
Postleitzahl: D-4232. – Telefonvorwahl: 02801
ⓘ **Verkehrsbüro,** Rathaus; Telefon: 37238.

HOTELS. – *Van Bebber,* Klever Str. 10, 21 B. – Ir Marienbaum: *Deckers,* Kalkarer Str. 71, 30 B. – CAMPINGPLÄTZE in Ursel.

RESTAURANT. – *Hövelmann,* Markt 3.

Die alte Domstadt am Niederrhein nennt sich stolz 'Siegfriedstadt'. Siegfried, der Held des Nibelungenliedes, soll hier geboren sein. Vieles erinnert noch an die Tage der Römer.

GESCHICHTE. – Um 15 v. Chr. gründeten die Römer auf dem Fürstenberg südlich von Xanten ihr *Castra Vetera.* Von hier aus brach Varus auf zur Schlacht im Teutoburger Wald. Anfang des 2. Jh. gründete Trajan dann die *Colonia Ulpia Trajana.* Im 9. Jh. bestand bereits ein Stift, um das sich bald eine mittelalterliche Kaufmannssiedlung entwickelte. Im 12. Jh. wurde Xanten als Stadt erwähnt. Im 13. Jh. verlieh ihr der Kölner Erzbischof das Befestigungsrecht. Im 15. Jh. kam Xanten an die Grafen von Kleve, 1614 an Brandenburg. Die Wunden, die der Zweite Weltkrieg schlug, sind inzwischen vernarbt.

SEHENSWERTES. – Der *Dom St. Viktor (ehem. Stiftskirche) ist nächst dem Kölner Dom der bedeutendste gotische Kirchenbau am Niederrhein (1190-1516; wiederhergestellt); im Inneren besonders beachtenswert der große Marienaltar von H. Douverman (1525). – Nördlich vom Dom ehem. *Stiftsgebäude;* im Kapitelsaal das sehenswerte *Dommuseum.*

Im Nordwesten der Stadt das *Klever Tor* (1393; Römisches Museum); weiter nördlich das *Amphitheater* der Colonia Trajana in dem im Aufbau befindlichen *Archäologischen Park.*

UMGEBUNG von Xanten. – **Kalkar** (15 km nordwestlich) mit St.-Nikolaus-Kirche (bedeutende Schnitzwerke der Kalkarer Schule); nahebei ist ein 'Schneller Brüter' (Kernreaktor) im Bau.

Praktische Informationen

Achtung!

Im Jahre 1980 wird in Deutschland die **Sommerzeit** (= MEZ + 1 Stunde) eingeführt. Sie soll von Anfang April bis Ende September sowohl in der Bundesrepublik Deutschland als auch in der Deutschen Demokratischen Republik gelten.

Hotel Riesen in Miltenberg

Tips und Informationen für Ihre Sicherheit am Steuer

Tragen Sie Gurt! Achten Sie darauf, daß sich auch Ihre Mitfahrer bei jeder Fahrt anschnallen.
Denn: Fast 2000 Tote und 50000 Verletzte weniger wären zu beklagen, wenn alle Autofahrer in der Bundesrepublik Gurte tragen würden.

Lassen Sie spätestens alle zwei Jahre die Bremsflüssigkeit Ihres Fahrzeugs wechseln.
Denn: Auch Bremsflüssigkeit altert. Durch Kondenswasser, Staub und einen Prozeß chemischer Zersetzung verliert diese lebenswichtige Flüssigkeit im Lauf der Zeit ihre Wirksamkeit.

Wechseln Sie Ihre Reifen, wenn die Profiltiefe nur noch zwei Millimeter beträgt.
Denn: Reifenprofile brauchen Tiefe, um griffig zu sein und den Wagen auch bei Nässe auf der Straße zu halten. Bei sportlich breiten Reifen ist wegen der längeren Wasserwege sogar eine Profiltiefe von drei Millimetern zu empfehlen.

Sie sehen besser, und Sie werden besser gesehen, wenn die Beleuchtung Ihres Fahrzeugs in Ordnung ist.
Darum: Prüfen Sie regelmäßig Lampen und Scheinwerfer. Das ist sogar möglich, ohne aus dem Wagen auszusteigen. Rückleuchten und Bremslichter können Sie leicht selbst kontrollieren, wenn Sie an einer Ampel vor einem Bus oder Lieferwagen halten. Die großen Frontflächen reflektieren wie ein Spiegel das Licht. In Ihrer Garage oder beim Parken vor einer Schaufensterscheibe erkennen Sie ebenso, ob Scheinwerfer und vordere Blinkleuchten einwandfrei funktionieren.

Bei Nachtfahrten auf nassen Fahrbahnen sollten Sie etwa alle 50 bis 100 km einen Parkplatz aufsuchen, um Scheinwerfer und Rückleuchten zu reinigen.
Denn: Bereits eine hauchdünne Schmutzschicht auf den Scheinwerfergläsern reduziert die Lichtausbeute um die Hälfte. Bei stärkerer Verschmutzung kann sogar ein Lichtverlust bis zu 90 Prozent auftreten.

Alle Autofahrer, die Kunden der Allianz Autoversicherung sind, können ihr Fahrzeug kostenlos im Allianz Zentrum für Technik in Ismaning bei München überprüfen lassen.
Darum: Wer in München wohnt oder dorthin reist, sollte diese Möglichkeit nutzen. Der Test dauert 1 bis 1½ Stunden. Die Anmeldung ist mindestens vier und in Urlaubszeiten sechs Wochen vor dem geplanten Termin notwendig. Telefon: 089/96011. Geprüft werden bei dem Test kostenlos: Bremsen, Bremsflüssigkeit, Unterbodengruppe und Rahmen, Radaufhängung, Stoßdämpfer, Scheinwerfer und Beleuchtung, Achseinstelldaten, Motoreinstellung und Funktion, Leistung, Abgas.

Der beste Platz ist für Nebelleuchten auf der vorderen Stoßstange.
Denn: Dadurch wird eine besonders günstige Reichweite ohne Blendwirkung erreicht. Sind die Nebelscheinwerfer dagegen unterhalb der Stoßstangen montiert, beträgt die Reichweite nur noch fünf bis zehn Meter. Der Vorteil der Nebelleuchten ist besonders groß, wenn sie nur zusammen mit dem Standlicht benutzt werden. Daher ist eine gewisse Mindestreichweite des Lichtes erforderlich, um das Fahrzeug sicher führen zu können.

Rechtzeitiges Abblenden bedeutet selbstverständliche Rücksicht. Doch – nicht nur Fernscheinwerfer, auch Nebelschlußleuchten können blenden.
Darum: Rücksicht ist also auch geboten, wenn ein nachfolgendes Fahrzeug so dicht aufgeschlossen hat, daß Sie die Fahrzeug-Konturen vollständig erkennen können. Selbstverständlich muß die Nebelschlußleuchte immer dann ausgeschaltet werden, wenn die Sicht wieder klar ist.

Eine Kopfstütze am Autositz ist richtig eingestellt, wenn die Oberkante mindestens in Augen- und Ohrenhöhe oder darüber liegt.
Denn: Weil allenfalls das Genick, nicht aber der Kopf abgestützt wird, gefährden zu niedrige Kopfstützen die Fahrzeuginsassen.

Verbandskasten und Warndreieck sind nützliches und vorgeschriebenes Zubehör. Sie können jedoch bei einem Unfall zu gefährlichen Geschossen werden, wenn sie auf der Hutablage hinter den Sitzen liegen.
Darum: Der Verbandskasten gehört im Innenraum in eine feste Halterung oder unter einen Sitz, das Warndreieck griffbereit in den Kofferraum. Wenn dort wirklich kein Platz mehr ist, müssen alle Gegenstände und Gepäckstücke im Innenraum sehr sorgsam verstaut werden.

Übrigens: Sollte zum Beispiel bei sehr viel Gepäck im Urlaub die Sicht aus dem Heckfenster verbaut werden, verlangen die Straßenverkehrszulassungsordnung und vor allem Ihre eigene Sicherheit einen rechten Außenspiegel.
Dieses nützliche Zubehör bietet Ihnen im dichten, mehrspurigen Straßenverkehr immer gute Dienste. Verlangen Sie beim Kauf eine konvexe Ausführung.

Fahrzeugbrände sind selten. Und die Ratlosigkeit vieler Helfer ist groß, wenn es tatsächlich einmal brennt. Dabei haben sie meist genügend Zeit, den Insassen zu helfen und das Gepäck zu bergen.
Denn: Versuche haben gezeigt, daß zwischen einem Brandbeginn am Vergaser und dem Übergreifen des Feuers auf den Innenraum fünf bis zehn Minuten vergehen. Größte Vorsicht ist jedoch geboten, wenn bei einem Unfall der Tank beschädigt wird und eine große Menge Benzin ausläuft. Dann kann ein Brand blitzartig das gesamte Fahrzeug erfassen.

Ein geretteter Urlaubsfilm ist besser als der Kostenersatz für einen neuen Film durch die Reisegepäck-Versicherung. Darum ist ein neuartiger Halonlöscher (zwei Kilogramm) empfehlenswertes Zubehör.
Denn: Dieses Gerät löscht mit einem Gas, das für Menschen gefahrlos ist und keinerlei Spuren an Personen oder am Fahrzeug hinterläßt. Der Löscher soll mindestens zwei Kilogramm Inhalt haben, er hat dann eine Funktionsdauer von etwa 15 Sekunden. Mit diesem Gerät kann bei einem kleinen Brand schnelle Hilfe geleistet werden.

Wer nach dem Schalten seinen linken Fuß auf dem Kupplungspedal stehen läßt, riskiert eine teure Reparatur.
Denn: Das Kupplungsausrücklager verschleißt durch die dauernde Belastung sehr rasch. Das defekte Lager macht sich dann bald durch laute Pfeif- und Knirschgeräusche bemerkbar.

Wenn die Lampen altern, nimmt ihre Leistungsfähigkeit deutlich ab. Ein dunkler Niederschlag im Glaskolben – Wolframablagerungen von der Glühwendel – weist auf hohes Alter hin.
Darum: Mindestens einmal im Jahr sollten alle Glühlampen eines Fahrzeugs überprüft werden. Es empfiehlt sich, die dunkel gewordenen ebenso wie die defekten Glühbirnen paarweise auszutauschen.

Unfälle geschehen häufig, objektive Zeugen sind selten. Eine kleine, billige Kamera mit einem Blitzlicht im Handschuhfach kann sich nach einem Unfall schnell bezahlt machen.
Denn: Nach einem leichteren Unfall ist die Polizei meist mehr daran interessiert, die Straße schnell frei zu machen als alle Spuren zu sichern. Bei den Fotoaufnahmen ist nicht die Dokumentation der Beschädigungen wichtig. Sie können auch nachträglich, zum Beispiel im Schadenschnelldienst, festgestellt werden. Vielmehr sollte die Gesamtsituation an der Unfallstelle dokumentiert werden. Je eine Aufnahme genau in Fahrtrichtung der Unfallbeteiligten aus ausreichendem Abstand sind besonders wichtig.

Wenden Sie sich an den Zentralen Notruf der Autoversicherer, wenn Sie nach einem Unfall Rat und Hilfe brauchen, weil Sie die Anschriften der betroffenen Versicherungen nicht kennen. Ihre Ratlosigkeit könnte sonst von fragwürdigen Helfern mißbraucht werden.
Darum: Sparen Sie sich unnötige Kosten und sichern Sie sich eine schnelle Schadenregulierung. Melden Sie den

Unfall mit allen wichtigen Daten. Vom Zentralen Notruf wird die zuständige Stelle benachrichtigt, die sofort die Regulierung einleiten kann. Sie erfahren außerdem Namen und Rufnummer des Sachbearbeiters der betroffenen Versicherung; und Sie erhalten Auskunft über Schadenschnelldienste, Abschleppunternehmen und Reparaturwerkstätten.

Von 7–19 Uhr ist der Zentrale Notdienst zu erreichen:

Berlin	0 30/3 43 10 43
Hamburg	0 40/33 66 44
München	0 89/33 30 66
Köln	02 21/12 30 91
Frankfurt	06 11/72 51 51
Stuttgart	07 11/28 33 99
Dortmund	02 31/52 84 84
Nürnberg	0911/54 40 45

Energiebewußte Autofahrer bremsen den Benzindurst ihres Wagens, wenn sie auf der Autobahn mit dem Gaspedal mindestens zwei Zentimeter unter der Vollgasstellung bleiben.
Denn: Je weiter sich ein Fahrzeug seiner Höchstgeschwindigkeit nähert, um so steiler steigt der Benzinverbrauch. Die Sparstellung des Gasfußes reduziert die Reisegeschwindigkeit also kaum, während der Spritverbrauch erheblich gesenkt wird.

Brillenträger erhöhen ihre Fahrsicherheit, wenn sie während einer nächtlichen Autofahrt spezialentspiegelte Brillengläser tragen. Von der Benutzung einer getönten Brille bei Dämmerung oder Dunkelheit muß abgeraten werden.

Denn: Jede Glasscheibe reflektiert einen Teil des hindurchfallenden Lichtes. Selbst durch eine klare Windschutzscheibe erreichen nur etwa 90 Prozent des auf der Straße vorhandenen Lichtes die Augen des Autofahrers. Trägt der Autofahrer eine Brille, entsteht ein zusätzlicher Lichtverlust von zehn Prozent. Bei getönten Scheiben und getönten Brillengläsern erreicht nur noch etwa die Hälfte der auf der Straße vorhandenen Lichtmenge das Auge. Ein sicheres Fahren wäre bei Nacht also nicht mehr möglich.

Eine Verbundglasfrontscheibe als Zusatzausstattung ab Werk oder nach einem Glasbruch ist jedem Autofahrer zu empfehlen. Diese Investition ist sicher mehr wert als eine teure Autostereoanlage.
Denn: Eine Verbundglasscheibe besteht aus zwei unterschiedlich dicken Glasschichten, die in der Mitte durch eine zähe, elastische Kunststoffolie verbunden sind. Bei Steinschlag kann es nur zu einem Bruch unmittelbar an der Aufschlagstelle kommen. Die Glassplitter bleiben an der Folie hängen und verursachen keine Verletzungen. Selbst wenn ein nicht angeschnallter Insasse in die Scheibe fliegt, ist die Verletzungsgefahr geringer.

Jeder Allianz Fachmann hält für seine Kunden kostenlos bereit:
Mit dem Auto ins Ausland
Eine Kundendienstbroschüre mit zahlreichen Tips Adressen und Ratschlägen für den Schadenfall in 24 europäischen und außereuropäischen Ländern.
Service-Tasche für Ihr Auto
Wichtige Unterlagen und Formulare, die der Kraftfahrer für den Fahrzeugwechsel, für den Kauf oder Verkauf eines gebrauchten Kraftfahrzeugs und für den Schadenfall benötigt.

Sichere Reise!

Bevor Sie auf die Reise gehen, drehen Sie den Gashahn zu und schließen alle Fenster. Die Nachbarin gießt die Blumen, füttert den Kanarienvogel und bewahrt den Briefkasten vor verdächtigem Überquellen während Ihrer Abwesenheit. **Haben Sie bei Ihren Reisevorbereitungen auch an Ihren Versicherungsschutz für diese Zeit gedacht? Die Allianz gibt Ihnen dazu einige Hinweise.**

Schon durch Ihre üblichen Versicherungen genießen Sie während einer Reise weitgehenden Schutz: Ihre **Lebensversicherung,** Ihre **private Unfallversicherung,** Ihre **Privat-Haftpflicht-Versicherung** gelten in der ganzen Welt, Ihre **Rechtsschutzversicherung** in Europa und den außereuropäischen Mittelmeerstaaten.

Gerade auf Reisen gibt es immer wieder ungewohnte Situationen. In der fremden Umgebung genügt eine Sekunde Unaufmerksamkeit: Sie überqueren die Straße, zwingen einen Wagen zum Ausweichen – und schon kracht es. Da brauchen Sie eine gute Rückendeckung. Ihre **Haftpflicht-Versicherung** zahlt nicht nur bei berechtigten Ansprüchen, sondern wehrt auch unberechtigte Forderungen ab. Hat aber Ihnen jemand einen Schaden zugefügt, bezahlt die **Rechtsschutzversicherung** Ihren Anwalt. Sie kommt auch für die Verteidigungskosten in einem Strafverfahren auf.

Vor Brand, Blitzschlag, Explosion, Einbruch, ausströmendem Leitungswasser, Sturm und Glasbruch während Ihrer Abwesenheit schützt Sie Ihre **Hausratversicherung** zwar nicht, aber vor den finanziellen Folgen solcher Schäden. Wenn Ihre Wohnung allerdings 60 Tage ununterbrochen nicht benützt wird, müssen Sie das Ihrer Versicherung ankündigen.

Schmuck und Pelze schützen Sie während der Reise am besten mit einer **Valorenversicherung.** Folgen von Verlusten oder Schäden beim Gepäck mildert eine **Reisegepäck-Versicherung.** Wenn Sie bisher keine **Unfallversicherung** haben, wäre Ihr Urlaub ein guter Anlaß, eine abzuschließen: Sie gilt rund um die Uhr, im Beruf, im Haushalt, auf Reisen und in der Freizeit. Bei einer dynamischen Unfallversicherung passen sich Leistungen und Beitrag entsprechend der gesetzlichen Rentenversicherung der allgemeinen Einkommensentwicklung an.

Für einen Auslandsaufenthalt sollten Sie sich eine **Reisekrankenversicherung** gönnen, mit der Sie für wenig Einsatz die Leistungen Ihrer Krankenkasse ergänzen.

Für den Fall, daß Sie schon vor Reiseantritt krank werden, oder daß andere gewichtige Gründe Sie von Ihrer Unternehmung abhalten, ist eine **Reise-Rücktrittskosten-Versicherung** nützlich. Sie kommt für Schadenersatzforderungen von Reisebüros, Hotels und Fluggesellschaften auf.

Wenn Sie sich mit dem Auto auf den Weg machen, lohnt sich eine rechtzeitige Überprüfung Ihrer **Kraftfahrtversicherungen.** Reicht die **Kraftfahrzeug-Haftpflichtversicherung** aus?

Statt einer etwa schon bestehenden **Teilkaskoversicherung** oder einer kurzfristigen **Vollkasko-Versicherung** für die Reise sollten Sie einen ganzjährigen Vollkaskoschutz erwerben. Er kostet nur einige Mark mehr. Gegen finanzielle Ansprüche Ihrer Mitfahrer nach einem von Ihnen verschuldeten Unfall schützt Sie eine **Insassen-Unfallversicherung.**

Im Ausland gelten für die Schadenregulierung und in den rechtlichen Fragen bei einem Unfall vielfach andere Bräuche – für Deutsche oft höchst ungewohnt, ja sogar unerfreulich. Recht wird nach den Gesetzen des Landes gesprochen, und die Bearbeitung des Schadens dauert meist länger als daheim. Oft wird nicht alles ersetzt.

Wenn Sie auf einer Auslandsreise dringend Hilfe benötigen, können Sie sich an die auf Ihrer **Grünen Versicherungskarte** verzeichneten Versicherungsunternehmen wenden. Als Allianz Kunde halten Sie sich am besten an eine der in der Allianz Broschüre „Mit dem Auto ins Ausland" aufgeführten Anschriften. In diesem jährlich auf den neuesten Stand gebrachten Heft finden Sie auch den „Europäischen Unfallbericht", der die Aufnahme eines Unfalls sehr erleichtert.

Zusätzlichen Schutz auf Autofahrten im In- und Ausland bietet der **Allianz-Autoschutzbrief** mit einem ganzen Paket von Leistungen: Die Allianz ersetzt die Kosten für eine Pannenhilfe, für das Bergen und Abschleppen Ihres Fahrzeugs, für Übernachtungen, Bahnfahrt oder Mietwagen, für Krankenrücktransport und Fahrzeugrückholung, im Ausland für Ersatzteilversand, Fahrzeugrücktransport, Verzollung und Rückreise. Sie brauchen dafür nicht Mitglied eines Automobilclubs zu sein.

Bitte vergessen Sie nicht dafür zu sorgen, daß auch in Ihrer Abwesenheit Beitragsrechnungen pünktlich bezahlt werden. In diesen und allen anderen Fragen berät Sie jeder Allianz Mann gern.

Checklisten

Haben Sie alles beisammen für Ihre Reise? Ist in Ihrer Abwesenheit auch daheim alles geregelt? Checklisten erleichtern die Vorbereitungen: Sie sehen, was schon erledigt ist.

Etwa sechs Wochen vor der Abfahrt:
Personalausweis/Reisepaß gültig?
Visa beantragt?
Internationaler Führerschein und Internationale Zulassung
Benzingutscheine
Grüne Versicherungskarte
Auto-Schutzbrief
Reise-Versicherungen
Auslands-Krankenschein
Fahrkarten und Schiffstickets
Hausarzt/Zahnarzt aufsuchen
Impfungen?
Reiseapotheke/Verbandskasten überprüfen
Impfzeugnis für Tiere
Quartier bestätigen
Auto/Wohnwagen zur Inspektion
Liste der Auslands-Autovertretungen
Straßenkarten
Freunde/Nachbarn informieren

Vor der Autoreise:
Inspektion von Wagen und Anhänger
Wagen waschen
Scheibenwaschanlage nachfüllen
Reifendruck kontrollieren
Scheinwerfer einstellen (im beladenen Zustand)
Reservereifen überprüfen
Autoapotheke nachsehen
Reservekanister füllen
Kopfstützen und Sicherheitsgurte richtig einstellen
Für freie Sicht sorgen
D-Schild beschaffen
Warndreieck
Blinklampe
Taschenlampe
Handfeuerlöscher (greifbar untergebracht)
Kreuzschlüssel
Abschleppseil
Reservelampen/-sicherungen
Alte Handschuhe/Decke/Mantel
Bordwerkzeug/Wagenheber nachsehen
Für Caravan zweiter Außenspiegel
Während der Fahrt Türen nicht von innen verriegeln

Etwa eine Woche vor Fahrtbeginn:
Bezahlung von Rechnungen organisieren (Telefon, Strom, Gas, Wasser, Versicherungsbeiträge, Rundfunk/Fernsehen, Miete, Steuern, Lieferanten)
Post/Zeitung abbestellen, beziehungsweise nachsenden lassen
Wertsachen in den Banksafe
Pflege von Pflanzen/Haustieren organisieren
Brötchen/Milch/Getränke abbestellen
Devisen/Reiseschecks holen
Reiseplan/Anschrift und Zweitschlüssel bei einer Vertrauensperson lassen
Fotokopien aller Papiere machen
Mit Packen beginnen
Verderbliche Lebensmittel aufbrauchen
Kühlschrank leeren, abtauen, abstellen

Vor dem Start:
Bequeme Kleidung anziehen
Nicht zu schwer essen
Wasser abstellen
Gas abdrehen
Stromstecker ziehen (Ausnahme: Tiefkühltruhe)
Radio/Fernseher von der Antenne trennen
Im Sommer Boiler und Heizung ausschalten; im Winter Heizung nur herunterschalten (reicht das Öl?), Boiler und Wasserleitungen vor Einfrieren sichern
Sonnenbrille einstecken
Kinderspielzeug mitnehmen
Persönliche Medikamente einpacken
Abfalleimer ausleeren
Reisedokumente (Papiere, Geld, Schecks, Tickets, Fahrkarten) auf Vollständigkeit prüfen und auf das Handgepäck mehrerer Personen verteilen (Schecks und Scheckkarten trennen)
Zweitgarnitur Autoschlüssel dem Beifahrer aushändigen
Eßwaren/Abfallbeutel/Notpapier/Erfrischungstücher einpacken
Garage abschließen
Kinder im Auto auf dem Rücksitz Platz nehmen lassen
Fenster und Türen kontrollieren
Jalousien/Läden schließen
Alarmanlage einschalten
Volltanken/Ölstand prüfen

Reiseapotheke:

Auf eine Reiseapotheke sollten Sie nicht verzichten. Aber die notwendigen Dinge gegen Verletzungen und Unpäßlichkeiten ersetzen keinen Arzt. Wer laufend bestimmte Medikamente einnehmen muß, sollte sich vor der Reise von seinem Arzt beraten lassen und auf einen ausreichenden Medikamentenvorrat achten. Vielleicht erfordern Klima und landesübliche Speisen am Ziel zusätzliche Mittel. Da Arzneien nicht unbegrenzt haltbar sind und im Lauf der Zeit ihren chemischen Aufbau – und damit ihre Wirkung – ändern können, ist es ratsam, die Reiseapotheke einmal jährlich von einem Apotheker durchsehen und ergänzen zu lassen.

Das sollte die Reiseapotheke enthalten:
Verbandspäckchen, keimfreie Mullkompressen, Verbandwatte, Mullbinden, elastische Binden, Brandbinde, Heftpflaster, Dreiecktuch, Hautdesinfektionslösung (Jodersatztinktur), Streudose Wundpuder, Tube Borsalbe, Tube Zinksalbe, Haut-öl/-creme, Riechsalz, Schmerztabletten, Abführtabletten, Kohletabletten, Insektenstift, Schere, Pinzette, Sicherheitsnadeln.

Beachten Sie bitte, daß Medikamente die Reaktionsfähigkeit und damit die Fahrtüchtigkeit beeinträchtigen können. Entsprechende Hinweise finden Sie auf den Beipackzetteln.

Unfall: Was tun?

Sie können am Steuer noch so vorsichtig sein – und es kracht trotzdem einmal. Auch wenn der Ärger groß ist: Bitte bewahren Sie die Ruhe und bleiben Sie höflich. Behalten Sie einen klaren Kopf und treffen Sie folgende Maßnahmen:

1. Sichern Sie die Unfallstelle ab: Schalten Sie die Warnblinkanlage ein, stellen Sie Blinklampe und Warndreieck in ausreichendem Abstand auf.

2. Kümmern Sie sich bitte um Verletzte. Hinweise für Erste Hilfe finden Sie in der Broschüre „Sofortmaßnahmen am Unfallort" in Ihrer Autoapotheke. Sorgen Sie nötigenfalls für einen Krankenwagen.

3. Wenn es Verletzte gegeben hat, bei größeren Blechschäden, oder wenn Sie mit Ihrem Unfallgegner nicht einig werden, verständigen Sie bitte die Polizei.

4. Halten Sie Name und Anschrift anderer Unfallbeteiligter fest; notieren Sie Kennzeichen und Fabrikat der anderen Fahrzeuge sowie Unfallzeit und Unfallstelle. Fragen Sie die beteiligten Kraftfahrer nach ihrer Versicherungsgesellschaft und der Versicherungsscheinnummer.

5. Sichern Sie Beweismittel: Notieren Sie die Namen und Anschriften von Zeugen; machen Sie Fotos und/oder Skizzen vom Unfallort.

6. Bitte verwenden Sie nach Möglichkeit den (bei Ihrem Versicherungsvertreter erhältlichen) Europäischen Unfallbericht und lassen Sie ihn von Ihrem Unfallgegner gegenzeichnen. Unterschreiben Sie keine Schuldanerkenntnis.

7. Melden Sie einen Schaden, den Sie selbst verursacht haben, bitte sofort Ihrem Versicherungsvertreter oder der im Versicherungsschein angegebenen Stelle. Bitten Sie Ihren Unfallgegner, sofort eine Schadenschnelldienst-Station Ihrer Versicherung aufzusuchen oder sich mit deren nächster Verwaltungsstelle in Verbindung zu setzen. Wenn Sie selbst kaskoversichert sind, können auch Sie den Dienst der Schadenschnelldienst-Station in Anspruch nehmen.

8. Stellen Sie selbst Schadenersatzansprüche, so fahren Sie möglichst bei der Schadenschnelldienst-Station der Versicherungsgesellschaft des Schädigers vor. Verlangen Sie von Ihrer Reparaturwerkstatt, daß sie der gegnerischen Versicherung eine Reparaturkosten-Übernahmeerklärung zuschickt. Mit dieser Erklärung verpflichtet sich die Versicherung, die Reparaturkosten unmittelbar an die Werkstatt zu bezahlen, und Sie brauchen den Rechnungsbetrag nicht auszulegen.
Wenn Sie auf einen Leihwagen verzichten, können Sie Nutzungsausfall geltend machen.

Wenn an dem Unfall in Deutschland ein Fahrzeug mit ausländischem Kennzeichen beteiligt ist, beachten Sie bitte weitere wichtige Hinweise:

9. Notieren Sie bitte die Nummer der Internationalen grünen Versicherungskarte oder der rosafarbenen Grenzpolice Ihres Unfallgegners. Prüfen Sie dabei, ob das Kennzeichen des ausländischen Kraftfahrzeugs mit der Eintragung in Versicherungskarte oder Grenzpolice übereinstimmt.

10. Schreiben Sie auch Name und Anschrift der ausländischen Versicherungsgesellschaft, die die Grüne Karte ausgegeben hat, auf und halten Sie die Versicherungsnummer fest.
Ihre Schadenersatzansprüche melden Sie bitte unverzüglich an beim HUK-Verband, Glockengießerwall 1/V, 2000 Hamburg 1, Telefon (040) 32 20 01.

11. Ist das Fahrzeug Ihres Unfallgegners bei einem Unfall in Deutschland nicht versichert, wenden Sie sich bitte mit Ihren Ansprüchen an die Verkehrsopferhilfe e. V. (Glockengießerwall 1/V, 2000 Hamburg 1).

Ihre schnelle Schadenmeldung beschleunigt die Regulierung.

Schulferien

(erster und letzter Ferientag; unter Außerachtlassung gesetzlicher Feiertage und sonstiger schulfreier Tage; Angaben ohne Gewähr)

	Ostern 1980	Pfingsten 1980	Sommer 1980	Herbst 1980	Weihn. 1980/81	Ostern 1981	Pfingsten 1981	Sommer 1981
Baden-Württemberg	29.3. bis 11.4.	24.5. bis 31.5.	24.7. bis 3.9.	27.10. bis 30.10.	22.12. bis 10.1.	13.4. bis 24.4.	6.6. bis 12.6.	9.7. bis 19.8.
Bayern	31.3. bis 12.4.	27.5. bis 7.6.	31.7. bis 15.9.	30.10 bis 31.10.	22.12. bis 10.1.	13.4. bis 25.4.	6.6. bis 20.6.	30.7. bis 14.9.
Bremen	31.3. bis 19.4.	27.5. bis 28.5.	17.7. bis 30.8.	27.10. bis 1.11.	22.12. bis 7.1.	2.4. bis 22.4.	9.6.	2.7. bis 15.8.
Hamburg	3.3. bis 22.3. (Frühjahrsferien)	16.5. bis 24.5. (Himmelfahrtsferien)	14.7. bis 23.8.	20.10. bis 25.10.	24.12. bis 5.1.	2.3. bis 21.3. (Frühjahrsferien)	5.6. bis 9.6. (Himmelfahrtsferien)	29.6. bis 8.8.
Hessen	29.3. bis 19.4.	24.5. bis 27.5.	10.7. bis 20.8.	24.10. bis 31.10.	22.12. bis 10.1.	6.4. bis 25.4.	9.6.	25.6. bis 5.8.
Niedersachsen	21.3. bis 14.4.	24.5. bis 27.5.	17.7. bis 27.8.	24.10. bis 1.11.	20.12. bis 6.1.	28.3. bis 21.4.	6.6. bis 9.6.	2.7. bis 12.8.
Nordrhein-Westfalen	22.3. bis 12.4.	—	19.6. bis 2.8.	11.10. bis 18.10.	22.12. bis 7.1.	4.4. bis 25.4.	6.6. bis 9.6.	23.7. bis 5.9.
Rheinland-Pfalz	31.3. bis 19.4.	24.5. bis 27.5.	3.7. bis 13.8.	20.10. bis 25.10	22.12. bis 6.1.	6.4. bis 25.4.	6.6. bis 9.6.	19.6. bis 1.8.
Saarland	24.3. bis 14.4.	—	3.7. bis 16.8.	24.10. bis 31.10.	22.12. bis 3.1.	6.4. bis 27.4.	—	19.6. bis 1.8.
Schleswig-Holstein	27.3. bis 12.4.	—	10.7. bis 20.8.	13.10. bis 25.10.	22.12. bis 5.1.	6.4. bis 22.4.	6.6.	25.6. bis 5.8.
Westberlin	24.3. bis 12.4.	24.5. bis 27.5.	17.7. bis 30.8.	25.10. bis 1.11.	22.12. bis 3.1.	16.4. bis 21.4.	6.6. bis 9.6.	2.7. bis 15.8.

Verkehr

Autobahnen

Die bundesdeutschen Autobahnstrekken sind durch ein Ziffernsystem gekennzeichnet, das sich an den geographischen Gegebenheiten orientiert und in drei Gruppen unterteilt ist. Die Bezifferung entspricht den neun großen Verkehrsgebieten.

Gruppe 1 umfaßt die Strecken A1 bis A9. Hier handelt es sich um Fernverbindungen, die meist mit den Europastraßen identisch sind. – *Gruppe 2* bezeichnet die vorwiegend dem Durchgangs- und Verbindungsverkehr dienenden Strecken mit zweistelligen Ziffern, deren erste wiederum das jeweilige Verkehrsgebiet definiert. – *Gruppe 3* ist dreistellig beziffert. Hier sind die Strecken mit eher regionaler Bedeutung zusammengefaßt.

Überwiegend verlaufen Autobahnen mit gerader Nummer in Ost-West-Richtung, solche mit ungerader Nummer in Nord-Süd-Richtung.

Die Autobahnen im Bereich der Bundesrepublik Deutschland wurden in den letzten Jahren zu einem dichten Netz von Fernverbindungen ausgebaut, die in der Regel ein zügiges Vorwärtskommen ermöglichen. Trotzdem muß zur Hauptreisezeit sowie in Ballungsgebieten öfter mit Behinderungen gerechnet werden. Vor allem an den Grenzübergängen der Autobahnen sind fallweise erhebliche Verzögerungen möglich, so daß es ratsam sein kann, rechtzeitig die Autobahn zu verlassen und kleinere Grenzübergangsstellen zu wählen.

Die Rundfunkanstalten unterhalten im UKW-Bereich einen regionalen **Verkehrsdurchsagedienst**, dessen Sendungen von entsprechend ausgerüsteten Autoradios auch automatisch empfangen werden können. An den Autobahnen und an wichtigen Fernverkehrsstrecken befinden sich Hinweistafeln, die das Programm, die Frequenz in MHz und die Bereichskennung angeben.

Autobahnen

Verkehrsfunk-Bereichskennung

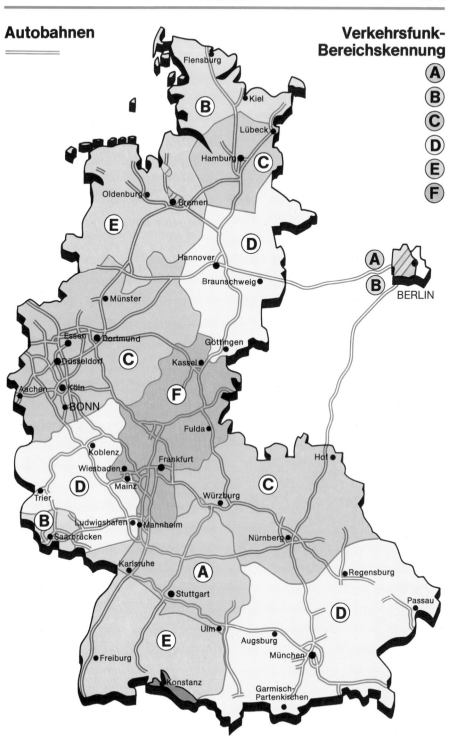

Autobahnen · Verkehrsfunk

Das bundesdeutsche Autobahnnetz gehört zu den dichtesten, die es im Augenblick gibt. Lebhaftes Verkehrsaufkommen beeinträchtigt jedoch besonders zur Hauptreisezeit oft das Vorankommen, weshalb die Rundfunkstationen der ARD durch aktuelle Verkehrsinformationen, vor allem im UKW-Bereich, einen Beitrag zur Entlastung zu erreichen bemüht sind. Die Bundesrepublik ist in Verkehrsfunkbereiche eingeteilt, deren Lage und Ausdehnung der obenstehenden Karte entnommen werden können.

Sofern der Autobahnverkehr stark behindert oder blockiert ist, kann es vorteilhaft sein, den betreffenden Abschnitt zu umgehen. Zu diesem Zweck wurden **Umleitungsstrecken** ausgewählt, die mit blauen Hinweistafeln gekennzeichnet sind, aus denen die Streckennummer (U...) und die Fahrtrichtung zu entnehmen sind.

Bei Zwischenfällen auf der Autobahn kann über die im Abstand von jeweils 2 km aufgestellten, bei Dunkelheit beleuchteten orangefarbenen **Notrufsäulen** Hilfe angefordert werden (Pannenhilfsdienst, Abschleppfahrzeuge, Polizei, Krankenwagen, Feuerwehr). Die an den Leitpfosten angebrachten schwarzen Dreiecke weisen mit ihrer Spitze in die Richtung, in welcher die nächstgelegene Notrufsäule zu finden ist. Zu beachten ist, daß bei Unfällen zuerst die Unfallstelle durch ein Warndreieck abgesichert werden muß. Hat sich eine Stauung gebildet, so ist in der Fahrbahnmitte eine Gasse für die Einsatzfahrzeuge freizulassen.

Wer einen Unfall meldet, mache genaue Angaben über Ort und Art sowie gegebenenfalls über Personenschäden.

Transitstraßen nach Berlin (West)

Von der Bundesrepublik Deutschland nach Westberlin gibt es vier Transitwege durch die DDR:

1. *Aus Richtung Hamburg:*
Grenzübergang Lauenburg/Horst − Fernstraße 5 − Grenzübergang Staaken/Heerstraße Berlin (West)

2. *Aus Richtung Hannover:*
Grenzübergang Helmstedt/Marienborn − Autobahn − Grenzübergang Drewitz/Dreilinden Berlin (West)

3. *Aus Richtung Frankfurt am Main:*
Grenzübergang Herleshausen/Wartha − Autobahn − Grenzübergang Drewitz/Dreilinden Berlin (West)

4. *Aus Richtung München:*
Grenzübergang Rudolphstein/Hirschberg − Autobahn − Grenzübergang Drewitz/Dreilinden Berlin (West)

Für die Benutzung der Transitstrecken sind folgende D o k u m e n t e erforderlich:
Gültiger **Reisepaß** der Bundesrepublik Deutschland für Deutsche mit ständigem Wohnsitz im Bundesgebiet oder im Ausland. Auch für Jugendliche ab 16 Jahre ist ein eigener Reisepaß erforderlich. Kinder unter 16 Jahren müssen sich durch einen Kinderausweis (als Paßersatz) ausweisen oder im Familienpaß der Eltern oder eines Elternteiles eingetragen sein.
Deutsche mit ständigem Wohnsitz in Berlin (West) benötigen den behelfsmäßigen **Berliner Personalausweis**. Für Jugendliche ab 16 Jahre ist ein eigener behelfsmäßiger Personalausweis erforderlich. Kinder unter 16 Jahren müssen im behelfsmäßigen Personalausweis der Eltern eingetragen sein oder sich durch eine Kinderlichtbildbescheinigung ausweisen, sofern sie nicht bereits einen eigenen behelfsmäßigen Personalausweis besitzen. Wird ein gültiger Reisepaß bzw. Personalausweis nicht vorgelegt, ist eine Zurückweisung durch die DDR-Grenzorgane möglich. Meist wird allerdings von den DDR-Grenzstellen ein Paßersatzpapier ausgestellt, das nur für eine Reise gilt und DM 10,− sowie DM 2,− für ein Lichtbild kostet.

Führerschein und Fahrzeugpapiere
An den Grenzübergangsstellen übergibt man Paß und Fahrzeugpapiere den DDR-Kontrollorganen und erhält beides vor Verlassen der Kontrollstelle zusammen mit dem Transitvisum zurück. Dabei entstehen keinerlei Kosten. Man braucht das Fahrzeug an den Übergangsstellen in der Regel nicht zu verlassen.
Die Wahl des Übergangs ist frei. Für Hin- und Rückreise braucht nicht derselbe Übergang gewählt zu werden. Die Übergänge sind durchgehend Tag und Nacht geöffnet.

Straßenverkehrsvorschriften in der DDR
entsprechen im wesentlichen denen der Bundesrepublik Deutschland.
Wichtige Ausnahmen:

Absolutes Alkoholverbot für Kraftfahrer

Geschwindigkeitsbegrenzung
auf Autobahnen	100 km/h
auf Landstraßen	80 km/h
innerorts	50 km/h

Es ist verboten, die Transitstrecken im Bereich der DDR zu verlassen, Anhalter mitzunehmen und unterwegs (z. B. auf Park- oder Rastplätzen und in Gaststätten) Zeitungen, Zeitschriften oder andere Druckerzeugnisse zu verteilen oder zurückzulassen.

Achtung! Bei Verkehrsverstößen ist mit empfindlichen Ordnungsstrafen zu rechnen, die sofort und in bundesdeutscher Währung entrichtet werden müssen.

Bei Pannen wird Hilfe von einer zentralen Dispatcherstelle im jeweiligen Bezirk vermittelt. Die Telefonnummer erfährt man an Tankstellen, über die Autobahnfernsprecher, in Raststätten und über den Kundendienst der Post.

Bei anderen Schwierigkeiten wende man sich an die
Ständige Vertretung der Bundesrepublik Deutschland
Hannoversche Straße 30
DDR-104 Berlin
Telefon: 2 82 52 61

Eisenbahnen
—— Hauptstrecken
—— Nebenstrecken

Flugverkehr
Deutsche Lufthansa ——
Berlin-Anschlüsse ——
DLT ——
OFD - - - - -

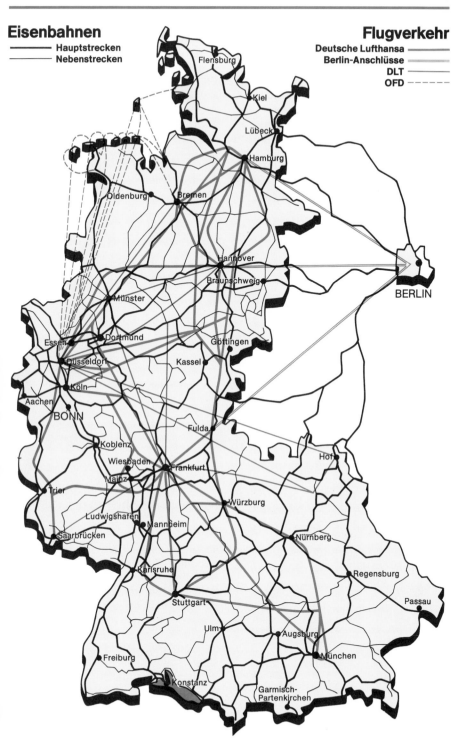

Eisenbahnen · Fluglinien

Die wichtigsten inländischen Verkehrsverbindungen waren bis zum Anbruch des Automobilzeitalters die Eisenbahnen, die sich auch in den letzten Jahren wieder mit hochmodernen Zügen um größere Attraktivität bemühen und besonders im Verkehr zwischen großen Siedlungszentren ein komfortables Reisen ermöglichen. – Das Inlandsnetz der Fluglinien wird neben der Deutschen Lufthansa von zwei kleineren Gesellschaften bedient, die vor allem im Kurzstreckenverkehr tätig sind.

Luftverkehr

Die wichtigsten Städte der Bundes-republik Deutschland sind an das Flug-netz der **Deutschen Lufthansa** ange-schlossen. Diese Gesellschaft fliegt im Inlandsverkehr folgende Flughäfen an: Bremen-Neuenland, Düsseldorf-Lo-hausen, Frankfurt/Rhein-Main-Flugha-fen, Hamburg-Fuhlsbüttel, Hannover-Langenhagen, Köln/Bonn, München-Riem, Nürnberg-Langwasser, Saar-brücken-Ensheim, Stuttgart-Echter-dingen.

Ferner werden kleinere Flughäfen durch die *Deutsche Luftverkehrsgesell-schaft* mit dem Streckennetz verbun-den. Es sind dies: Bayreuth, Hof, Mün-ster/Osnabrück und Paderborn/Lipp-stadt. Von diesen Flugplätzen bestehen Verbindungen mit kleineren Maschinen nach Bremen-Neuenland, Düsseldorf-Lohausen, Frankfurt/Rhein-Main-Flug-hafen, Hannover-Langenhagen, Saar-brücken-Ensheim und Stuttgart-Ech-terdingen. Auch auf kürzeren Verbin-dungsstrecken zwischen den Großflug-häfen werden bisweilen Maschinen die-ser Gesellschaft eingesetzt.

Der *Ostfriesische Flug-Dienst* versieht hauptsächlich den Seebäder-Zubrin-gerverkehr, in dessen Rahmen er Bor-kum, Juist, Norderney, Baltrum, Lan-geoog, Wangerooge, Helgoland, Nord-deich und St. Peter-Ording anfliegt. In dieses Flugnetz einbezogen sind ferner Düsseldorf-Lohausen, Emden, Bre-men-Neuenland, Bremerhaven und Leer in Ostfriesland.

BERLIN-VERKEHR. – Die Flugverbindungen von der Bundesrepublik Deutschland nach Westberlin (Flughafen Tegel) werden gemäß dem Viermäch-testatus von Berlin durch Air France, British Air-ways und Pan American Airways hergestellt. Ber-lin-Tegel wird angeflogen von Bremen-Neuenland, Düsseldorf-Lohausen, Frankfurt/Rhein-Main-Flughafen, Hamburg-Fuhlsbüttel, Hannover-Lan-genhagen, Köln/Bonn, München-Riem, Nürn-berg-Langwasser, Saarbrücken-Ensheim und Stuttgart-Echterdingen.

Auskunft: *Deutsche Lufthansa Aktiengesell-schaft,*
Hauptverwaltung: Von-Gablenz-Str. 2-6, D-5000 Köln 21;
Telefon: (0221) 8261;
Büros in allen größeren Städten
Deutsche Regional Luftverkehrsge-sellschaft mbH (DLT),
D-6000 Frankfurt am Main, Flughafen;
Telefon: (0611) 6905345
Ostfriesischer Flug-Dienst GmbH (OFD),
D-2970 Emden, Flugplatz;
Telefon: (04921) 42057 und 41629

Eisenbahn

Obgleich das Streckennetz der **Deut-schen Bundesbahn** in den letzten Jah-ren aus Rentabilitätsgründen gestrafft worden ist, bieten die Eisenbahnverbin-dungen nach wie vor eine bequeme Möglichkeit, die überwiegende Mehr-zahl der in diesem Reiseführer be-schriebenen Orte zu erreichen. Beson-ders attraktiv wird die Fahrt mit der Bahn durch die zahlreichen Fahrpreisermäßigungen:

Vorzugs- und Tourenkarten, Senioren-Paß, Ta-rife für Kinder und kinderreiche Familien, Ju-nior-Paß, Tramper-Ticket, Mini-Gruppen-Tarif, Sonderzüge, Bahn-Touristik, Bahn/Schiff an Rhein und Mosel, Pauschalreisen (Turnus, RIT, BIGE, Reise-'Pakete') und vieles andere.

Autoreisezüge
Auf mehreren Strecken innerhalb der Bundesrepu-blik Deutschland sowie zu verschiedenen ausländi-schen Zielbahnhöfen verkehren Autoreisezüge.

Fahrrad am Bahnhof
An vielen Bahnhöfen vermietet die Deutsche Bun-desbahn Fahrräder.

Auskunft: Nähere Informationen erteilen die Aus-kunftsstellen der *Deutschen Bundes-bahn* sowie die DER-Reisebüros.

Personenschiffahrt

In den letzten Jahren hat das Interesse an Schiffsausflügen erheblich zuge-nommen. Auf vielen Binnengewässern verkehren Motorschiffe, die malerische Fluß- und Seenlandschaften zugänglich machen und so dem an das eigene Kraftfahrzeug gewöhnten Touristen ei-nen neuen Erlebnisbereich erschließen können. An der Nord- und Ostseeküste spielen neben den Ausflugs- und Bä-derdampfern auch die Personen- und Autofähren eine wichtige Rolle, die die Verbindung zu den vorgelagerten Inseln aufrechterhalten.

Personenschiffe verkehren auf folgenden Gewäs-sern der Bundesrepublik Deutschland: Nordseeküste. – Ostseeküste. – Schlei. – Plöner Seen. – Ratzeburger See. – Elbe. – Aller. – Mittel-landkanal. – Weser. – Hamme. – Fulda. – Zwi-schenahner Meer. – Maschsee. – Steinhuder Meer. – Oker-Stausee. – Möhne-Stausee. – Sorpe-Stau-see. – Bigge-Stausee. – Baldeneysee. – Rurstausee Schwammenauel. – Rhein. – Mosel. – Main. – Nek-kar. – Donau. – Starnberger See. – Ammersee. – Te-gernsee. – Staffelsee. – Chiemsee. – Königssee. – Bodensee. – Westberliner Seen.

Wassersport

Die Bestimmungen, welche den Wassersport, insbesondere den Bootssport, regeln, sind von Gewässer zu Gewässer verschieden, so daß hier keine allgemein gültigen Detailinformationen gegeben werden können. Es ist daher unbedingt erforderlich, sich bei der jeweils zuständigen Stelle über die örtlichen Vorschriften zu erkundigen.

Auf zahlreichen Seen gelten Zulassungsbeschränkungen, abhängig von Fahrzeuggröße, Tiefgang und Motorleistung. Häufig sind Boote mit Verbrennungsmotoren generell nicht zugelassen. – Für Fahrten auf Seeschiffahrtsstraßen und im Küstenbereich benötigen Führer von Segelbooten mit Hilfsmotor oder Motorbooten von mehr als 3,68 kW (5 DIN-PS) den amtlichen Sportbootführerschein; besondere Vorschriften gelten für den Bodensee, auf dem für Segelboote mit mehr als 12 qm Segelfläche und für Motorboote mit mehr als 4,41 kW (6 DIN-PS) das sog. Bodensee-Patent erforderlich ist. – Für das Wasserskilaufen auf den deutschen Bundeswasserstraßen gelten gleichfalls Sonderbestimmungen.

Auskunft: *Deutscher Motoryachtverband,* Stormsweg 3, D-2000 Hamburg 76.

Deutscher Seglerverband, Adolfstraße 56, D-2000 Hamburg 76.

Deutscher Wasserski-Verband, Postfach 9400272, D-6000 Frankfurt/M.

Touristenstraßen

Alte Salzstraße
Lübeck – Ratzeburg – Mölln – Schwarzenbek – Lauenburg – Lüneburg.
Jahrhundertelang wurde das 'weiße Gold' von der Saline Lüneburg nach Lübeck geschafft.

Artlandroute
Dinklage – Bersenbrück – Ankum – Berge – Börstel – Quakenbrück – Dinklage.
Artland heißt Ackerland: Weite Felder, einsame Gehöfte und riesige Weiden sind das Charakteristische dieser niedersächsischen Landschaft.

Badische Weinstraße
Baden-Baden – Kappelrodeck – Oberkirch – Offenburg – Ettenheim – Oberbergen – Ihringen – Freiburg – Lörrach – Basel.
Rechts und links der Straße – in der Ortenau, am Kaiserstuhl und im Markgräfler Land – findet man Orte, die jedem Weinkenner ein Begriff sind.

Bäderstraße
Niederlahnstein – Bad Ems – Nassau – Bad Schwalbach – Schlangenbad – Wiesbaden.
Schon die Römer wußten um die heilende Wirkung der sprudelnden Thermen entlang der Bäderstraße.

Bayerische Ostmarkstraße
Marktredwitz – Weiden – Cham – Viechtach – Regen – Passau.
Die gut ausgebaute Ferienstraße erschließt Deutschlands größtes Waldgebiet: Fichtelgebirge, Oberpfälzer und Bayerischer Wald mit Ferien- und Erholungsorten, Badeseen und Fischweihern, Burgen und Schlössern.

Bergstraße
Darmstadt – Bensheim – Weinheim – Heidelberg – Wiesloch – Bruchsal.
Hier an der alten römischen 'via strata montana' feiert die Frühling Premiere: Es blüht schon, wenn andernorts noch rauhe Ostwinde wehen.

Bier- und Burgenstraße
Kulmbach – Weißenbrunn – Kronach – Mitwitz – Neundorf – Förtschendorf – Ludwigsstadt – Lauenstein.
Seit einigen tausend Jahren wird im Frankenwald Bier gebraut, seit 1349 nach dem Reinheitsgebot. Stolze Burgen und schmucke Städtchen zeugen von alter Pracht.

Bramgauroute
Neuenkirchen – Engter – Hagenbeck – Dalum – Westerholte – Neuenkirchen.
Autowandern durch die freundliche Mittelgebirgslandschaft des Bersenbrücker Landes: über saftiges Bauernland, durch Wälder, alte Städtchen, in denen man den Schnaps mit einer Sardelle (Jämmerling) serviert.

Burgenstraße
Mannheim – Heidelberg – Mosbach – Bad Wimpfen – Heilbronn – Öhringen – Rothenburg o.d.T. – Ansbach – Nürnberg.
Mittelalterliche Romantik: 28 stolze Ritterburgen, stille Dörfer, kleine Städtchen mit alten Fachwerkhäusern.

Deutsche Alpenstraße
Lindau – Sonthofen – Garmisch-Partenkirchen – Rottach-Egern – Reit im Winkl – Berchtesgaden.
Ohne Deutschland auch nur ein einziges Mal zu verlassen, führt diese Straße – zwischen 800 und 1000 Meter hoch – quer durch die Alpen.

Deutsche Edelsteinstraße
Idar-Oberstein – Kirschweiler – Allenbach – Herrstein – Fischbach bzw. Herborn – Vollmersbach – Idar-Oberstein.
In der reizvollen Berg- und Tallandschaft des Hunsrücks liegen 17 Edelstein-Orte miteinander verbunden durch einen Rundweg. Wie sich Rohsteine in funkelnden Schmuck verwandeln, kann man in 60 Betrieben bestaunen.

Deutsche Ferienstraße Alpen-Ostsee
Puttgarden – Oldenburg i.H. – Plön – Lübeck – Mölln – Lauenburg – Celle – Gifhorn – Helmstedt – Goslar – Braunlage – Göttingen – Eschwege – Büdingen – Gelnhausen – Michelstadt – Schwäbisch Hall – Ellwangen – Dinkelsbühl – Kelheim – Landshut – Wasserburg – Traunstein – Berchtesgaden.
Über 100 Orte und Landkreise haben sich zusammengetan, um diese 1785 km lange Straße zu schaffen.

Deutsch-Französische Touristik-Route
Schweigen – Siebeldingen – Neustadt/Weinstr. –
Dahn – Fischbach – Bitche – Saverne – Oberstein-
bach – Schweigen.
Ein Rundkurs durch deutsche und französische
Winzerdörfer und Wälder, Sommerfrischen und
Kurorte.

Deutsche Hopfenstraße
Zolling – Au – Abensberg.
Die B 301 führt durch das hopfenreiche Hügelland
der Hallertau. Hopfenmetropole ist Au.

Deutsche Märchenstraße
Hanau – Steinau – Marburg – Kassel – Göttingen –
Hameln – Minden – Bremen.
Märchenhaft blieben die Städte und Landschaften
zwischen Main und Meer, in denen Märchen und
Sagen entstanden.

Deutsche Schuhstraße
Waldfischbach – Burgalben – Leimen – Pirmasens –
Lemberg – Bruchweiler – Dahn.
Sie führt in großen Schleifen an über 200 Schuh-
fabriken vorbei. Schuhmetropole ist Pirmasens.

Deutsche Weinstraße
Schweigen – Bad Bergzabern – Edenkoben – Neustadt – Deidesheim – Bad Dürkheim – Bockenheim.
Von rauhen Winden geschützt und von der Sonne
verwöhnt, wachsen – links des Rheins – auf dem
20000 Hektar großen Rebgürtel entlang der Weinstraße 150 Millionen Weinstöcke.

Deutsche Wildstraße
Daun – Manderscheid – Bitburg – Prüm – Gerolstein
– Daun.
In der 120400 ha großen freien Wildbahn leben
24000 Stück Niederwild, 8500 Rehe und 2900
Stück Rot-, Schwarz- und Muffelwild.

Eichenlaubstraße
Oberlenken – Orscholz – Mettlach – Nonnweiler –
Oberkirchen.
An ihrer großen Schleife ist die Saar am schönsten.
Die Hochwaldstraße führt weiter durch ausge-
dehnte Laub- und Nadelwälder.

Elbufer-Straße
Schnackenburg – Gorleben – Hitzacker – Bleckede
– Niedermarschacht.
Immer an der Elbe entlang – von der Grenze zur
DDR bis vor die Tore Hamburgs.

Elmhochstraße
Helmstedt – Schöningen – Schöppenstedt – Wol-
fenbüttel.
Der Elm ist Norddeutschlands größter geschlosse-
ner Buchenwald mit vielen Wanderwegen und
Lehrpfaden.

Feldbergstraße
Freiburg – Kirchzarten – Titisee – Neustadt – Feldberg.
Sie gehört zu den schönsten, touristisch wichtigsten und befahrensten Schwarzwaldstraßen mit
herrlicher Sicht.

Ferienstraße Südeifel
Baustert – Waxweiler – Schönecken – Nattenheim –
Rittersdorf – Bettingen – Baustert.
Weite Wälder, landschaftlich reizvolle Täler, gut
ausgebaute Wanderwege und hübsch gelegene
Ferienorte.

Fichtelgebirgsstraße
Bad Berneck – Bischofsgrün – Wunsiedel –
Marktredwitz.
Vom Tal der Fränkischen Saale führt die prächtige
Fichtelgebirgsstraße über die Ausläufer der Haß-
berge.

Frankenwaldhochstraße
Steinwiesen – Nordhalben – Teuschnitz – Reichen-
bach – Rothenkirchen.
600 bis 700 Meter hoch gelegen, mit Ausblick auf
die Frankenwaldhöhen bis hin zu den Bergen des
Fichtelgebirges und des Thüringer Waldes.

Frankenwaldstraße
Mitwitz – Kronach – Zeyern – Wallenfels – Schwar-
zenbach – Naila – Hof.
Die tiefeingeschnittenen Flußtäler machen den
Frankenwald landschaftlich besonders reizvoll.

Freundschaftsstraße
Stuttgart – Freudenstadt – Kehl – Straßburg –
Obernai – Metz.
Deutsche und Franzosen verbindet ein gemeinsamer Weg: la Route de l'Amitié. Von landschaftli-
chem Reiz sind Lothringen mit seinen Seen und
Hügeln, die Vogesen mit ihren weiten Mischwäl-
dern, die Rheinebene mit Straßburg und der romantische Schwarzwald.

Glasstraße
Fichtelberg – Fleckl – Warmensteinach – Weiden-
berg – Bayreuth.
Diese Fichtelgebirgsroute verbindet Orte mit Glas-
hütten. Mittelpunkt der Glasindustrie ist heute
Weidenberg.

Grüne Küstenstraße
von Skandinavien über Niebüll – Heide – Itzehoe –
Hamburg – Bremen – Oldenburg nach Holland.
Immer an der Nordseeküste entlang – von den Bergen und Fjorden Südnorwegens durch Heide, Wälder und liebliche Landschaften.

Grüne Straße / Route Verte
Domremy – Epinal – Colmar – Freiburg – Donau-
eschingen – Engen, teilt sich dann und führt über
Stockach – Friedrichshafen nach Lindau oder über
Radolfzell nach Konstanz.
Von Lothringen geht es durch romantische Voge-
sentäler zum Oberrhein, über den Schwarzwald zur
badisch-schwäbischen Hochebene und weiter zum
Bodensee.

Grüne Straße Eifel-Ardennen
Bad Neuenahr – Kelberg – Daun – Manderscheid –
Kyllburg – Bitburg – Roth – Dasburg – Cler-
vaux/Frankreich – Bouillon/Belgien – Rethel/
Frankreich.
Nach dem ersten Wegdrittel wird die Grüne Straße
durch die roten Weine berühmt. An den Uferhängen
speichern Schiefer- und Vulkangestein Sonnen-
wärme für 500 Hektar Reben.

Hamaland-Route
Ahaus – Borken – Winterswijk/Holland – Haaksber-
gen – Ahaus.
Ein Drittel der Route führt durch den niederländischen 'Achterhoek' und zwei Drittel durch das
Westmünsterland, das im Mittelalter Hamaland
hieß.

Harz-Heide-Straße
Lüneburg – Uelzen – Braunschweig – Bad Harzburg
– Braunlage – Göttingen.
Eine schnelle Verbindung auf der B 4 von der ro-
mantischen Heide zum wald- und wasserreichen
Harz.

Harz-Hochstraße
Seesen – Clausthal-Zellerfeld – Braunlage.
Der Name Harz bedeutet Bergwald. Aber neben
dichten Fichten- und lichten Laubwäldern gibt es
eine Fülle landschaftlicher Besonderheiten: die
wellige Hochfläche bei Clausthal-Zellerfeld mit den
siebzig Teichen, tiefeingeschnittene Täler, Hochmoore, Wasserfälle.

Hochrhönring
Kleinsassen – Dietges – Obernhausen – Gersfeld – Poppenhausen – Kleinsassen.
Ein Rundkurs um die Wasserkuppe (950 m).

Hochrhönstraße
Bischofsheim – Leubach – Fladungen.
Langgestreckte, wenig bewaldete Höhenzüge mit weiten Gras- und Hochmooren wechseln mit freien Steinkegeln und -kuppen, Wiesentälern und Wäldern.

Hochtaunusstraße
Bad Homburg – Oberursel – Sandplacken – Schmitten – Weilnau – Camberg.
Ausgedehnte Wälder, stille Wiesentäler, anerkannte Luftkurorte und idyllisch gelegene Dörfer.

Hunsrück-Höhenstraße
Koblenz – Kastellaun – Kappel – Morbach – Hermeskeil – Kell – Zerf – Saarburg.
Die Höhenstraße führt über weite Hochflächen, durch wildreiche Waldgebiete und behagliche Dörfer.

Hunsrück-Schieferstraße
Kirn – Bundenbach – Rhaunen – Simmern.
Die Straße führt den Fossilienfreund und Hobby-Geologen zu lohnenden Fundstätten, Bergwerken und Steinbrüchen.

Idyllische Straße
Welzheim – Ebni – Murrhardt – Spiegelberg – Mainhardt – Gaildorf – Sulzbach – Eschach – Gschwend – Welzheim.
Rundkurs durch den Schwäbischen Wald.

Kannenbäckerstraße
Neuhäusel – Hillscheid – Höhr-Grenzhausen – Hilgert – Ransbach-Baumbach – Mogersdorf – Siershahn – Wirges – Moschheim – Boden.
Die Straße erschließt das im südwestlichen Westerwald gelegene Kannenbäckerland, das seinen Namen der hier ansässigen traditionsreichen Töpferei verdankt.

Kehlsteinstraße
Obersalzberg – Kehlstein.
Sie beginnt in 1000 m Höhe auf dem Obersalzberg, steigt in Serpentinen weitere 700 m hoch und überquert die Nordwestseite des Kehlsteins.

Kesselbergstraße
Kochel am See – Kesselberg – Urfeld/Walchensee.
Ein Bergkurs von einem See zum andern mit 32 Kurven und einem 858 m hohen Paß.

Liebfrauenstraße
Worms – Oppenheim – Nierstein – Mainz.
Rings um die gotische Wallfahrtskirche Unserer Lieben Frau nahe Worms wächst in riesigen Weingärten die berühmte Liebfrauenmilch.

Loreley-Burgenstraße
Kamp – Dahlheim – Weyer – Auel – St. Goarshausen – Weisel – Kaub.
Rechts des Rheins – gegenüber der Rheingoldstraße – geht es bergauf und bergab, durch Weinberge und mittelalterliche Städtchen, vorbei an Burgen und Ruinen.

Moselweinstraße
Perl – Konz – Trier – Schweich – Bernkastel – Zell – Karden, von dort an beiden Ufern der Mosel entlang bis nach Koblenz.
Links und rechts der Mosel alte Weindörfer und Städtchen mit hübschen Fachwerkhäusern unter graublauem Schieferdach – dahinter die steilsten Rebgärten der Welt.

Nahe-Weinstraße
Bad Kreuznach – Sobernheim – Martinstein – Wallhausen – Guldental – Schweppenhausen – Langenlonsheim – Bad Kreuznach.
Von Weindorf zu Winzerkeller, von Weinberg zu Probierstube führt dieser Rundkurs.

Nibelungenstraße
Worms – Lorsch – Michelstadt – Amorbach.
Der Odenwald, ein unwirtliches Waldgebiet zur Zeit der Nibelungen, zeigt sich heute als anmutige Landschaft.

Nordstraße
Flensburg – Langballig – Gelting – Gundelsby – Kappeln.
Die B 199 ist die schnellste Verbindung zwischen Flensburg und Kappeln.

Oberschwäbische Barockstraße
Ulm – Ehingen – Zwiefalten – Bad Waldsee – Ravensburg – Friedrichshafen – Isny – Bad Wurzach – Ulm.
Kunstreise durch Oberschwaben zu Kirchen und Klöstern der großen Barockbaumeister.

Obstmarschenweg
Itzwörden – Hörne – Freiburg/Elbe – Hamelwörden – Drochtersen – Stade – Grünendeich – Jork – Neuenfelde.
Die Straße führt – am Rande der Marschen entlang, die sich nach Norden zur Elbe hin erstrecken – durch das Land Kehdingen (Neuhaus – Stade) und das Alte Land (Stade – Hamburg-Harburg), im 12. Jh. von Holländern eingedeichte Marschen.

Ostsee-Bäderstraße
Travemünde – Timmendorfer Strand – Scharbeutz/Haffkrug – Sierksdorf – Neustadt – Grömitz – Kellenhusen – Dahme – Großenbrode – Burg auf Fehmarn – Weissenhäuser Strand – Schönwalde – Hohwacht – Schönberg – Laboe – Eckernförde – Glücksburg.
An der 384 km langen Ostseeküste – zwischen Lübeck und Flensburg – liegen 17 namhafte Kur- und Badeorte.

Panoramastraße
Bischofsgrün – Ochsenkopf – Fichtelberg.
Sie führt durch Wälder, am 1024 m hohen Ochsenkopf, der höchsten Erhebung des Fichtelgebirges, vorbei.

Panoramastraße
Heppenschwand – Attlisberg – Amrigschwand – Strittberg – Höchenschwand.
Sie führt über die aussichtsreiche Hochfläche des Südschwarzwalds mit Sicht auf die Alpen.

Panorama- und Saaletalstraße
Rudolphstein – Eisenbühl – Blankenberg – Lichtenberg.
Die Straße führt entlang der Saale und der Selbitz durch den wildromantischen Frankenwald.

Porzellanstraße
Selb – Marktredwitz.
Selb ist der Hauptsitz der deutschen Porzellanindustrie; die Randsteine der B 15, der Porzellanstraße, sind aus Abfallprodukten der Porzellanindustrie gefertigt.

Rheingauer Riesling-Route
Lorch – Aßmannshausen – Rüdesheim – Geisenheim – Eltville – Rauenthal – Schierstein – Wiesbaden – Hochheim – Wicker.
Hier liegen – vom Taunusgebirge geschützt – in voller Südlage die Rebhänge des Rheingaus.

Rheingoldstraße
Oberspay – Boppard – St. Goar – Perscheid – Bacharach – Niederheimbach.
Links des Rheins, zwischen dem Rheintal und der

A 61, führt über die Höhen die Rheingoldstraße. Von hier aus soll – so die Sage – der finstere Hagen den Nibelungenschatz, das 'Rheingold', versenkt haben.

Romantische Straße

Würzburg – Tauberbischofsheim – Rothenburg o.d.T. – Nördlingen – Augsburg – Landsberg – Füssen.
Romantik zwischen Main und Alpen: alte mit Mauern und Türmen bewehrte Reichsstädte und hübsche Weindörfer, barocke Putten in Schloßgärten und fürstlich bekleidete Madonnen in Kirchen und Klöstern.

Roßfeld-Ringstraße

Berchtesgaden – Roßfeld – Berchtesgaden.
Ein Bergkurs auf das 1600 m hohe Roßfeld mit schöner Sicht auf die Berchtesgadener Bergwelt.

Schauinslandstraße

Freiburg – Todtnau.
Die 11 km lange Rennstrecke, auf der Auto- und Motorrad-Bergrennen ausgetragen werden, führt mit 170 Kurven und Kehren meist durch schönes Waldgebiet.

Schwäbische-Alb-Straße

Nördlingen – Heidenheim – Geislingen – Urach – Burladingen – Tuttlingen – Trossingen.
Quer durchs Schwabenland mit vielen Möglichkeiten zur Erholung und Entspannung: Kletterfelsen, Tropfsteinhöhlen, Burgruinen, riesige Wälder.

Schwäbische Bäderstraße

Bad Buchau – Bad Schussenried – Aulendorf – Bad Waldsee – Bad Wurzach – Ottobeuren – Bad Wörishofen.
Die in einiger Entfernung vom Alpennordrand verlaufende Strecke verbindet die in Oberschwaben und Bayerisch Schwaben liegenden Moor- und Kneippkurorte miteinander.

Schwäbische Dichterstraße

Bad Mergentheim – Jagsthausen – Marbach – Ludwigsburg – Stuttgart – Esslingen – Tübingen – Biberach – Meersburg – Konstanz.
Von Franken bis zum Bodensee durch über 30 Orte mit Wohn-, Wirkungs- und Gedenkstätten, Museen und Sammlungen von berühmten Dichtern wie Schiller, Mörike, Hauff, Schwab, Kerner und Hölderlin.

Schwäbische Weinstraße

Gundelsheim – Bad Friedrichshall – Heilbronn – Besigheim – Waiblingen – Esslingen.
Rebhügel und Weinwirtschaften, Burgen und Schlösser, mittelalterliche Städtchen und romantische Dörfer säumen die schwäbische Weinroute entlang des Neckars.

Schwarzwald-Bäderstraße

Pforzheim – Bad Liebenzell – Calw – Wildberg – Nagold – Freudenstadt – Enzklösterle – Wildbad – Bad Herrenalb – Pforzheim.
Rundkurs durch die bekannten Mineral- und Thermalbäder des Nordschwarzwaldes.

Schwarzwald-Hochstraße

Baden-Baden – Mummelsee – Ruhestein – Kniebis – Freudenstadt.
In Serpentinen erreicht man die Hochstraße; Moorund Heideböden, Felsabstürze und eiszeitliche Karseen und immer wieder die mächtigen Tannenwälder bestimmen das Landschaftsbild.

Schwarzwald-Tälerstraße

Karlsruhe – Rastatt – Gaggenau – Gernsbach – Forbach – Schwarzenberg – Freudenstadt – Alpirsbach – Schenkenzell.
Sie führt in das Herz des mittleren Schwarzwalds, in die Täler von Kinzig, Schiltach und Gutach.

Siegfriedstraße

Worms – Lorsch – Fürth – Hüttenthal – Kailbach – Amorbach.
Der Odenwald war der Nibelungenhelden Jagdrevier, heute ist er ein geschätztes Feriengebiet.

Spessart-Höhenstraße

Steinau – Flörsbach – Wiesen – Hösbach.
Märchenwald der Gebrüder Grimm, Jagdrevier deutscher Kaiser, heute ein Ferienziel Erholungssuchender.

Spitzingstraße

Schliersee – Spitzingsee.
Sie quert das Tal der Aurach, steigt mäßig an, führt durch Wald zum Spitzingsattel (1128 m) und in Windungen hinunter zum See (1083 m).

Steigerwald-Höhenstraße

Ebelsbach – Ebrach – Geiselwind – Schlüsselfeld – Neustadt/Aisch; Nord-Variante: Haßfurt – Unterschleibach; Süd-Variante: Burghaslach – Scheinfeld – Uffenheim.
Eine Mittelgebirgslandschaft inmitten von Franken.

Störtebeker-Straße

Leer – Emden – Norden – Bensersiel – Wilhelmshaven – Varel – Bremerhaven – Cuxhaven.
Immer an der Nordseeküste entlang, von der aus Seeräuber Störtebeker im 14. Jh. seine Raubzüge unternahm.

Straße der Staufer

Göppingen – Bad Boll – Kloster Lorch – Schwäbisch Gmünd – Rechberg – Donzdorf – Salach – Hohenstaufen – Göppingen.
Dieser Rundkurs berührt nahezu alle bedeutenden Punkte, die eng mit Geschichte und Kultur der Staufer zusammenhängen.

Totenkopfstraße

Neustadt – Maikammer – St. Martin – Elmstein – Johanniskreuz.
Die Höhenstraße führt durch Maikammer, die zweitgrößte Rebgemeinde Deutschlands und mitten durch den Pfälzer Wald bis zum Johanniskreuz.

Wesertalstraße

Hann. Münden – Höxter – Holzminden – Bodenwerder – Hameln – Bad Karlshafen.
Entlang der Weser liegen zahlreiche Heilbäder, Kurorte und Feriendörfer, Schlösser, Burgen und hübsche Fachwerkstädtchen.

Unterkunft

Hotels und Gasthöfe

An Unterkunftsstätten konnte aus Platzgründen nur eine beschränkte Anzahl aufgenommen werden. Selbstverständlich soll diese Auswahl den nicht genannten Häusern gegenüber keinerlei Vorurteil erwecken. Die Angaben beruhen auf eigenen Erfahrungen und Erkundigungen sowie auf amtlichen Unterkunftsverzeichnissen. Die in der nachstehenden Übersicht angegebenen Übernachtungspreise beziehen sich im allgemeinen auf ein Einbettzimmer. Sie bieten nur relative Richtlinien, jedoch weder Gewähr noch Anspruch darauf, daß sie nicht z. B. durch allgemeine Preissteigerungen überschritten werden.

Die Häuser ersten Ranges in den Großstädten sowie in den bedeutenderen Kurorten haben den üblichen internationalen Standard, Übernachtung etwa 80–200 DM. In Häusern mit großem Komfort kann man mit Endpreisen zwischen 60 und 130 DM, in solchen mit gehobenem Komfort mit 40–100 DM rechnen, während in gutbürgerlichen Unterkunftsbetrieben die Preise zwischen 30 und 80 DM liegen. In abgelegenen Gebieten sind die Preise eventuell günstiger. – Das Frühstück ist meist im Übernachtungspreis inbegriffen.

Wichtige Adressen

Zimmerreservierung
Allgemeine Deutsche Zimmerreservierung (ADZ)
Beethovenstraße 61
D-6000 Frankfurt am Main 1
Telefon: (06 11) 23 44 44

Königswall 18
D-4600 Dortmund
Telefon: (02 31) 14 03 41

Hotels und Gasthöfe mit Diätküche
IKD Gesellschaft für medizinischen Tourismus
Postfach 12 45
D-8720 Schweinfurt
Telefon: (097 21) 4 10 71

Jugendherbergen
Deutsches Jungendherbergswerk
Hauptverband für Jugendwandern und Jugendherbergen
Bülowstraße 26
Postfach 220
D-4930 Detmold
Telefon: (0 5231) 2 27 71-2

Camping
Deutscher Camping-Club (DCC)
Mandlstraße 28
D-8000 München 40
Telefon: (0 89) 33 40 21

Urlaub auf dem Bauernhof/Land
Verzeichnisse beim
Reisedienst der Deutschen Landwirtschaftsgesellschaft (DLG)
Agrartour
Rüsterstraße 13
D-6000 Frankfurt am Main
Telefon: (06 11) 72 28 76 oder 72 08 61

Landschriften-Verlag
Kurfürstenstraße 53
D-5300 Bonn 1
Telefon: (0 22 21) 21 75 90

Urlaub im Sattel
Deutsche Reiterliche Vereinigung
Freiherr-von-Langen-Straße 13
D-4410 Warendorf 1
Telefon: (0 25 81) 80 41

Hobby-Ferien
Verzeichnis von Hobby-Ferienkursen des Verlages
Otto Maier, Ravensburg, im Buchhandel

Familienferien
Bundeszentrale für gesundheitliche Aufklärung
Postfach 93 01 03
D-5000 Köln 91
Telefon: (02 21) 8 99 21

Sozialer Dienst Familie
Rhöndorfer Straße 89
D-5340 Bad Honnef
Telefon: (0 22 24) 43 50

Ferienführer für Behinderte
Bundesarbeitsgemeinschaft 'Hilfe für Behinderte'
Kirchfeldstraße 149
D-4000 Düsseldorf
Telefon: (02 11) 34 00 85

Kur und Erholung

In der Bundesrepublik Deutschland gibt es eine große Zahl von Heilbädern und Kurorten. Während Heilquellen vor allem am Alpenrand und im Bereich der Mittelgebirge zu finden sind, zeichnet sich die Küste an Nord- und Ostsee durch bekannte Seeheilbädern aus.
Die meisten der Heilbäder und Kurorte sind Mitglieder des Deutschen Bäderverbandes. Man unterscheidet Heilbäder (Heilquellen- oder Moorkurbetrieb), Heilklimatische Kurorte, Seeheilbäder sowie Kneippheilbäder und -kurorte. Detaillierte Angaben über die Bade- und Kurorte enthält der vom Deutschen Bäderverband herausgegebene 'Deutsche Bäderkalender', der in regelmäßigen Abständen aktualisiert wird (Flöttmann-Verlag, Gütersloh).

Auskunft: *Deutscher Bäderverband e.V.*
Schumannstraße 111, D-5300 Bonn 1
Telefon: (0 22 21) 21 10 88/89

Gastronomie

Restaurants und Gaststätten

In den Restaurants wird das Mittagessen meist zwischen 12 und 14 Uhr, das Abendessen ab 19 Uhr, in Süddeutschland auch schon früher, serviert. Die Hauptmahlzeit wird in Deutschland in der Regel am Mittag, in den Hotels und Restaurants internationalen Charakters auch am Abend eingenommen. Ein Gedeck (Menu) kostet in den ersten Hotels und Restaurants etwa 30–80 DM, in mittleren Häusern etwa 25–40 DM, in städtischen Gaststätten sowie auf dem Lande ab 15 DM. Vielfach werden auch noch preiswertere Tagesmenüs, Kinder- und Seniorenteller sowie Schonkost angeboten.

Speisen und Getränke

Die deutsche Küche ist kräftig und abwechslungsreich. Sie kennt eine Vielzahl lokaler Spezialitäten, die vorzugsweise in kleineren Restaurants angeboten werden. Während generell in Norddeutschland mehr Gemüse und Kartoffeln gegessen werden, zieht man in Süddeutschland Teigwaren und Suppen vor.

Im küstennahen Norddeutschland spielen neben den vorzüglichen Wurstspezialitäten die Fischgerichte eine große Rolle. Weitbekannt ist die gehaltvolle Hamburger Aalsuppe, geschätzt sind auch der Helgoländer Hummer, Hering, Kieler Sprotten, Spickaal sowie die Süßwasserfische der holsteinischen Seen. – An Fleischgerichten sind zu nennen: Labskaus (bisweilen auch mit Fisch zubereitet), Erbsensuppe mit Schweineschnauze und -füßen, Gefüllte Schweinerippchen, Bokweeten Janhinnerk (Speckpfannkuchen aus Buchweizenmehl), Kohl mit Pinkel (Grünkohl mit grober Wurst), ferner Holsteiner Katenschinken. – Zum Nachtisch ist die Mehlpüt beliebt, eine Mehlspeise mit Birnen und Buttersoße. – Nicht zu vergessen das beliebte Lübecker Marzipan. – Die wichtigsten Getränke sind Tee (mit Kandiszucker und Sahne), Grog (nach dem altbewährten Rezept 'Rum muß, Zucker kann, Wasser braucht nicht') und Kornbranntwein.

Im weiter landeinwärts gelegenen Niedersachsen gewinnen die Fleisch- und Wurstgerichte mehr an Bedeutung. In der Lüneburger Heide gibt es Heidschnuckenbraten (Lammfleisch); weithin geschätzt ist Braunkohl mit Brägenwurst (Hirnwurst). In den Bächen des Harzes gibt es vorzügliche Forellen, in der Weser und ihren Nebenflüssen Aale. – Braunschweig ist bekannt für gute Wurstwaren und seinen Honigkuchen. – Die Braunschweiger Mumme ist ein sehr stark eingebrautes dunkles Bier mit über 50 % Malzgehalt, das einst als Vorrat auf Segelschiffen mitgeführt wurde und heute meist mit normalem Bier vermischt getrunken wird. Aus Hannover stammt die 'lüttje Lage', ein Glas Bier und ein Gläschen Schnaps, die mit einer Hand gleichzeitig zum Mund geführt und zusammen getrunken werden. Auch das Einbecker Bier, von dem das Bockbier seinen Namen herleitet, ist bekannt. Aus der Heide kommt der Haidmärker (Korn).

Auch in Westfalen überwiegen die Fleischgerichte; ein Begriff sind die Räucherwaren, besonders Westfälischer Schinken, zu denen das dunkle, lange gebackene Pumpernickel sehr gut mundet. Puffbohnen mit Speck und Pfefferpotthast sind deftige Gerichte, desgleichen Mettwurst mit Linsen oder Westfälische Reibekuchen (aus geriebenen rohen Kartoffeln und Buchweizenmehl). Süßwasserfische bereichern die Speisekarte. – Verbreitetstes Getränk ist das Bier, das überwiegend im Raum Dortmund gebraut wird; zu den Wurstspezialitäten wird meist Steinhäger getrunken.

In Hessen ißt man vor allem gehaltvolle Gerichte aus Schweinefleisch. Berühmtheit haben die Frankfurter Würstchen erlangt. Speckkuchen, Kasseler Rippchen (benannt nach dem Berliner Metzgermeister Kassel) und Bauernfrühstück (bestehend aus Schinken, Kartoffeln und Ei) sowie der Handkäse sind weitere Spezialitäten. – Bethmännchen und Frankfurter Brenten sind geschätzte Konditorwaren. – Am liebsten trinkt man hier Wein oder (vor allem um Frankfurt) den 'Äppelwoi', vergorenen Apfelmost.

Der Rheinländer schätzt Sauerbraten, 'Himmel und Erde' (Apfel- und Kartoffelbrei mit Blutwurst), Hämmchen (Eisbein), Hunsrücker Festessen (Sauerkraut und Erbsbrei mit Kartoffeln, Meerrettich und Schinken), Schweinepfeffer sowie die Fische aus den Nebenflüssen des Rheins und aus den Eifelmaaren. In der Saison bieten zahlreiche Restaurants Gerichte aus Miesmuscheln an. – Ein Halver Hahn ist ein Roggenbrötchen mit Holländer Käse, das zum Bier gegessen wird. – Vielfältig sind die süßen Gebäcksorten wie Spekulatius, Muzenmandeln, Aachener Printen u. a. – Bevorzugtes Getränk ist der Wein, der hier von vorzüglicher Qualität ist und vor allem an Rhein, Mosel und Nahe gedeiht. Daneben wird auch gerne Bier getrunken, namentlich 'Kölsch', ein helles obergäriges Bier, und das dunkle, gleichfalls obergärige 'Alt'.

Die Küche Südwestdeutschlands bevorzugt Fleisch- und Mehlspeisen. In Schwaben gibt es eine Vielzahl von Suppen, z. B. Flädlesuppe (Einlage aus in Streifen geschnittenen Pfannkuchen), Gaisburger Marsch (eine dicke Suppe aus Fleischbrühe, Kartoffeln, Spätzle und Rindfleisch) u. a. Spätzle werden aus einem gesalzenen Teig bereitet, der in kochendes Wasser geschabt wird. Maultaschen sind dünn ausgerollte Nudelteigstücke, in die eine Fülle aus Hackfleisch, Spinat, Zwiebeln u. a. eingeschlagen wird. Man ißt sie in der Brühe oder 'abgeschmälzt', d. h. mit in Fett gebräunter Zwiebel übergossen. Sauerkraut wird mit Ripple (Schweinerippchen), Blut- und Leberwurst oder Schweinebauch gereicht. Im Schwarzwald gibt es Forellen und den bekannten Schwarzwälder Schinken. Zum neueren Wein ist der Zwiebelkuchen beliebt. – Neben dem Bier, das vor allem in Stuttgart und in Schwarzwald gebraut wird, ist der Wein in Württemberg und in Baden das wichtigste Getränk. Den Most, vergorenen Apfel- oder Birnensaft, der einst in ländlichen Gegenden das Hauptgetränk war, bekommt man nur noch selten. Im Schwarzwald werden vorzügliche Obstschnäpse (Kirsch- und Zwetschgenwasser, Himbeergeist) gebrannt.

In Bayern bietet die Küche viele landestypische Gerichte, die häufig mit mundartlichen Ausdrücken bezeichnet werden. Zum zweiten Frühstück gehören die *Weißwürste*, die täglich frisch aus Kalb- und Schweinefleisch sowie Kräutern und Gewürzen zubereitet werden. Man enthäutet sie kunstgerecht und ißt sie mit süßem Senf. Zur 'Brotzeit' ist auch *Leberkäs*, warm oder kalt, beliebt. – Zu empfehlen sind an Hauptgerichten gekochte *Ochsenbrust*, *Schweinebraten mit Semmelknödeln* (Klöße aus Weißbrot, Ei und Petersilie), *Züngerl* (Schweinezunge) oder *Wammerl* (Schweinebauch) mit *Kraut*. Im Main- oder Altmühltal spielen Fischgerichte eine große Rolle; die *Altmühltaler Karpfen* sind wegen ihrer Qualität hochgeschätzt. In Niederbayern werden anstelle von Semmelknödeln häufig aus rohen Kartoffeln zubereitete Klöße gereicht. Die kleinen *Nürnberger Bratwürste* sind eine bekannte örtliche Spezialität. – Das 'Nationalgetränk' schlechthin ist in Altbayern das *Bier*, das nicht nur in München, sondern auch an vielen anderen Orten gebraut wird. Im Sommer findet man auf dem Land allenthalben schattige Gartenlokale ('Biergärten'); zum Bier wird der 'Radi', ein weißer Rettich, gegessen, der in dünne Spiralen geschnitten und gesalzen wird. In Mainfranken wird vorwiegend *Weißwein* getrunken.

Die Berliner Küche zeichnet sich durch eine Anzahl handfester Gerichte aus. Sehr geschätzt ist Schweinefleisch, vor allem das berühmte *Eisbein*, das mit Sauerkraut und Erbsbrei serviert wird. Die *Berliner Schlachtplatte* besteht aus frischer Blut- und Leberwurst, Schweineniere und Wellfleisch; beliebt sind ferner *Karbonade* mit Mischgemüse, *Schweinekeule* mit Rotkohl oder *Schweinekamm* sowie verschiedenen Varianten von *Gänsefleisch*. *Aal grün*, *Brathecht* mit Specksalat, *Karpfen*, *Schleie* und andere Fischgerichte ergänzen die Speisekarte. – Bekannte süße Gebäcksorten sind *Kranzkuchen*, *Baumkuchen*, *Windbeutel* und die *Berliner Pfannkuchen*. – Man trinkt meist *Bier*, das von mehreren großen Brauereien angeboten wird. Die *Berliner Weiße mit Schuß* ist Weizenbier mit einem Schuß Himbeersaft oder Waldmeisteressenz, das aus schalenartigen Gläsern getrunken wird.

Drosselgasse in Rüdesheim am Rhein

Wichtige Adressen

Diabetiker
Deutscher Diabetiker Bund
Bundesgeschäftsstelle – Abteilung Touristik
Marktstraße 37
D-6750 Kaiserslautern
Telefon: (0631) 63270

Grillplätze
Centrale Marketinggesellschaft der deutschen Agrarwirtschaft
Koblenzer Straße 148
Postfach 370
D-5300 Bonn-Bad Godesberg
Telefon: (02221) 8361

Verzeichnis öffentlicher Grillplätze
Rezepte – Tips

Wein

Obgleich sich der Weinbau auf den südlichsten Teil Deutschlands konzentriert, gehören diese Weinberge zu den am weitesten nördlich gelegenen der Welt. Wegen der geographischen Lage ist die Qualität der Weine, anders als in südlichen Ländern, sehr stark von der Wetterlage des jeweiligen Jahres abhängig, wobei unter günstigen Bedingungen bestimmte Jahrgänge eine Ausgewogenheit erhalten, die sie weit über Deutschland hinaus berühmt gemacht hat.

Es überwiegen die weißen Rebsorten; die Rotweine erreichen nur rund 15 % der Gesamtproduktion und haben praktisch keine überregionale Bedeutung.

Nach der Weinlese (Oktober) werden die Trauben gemahlen und gekeltert, der entstehende Most beginnt bald zu gären und ist als 'Sauser', später als 'Federweißer' geschätzt. Wenn sich die Hefe abgesetzt hat und der Wein sich klärt (Mitte bis Ende November), wird er vom Trub abgezogen, geschwefelt und in frische Fässer gefüllt, die man spundvoll hält. Im Frühjahr wird er dann geschönt, gefiltert und im Laufe des Sommers oder Herbstes auf Flaschen gezogen. Traubenmoste aus geringeren Lagen werden in ungünstigen Jahren verbessert, d.h. mit Zucker versetzt. Gut ausgebaute Weine halten sich 10–20 Jahre, nehmen aber mit der Zeit eine Altersfirne an, die nicht jedem zusagt. Es besteht der Brauch, Rheinweine in braune Flaschen abzufüllen, Mosel- und süddeutsche Weine in grüne.

Nach dem bundesdeutschen Weingesetz von 1971 werden die Weine nicht mehr nach Lagen, sondern allein nach ihrem Mostzuckergehalt eingestuft. Es gibt nunmehr drei Grundqualitätsklassen: Tafelwein, Qualitätswein und Qualitätswein mit Prädikat.

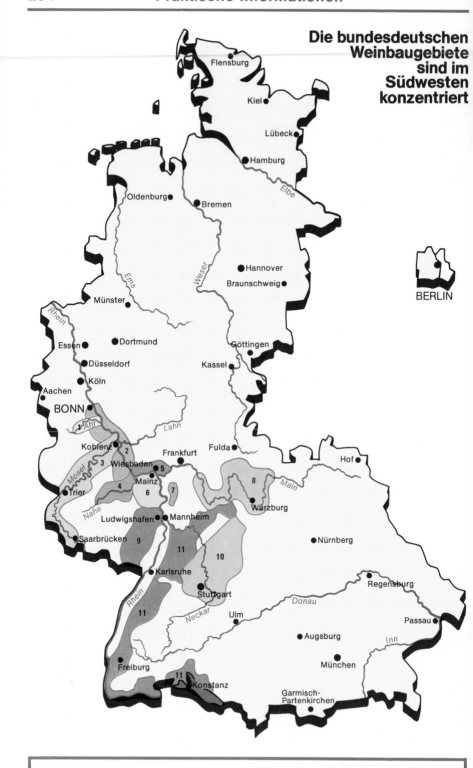

Die bundesdeutschen Weinbaugebiete sind im Südwesten konzentriert

Die bundesdeutschen Weinbaugebiete

1 Ahr
2 Mittelrhein
3 Mosel-Saar-Ruwer
4 Nahe

5 Rheingau
6 Rheinhessen
7 Hessische Bergstraße
8 Franken
9 Rheinpfalz
10 Württemberg
11 Baden

Die Sprache des Weinetiketts
(Quelle: Deutsche Wein-Information, Mainz)

Deutscher Tafelwein
Das sind die leichten, bekömmlichen Schoppenweine für den großen Durst. Um den deutschen Tafelwein für den Verbraucher herkunftsmäßig festzulegen, wurde die gesamte deutsche Rebfläche großräumig in vier Tafelweingebiete aufgeteilt und nach den Flüssen Rhein und Mosel, nach Main, Neckar und Oberrhein benannt. Deutscher Tafelwein muß nach dem deutschen Weinrecht aus einem dieser vier Gebiete stammen und von amtlich genehmigten Weinbergen und den dafür geeigneten und zugelassenen Rebsorten gewonnen werden. Eine genauere Herkunft, wie Bereich und Gemeinde, kann zusätzlich angegeben werden.

Qualitätswein aus bestimmten Anbaugebieten
Qualitätsweine sind gehaltvolle, gebietstypische Weine zum täglichen Genuß. Sie müssen die Qualitätsprüfung bestanden haben und auf dem Etikett eine amtliche Prüfungsnummer tragen, die dafür garantiert, daß sie für ihre Herkunft und Rebsorte als typisch beurteilt wurden und in Farbe, Klarheit, Geruch und Geschmack frei von Fehlern sind. Qualitätsweine dürfen nur aus einem der elf deutschen Weinbaugebiete stammen.

Qualitätswein mit Prädikat
Diese Weine der Spitzenklasse sind so recht nach dem Geschmack aller anspruchsvollen Weintrinker. Die Eleganz, der Reichtum des Buketts und die Fülle des Geschmacks haben deutsche Weine in aller Welt so berühmt gemacht. Prädikatsweine dürfen nur aus einem einzigen Bereich innerhalb eines der elf deutschen Anbaugebiete stammen. Um ein Prädikat zu erhalten, müssen die Trauben ausgereift sein und ein harmonisches Verhältnis von Säure und Süße besitzen. Bei Prädikatsweinen darf keine Anreicherung erfolgen. Es gibt fünf Prädikate. An alle Prädikatsweine werden entsprechend ihrer Prädikatseinstufung besonders hohe Ansprüche bei der Qualitätsprüfung gestellt. Sie müssen z. B. im Geschmack typisch für ihre Herkunft und die Rebsorte sein.

Kabinett. – Die Trauben für Kabinett-Weine müssen nach den Bestimmungen der Leseordnung in reifem Zustand geerntet werden. Kabinett-Weine sind leicht und frisch. Sie haben aber gleichzeitig jene vornehme Eleganz, die sie zu einer typisch deutschen Spezialität macht.

Spätlese. – Die Trauben für diese Weine werden in vollreifem Zustand, nach Abschluß der Normallese, geerntet. Spätlesen sind ansprechend rund, elegant, fruchtig.

Auslese. – Die vollreifen Trauben werden gesondert gelesen und gekeltert. Ausleseweine bestechen durch ihre Reife, die Fülle des Buketts und durch die elegante Art.

Beerenauslese. – Aus vollreifen Trauben liest man die überreifen und edelfaulen Beeren. Ein wunderbar reifer, fruchtiger und voller Wein von unverkennbarer, oft honigartiger Süße. Die Farbe dieses Weines ist bernsteinfarben oder hat einen Gold- bzw. Kupferton.

Trockenbeerenauslese. – Weine mit dieser Prädikatsauszeichnung erfüllen allerhöchste Ansprüche. Nur in Spitzenjahren des Weins eignen sich die rosinenartig geschrumpften edelfaulen Beeren für

die Kelterung. In Aussehen und Geschmack sind diese Weine eine Steigerung zur Beerenauslese.

Eiswein. – Der Eiswein ist eine Rarität ganz besonderer Art. Gewonnen wird er aus Trauben, deren Wasseranteil bei Frost von mindestens –7°C zu Eis gefroren ist. Das bedeutet: lediglich das sehr zucker- und aromahaltige Konzentrat wird ausgepreßt. Eiswein kann in allen Prädikatsstufen vorkommen.

Traubensorten

Müller-Thurgau. – Große, schwere Trauben, die Lehm- und Lößböden bevorzugen; sehr frühe Reife. Müller-Thurgau-Trauben ergeben fruchtige, mundige, süffige Weine. Sie sind duftig, aromatisch und haben einen Muskatton. Anbau: vor allem in Rheinhessen, in der Rheinpfalz, an der Nahe, in Baden und Franken.

Riesling. – Kleine unscheinbare Beeren; späte Reife. Bevorzugte Rieslingböden sind Schiefer jeder Art, Mergel, Tertiär, Eruptionsgestein. Das Besondere am Riesling sind seine unvergleichlichen und vielfältigen Geschmacksnuancen. Die Geschmacksskala geht von frischer Fruchtsäure bis zu erlesener Eleganz. Riesling-Weine genießen Weltruf. Anbau: in allen deutschen Anbaugebieten. Besonders an Mosel-Saar-Ruwer, am Mittelrhein, im Rheingau.

Silvaner. – Die Trauben sind mittelgroß, der Wein ist mild, harmonisch, rund und saftig, mit leichter Säure und zartem Bukett. Anbau: vor allem in Rheinhessen, in der Rheinpfalz und in Franken.

Ruländer. – Mittelgroße, braungoldene Trauben; sie brauchen gute Böden und warmes Klima. Die Reife erfolgt mittelfrüh bis spät; die Weine sind bernsteinfarben und füllig, feinblumig und kräftig im Geschmack. Anbau: besonders in der Rheinpfalz und in Baden.

Traminer. – Hellrote Trauben mit später Reife. Der Wein ist sehr bukettreich, voll und würzig, erinnert an Rosenduft. Auch der Gewürztraminer gehört in diese 'Familie'. Traminer sind ideale Dessertweine. Anbau: vor allem in der Rheinpfalz, in Baden und in Rheinhessen.

Spätburgunder. – Kleinbeerige, blaue Trauben, die hervorragende Rotweine ergeben. Der Wein ist fruchtig, duftig, würzig, körperreich, in gereiftem Zustand samtig weich; seine Farbe ist dunkelrot. Anbau: vor allem in Baden und an der Ahr.

Trollinger. – Große, süße, hellrote Trauben; sehr späte Reife. Die Reben bevorzugen tiefgründige Muschelkalk- und Keuperböden. Der Wein schmeckt angenehm frisch und süffig. Anbau: fast ausschließlich in Württemberg.

Portugieser. – Tiefblaue Beeren mit früher Reife, anspruchslos in Böden und Lagen. Angenehmer Schoppenwein mit ansprechendem, mundigem Geschmack. Anbau: hauptsächlich in der Rheinpfalz und in Rheinhessen.

Lemberger. – Große, ertragreiche Trauben mit kleinen rot- bis schwarzblauen, süßherben Beeren; späte Reife. Die Rebe bevorzugt tiefgründige Böden. Der dunkelrote, violett schimmernde Wein schmeckt fruchtig, körperreich, fein, herb, frisch und kernig bis feurig und würzig. Anbau: fast ausschließlich in Württemberg.

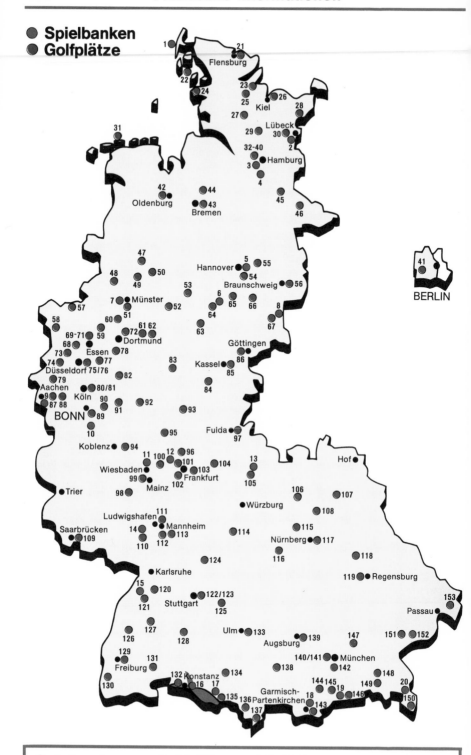

● Spielbanken
● Golfplätze

Spielbanken · Golfplätze

Das **Glücksspiel** erfreut sich in der Bundesrepublik Deutschland offenbar zunehmender Beliebtheit. So sind in letzter Zeit etliche neue Spielkasinos an die Seite der traditionellen Spielbanken getreten; weitere Etablissements sind geplant.

Golf gilt in Deutschland nach wie vor als Exklusivsport. Die Karte zeigt jedoch eindrucksvoll, wie stattlich die Anzahl der Golfplätze in der Bundesrepublik Deutschland inzwischen geworden ist.

Auskünfte erteilt der *Deutsche Golf Verband e.V.*, Rheinblickstraße 24, D-6200 Wiesbaden, Telefon (0 61 21) 8 96 65, der auch das Jahrbuch 'Golf in Deutschland' herausgibt.

Spielbanken und Golfplätze

● Spielbanken

1 Westerland/Sylt. – 2 Lübeck/Travemünde. – 3 Hamburg. – 4 Seevetal. – 5 Hannover. – 6 Bad Pyrmont. – 7 Münster. – 8 Bad Harzburg. – 9 Aachen. – 10 Bad Neuenahr. – 11 Wiesbaden. – 12 Bad Homburg. – 13 Bad Kissingen. – 14 Bad Dürkheim. – 15 Baden-Baden. – 16 Konstanz. – 17 Lindau. – 18 Garmisch-Partenkirchen. – 19 Bad Wiessee. – 20 Bad Reichenhall.

● Golfplätze

21 Glücksburg (9 L.). – 22 Nieblum auf Föhr (9 L.). – 23 Eckernförde (9 L.). – 24 St. Peter-Ording (9 L.). – 25 Rendsburg (9 L.). – 26 Kiel (9 L.). – 27 Aukrug (9 L.). – 28 Timmendorfer Strand (36 L.). – 29 Bad Bramstedt (9 L.). – 30 Lübeck (9 L.). – 31 Norderney (9 L.). – 32 Hamburg/Ahrensburg (18 L.). – 33 Hamburg/Falkenstein (18 L.). – 34 Hamburg/Großflottbek (6 L.). – 35 Hamburg/Kisdorf (18 L.). – 36 Hamburg/Lüneburger Heide (18 L.). – 37 Hamburg/Hoisdorf (9 L.). – 38 Hamburg/Reinbek (9 L.). – 39 Hamburg/Walddörfer (18 L.). – 40 Hamburg/Wendlohe (18 L.). – 41 Berlin/Wannsee (9 L.). – 42 Oldenburg/Oldb. (9 L.). – 43 Bremen/Vahr (27 L.). – 44 Worpswede (9 L.). – 45 St. Dionys (18 L.). – 46 Braasche (9 L.). – 47 Velpe (9 L.). – 48 Burgsteinfurt (9 L.). – 49 Tecklenburg (9 L.). – 50 Osnabrück (9 L.). – 51 Münster (9 L.). – 52 Gütersloh (9 L.). – 53 Bad Salzuflen (9 L.). – 54 Hannover (18 L.). – 55 Burgdorf (18 L.). – 56 Braunschweig (15 L.). – 57 Anholt (9 L.). – 58 Issum (9 L.). – 59 Recklinghausen (9 L.). – 60 Nordkirchen (9 L.). – 61 Neheim-Hüsten (9 L.). – 62 Soest (9 L.). – 63 Bad Driburg (9 L.). – 64 Bad Pyrmont (9 L.). – 65 Rheden (9 L.). – 66 Bad Salzdetfurth (9 L.). – 67 Bad Harzburg (9 L.). – 68 Duisburg (9 L.). – 69 Essen (9 L.). – 70 Essen/Heidhausen (18 L.). – 71 Essen/Haus Oefte (18 L.). – 72 Dortmund (18 L.). – 73 Krefeld (18 L.). – 74 Mönchengladbach (9 L.). – 75 Düsseldorf (18 L.) – 76 Düsseldorf/Hubbelrath (36 L.). – 77 Wuppertal (18 L.). – 78 Hagen (9 L.). – 79 Wegberg (9 L.). – 80 Köln/Marienburg (9 L.). – 81 Köln (18 L.). – 82 Gummersbach/Georghausen (18 L.). – 83 Winterberg (9 L.). – 84 Bad Wildungen (9 L.). – 85 Kassel (9 L.). – 86 Göttingen (9 L.). – 87 Aachen (9 L.). – 88 Düren (9 L.). – 89 Bonn-Bad Godesberg (9 L.). – 90 Hennef (9 L.). – 91 Kierspe (9 L.). – 92 Siegen/Olpe (9 L.). – 93 Marburg (9 L.). – 94 Bad Ems (18 L.). – 95 Braunfels (12 L.). – 96 Bad Nauheim (9 L.). – 97 Fulda (9 L.). – 98 Bad Kreuznach (9 L.). – 99 Wiesbaden (9 L.). – 100 Kronberg/Taunus (18 L.). – 101 Bad Homburg (9 L.). – 102 Frankfurt am Main (18 L.). – 103 Hanau (18 L.). – 104 Bad Orb (9 L.). – 105 Bad Kissingen (18 L.). – 106 Bamberg (9 L.). – 107 Bayreuth (9 L.). – 108 Kanndorf (9 L.). – 109 Saarbrücken (18 L.). – 110 Neustadt/Weinstraße (9 L.). – 111 Mannheim (9 L.). – 112 Schwetzingen (18 L.). – 113 Heidelberg (18 L.). – 114 Bad Mergentheim (9 L.). – 115 Herzogenaurach (9 L.). – 116 Ansbach (9 L.). – 117 Nürnberg (18 L.). – 118 Schidmühlen (9 L.). – 119 Regensburg (9 L.). – 120 Bad Herrenalb (9 L.). – 121 Baden-Baden (18 L.). – 122 Stuttgart/Kornwestheim (18 L.). – 123 Stuttgart/Mönsheim (18 L.). – 124 Heilbronn (9 L.). – 125 Göppingen (9 L.). – 126 Gutach im Breisgau (9 L.). – 127 Freudenstadt (9 L.). – 128 Hechingen (9 L.). – 129 Freiburg im Breisgau (9 L.). – 130 Badenweiler (9 L.). – 131 Donaueschingen (18 L.). – 132 Konstanz (9 L.). – 133 Ulm (9 L.). – 134 Bad Waldsee (9 L.). – 135 Lindau/Bad Schachen (14 L.). – 136 Ofterschwang (18 L.). – 137 Oberstdorf (9 L.). – 138 Bad Wörishofen (9 L.). – 139 Augsburg (9 L.). – 140 München (27 L.). – 141 München/Dachau (9 L.). – 142 Feldafing (18 L.). – 143 Garmisch-Partenkirchen (zwei Plätze; je 9 L.). – 144 Eurach/Iffeldorf (18 L.). – 145 Bad Tölz (9 L.). – 146 Bad Wiessee (9 L.). – 147 Erding-Grünbach (9 L.). – 148 Höslwang (9 L.). – 149 Prien (9 L.). – 150 Berchtesgaden (9 L.). – 151 Eggenfelden (9 L.). – 152 Postmünster (9 L.). – 153 Waldkirchen/Niederbayern (9 L.).

Burgen und Schlösser

Karte S. 291

1 **Glücksburg** (D–2392)
   Wasserschloß (16. Jh.)
2 **Schleswig** (D-2380)
   Schloß Gottorf (13., 16.–18. Jh.)
3 **Emkendorf** (D-2371)
   Schloß (18. Jh.)
4 **Schierensee** (D-2301)
   Herrenhaus (18. Jh.)
5 **Kiel-Holtenau** (D-2300)
   Gut Knoop (18. Jh.)
6 **Eutin** (D-2420)
   Schloß (17./18. Jh.)
7 **Altenkrempe** (D-2430 Altenkrempe
   Post Neustadt in Holstein)
   Hasselberg (18. Jh.)
8 **Ahrensburg** (D-2070)
   Schloß (16. Jh.)
9 **Winsen/Luhe** (D-2090)
   Schloß (12./16. Jh.)
10 **Dornum** (D-2988 Dornum/Ostfriesland)
   Wasserburg (17. Jh.)

11 **Hinte** (D-2971)
   Wasserburg (16. Jh.)
12 **Jever** (D-2942)
   Schloß (14.–18. Jh.)
13 **Gödens** (D-2945 Sande)
   Wasserschloß (17. Jh.)
14 **Oldenburg** (D-2900)
   Schloß (17. Jh.)
15 **Sögel** (D-4475)
   Schloß Clemenswerth (18. Jh.)
16 **Celle** (D-3100)
   Herzogsschloß (17. Jh.)
17 **Gifhorn** (D-3170)
   Wasserschloß (16.–19. Jh.)
18 **Wolfsburg** (D-3180)
   Schloß (17. Jh.)
19 **Berlin** (D-1000)
   Jagdschloß Grunewald (17. Jh.)
20 **Berlin** (D-1000)
   Schloß Charlottenburg (17.–18. Jh.)
21 **Berlin** (D-1000)
   Schloß Bellevue (18. Jh.)
22 **Berlin** (D-1000)
   Schloß Tegel (19. Jh.)
23 **Berlin** (D-1000)
   Schloß Pfaueninsel (Ruine; 18. Jh.)

24 **Berlin** (D-1000)
Schloß Kleinglienicke (19. Jh.)
25 **Bentheim** (D-4444)
Schloß (12., 15., 17. Jh.)
26 **Langenhorst** (D-4434 Ochtrup)
Wasserburg Welbergen (16./18. Jh.)
27 **Ahaus** (D-4422)
Wasserschloß (17. Jh.)
28 **Burgsteinfurt** (D-4430)
Wasserschloß (12. Jh.)
29 **Darfeld** (D-4428 Rosendahl)
Wasserschloß (17./19. Jh.)
30 **Havixbeck** (D-4401)
Wasserburg (16./18. Jh.)
31 **Münster** (D-4400)
Wasserburg Haus Hülshoff (16.–18. Jh.)
32 **Münster** (D-4400)
Schloß Rüschhaus (18. Jh.)
33 **Bad Iburg** (D-4505)
Schloß (17./18. Jh.)
34 **Schledehausen** (D-4516 Bissendorf/
Krs. Osnabrück)
Schloß Schelenburg (15./16. Jh.)
35 **Gesmold** (D-4520 Meile)
Wasserburg (16. Jh.)
36 **Bückeburg** (D-3062)
Schloß (16.–19. Jh.)
37 **Steinhude** (D-3050)
Festung Wilhelmstein (18. Jh.)
38 **Stadthagen** (D-3060)
Schloß (16. Jh.)
39 **Rehren** (D-3262 Auetal 1)
Schloß Schaumburg (11./15. Jh.)
40 **Hannover** (D-3000)
Schloß Herrenhausen (teilzerstört; 17./18. Jh.)
41 **Nordstemmen** (D-3204)
Schloß Marienburg (19. Jh.)
42 **Braunschweig** (D-3300)
Schloß Richmond (18. Jh.)
43 **Wolfenbüttel** (D-3340)
Schloß (16. Jh.)
44 **Isselburg** (D-4294)
Wasserschloß (16. Jh.)
45 **Gemen** (D-4280)
Wasserschloß (15./17. Jh.)
46 **Raesfeld** (D-4281)
Wasserschloß (17. Jh.)
47 **Lembeck** (D-4270 Dorsten)
Wasserburg (15./17. Jh.)
48 **Dorsten** (D-4270)
Schloß Beck (18. Jh.)
49 **Lüdinghausen** (D-4710)
Wasserburg Vischering (16. Jh.)
50 **Nordkirchen** (D-4717)
Wasserschloß (18. Jh.)
51 **Herborn** (D-4715)
Schloß (13./17. Jh.)
52 **Wolbeck** (D-4400 Münster)
Drostenhof (16. Jh.)
53 **Lippborg** (D-4775 Lippetal)
Wasserburg (17. Jh.)
54 **Rheda** (D-4840 Rheda-Wiedenbrück)
Schloß (13./17. Jh.)
55 **Lippstadt** (D-4780)
Wasserschloß Schwarzengraben (18. Jh.)
56 **Neuhaus** (D-4790 Paderborn)
Schloß Wilhelmsburg (16. Jh.)
57 **Wewelsburg** (D-4793 Büren)
Burg (17. Jh.)
58 **Brenken** (D-4793 Büren)
Schloß Erpenburg
59 **Detmold** (D-4930)
Schloß (16. Jh.)
60 **Brake** (D-4920 Lemgo 1)
Wasserschloß (16./17. Jh.)

61 **Emmern** (D-3254 Emmerthal)
Schloß Hämelschenburg (16./17. Jh.)
62 **Hehlen** (D-3452)
Schloß (16. Jh.)
63 **Bevern** (D-3454 Bevern/
Krs. Holzminden)
Schloß (17. Jh.)
64 **Fürstenberg** (D-3476 Fürstenberg/Weser)
Burg Fürstenberg (14. Jh.)
65 **Karlshafen** (D-3522)
Ruine Krukenburg
66 **Trendelburg** (D-3526)
Burg (15. Jh.)
67 **Daseburg** (D-3530 Warburg)
Ruine Desenberg
68 **Brüggen** (D-3211 Brüggen/Leine)
Schloß (16.–18. Jh.)
69 **Sillium** (D-3201 Holle bei Hildesheim)
Burg (teilzerstört; 13. Jh.)
70 **Adelebsen** (D-3404)
Burg (17./18. Jh.)
71 **Hardegsen** (D-3414)
Schloß (14. Jh.)
72 **Nörten-Hardenberg** (D-3412)
Ruine Hardenberg (11. Jh.)
73 **Liebenburg** (D-3384)
Schloß (18. Jh.)
74 **Goslar** (D-3380)
Kaiserpfalz (11., 17.–18. Jh.)
75 **Herzberg** (D-3420)
Schloß (16. Jh.)
76 **Scharzfeld** (D-3420 Herzberg)
Ruine Scharzfels (13. Jh.)
77 **Weeze** (D-4179)
Schloß Wissen (16./18. Jh.)
78 **Geldern** (D-4170)
Wasserburg Haag (17. Jh.)
79 **Krefeld** (D-4150)
Wasserburg Linn (14./18. Jh.)
80 **Mönchengladbach** (D-4050)
Wasserburg Myllendonck (14./16. Jh.)
81 **Rheydt** (D-4050)
Schloß (16. Jh.)
82 **Linnich** (D-5172)
Wasserschloß Kellenberg (15. Jh.)
83 **Jülich** (D-5170)
Zitadelle (Ruine; 16. Jh.)
84 **Bedburg** (D-5012 Bedburg/Erft)
Schloß (13./16. Jh.)
85 **Kettwig** (D-4300 Essen 18)
Schloß Landsberg (13. Jh.)
86 **Düsseldorf** (D-4000)
Schloß Benrath (18. Jh.)
87 **Düsseldorf-Kaiserswerth** (D-4000)
Kaiserpfalz (Ruine; 12. Jh.)
88 **Altena** (D-5990)
Burg (13. Jh.)
89 **Attendorn** (D-5952)
Burg Schellenberg (17. Jh.)
90 **Oberhundem** (D-5942 Kirchhundem)
Schloß Adolfsburg (17. Jh.)
91 **Arolsen** (D-3548)
Schloß (18. Jh.)
92 **Waldeck** (D-3544 Waldeck/Hessen)
Ruine Weidelsburg (13./14. Jh.)
93 **Waldeck** (D-3544 Waldeck/Hessen)
Schloß (12./16. Jh.)
94 **Bad Wildungen** (D-3590)
Schloß Friedrichstein (18. Jh.)
95 **Kassel** (D-3500)
Schloß Wilhelmshöhe (18. Jh.)
96 **Kassel** (D-3500)
Schloß Wilhelmsthal (18. Jh.)
97 **Felsberg** (D-3582 Felsberg/Hessen)
Burgruine (9.–11. Jh.)

Schloß Bürresheim bei Mayen in der Eifel

98 **Mollenfelde** (D-3403 Friedland)
   Schloß Berlepsch (14./16./19. Jh.)
99 **Wendershausen** (D-3430 Witzenhausen 8)
   Burg Ludwigstein (15. Jh.)
100 **Spangenberg** (D-3509)
   Schloß (13. Jh.)
101 **Rotenburg/Fulda** (D-6442)
   Schloß (16. Jh.)
102 **Nentershausen** (D-6446)
   Burg Tannenberg (teilzerstört; 14. Jh.)
103 **Friedewald** (D-6431 Friedewald/Hessen)
   Wasserschloß (Ruine; 15. Jh.)
104 **Köln-Frens** (D-5000)
   Schloß (15./16., 19. Jh.)
105 **Bensberg** (D-5060 Bergisch Gladbach 1)
   Neues Schloß (18. Jh.)
106 **Gymnich** (D-5042 Erftstadt)
   Schloß (16.–18. Jh.)
107 **Lechenich** (D-5042 Erftstadt)
   Burgruine (14. Jh.)
108 **Brühl** (D-5040)
   Schloß Augustusburg (18. Jh.)
109 **Bonn** (D-5300)
   Poppelsdorfer Schloß (18. Jh.)
110 **Gudenau** (D-5307 Wachtberg-Villip)
   Wasserburg (16./18. Jh.)
111 **Königswinter** (D-5330)
   Ruine Drachenfels (12. Jh.)
112 **Nideggen** (D-5168)
   Burgruine (12./14. Jh.)
113 **Monschau** (D-5108)
   Burgruine (12./13. Jh.)
114 **Friesenhagen** (D-5221)
   Wasserschloß Crottorf (16./17. Jh.)
115 **Siegen** (D-5900)
   Oberes Schloß (13. Jh.)
116 **Siegen** (D-5900)
   Unteres Schloß (17.–18. Jh.)
117 **Greifenstein** (D-6331)
   Burgruine (14.–17. Jh.)
118 **Gießen** (D-6300 Lahn 1)
   Neues Schloß (16. Jh.)

119 **Krofdorf-Gleiberg** (D-6300 Lahn 1)
   Burg Gleiberg (12./14. Jh.)
120 **Marburg** (D-3550)
   Schloß (15./16. Jh.)
121 **Schweinsberg** (D-3570 Stadtallendorf)
   Schloß
   (teilzerstört; 13. Jh.)
122 **Eisenbach** (D-6420 Lauterbach/Hessen)
   Schloß (13. Jh.)
123 **Herzberg** (D-6320)
   Burg (12./15./17. Jh.)
124 **Schlitz** (D-6407)
   Burg (16.–17. Jh.)
125 **Fulda** (D-6400)
   Schloß (14./17.–18. Jh.)
126 **Altenahr** (D-5481)
   Burg Are (Ruine; 12./14.–15. Jh.)
127 **Dernau** (D-5481)
   Ruine Saffenburg (11./12. Jh.)
128 **Bad Hönningen** (D-5462)
   Schloß Arenfels (13. Jh.)
129 **Dierdorf** (D-5419)
   Schloß (17. Jh.)
130 **Bad Breisig** (D-5484)
   Burg Rheineck (19. Jh.)
131 **Rheinbrohl** (D-5456)
   Ruine Hammerstein (12. Jh.)
132 **Neuwied** (D-5450)
   Schloß (18. Jh.)
133 **Bendorf** (D-5413 Bendorf/Rhein)
   Burgruine (13. Jh.)
134 **Koblenz** (D-5400)
   Kurfürstl. Burg (13./16. Jh.)
135 **Koblenz** (D-5400)
   Feste Ehrenbreitstein (19. Jh.)
136 **Nürburg** (D-5489)
   Ruine Nürburg (12. Jh.)
137 **Monreal** (D-5441)
   Burgruine (13. Jh.)
138 **Mayen** (D-5440)
   Genovevaburg (13./18. Jh.)
   Schloß Bürresheim (13./16. Jh.)

139 **Koblenz-Stolzenfels** (D-5400)
Schloß Stolzenfels (19. Jh.)
140 **Lahnstein** (D-5420)
Burg Lahneck (13./19. Jh.)
141 **Moselkern** (D-5401)
Burg Eltz (13.–16. Jh.)
142 **Alken** (D-5401)
Burg Thurant (18. Jh.)
143 **Brodenbach** (D-5401)
Ruine Ehrenburg (13. Jh.)
144 **Braubach** (D-5423)
Marksburg (13. Jh.)
145 **Kamp-Bornhofen** (D-5424)
Burg Liebenstein (Ruine; 13. Jh.)
146 **Kamp-Bornhofen** (D-5424)
Burg Sterrenberg (Ruine; 13. Jh.)
147 **Klotten** (D-5592)
Ruine Coraidelstein
148 **Cochem** (D-5590)
Burg (19. Jh.)
149 **Beilstein** (D-5591)
Reichsfeste Beilstein (Ruine; 13. Jh.)
150 **Alf** (D-5584)
Burg Arras (10. Jh.)
151 **Zell** (D-5583)
Schloß (16. Jh.)
152 **Bernkastel-Kues** (D-5550)
Burg Landshut (Ruine; 13. Jh.)
153 **Kastellaun** (D-5448)
Burgruine (1689 zerstört)
154 **Wellmich** (D-5422 St. Goarshausen)
Burg Thurnberg (gen. 'Maus'; 14. Jh.)
155 **St. Goar** (D-5401)
Burg Rheinfels (Ruine; 13. Jh.)
156 **St. Goarshausen** (D-5422)
Burg Katz (14./19. Jh.)
157 **Oberwesel** (D-6532)
Ruine Schönburg (10. Jh.)
158 **Kaub** (D-5425)
Burg Gutenfels (13. Jh.)
159 **Kaub** (D-5425)
Burg Pfalzgrafenstein (14. Jh.)
160 **Bacharach** (D-6533)
Burg Stahleck (Ruine; 12. Jh.)
161 **Lorch** (D-6223)
Burg Nolling (Ruine; 12. Jh.)
162 **Niederheimbach** (D-6531)
Burg Hoheneck (13./19. Jh.)
163 **Trechtingshausen** (D-6531)
Burg Sooneck (13./19. Jh.)
164 **Trechtingshausen** (D-6531)
Burg Reichenstein (12. Jh.)
165 **Geroldstein** (D-6209 Heidenrod 7)
Burgruine
166 **Stromberg** (D-6534)
Ruine Stromburg (11. Jh; 1689 zerstört)
167 **Stromberg** (D-6534)
Schloß Gollenfels
(11./12. Jh.; 1614 zerstört)
168 **Simmern** (D-6540)
Schloß (15. Jh.)
169 **Rüdesheim** (D-6220)
Burg Ehrenfels (Ruine)
170 **Bingen** (D-6530)
Burg Klopp (13./19. Jh.)
171 **Oestrich** (D-6227 Oestrich-Winkel)
Schloß Reichartshausen
172 **Ingelheim** (D-6507)
Kaiserpfalz (Ruine; 9. Jh.)
173 **Blankenheim** (D-5378 Blankenheim/Ahr)
Burg (12. Jh.)
174 **Pelm** (D-5531)
Ruine Kasselburg (13./14. Jh.)
175 **Lissingen** (D-5530 Gerolstein)
Burg (12., 15.–18. Jh.)

176 **Mürlenbach** (D-5531)
Ruine Bertradaburg (14. Jh.)
177 **Manderscheid** (D-5562)
Ruine Oberburg (10. Jh.)
178 **Manderscheid** (D-5562)
Ruine Niederburg (12. Jh.)
179 **Balduinstein** (D-6251)
Schloß Schaumburg (19. Jh.)
180 **Burgschwalbach** (D-6251)
Burgruine (14. Jh.)
181 **Runkel** (D-6251)
Burg (12., 17./18. Jh.)
182 **Weilburg** (D-6290)
Schloß (16./18. Jh.)
183 **Braunfels** (D-6333)
Schloß (13./17./19. Jh.)
184 **Wiesbaden-Biebrich** (D-6200)
Schloß (18. Jh.)
185 **Idstein** (D-6270)
Schloß (17. Jh.)
186 **Münzenberg** (D-6309)
Burgruine (12. Jh.)
187 **Friedberg** (D-6360 Friedberg/Hessen)
Burg (14./15. Jh.)
188 **Hanau** (D-6450)
Schloß Philippsruhe (18. Jh.)
189 **Büdingen** (D-6470)
Schloß (15.–17. Jh.)
190 **Gelnhausen** (D-6460)
Kaiserpfalz (Ruine; 12. Jh.)
191 **Aschaffenburg** (D-8750)
Schloß Johannisburg (17. Jh.)
192 **Aschaffenburg** (D-8750)
Schloß Schönbusch (18. Jh.)
193 **Gemünden/Main** (D-8780)
Ruine Scherenburg (13.–14. Jh.)
194 **Trimberg** (D-8731 Elfershausen/
Unterfranken)
Ruine Trimburg (12./17. Jh.)
195 **Bad Neustadt/Saale** (D-8740)
Ruine Salzburg (13. Jh.)
196 **Werneck** (D-8722)
Schloß (18. Jh.)
197 **Coburg** (D-8630)
Veste Coburg (16. Jh.)
198 **Kronach** (D-8640)
Feste Rosenberg (12., 16./17. Jh.)
199 **Kulmbach** (D-8650)
Plassenburg (16. Jh.)
200 **Bayreuth** (D-8580)
Altes Schloß (17. Jh.)
201 **Bayreuth** (D-8580)
Neues Schloß (18. Jh.)
202 **Falkenberg** (D-8591 Falkenberg/Oberpfalz)
Burg
203 **Saarburg** (D-5510)
Burgruine (12. Jh.)
204 **Kirn** (D-6570)
Ruine Kyrburg (14./15. Jh.)
205 **Dhaun** (D-6571)
Schloßruine (12./16. Jh.)
206 **Darmstadt** (D-6100)
Jagdschloß Kranichstein (17. Jh.)
207 **Bensheim** (D-6140)
Schloß Auerbach (Ruine; 1674 zerstört)
208 **Heppenheim** (D-6148)
Ruine Starkenburg (11. Jh.)
209 **Neustadt/Odenwald** (D-6127 Breuberg)
Burg Breuberg (11., 13.–17. Jh.)
210 **Steinbach** (D-6120 Michelstadt)
Wasserschloß Fürstenau (14.–16. Jh.)
211 **Erbach/Odenwald** (D-6120)
Schloß (16./18. Jh.)
212 **Mespelbrunn** (D-8751)
Wasserschloß (15. Jh.)

Burgen und Schlösser

Das Bild, das sich vor allem andere Nationen von unserem Land machen, ist zu einem guten Teil von den zahlreichen Burgen und Schlössern geprägt, die es in der Bundesrepublik Deutschland gibt. Sie wurden meist an landschaftlich exponierten und daher einst strategisch wichtigen Punkten erbaut und setzen auf diese Weise deutliche Akzente. Seit Beginn der Neuzeit entstanden große Repräsentationsbauten, die bald keine militärische Funktion mehr hatten, aber in ihrer oft großzügigen Anlage mit weiten Parks und Gärten Ausdruck absolutistischen Selbstbewußtseins waren.

213 **Miltenberg** (D-8760)
Mildenburg (13.–16. Jh.)
214 **Wertheim/Main** (D-6980)
Burg (12./16. Jh.)
215 **Veitshöchheim** (D-8702)
Schloß (17. Jh.)
216 **Würzburg** (D-8700)
Residenz (18. Jh.)
217 **Würzburg** (D-8700)
Festung Marienberg (13. Jh.)
218 **Pommersfelden** (D-8602)
Schloß Weißenstein (18. Jh.)
219 **Bamberg** (D-8600)
Alte Hofhaltung (16. Jh.)
220 **Bamberg** (D-8600)
Neue Residenz (17./18. Jh.)
221 **Pottenstein** (D-8573)
Burg
222 **Neustadt an der Waldnaab** (D-8482)
Schloß (17. Jh.)
223 **Flossenbürg** (D-8481)
Reichsfeste (Ruine; 13. Jh.)
224 **Leuchtenberg** (D-8481)
Burgruine (14. Jh.)
225 **Vohenstrauß** (D-8483)
Schloß Friedrichsburg (16. Jh.)
226 **Siersburg** (D-6639 Rehlingen/Saar)
Burgruine (12. Jh.)
227 **Kirkel** (D-6654)
Reichsfeste (Ruine; 13. Jh.)
228 **Homburg/Saar** (D-6650)
Schloß Karlsberg (Ruine; 18. Jh.)
229 **Zweibrücken** (D-6660)
Schloß (Ruine; 18. Jh.)
230 **Landstuhl** (D-6790)
Burg Nannstein (Ruine; 11./16. Jh.)
231 **Gräfenstein** (D-6781 Merzalben)
Burgruine (13. Jh.)
232 **Dahn** (D-6783)
Burgruine (13. Jh.)
233 **Vorderweidenthal** (D-6749)
Burg Lindenbrunn (Ruine)
234 **Annweiler** (D-6747)
Reichsfeste Trifels (Ruine; 11./12. Jh.)
235 **Madenburg** (D-6741 Eschbach/Pfalz)
Burgruine (12. Jh.)
236 **Klingenmünster** (D-6749)
Burg Landeck (Ruine; 13./15. Jh.)
237 **Bad Dürkheim** (D-6702)
Ruine Hardenburg (15./16. Jh.)
238 **Wachenheim** (D-6706 Wachenheim
a. d. Weinstraße)
Ruine Wachtenburg
239 **Hambach** (D-6730 Neustadt a. d. Weinstraße)
Reichsfeste Maxburg (Ruine; 11./14. Jh.)
240 **Edenkoben** (D-6732)
Ruine Rietburg (13. Jh.)
241 **Weinheim/Bergstraße** (D-6940)
Burg Windeck (Ruine; 12./13. Jh.)
242 **Schriesheim** (D-6905)
Ruine Strahlenburg
243 **Heidelberg** (D-6900)
Schloß (Ruine; 16./17. Jh.)
244 **Bruchsal** (D-7520)
Schloß (18. Jh.)
245 **Neckarsteinach** (D-6901)
Burg Schadeck (Ruine; 14. Jh.)
246 **Hirschhorn** (D-6932)
Burg (13.–16. Jh.)
247 **Eberbach** (D-6930)
Burg Stolzeneck (Ruine; 13. Jh.)
248 **Zwingenberg** (D-6931)
Burg (15./16. Jh.)
249 **Neckargerach** (D-6934)
Ruine Minneburg

250 **Diedesheim** (D-6950 Mosbach/Baden)
Schloß Neuburg
251 **Diedesheim** (D-6950 Mosbach/Baden)
Schloß Hochhausen (18. Jh.)
252 **Neckarzimmern** (D-6951)
Burg Hornberg (Ruine; 11. Jh.)
253 **Neckarmühlbach** (D-6954 Haßmersheim)
Burg Guttenberg (11./14.–15. Jh.)
254 **Heinsheim** (D-6927 Bad Rappenau)
Burg Ehrenberg (Ruine; 12./16.–17. Jh.)
255 **Bad Wimpfen** (D-7107)
Kaiserpfalz (Ruine; 12. Jh.)
256 **Bad Friedrichshall** (D-7107)
Schloß Lehen (16. Jh.)
257 **Weinsberg** (D-7102)
Burg Weibertreu (Ruine; 11. Jh.)
258 **Untergruppenbach** (D-7101)
Schloß Stettenfels (17. Jh.)
259 **Gemmrigheim** (D-7121)
Schloß Liebenstein (14./16. Jh.)
260 **Asperg** (D-7144)
Festung Hohenasperg (16. Jh.)
261 **Ludwigsburg** (D-7140)
Schloß (18. Jh.)
262 **Ludwigsburg** (D-7140)
Schloß Monrepos (18. Jh.)
263 **Jagsthausen** (D-7109)
Götzenburg (1876 umgebaut)
264 **Neuenstein** (D-7113 Neuenstein/
Württemberg)
Schloß (13./16.–17. Jh.)
265 **Oppenweiler** (D-7155)
Burg Reichenberg (13. Jh.)
266 **Bad Mergentheim** (D-6990)
Schloß (16. Jh.)
267 **Weikersheim** (D-6992)
Schloß (16.–18. Jh.)
268 **Langenburg** (D-7183)
Schloß (15./17.–18. Jh.)
269 **Schwäbisch Hall** (D-7170)
Stift Comburg (11./13./18. Jh.)
270 **Gaildorf** (D-7160)
Wasserschloß (15. Jh.)
271 **Bühlertann** (D-7167)
Tannenburg
272 **Untergröningen** (D-7081 Abtsgmünd 2)
Schloß (18. Jh.)
273 **Schillingsfürst** (D-8801)
Schloß (18. Jh.)
274 **Ipsheim** (D-8531)
Schloß Hoheneck
275 **Ellwangen** (D-7090)
Schloß (17./18. Jh.)
276 **Lauchheim** (D-7081)
Kapfenburg (16. Jh.)
277 **Ansbach** (D-8800)
Markgrafenschloß (18. Jh.)
278 **Öttingen** (D-8867 Öttingen/Bayern)
Schloß (16.–17. Jh.)
279 **Harburg** (D-8856)
Harburg (13.–18. Jh.)
280 **Leitheim** (D-8850 Donauwörth)
Schloß (17. Jh.)
281 **Erlangen** (D-8520)
Schloß (18. Jh.)
282 **Cadolzburg** (D-8501)
Burg (15.–17. Jh.)
283 **Nürnberg** (D-8500)
Burg (11.–12./15. Jh.)
284 **Weißenburg** (D-8832)
Wülzburg (16.–17. Jh.)
285 **Eichstätt** (D-8833)
Willibaldsburg (14./16.–17. Jh.)
286 **Neuburg/Donau** (D-8858)
Schloß (16.–17. Jh.)

287 **Lauf** (D-8560 Lauf a. d. Pegnitz)
Schloß (15. Jh.)
288 **Hersbruck** (D-8562)
Pflegerschloß (16.–17. Jh.)
289 **Sulzbach-Rosenberg** (D-8458)
Schloß Rosenberg (11./16./18. Jh.)
290 **Velburg** (D-8436)
Burgruine (13. Jh.)
291 **Ingolstadt** (D-8070)
Neues Schloß (14.–15. Jh.)
292 **Riedenburg** (D-8422)
Rosenburg (13./16. Jh.)
293 **Burglengenfeld** (D-8412)
Burg (10. Jh.)
294 **Kallmünz** (D-8411)
Burgruine (12. Jh.)
295 **Wolfsegg** (D-8411 Wolfsegg/Oberpfalz)
Burg (14. Jh.)
296 **Donaustauf** (D-8405)
Burgruine (10. Jh.)
297 **Alteglofsheim** (D-8401)
Schloß (17. Jh.)
298 **Landshut** (D-8300)
Burg Trausnitz (12.–13. Jh.)
299 **Sünching** (D-8406)
Wasserschloß (17.–18. Jh.)
300 **Wörth/Donau** (D-8404)
Schloß (16. Jh.)
301 **Falkenstein** (D-8411 Falkenstein/Oberpfalz)
Schloßruine (17. Jh.)
302 **Arnstorf** (D-8382)
Schloß (15./17.–18. Jh.)
303 **Tittling** (D-8391)
Schloß Saldenburg (13. Jh.)
304 **Passau** (D-8390)
Veste Oberhaus (13.–16. Jh.)
305 **Neuburg/Inn** (D-8399)
Schloß Neuburg (15.–18./20. Jh.)
306 **Ettlingen** (D-7505)
Schloß (18. Jh.)
307 **Rastatt** (D-7550)
Schloß (17.–18. Jh.)
308 **Kuppenheim** (D-7554)
Schloß Favorite (18. Jh.)
309 **Baden-Baden** (D-7570)
Schloß Hohenbaden (Ruine; 12./14.–15. Jh.)
310 **Gernsbach** (D-7562)
Schloß Eberstein (13./19. Jh.)
311 **Oberkirch** (D-7602)
Ruine Schauenburg
312 **Berneck** (D-7272)
Schloß (19. Jh.)
313 **Stuttgart** (D-7000)
Neues Schloß (18. Jh.)
314 **Stuttgart** (D-7000)
Altes Schloß (16. Jh.)
315 **Stuttgart** (D-7000)
Schloß Solitude (18. Jh.)
316 **Stuttgart-Hohenheim** (D-7000)
Schloß (18. Jh.)
317 **Tübingen** (D-7400)
Schloß Hohentübingen (16. Jh.)
318 **Haigerloch** (D-7452)
Schloß (16.–17. Jh.)
319 **Hechingen** (D-7450)
Burg Hohenzollern (19. Jh.)
320 **Lichtenstein** (D-7414 Lichtenstein/
Württemberg)
Schloß Lichtenstein (19. Jh.)
321 **Urach** (D-7417)
Burg Hohenurach (Ruine; 11./16. Jh.)
322 **Neuffen** (D-7442)
Burg Hohenneuffen (Ruine; 16./18. Jh.)
323 **Bissingen** (D-7311)
Burg Teck (Ruine; 12./14./18. Jh.)

324 **Rechberghausen** (D-7324)
Schloß (18. Jh.)
325 **Wäschenbeuren** (D-7321)
Wäscherschlößchen
326 **Straßdorf** (D-7070 Schwäbisch Gmünd)
Burg Rechberg (Ruine; 12. Jh.)
327 **Salach** (D-7335)
Burg Staufeneck (Ruine)
328 **Geislingen an der Steige** (D-7340)
Burg Helfenstein (Ruine; 14. Jh.)
329 **Blaubeuren** (D-7902)
Rusenschloß (Ruine)
330 **Erbach/Donau** (D-7904)
Schloß (16. Jh.)
331 **Heidenheim** (D-7920)
Schloß Hellenstein (13./16. Jh.)
332 **Wolfach** (D-7620)
Schloß (17. Jh.)
333 **Emmendingen** (D-7830)
Schloß Hochburg (Ruine; 13./16. Jh.)
334 **Freiburg-Zähringen** (D-7800)
Burgruine (13. Jh.)
335 **Staufen/Breisgau** (D-7813)
Ruine Staufenburg
(im Dreißigjährigen Krieg zerstört)
336 **Badenweiler** (D-7847)
Schloß Bürgeln (18. Jh.)
Burg (Ruine; 1678 zerstört)
337 **Lörrach** (D-7850)
Schloß Rötteln (12./14. Jh.)
338 **Säckingen** (D-7880)
Schloß Schönau (gen. 'Trompeter-
schlößchen'; 17./18. Jh.)
339 **Donaueschingen** (D-7710)
Schloß (18./19. Jh.)
340 **Singen** (D-7700)
Burg Hohentwiel (Ruine; 10./16. Jh.)
341 **Hausen im Tal** (D-7792 Beuron)
Burg Werenwag
342 **Beuron** (D-7792)
Burg Wildenstein
343 **Meßkirch** (D-7790)
Schloß
344 **Sigmaringen** (D-7480)
Schloß (12./15./17./19. Jh.)
345 **Insel Mainau** (D-7750)
Schloß (18. Jh.)
346 **Meersburg** (D-7758)
Schloß (12./16.–18. Jh.)
347 **Heiligenberg** (D-7799)
Schloß (15./16. Jh.)
348 **Altshausen** (D-7963)
Deutschordensschloß (16.–18. Jh.)
349 **Aulendorf** (D-7960)
Schloß (14./18./19. Jh.)
350 **Bad Waldsee** (D-7967)
Schloß (16./18. Jh.)
351 **Waldburg** (D-7981)
Schloß (13./16. Jh.)
352 **Tettnang** (D-7992)
Neues Schloß (18. Jh.)
353 **Bad Wurzach** (D-7954)
Schloß (17./18. Jh.)
354 **Unterzeil** (D-7970 Leutkirch)
Schloß Zeil (16. Jh.)
355 **Kißlegg** (D-7964)
Schloß (17./18. Jh.)
356 **Kirchheim/Mindel** (D-8949)
Fuggerschloß (16. Jh.)
357 **Kempten** (D-8960)
Residenz (17. Jh.)
358 **Marktoberdorf** (D-8952)
Jagdschloß (18. Jh.)
359 **Füssen** (D-8958)
Schloß Neuschwanstein (19. Jh.)

360 Füssen (D-8958)
Schloß Hohenschwangau (19. Jh.)
361 Ettal (D-8101)
Schloß Linderhof (19. Jh.)
362 Garmisch-Partenkirchen (D-8100)
Burg Werdenfels (Ruine; 12. Jh.)
363 München (D-8000)
Schloß Nymphenburg (17.–18. Jh.)
364 München (D-8000)
Residenz (16.–19. Jh.)
365 Oberschleißheim (D-8042)
Neues Schloß (18. Jh.)

366 Haag (D-8092 Haag/Oberbayern)
Burgruine (13. Jh.)
367 Aschau (D-8213 Aschau/Chiemgau)
Burg Hohenaschau (17. Jh.)
368 Herreninsel/Chiemsee (D-8210 Prien
am Chiemsee)
Schloß Herrenchiemsee (19. Jh.)
369 Burghausen (D-8263 Burghausen/
Salzach)
Burg (13.–14./16. Jh.)
370 Berchtesgaden (D-8240)
Schloß (14./18. Jh.)

Für den Naturfreund

Wandern

Auskünfte über Wandereinrichtungen in der Bundesrepublik Deutschland und auf Europäischen Fernwanderwegen erteilen folgende Institutionen:

Im Naturpark Südheide

Verband Deutscher Gebirgs- und Wandervereine
Hospitalstraße 21/B
D-7000 Stuttgart 1
Telefon: (07 11) 29 53 36

Deutsche Wanderjugend
Herbergstraße 11
D-7000 Stuttgart 1
Telefon: (07 11) 46 60 05

Europäische Wandervereinigung e.V.
Hospitalstraße 21/B
D-7000 Stuttgart 1
Telefon: (07 11) 29 53 36

Ferner sei hingewiesen auf die umfangreiche Wanderbücher-Reihe "Kompass-Wanderführer" für grenzenloses Wandern aus dem Deutschen Wanderverlag Dr. Mair & Schnabel & Co., Stuttgart, wie auch auf die "Kompass-Wanderkarten" aus dem Geographischen Verlag Heinz Fleischmann GmbH & Co., München. Bücher und Karten sind im Buchhandel erhältlich.

Naturparke

1 **Hüttener Berge – Wittensee**
2 **Westensee**
3 **Aukrug**
4 **Ostfriesische Inseln und Küste**
(geplant)
5 **Lauenburgische Seen**
6 **Harburger Berge**
7 **Fischbeker Heide** (geplant)
8 **Lüneburger Heide**
9 **Wildeshauser Geest** (geplant)
10 **Südheide**
11 **Elbufer – Drawehn**
12 **Dümmer**
13 **Steinhuder Meer**
14 **Nördlicher Teutoburger Wald –
Wiehengebirge**
15 **Weserbergland –
Schaumburg-Hameln**
16 **Elm – Lappwald**
17 **Hohe Mark**
18 **Eggegebirge –
Südlicher Teutoburger Wald**
19 **Solling – Vogler**
20 **Harz**
21 **Maas – Schwalm – Nette**
(Deutsch-Niederländischer Naturpark)

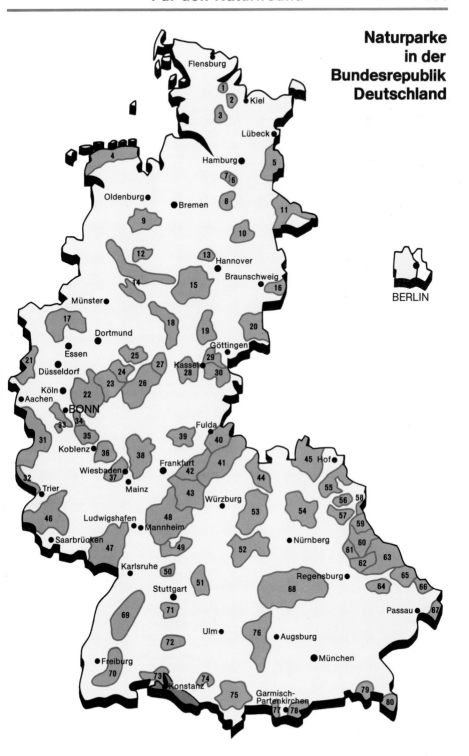

Naturparke
in der
Bundesrepublik
Deutschland

BERLIN

Naturparke

Naturparke sind großräumige Landschafts- und Naturschutzgebiete mit möglichst naturnahem Charakter, die der Freude und Erholung des Menschen dienen sollen.

In der Bundesrepublik Deutschland wurde seit 1956 rund ein Fünftel der Bundesfläche unter Schutz gestellt. Weitere Gebiete befinden sich in Erschließung oder Planung.

Im Wildpark Rothaargebirge

Auskunft über Naturschutz und Naturparke
Verein Naturschutzpark e. V.
Stuttgart – Hamburg
Geschäftsstellen
Pfizerstraße 5–7, D-7000 Stuttgart 1;
Telefon: (07 11) 21 91-1.
Ballindamm 2–3, D-2000 Hamburg 1;
Telefon: (0 40) 33 84 21.

Auskunft über Wildparke und Wildgehege
in der Bundesrepublik Deutschland
Deutsche Wildgehege e. V.
Würzburger Straße 113,
D-6482 Bad Orb im Spessart;
Telefon (0 60 52) 24 82.

Zoologische Gärten
Tierparke
Vogelparke
Aquarien

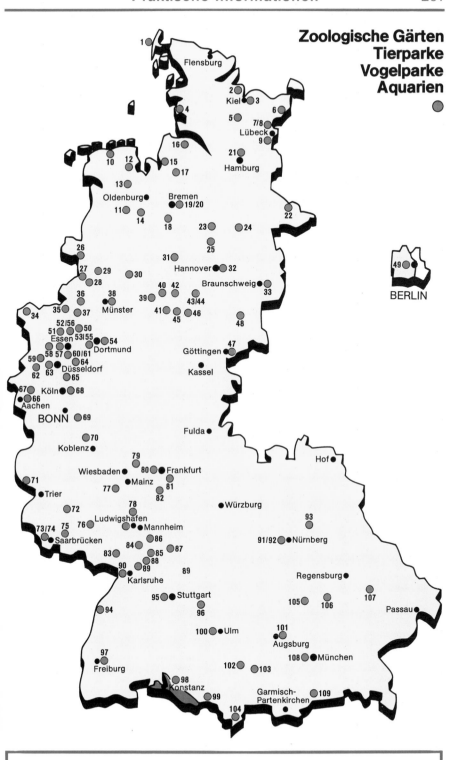

Zoologische Gärten Tierparke Vogelparke Aquarien

Zoologische Gärten, Tierparke, Vogelparke, Aquarien

Man ist heute bemüht, den Zootieren eine der natürlichen Situationen möglichst ähnliche Lebensweise zu ermöglichen. Streichelzoos und ähnliche Einrichtungen geben vor allem Kindern die Möglichkeit, mit Tieren in nahen Kontakt zu kommen, was namentlich in Großstädten sonst fast unmöglich ist. – In der Aquarientechnik ist es gelungen, für seltene und empfindliche Wasserbewohner passende Lebensbedingungen zu schaffen. – Die Vogelparke schließlich bieten für manche in ihrer Existenz bedrohte Art eine der wenigen Möglichkeiten zu überleben.

11 **Tierpark Worberg**
D-2908 Friesoythe (Thüle)
12 **Tierpark Jaderberg**
D-2933 Jade
13 **Vogelpark Westerstede**
D-2910 Westerstede
14 **Tierpark Sager Heide**
D-2901 Sage/Kreis Oldenburg (Oldb.)
15 **Tiergarten und Nordsee-Aquarium Bremerhaven**
D-2850 Bremerhaven
16 **Babyzoo Wingst**
D-2177 Wingst
17 **Kleintierzoo Beverstedt**
D-2855 Beverstedt
18 **Tierpark Petermoor**
D-2830 Bassum
19 **Bürgerpark Bremen** (Tiergehege)
D-2800 Bremen
20 **Überseemuseum Bremen** (Aquarium geplant)
D-2800 Bremen
21 **Tierpark Hagenbeck**
D-2000 Hamburg-Stellingen
22 **Tierpark Hitzacker**
D-3139 Hitzacker
23 **Vogelpark Walsrode**
D-3030 Walsrode
24 **Tier- und Vogelpark Hermannsburg**
D-3102 Hermannsburg-Oldendorf
25 **Tierpark Grindau**
D-3033 Schwarmstedt
26 **Tierpark Nordhorn**
D-4460 Nordhorn
27 **Tierpark Gronau**
D-4432 Gronau/Westfalen
28 **Vogelpark Metelen**
D-4431 Metelen bei Steinfurt
29 **Tierpark Rheine**
D-4440 Rheine
30 **Tierpark Osnabrück**
D-4500 Osnabrück
31 **Tierpark Uchte**
D-3079 Uchte
32 **Zoologischer Garten Hannover**
D-3000 Hannover
33 **Tierpark Braunschweig**
D-3300 Braunschweig
34 **Tierpark Kleve**
D-4190 Kleve
35 **Vogelpark Heiden**
D-4284 Heiden/Kreis Borken/Westfalen
36 **Vogelvoliere Coesfeld**
D-4420 Coesfeld
37 **Waldvogelpark Maria Veen**
D-4421 Reken
38 **Allwetterzoo Münster**
D-4400 Münster
39 **Tierpark Olderdissen**
D-4800 Bielefeld
40 **Tierpark Herford**
D-4900 Herford
41 **Vogelpark Berlebeck**
D-4930 Detmold
42 **Vogelpark Lüdenhausen**
D-4925 Kalletal 3
43 **Vogelpark Dehmkerbrock**
D-3251 Aerzen 5
44 **Tierpark Hameln**
D-3250 Hameln
45 **Adlerwarte Horn**
D-4934 Horn-Bad Meinberg
46 **Tierpark Schwalenberg**
D-3284 Schwalenberg
47 **Tierpark Göttingen**
D-3400 Göttingen

48 **Wild- und Vogelpark Seesen**
D-3370 Seesen
49 **Zoologischer Garten und Aquarium Berlin**
D-1000 Berlin
50 **Städt. Tiergarten Recklinghausen**
D-4350 Recklinghausen
51 **Kleintierzoo und Aquarium Gladbeck**
D-4390 Gladbeck
52 **Ruhr-Zoo Gelsenkirchen**
D-4650 Gelsenkirchen
53 **Tierpark Herne**
D-4690 Herne
54 **Tierpark Dortmund**
D-4600 Dortmund
55 **Tierpark und Aquarium Bochum**
D-4630 Bochum
56 **Kleintierzoo Bottrop**
D-4250 Bottrop
57 **Vogelpark Mülheim**
D-4330 Mülheim
58 **Tierpark, Aquarium, Delphinarium Duisburg**
D-4100 Duisburg
59 **Tierpark Krefeld**
D-4150 Krefeld
60 **Aquarium und Terrarium Essen**
D-4300 Essen
61 **Vogelpark Essen**
D-4300 Essen-Rüttenscheid
62 **Tiergarten Mönchengladbach**
D-4050 Mönchengladbach
63 **Aquarium Düsseldorf**
D-4000 Düsseldorf
64 **Zoologischer Garten Wuppertal**
D-5600 Wuppertal
65 **Vogelpark Solingen**
D-5650 Solingen-Ohligs
66 **Tierpark Aachen**
D-5100 Aachen
67 **Tierpark Jülich**
D-5170 Jülich
68 **Zoologischer Garten Köln**
D-5000 Köln
69 **Tierpark Königswinter**
D-5330 Königswinter
70 **Tierpark Engers**
D-5450 Neuwied 21
71 **Greifvogel-Station Bollendorf**
D-5521 Bollendorf/Eifel
72 **Kleintierzoo Birkenfeld**
D-6588 Birkenfeld/Nahe
73 **Tierpark Bous**
D-6635 Schwalbach/Saar
74 **Zoologischer Garten Saarbrücken**
D-6600 Saarbrücken
75 **Tiergarten Neunkirchen**
D-6680 Neunkirchen/Saar
76 **Tierpark Siegelbach**
D-6750 Kaiserslautern 25
77 **Mini-Zoo Appenheim**
D-6531 Appenheim bei Bingen
78 **Tierpark Worms**
D-6520 Worms
79 **Georg-von-Opel-Freigehege**
D-6242 Kronberg/Taunus
80 **Zoologischer Garten Frankfurt**
D-6000 Frankfurt am Main
81 **Vogelpark Kahl**
D-8756 Kahl/Main
82 **Vivarium Darmstadt**
D-6100 Darmstadt
83 **Tierpark Landau**
D-6740 Landau/Pfalz
84 **Tierpark Reilingen**
D-6831 Reilingen bei Hockenheim

85 **Tierpark Rauenberg**
D-6909 Rauenberg/Kraichgau
86 **Tiergarten Heidelberg**
D-6900 Heidelberg
87 **Greifvogelwarte**
Neckarmühlbach
D-6954 Haßmersheim
88 **Tier- und Vogelpark Forst**
D-7521 Forst/Baden
89 **Vogelpark Weingarten**
D-7504 Weingarten bei Karlsruhe
90 **Zoologischer Garten Karlsruhe**
D-7500 Karlsruhe
91 **Zoologischer Garten Nürnberg**
D-8500 Nürnberg
92 **Aquarium Nürnberg**
D-8500 Nürnberg-Gerasmühle
93 **Kleinzoo Velden**
D-8564 Velden/Mittelfranken
94 **Vivarium Wilhelmschule**
D-7640 Kehl
95 **Zoologisch-botanischer Garten**
Wilhelma
D-7000 Stuttgart
96 **Tierpark Göppingen**
D-7320 Göppingen

97 **Tiergehege Mundenhofen**
D-7800 Freiburg im Breisgau
98 **Reptilienhaus Uhldingen**
D-7772 Uhldingen-Mühlhofen
99 **Reptilienzoo Scheidegg**
D-8999 Scheidegg/Allgäu
100 **Aquarium Ulm**
D-7900 Ulm
101 **Tiergarten Augsburg**
D-8900 Augsburg
102 **Tierpark Erkheim**
D-8941 Erkheim/Günz
103 **Falknerei Bad Wörishofen**
D-8939 Bad Wörishofen
104 **Reptilienzoo Fuggerpark**
D-8980 Oberstdorf
105 **Tierpark Ingolstadt**
D-8070 Ingolstadt
106 **Vogelpark Abensberg**
D-8423 Abensberg
107 **Tiergarten Straubing**
D-8440 Straubing
108 **Tierpark München**
D-8000München-Hellabrunn
109 **Greifvogelhorst Sutten**
D-8183 Rottach-Egern

Was sonst interessant ist

Freilichtmuseen
Freizeitparks
Schauhöhlen

Karte S. 301

● **Freilichtmuseen**

1 **Schleswig-Holsteinisches**
Freilichtmuseum
D-2800 Kiel-Rammsee
2 **Ostfriesisches Freilichtmuseum Pewsum**
D-2974 Krummhörn 1
3 **Freilichtmuseum Speckenbüttel**
D-2850 Bremerhaven
4 **Freilichtmuseum 'Auf dem Brink'**
D-2855 Frelsdorf
5 **Bördemuseum**
D-2172 Lamstedt
6 **Freilichtmuseum**
D-2160 Stade
7 **Museumsdorf**
D-2000 Hamburg-Volksdorf
8 **Vierländer Freilichtmuseum**
D-2000 Hamburg-Curslack
9 **Ammerländer Bauernhaus**
D-2903 Bad Zwischenahn
10 **Freilichtmuseum Tollhus**
D-2905 Edewecht-Westerscheps
11 **Museumsdorf**
D-4590 Cloppenburg
12 **Landwirtschaftsmuseum**
Lüneburger Heide
D-3113 Hösseringen
13 **Archäologischer Park**
D-4232 Xanten
14 **Freilicht-Skulpturen-Museum**
D-4370 Marl

15 **Westfälisches Freilichtmuseum**
Technischer Kulturdenkmale Hagen
D-5800 Hagen
16 **Mühlenhof-Freilichtmuseum**
D-4400 Münster
17 **Cheruskergehöft**
D-4811 Oerlinghausen
18 **Westfälisches Freilichtmuseum**
Bäuerlicher Kulturdenkmale
D-4930 Detmold
19 **Frankenlager-Museum**
D-3221 Winzenburg
20 **Rheinisches Freilichtmuseum**
D-5353 Kommern
21 **Hessenpark**
D-6392 Neu-Anspach
22 **Saalburg**
D-6380 Bad Homburg v. d. Höhe
23 **Geologisches Freimuseum**
D-6581 Sensweiler
24 **Freilichtmuseum**
D-6553 Sobernheim
25 **Freilichtmuseum**
D-6650 Homburg-Schwarzenacker
26 **Fränkisches Freilandmuseum**
D-8532 Bad Windsheim
27 **Oberpfälzisches**
Bauernmuseum Perschen
D-8470 Post Nabburg
28 **Vogtsbauernhof**
D-7613 Hausach
29 **Pfahlbau-Museum**
D-7772 Uhldingen-Mühlhofen
30 **Freilichtmuseum**
D-7953 Bad Schussenried/Kürnbach
31 **Freilichtmuseum Illerbeuren**
D-8941 Kronburg
32 **Freilichtmuseum**
D-8110 Murnau
33 **Bauernhausmuseum**
D-8201 Amerang
34 **Bauernmuseum**
Schusterödhof
D-8332 Massing/Rottal

35 **Mühlen- und Bauernhausmuseum**
   Dreiburgensee
   D-8391 Tittling
36 **Bayerisches Waldmuseum**
   D-8391 Finsterau

⬤ **Freizeitparks**

37 **Hansaland**
   D-2430 Neustadt-Sierksdorf
38 **Jadeberg**
   D-2933 Jade
39 **Niedersachsen-Freizeitpark**
   D-3090 Verden/Aller
40 **Serengeti-Großwild-Reservat**
   D-3035 Hodenhagen bei Walsrode
41 **Vogel- und Freizeitpark**
   D-3004 Kirchhorst bei Hannover
42 **Potts Freizeitpark**
   D-4950 Minden
43 **Märchenwald**
   D-4900 Herford
44 **Senne-Großwild-Safaripark**
   D-4815 Stukenbrock
45 **Rasti-Land**
   D-3216 Salzhemmendorf
46 **Traumland-Park**
   D-4250 Bottrop
47 **Natur- und Tierpark Schwalmtal**
   D-4057 Brüggen
48 **Minidomm**
   D-4035 Breitscheid
49 **Märchenzoo**
   D-4030 Ratingen
50 **Fort Fun**
   Gevelinghausen
   D-5787 Olsberg 8
51 **Löwenfreigehege**
   D-5135 Selfkant
52 **Phantasialand**
   D-5040 Brühl
53 **Wild- und Freizeitpark Rothaargebirge**
   D-5942 Oberhundem
54 **Tier- und Märchenpark**
   D-5438 Westerburg
55 **Schlitzerländer Tierfreiheit**
   D-6407 Schlitz
56 **Hunsrück-Freizeitpark**
   D-5449 Leiningen-Lamscheid
57 **Taunus-Wunderland**
   (Märchenpark, Tiergehege)
   D-6229 Schlangenbad-Wambach
58 **Safariland-Europapark**
   Wallerstätten bei Groß-Gerau
   D-6080 Groß-Gerau
59 **Holiday-Park**
   D-6733 Haßloch

60 **Freizeitland VPM-Park**
   D-8602 Geiselwind
61 **Freizeitpark Schloß Thurn**
   D-8551 Heroldsbach
   bei Forchheim
62 **Fränkisches Wunderland**
   D-8571 Plech
63 **Altweibermühle Tripsdrill**
   D-7121 Cleebronn
64 **Märchengarten**
   D-7140 Ludwigsburg
65 **Safari-Tierpark**
   Gmeinweiler bei Welzheim
   D-7063 Welzheim
66 **Europapark**
   Rust bei Ettenheim
   D-7631 Rust/Baden
67 **Deutsch-Miniatur**
   D-8900 Augsburg-Haunstetten

⬤ **Schauhöhlen**

68 **Kalkberghöhle Segeberg**
   (Gipshöhle, Laugungsformen)
   D-2360 Bad Segeberg
   (22 km westlich von Lübeck)
69 **Iberger Tropfsteinhöhle**
   (Fossilien)
   D-3395 Bad Grund/Harz
   (40 km nordöstlich von Göttingen)
70 **Einhornhöhle**
   (Steinzeitfunde)
   D-3420 Herzberg/Harz
   (30 km nordöstlich von Göttingen)
71 **Kluterthöhle**
   (auch Höhlensanatorium)
   D-5828 Ennepetal
   (10 km nordöstlich von Wuppertal)
72 **Dechenhöhle**
   (Erosionsformen, Tropfsteine)
   D-5860 Letmathe
   (32 km nordöstlich von Wuppertal)
73 **Heinrichshöhle**
   (Höhlenbären-Skelett)
   D-5870 Hemer-Sundwig
   (40 km nordöstlich von Wuppertal)
74 **Balver Höhle**
   (Steinwerkzeuge, Tierskelette)
   D-5983 Balve
   (46 km östlich von Wuppertal)
75 **Bilsteinhöhle**
   (Tropfsteine)
   D-4788 Warstein
   (80 km westlich von Kassel)
76 **Attahöhle**
   (Tropfsteine)
   D-5952 Attendorn
   (50 km südöstlich von Wuppertal)
77 **Wiehler Tropfsteinhöhle**
   D-5276 Wiehl
   (42 km östlich von Köln)
78 **Aggertalhöhle**
   (Kristallbildungen)
   D-5250 Ründeroth
   (35 km östlich von Köln)
79 **Maximiliansgrotte**
   (Tropfsteine, Höhlenbärenknochen)
   D-8574 Krottensee/Post Neuhaus
   (42 km nordöstlich von Nürnberg)
80 **Teufelshöhle**
   (Tropfsteine, Höhlenbärenskelett)
   D-8573 Pottenstein
   (42 km nordöstlich von Nürnberg)

Im Europapark Rust (Baden)

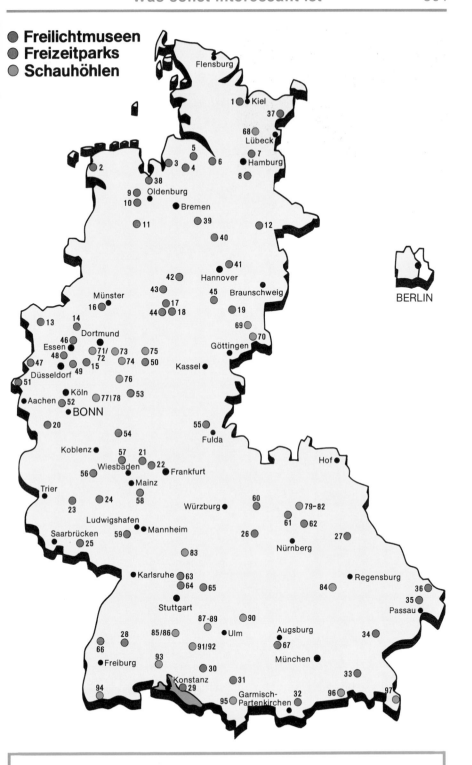

- ● Freilichtmuseen
- ● Freizeitparks
- ○ Schauhöhlen

Freilichtmuseen, Freizeit-parks, Schauhöhlen

Der Verlust an historischer Bausubstanz vor allem im ländlichen Bereich hat das Empfinden für Erhaltenswertes geweckt, so daß es heute in vielen Freilichtmuseen gut restaurierte, charak-teristische Bauten zu sehen gibt. – Die Freizeit-parks bieten viele Unterhaltungs- und Spiel-möglichkeiten und haben sich als Attraktion für die ganze Familie erwiesen. – Wer einen Blick in die Welt der Tropfsteine und unterirdischen Wasserläufe tun möchte, findet vor allem in Kalkformationen eine große Zahl gut erschlos-sener und gesicherter Schauhöhlen.

In der Attahöhle bei Attendorn

96 **Wendelsteinhöhle**
(nahe dem Wendelsteingipfel,
keine Tropfsteine)
D-8204 Degerndorf/Inntal
(60 km südöstlich von München)
97 **Schellenberger Eishöhle**
D-8241 Marktschellenberg
(15 km östlich von Bad Reichenhall)

● Spezialmuseen (Auswahl)

1 **Brandschutzmuseum**
D-2300 Kiel
2 **Zirkusmuseum**
D-2308 Preetz/Holstein
3 **Textilmuseum**
D-2350 Neumünster
4 **Spirituosenmuseum**
Hindorf
D-2220 St. Michaelisdonn
5 **Küstenmuseum**
D-2983 Nordseeheilbad Juist
6 **Küsten- und Schiffahrtsmuseum**
D-2940 Wilhelmshaven
7 **Vogelwartenmuseum**
D-2940 Wilhelmshaven
8 **Deutsches Schiffahrtsmuseum**
D-2850 Bremerhaven
9 **Urgeschichtsmuseum**
D-2160 Stade
10 **Flughafenmodellschau**
D-2000 Hamburg
11 **Friseurmuseum**
D-2000 Hamburg
12 **Tabakhistorische Sammlung**
D-2000 Hamburg
13 **Automuseum**
D-2071 Tremsbüttel
14 **Schiffahrtsmuseum**
D-2880 Brake
15 **Überseemuseum**
D-2800 Bremen
16 **Pferdemuseum**
D-2810 Verden/Aller
17 **Elbschiffahrtsmuseum**
D-2058 Lauenburg
18 **Ostpreußisches Jagdmuseum**
D-2120 Lüneburg
19 **Zinn- und Keramikmuseum**
D-3118 Bad Bevensen-Medingen
20 **Blindenmuseum**
D-1000 Berlin-Steglitz
21 **Deutsches Rundfunkmuseum**
D-1000 Berlin-Westend
22 **Musikinstrumentensammlung**
D-1000 Berlin-Wilmersdorf
23 **Gaslaternenmuseum**
D-1000 Berlin-Tiergarten
24 **Kriminalmuseum**
D-1000 Berlin-Schöneberg
25 **Glockenmuseum**
D-4423 Gescher
26 **Götz-Archiv**
D-4740 Oelde
27 **Flachsmuseum**
Oberbauerschaft
D-4971 Hüllhorst
28 **Tabak- und Zigarrenmuseum**
D-4980 Bünde
29 **Auto- und Motorradmuseum**
D-4970 Bad Oeynhausen

81 **Sophienhöhle**
(Tropfsteine, Knochenfunde)
D-8581 Kirchahorn/Post Ahorntal
(46 km nordöstlich von Nürnberg)
82 **Binghöhle**
(Tropfsteine)
D-8551 Streitberg
(40 km nördlich von Nürnberg)
83 **Eberstadter Höhle**
(Tropfsteine)
D-6961 Eberstadt (Baden)
(6 km südsüdöstl. Buchen/Odenw.)
84 **Schulerloch**
(Knochenfunde)
D-8420 Oberau bei Kelheim/Altmühl
(20 km südwestlich von Regensburg)
85 **Nebelhöhle**
(Tropfsteine)
D-7411 Genkingen
(16 km südöstlich von Tübingen)
86 **Bärenhöhle**
(Tropfsteine, Höhlenbärenskelett)
D-7411 Erpfingen/Post Sonnenbühl 2
(20 km südöstlich von Tübingen)
87 **Gutenberger Höhlen**
(Tropfsteine)
D-7318 Gutenberg/Post Lenningen/Württ.
(15 km südöstlich von Kirchheim/Teck)
88 **Laichinger Tiefenhöhle**
(Fossilien; Höhlenmuseum)
D-7903 Laichingen
(24 km nordwestlich von Ulm)
89 **Schertelshöhle**
(Tropfsteine)
D-7419 Westerheim/Württemberg
(34 km nordwestlich von Ulm)
90 **Charlottenhöhle**
(Tropfsteine)
D-7928 Hürben/Post Giengen
(26 km nordöstlich von Ulm)
91 **Zwiefaltendorfer Tropfsteinhöhle**
D-7940 Zwiefaltendorf/Post Riedlingen
(50 km südwestlich von Ulm)
92 **Friedrichshöhle**
(Quellhöhle, keine Tropfsteine)
D-7942 Wimsen bei Zwiefalten
(50 km südwestlich von Ulm)
93 **Kolbinger Höhle**
(Tropfsteine)
D-7203 Fridingen an der Donau
(75 km östlich von Freiburg)
94 **Erdmannshöhle**
D-7861 Hasel
(20 km östlich von Lörrach/Baden)
95 **Sturmannshöhle**
(Erosionserscheinungen,
keine Tropfsteine)
D-8981 Obermaiselstein
(6 km nördlich von Oberstdorf)

● Spezialmuseen
(Auswahl)

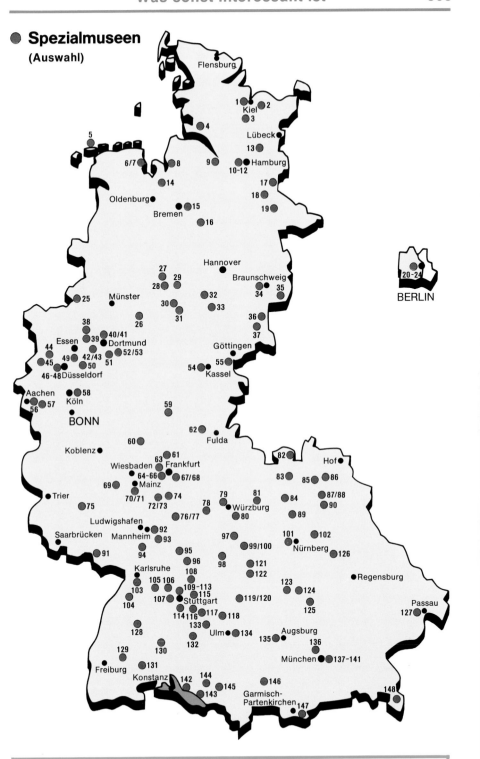

Spezialmuseen

Dem landläufigen Begriff 'Museum' haftet im allgemeinen der Charakter des Antiken bis Antiquierten an. Von welcher Gegenwartsnähe und Faszination eine solche Einrichtung sein kann, beweisen diejenigen Museen, die zu einem bestimmten Thema eine Fülle von Exponaten und Informationen zeigen. Ob es sich um die Entwicklung moderner technischer Errungenschaften, um bestimmte Handwerks- oder Industriezweige, um Spielzeug, Salzgewinnung, Schmuck oder Versteinerungen handelt, die Spezialmuseen in der Bundesrepublik Deutschland bieten Sehenswertes für beinahe jedes Interessengebiet.

98 **Automobilmuseum**
D-7183 Langenburg/Württemberg
99 **Handwerksmuseum**
D-8803 Rothenburg ob der Tauber
00 **Sammlung mittelalterlicher Rechtspflege**
D-8803 Rothenburg ob der Tauber
01 **Verkehrsmuseum**
D-8500 Nürnberg
02 **Hirtenmuseum**
D-8562 Hersbruck
03 **Verkehrsmuseum**
D-7500 Karlsruhe
04 **Museum für mechanische Musikinstrumente**
D-7570 Baden-Baden
05 **Schmuckmuseum**
D-7530 Pforzheim
06 **Uhrenmuseum**
D-7147 Eberdingen
07 **Straßenbahnmuseum**
D-7016 Gerlingen/Württemberg
08 **Urmenschmuseum**
D-7141 Steinheim an der Murr
09 **Porsche Werksmuseum** (Automobile)
D-7000 Stuttgart
10 **Bibelmuseum**
D-7000 Stuttgart
11 **Postgeschichtliche Sammlung**
D-7000 Stuttgart
12 **Landwirtschaftsmuseum**
D-7000 Stuttgart-Hohenheim
13 **Schirmmuseum**
D-7000 Stuttgart
14 **Spielkartenmuseum**
D-7022 Leinfelden-Echterdingen
15 **Automuseum**
D-7056 Weinstadt-Endersbach
16 **Naturkundliches Museum**
(Fossilien, Mineralien)
Jebenhausen
D-7320 Göppingen
17 **Urweltmuseum Hauff** (Fossilien)
D-7311 Holzmaden
18 **Besteckmuseum**
D-7340 Geislingen an der Steige
19 **Geologisch-Paläontologisches Museum**
D-7080 Aalen
20 **Limesmuseum**
D-7080 Aalen
21 **Handwerkerstuben**
D-8805 Feuchtwangen
22 **Handwerkerstuben**
D-8804 Dinkelsbühl
23 **Museum des Solnhofener Aktienvereins**
(Geologie, Lithographie)
Maxberg
D-8831 Solnhofen
24 **Juramuseum** (Fossilien)
D-8833 Eichstätt
25 **Deutsches Medizinhistorisches Museum**
D-8070 Ingolstadt
26 **Winterhilfswerk-Abzeichensammlung**
D-8451 Hohenburg
27 **Niederbayerisches Feuerwehrmuseum**
D-8390 Passau
28 **Steuermuseum**
D-7290 Freudenstadt
29 **Historische Uhrensammlung**
D-7743 Furtwangen
30 **Waagenmuseum**
D-7460 Balingen
31 **Fastnachtsmuseum**
D-7737 Bad Dürrheim
32 **Oldtimer-Automobile**
D-7425 Hohenstein-Ödenwaldstetten/
Württemberg

133 **Höhlenmuseum**
D-7903 Laichingen
134 **Deutsches Brotmuseum**
D-7900 Ulm
135 **MAN-Werksmuseum** (Maschinen)
D-8900 Augsburg
136 **Porzellansammlung**
Schloß Lustheim
D-8042 Oberschleißheim
137 **BMW-Museum**
(Automobile)
D-8000 München
138 **Deutsches Jagdmuseum**
D-8000 München
139 **Deutsches Museum**
(Technik, Industrie)
D-8000 München
140 **Karl-Valentin-Musäum**
D-8000 München
141 **Theatermuseum**
D-8000 München
142 **Weinbaumuseum**
D-7758 Meersburg/Bodensee
143 **Zeppelinmuseum**
D-7990 Friedrichshafen
144 **Alemannenmuseum**
D-7987 Weingarten
145 **Besenmuseum**
D-7964 Kißlegg
146 **Kruzifixsammlung**
D-8950 Kaufbeuren
147 **Geigenbaumuseum**
D-8102 Mittenwald
148 **Salzmuseum**
D-8240 Berchtesgaden

● **Oldtimer-Eisenbahnen**
Karte S. 307

1 **Schönberger Strand – Schönberg**
Streckenlänge: 3,9 km
Spurweite: 1435 mm
Dampf- und Dieselbetrieb
*Verein Verkehrsamateure
und Museumsbahn e.V.* (VVM)
Dimpfelweg 10, D-2000 Hamburg 26

2 **Deinste – Lütjenkamp**
Streckenlänge: 1,2 km
Spurweite: 600 mm
Dampf- und Dieselbetrieb
*Deutsches Feld- und
Kleinbahnmuseum e.V.*
D-2161 Deinste bei Stade

Lok 'Badenia' in Ottenhöfen

3 **Bruchhausen-Vilsen –**
  Heiligenberg – Asendorf
  Streckenlänge: 7,8 km
  Spurweite: 1000 mm
  Dampf- und Benzinbetrieb
  Deutscher Eisenbahn-Verein e.v. (DEV)
  D-2814 Bruchhausen-Vilsen

4 **Almetalbahn**
  Bodenburg – Almstedt-Segeste –
  Sibbesse
  Streckenlänge: 8 km
  Spurweite: 1435 mm
  Dampf-, Diesel- und Elektrobetrieb
  Arbeitsgemeinschaft
  Historische Eisenbahn e.v. (AHE)
  Matthiaswiese 6, D-3200 Hildesheim

5 **Weserberglandbahn**
  Rinteln-Nord – Stadthagen-West
  Streckenlänge: 20 km
  Spurweite: 1435 mm
  Dampfbetrieb
  Dampfeisenbahn Weserbergland e.v.
  Postfach 1450, D-3260 Rinteln

6 **Minden-Stadt – Hille**
  Streckenlänge: 13,4 km
  Minden-Stadt – Bad Hopfenberg
  Streckenlänge: 13,3 km
  Spurweite: 1435 mm
  Dampf- und Dieselbetrieb
  Museums-Eisenbahn Minden e.v. (MEM)
  Postfach 2751, D-4950 Minden/Westfalen

7 **Holzhausen-Heddinghausen –**
  Preußisch-Oldendorf – Bad Essen –
  Bohmte – Schwegermoor
  Streckenlänge: 33,8 km
  Spurweite: 1435 mm
  Dampf- und Dieselbetrieb
  Museums-Eisenbahn Minden e.v. (MEM)
  Postfach 2751, D-4950 Minden/Westfalen

8 **Mühlenstroth – Rödelheim**
  Streckenlänge: 1,8 km
  Spurweite: 600 mm
  Dampf- und Dieselbetrieb
  Dampf-Kleinbahn Mühlenstroth (DKBM)
  Postdamm 166, D-4830 Gütersloh 1

9 **Bochum-Dahlhausen Eisenbahnmuseum –**
  Bochum-Dahlhausen DGEG
  Fahrzeit: 3 Minuten
  Spurweite: 1435 mm
  Dampf- und Dieselbetrieb
  Deutsche Gesellschaft
  für Eisenbahngeschichte e.V. (DGEG)
  Eisenbahnmuseum Bochum-Dahlhausen
  Dr.-C.-Otto-Straße 191, D-4630 Bochum

10 **Hespertalbahn**
   Essen-Kupferdreh – Haus Scheppen
   Streckenlänge: 2,8 km
   Spurweite: 1435 mm
   Dampf- und Dieselbetrieb
   Verein zur Erhaltung der Hespertalbahn e.V.
   Am Hang 13, D-4300 Essen 17
   (Burgaltendorf)

11 **Selfkantbahn**
   Geilenkirchen-Gillrath –
   Langenbroich-Schierwaldenrath
   Streckenlänge: 5,2 km
   Spurweite: 1000 mm
   Dampf- und Dieselbetrieb
   Touristenbahnen im Rheinland GmbH
   Postfach 1152, D-5133 Gangelt 1

12 **Bergische Museumsbahnen**
   Straßenbahn Möschenborn –
   Kohlfurtherbrücke
   Streckenlänge: 3 km
   Spurweite: 1000 mm
   Elektrischer Betrieb
   Bergische Museumsbahnen e.v.
   Postfach 131 557, D-5600 Wuppertal 1

13 **Eisenbahn-Kurier Wuppertal**
   Dampfzugfahrten auf Strecken der Westfäl-
   schen Landeseisenbahn, der Teutoburger
   Wald-Eisenbahn sowie der Eisenbahnen De-
   menhorst-Harpstedt, Bremen-Thedinghausen
   und Farge-Vegesack
   Eisenbahn-Kurier e.v.
   Rubensstraße 3, D-5600 Wuppertal 11
   Dampfzug-Betriebsgemeinschaft e.V. (DBG)
   Postfach 1422, D-3200 Hildesheim 1

14 **Hessencourrier Kassel**
   Ferien- und Sonderfahrten auf den Strecke
   Kassel-Wilhelmshöhe – Naumburg,
   Naumburg – Elgershausen und
   Naumburg – Edersee
   Dieselbetrieb
   Arbeitskreis Hessencourrier e.v.
   Kaulenbergstraße 5, D-3500 Kassel

15 **Höchst – Königstein**
   Streckenlänge: 16 km
   Spurweite: 1435 mm
   Dieselbetrieb
   Deutsche Museums-Eisenbahn e.V.
   Kölner Straße 20 b, D-6100 Darmstadt

16 **Jagsttalbahn**
   Möckmühl – Schöntal – Dörzbach
   Streckenlänge: 38,6 km
   Spurweite: 750 mm
   Dampf- und Dieselbetrieb
   Deutsche Gesellschaft für
   Eisenbahngeschichte e.V. (DGEG)
   Referat für Werbung und Öffentlichkeitsarbeit
   Platanenallee 5,
   D-5414 Kerpen/Rheinland

17 **Achertalbahn**
   Achern – Ottenhöfen
   Streckenlänge: 10,5 km
   Spurweite: 1435 mm
   Dampfbetrieb
   Deutsche Gesellschaft für
   Eisenbahngeschichte e.V. (DGEG)
   Referat für Werbung und Öffentlichkeitsarbeit
   Platanenallee 5,
   D-5414 Kerpen/Rheinland

18 **Korntal – Weissach**
   Fahrzeit: 60 Minuten
   Nürtingen – Neuffen
   Fahrzeit: 30 Minuten
   Reutlingen – Gönningen
   Fahrzeit: 60 Minuten
   Stuttgart-Möhringen –
   Neuhausen
   auf den Fildern
   Fahrzeit: 65 Minuten
   Spurweite: 1435 mm
   Dampfbetrieb
   Gesellschaft zur Erhaltung von
   Schienenfahrzeugen e.V.
   Dürnauer Weg 45, D-7000 Stuttgart 70

19 **Kandertalbahn** ('Chanderli')
   Haltingen – Kandern
   Streckenlänge: 13 km
   Spurweite: 1435 mm

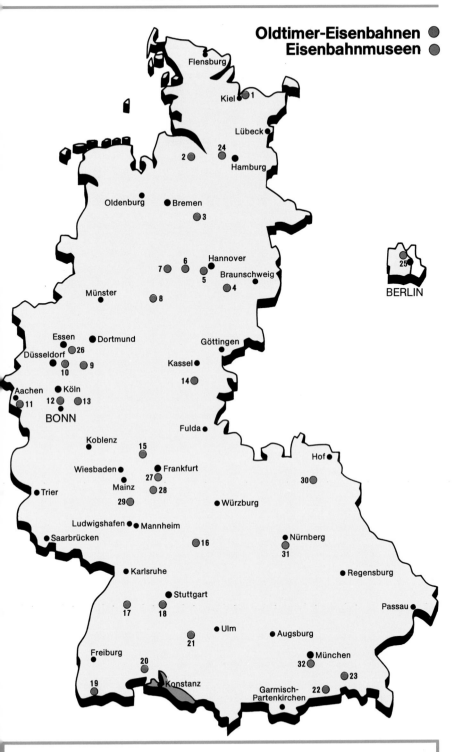

Oldtimer-Eisenbahnen ●
Eisenbahnmuseen ●

Oldtimer-Eisenbahnen
Eisenbahnmuseen

Oldtimer-Eisenbahnen erfreuen sich zunehmender Beliebtheit. Die meisten werden von Eisenbahnfans privat betrieben und verkehren nur im Sommer an vielfach wechselnden Daten.

Die Eisenbahnmuseen sind mit Ausnahme der Eisenbahnabteilungen der großen technischen Museen in München, Nürnberg, und Westberlin in der Regel nur sonntags geöffnet.

Dampfbetrieb (zwischen Haltingen und
Basel/Badischer Bahnhof 6 km Dieselbetrieb)
EUROVAPOR, Zürich,
Geschäftsstelle Karlsruhe
Postfach 2243, D-7500 Karlsruhe 1

20 **Wutachtalbahn** ('Kanonenbahn';
'Sauschwänzlebahn')
Zollhaus-Blumberg – Weizen
Streckenlänge: 26 km
Spurweite: 1435 mm
Dampfbetrieb
Stadt Blumberg
D-7712 Blumberg/Baden

21 **Reutlingen – Gönningen**
Ebingen – Onstmettingen
Zollernbahn *(Hohenzollerische Landesbahn)*
Eyach – Hechingen – Gammertingen
Kleinengstingen – Gammertingen – Hechin-
gen
Sigmaringendorf – Gammertingen – Hechin-
gen
Hechingen – Sigmaringen – Sigmaringendorf
Hechingen – Gammertingen
Jagstfeld – Ohrnberg
Gaildorf-West – Untergröningen
Spurweite: 1435 mm
Dampf- und Dieselbetrieb
Eisenbahnfreunde Zollernbahn
Postfach 1168, D-7460 Balingen 1

22 **Tegernseebahn**
Tegernsee – Schaftlach
Streckenlänge: 12,4 km
Spurweite: 1435 mm
Dampfbetrieb
Bayerischer Localbahn Verein, e.V.
Postfach 116, D-8180 Tegernsee

23 **Chiemseebahn Prien**
Bahnhof Prien – Hafen Prien/Stock
Streckenlänge: 1,8 km
Spurweite: 1000 mm
Dampfbetrieb
Chiemsee-Schiffahrt Ludwig Feßler
Postfach 21, D-8210 Prien am Chiemsee

Das **Dampfbahnparadies Friedrichsruhe** (D-711
Zweiflingen; 6 km nördlich von Öhringen/Hohenlo
he) ist eine interessante Parkanlage mit dampfge
triebenen, großen Originalen nachgebildete
Kleinsteisenbahnen.

● **Eisenbahnmuseen**
Karte S. 307

24 **Fahrzeugsammlung Aumühle**
Nahverkehrsmuseum im Lokschuppen
D-2055 Aumühle bei Hamburg

25 **Verkehrsmuseum Berlin** *(Urania)*
Eisenbahnabteilung
Kleiststraße 13/14, D-1000 Berlin (West)

26 **Eisenbahnmuseum Bochum-Dahlhausen**
Dr.-C.-Otto-Straße 191, D-4630 Bochum

27 **Eisenbahnmuseum Darmstadt-Kranichstein**
Kölner Straße 20 b, D-6100 Darmstadt

28 **Eisenbahnmuseum Rhein-Neckar**
D-6806 Viernheim, OEG-Bahnhof

29 **Fahrzeugsammlung Pfalz**
D-6730 Neustadt an der Weinstraße
Bahnhof

30 **Deutsches Dampflokomotiv-Museum** (DDM)
D-8651 Neuenmarkt/Oberfranken
Bahnhof Neuenmarkt-Wirsberg

31 **Verkehrsmuseum Nürnberg**
Eisenbahnabteilung
Lessingstraße 6, D-8500 Nürnberg

32 **Deutsches Museum München**
Eisenbahnabteilung
Museumsinsel, D-8000 München 26

In Minden und Nordhorn sind weitere Eisenbahn
museen im Aufbau bzw. geplant.

Wintersport

Der Wintersport, besonders der Skilauf, hat sich zu einem wahren Volks-
sport entwickelt. Die Bundesrepublik
Deutschland besitzt zahlreiche Wintersportgebiete, die mit dem Auto oder mit
der Eisenbahn bequem erreicht werden
können. Der Skilauf ist in höheren Lagen der Mittelgebirge und in den Talre-
gionen der Alpen meist von Ende Dezember bis Ende Februar, in den Hoch-
alpen und auch im Hochschwarzwald
bis Ende März oder Anfang April möglich. Das wirklich zuverlässige Winter-
wetter, das auch in mittleren Höhen guten Schnee bringt, setzt aber im allgemeinen erst Mitte Januar ein und dauert
bis etwa Mitte Februar.

Die besuchtesten Wintersportgebiete
von Norden nach Süden: Harz. – Sauerland. – Westerwald. – Eifel. – Hunsrück.
– Taunus. – Vogelsberg. – Rhön. –
Odenwald. – Frankenwald. – Fichtelgebirge. – Steinwald. – Oberpfälzer Wald. –
Bayerischer Wald. Schwarzwald. –
Schwäbische Alb. – Allgäu. – Kleinwal-
sertal. – Bayerische Alpen.

Detaillierte Angaben über die Skigebiete
enthalten der "Ski Atlas" des Deutschen
Skiverbandes (Mairs Geographischer
Verlag, Stuttgart) und "Das große
ADAC-Winterbuch – Freizeit und Erholung im Schnee" (ADAC-Verlag, München).

Veranstaltungs-kalender

Fastnachtszeit

Köln, Düsseldorf, Aachen Mainz München	Karnevalsumzüge (Rosenmontag) Rosenmontagszug Faschingstreiben am Sonntag vor Fastnacht und am Fastnachtsdienstag mit Masken
Rottweil	Narrensprung (Rosenmontag)
Schramberg	"De Bach 'na-Fahrt" (Rosenmontag)
Offenburg	Hexentreiben am Faschingsdienstag
Villingen-Schwenningen	Faschingsumzug Faschings- und Karnevalstreiben

März

Burghausen	Jazzfest
Münster	Frühjahrssend, traditioneller Jahrmarkt

März/April

Hamburg	Frühlingsmarkt

Ende April

Harz	Walpurgisfeiern

Ende April, Anfang Mai

Hannover	Frühjahrsmesse

Mai

Mannheim	Maimarkt
Wiesbaden	Maifestspiele

Mai/Juni

Weingarten	Historischer Blutritt und Reiterprozession am Freitag nach Himmelfahrt
Schwetzingen	Musikfestspiele

Pfingsten

Rothenburg ob der Tauber	'Der Meistertrunk', historisches Festspiel, 'Heereszug' und 'Feldlager'
Kötzingen	Pfingstritt am Pfingstmontag

Mai–August

Lennestadt-Elspe	Karl-May-Festspiele

Mai–September

Oberammergau	Passionsspiele (alle 10 Jahre, die nächsten 1980)
Ludwigsburg	Schloßfestspiele

Juni–Juli

Landshut	'Landshuter Hochzeit' (alle 3 Jahre, zuletzt 1978)

Juni–Juli

Bamberg	Calderón-Fest
Bad Gandersheim	Domfestspiele
Mindelheim	Frundsbergfest (alle drei Jahre, 1979, 1982 usw.)

Juni–August

Hameln	Rattenfänger-spiele (So.)
Bad Hersfeld	Festspiele in der Ruine der Stiftskirche
Schwäbisch Hall	Freilicht-aufführungen auf der Treppe vor St. Michael
Jagsthausen	Burgfestspiele in der Götzenburg

Karl-May-Spiel auf der Naturbühne Elspe

Wunsiedel	Festspiele im Felsenmeer der Luisenburg

Juli

Heidelberg	Schloßbeleuchtung und Feuerwerk
Kelheim, Weltenburg	'Flammende Donau' (1. Sa. des Monats)
Ravensburg	Rutenfest, Kinderumzug
Ulm	Schwörmontag, Festzug auf der Donau (vorletzter Montag)
Dinkelsbühl	Kinderzeche

Ende Juli

Konstanz	Seenachtsfest mit Riesenfeuerwerk

Juli–August

Bad Segeberg	Karl-May-Festspiele am Kalkberg
Waldmünchen	Historisches Freilichtspiel 'Trenck der Pandur'

August

Bayreuth	Richard-Wagner-Festspiele
Kassel	'documenta' (moderne Kunst; alle vier Jahre, zuletzt 1977)

August

Furth im Wald	Historisches Festspiel 'Der Drachenstich'	**Oktober** Donaueschingen	Musiktage (moderne Musik)
Amelinghausen	Heideblütenfest	Neustadt an der Weinstraße	Deutsches Weinlesefest
Koblenz	'Der Rhein in Flammen', Ufer-beleuchtung von Braubach bis Koblenz (2. Sa. des Monats)	Bremen Osnabrück	Bremer Freimarkt (Volksfest) 'Steckenpferd-reiten', historisches Kinderfest
Markgröningen	Historischer Schäferlauf (Bartholomäustag)	Fellbach Frankfurt	Fellbacher Herbst (Weinfest) Internationale
Heppenheim	Theaterfestspiele	am Main	Frankfurter
Straubing	Gäubodenvolksfest		Buchmesse
Nürnberg	Hans-Sachs-Spiele	**November**	
Mainz	Weinmarkt	Hamburg	Hamburger Dom (Jahrmarkt)
September Heidelberg	Schloßbeleuchtung und Feuerwerk	vielerorts in Oberbayern Soest	Leonhardiritt (Pferdeprozession) Allerheiligen-
Bad Dürkheim	Dürkheimer Wurstmarkt		kirmes
Frankfurt am Main	Internationale Automobil-ausstellung (alle 2 Jahre)	**Dezember** Nürnberg vielerorts	Christkindlmarkt Weihnachtsmärkte
September/Oktober		Oberammergau	Sternsinger-Umzug (Ende des Monats)
München	Oktoberfest	Berchtesgaden	Weihnachts- und
Stuttgart	Cannstatter Volksfest		Neujahrsschießen

Auskunft

Verbände

Deutsche Zentrale für Tourismus (DZT)
Beethovenstraße 69
D-6000 **Frankfurt** am Main 1
Telefon: (06 11) 7 57 21.

Deutscher Fremdenverkehrsverband (DFV)
Untermainanlage 6
D-6000 **Frankfurt** am Main 1
Telefon: (06 11) 23 63 51.

Deutscher Bäderverband
Schumannstraße 111
D-5300 **Bonn** 1
Telefon: (02 22 1) 21 10 88.

Regionalverbände

Fremdenverkehrsverband Schleswig-Holstein
Adelheidstraße 10
D-2300 **Kiel** 1
Telefon: (04 31) 6 40 11.

Fremdenverkehrszentrale Hamburg
Bieberhaus am Hauptbahnhof
D-2000 **Hamburg** 1
Telefon: (0 40) 24 12 34.

Fremdenverkehrsverband Nordsee-Niedersachsen-Bremen
Gottorpstraße 18
D-2900 **Oldenburg** in Oldenburg
Telefon: (04 41) 1 45 35.

Verkehrsverein der Freien Hansestadt Bremen
Bahnhofsplatz 29
D-2800 **Bremen** 1
Telefon: (04 21) 32 18 55.

Fremdenverkehrsverband Lüneburger Heide
Rathaus
D-3140 **Lüneburg**
Telefon: (0 41 31) 4 20 06.

Harzer Verkehrsverband
Marktstraße 45 (Gildehaus)
D-3380 **Goslar** 1
Telefon: (0 53 21) 2 04 14 und 2 28 30.

Fremdenverkehrsverband Weserbergland-Mittelweser
Falkestraße 2
D-3250 **Hameln**
Telefon: (0 51 51) 2 45 66.

Fremdenverkehrsverband Teutoburger Wald
Paulinenstraße 36
D-4930 **Detmold**
Telefon: (0 52 31) 2 37 33.

Landesverkehrsverband Westfalen
Balkenstraße 4
D-4600 **Dortmund**
Telefon: (02 31) 57 17 15.

Fremdenverkehrsverband Hessen
Abraham-Lincoln-Straße 38–42
D-6200 **Wiesbaden**
Telefon: (0 61 21) 7 37 25/26.

Landesverkehrsverband Rheinland
Rheinallee 69
D-5300 **Bonn** 2 (Bad Godesberg)
Telefon: (0 22 21) 36 29 21.

Fremdenverkehrsverband Rheinland-Pfalz
Bahnhofstraße 54/56
D-5400 **Koblenz**
Telefon: (02 61) 3 50 25.

Fremdenverkehrsverband Saarland
Am Stiefel 2
D-6600 **Saarbrücken** 3
Telefon: (06 81) 3 53 76.

Fremdenverkehrsverband Schwarzwald
Bertoldstraße 45
D-7800 **Freiburg** im Breisgau
Telefon: (07 61) 3 13 17.

**Landesfremdenverkehrsverband
Baden-Württemberg**
Bussenstraße 23
D-7000 **Stuttgart** 1
Telefon: (07 11) 48 10 45.

Fremdenverkehrsverband Neckarland-Schwaben
Geschäftsstelle Stuttgart
Charlottenplatz 17
D-7000 **Stuttgart** 1
Telefon: (07 11) 29 01 51.

Geschäftsstelle Heidelberg
Theaterstraße 9
D-6900 **Heidelberg** 1
Telefon: (0 62 21) 5 84 38.

**Fremdenverkehrsverband
Bodensee-Oberschwaben**
Schützenstraße 8
D-7750 **Konstanz**
Telefon: (0 75 31) 2 22 32.

Fremdenverkehrsverband Franken
Am Plärrer 14
D-8500 **Nürnberg** 18
Telefon: (09 11) 26 42 02.

Fremdenverkehrsverband Ostbayern
Landshuter Straße 13
D-8400 **Regensburg**
Telefon: (09 41) 5 71 86.

**Fremdenverkehrsverband
Allgäu/Bayerisch Schwaben**
Fuggerstraße 9
D-8900 **Augsburg**
Telefon: (08 21) 3 33 35.

Fremdenverkehrsverband München-Oberbayern
Sonnenstraße 10
D-8000 **München** 2
Telefon: (0 89) 59 73 47.

Verkehrsamt BERLIN
Europacenter
Breitscheidplatz
D-1000 **Berlin** 30
Telefon: (0 30) 2 12 34.

Automobil- und Touringclubs

Allgemeiner Deutscher Automobil-Club (ADAC)
Baumgartnerstraße 53
D-8000 **München** 70
Telefon: (0 89) 76 76-1
Telefonabteilung Touristik und
Grenzverkehr: (0 89) 76 76-62 62.

Automobil-Club von Deutschland (AvD)
Lyoner Straße 16
D-6000 **Frankfurt** am Main 71
Telefon: (06 11) 66 06-1.

Deutscher Touring Automobil Club (DTC)
Amalienburgstraße 23
D-8000 **München** 60
Telefon: (0 89) 8 11 10 48.

Auto Club Europa (ACE)
Schmidener Straße 233
D-7000 **Stuttgart** 50
Telefon: (07 11) 5 06 71.

**Kraftfahrer Vereinigung
Deutscher Beamter (KVDB)**
Oberntieferstraße 20
D-8523 **Bad Windsheim**
Telefon: (0 98 41) 20 81.

Kraftfahrverband Deutscher Ärzte (KVDA)
Johanna-Melber-Weg 31
D-6000 **Frankfurt** am Main 70
Telefon: (06 11) 62 20 07.

Notrufe siehe Seite 312.

Notrufe

Polizei: Telefon **110**
Feuerwehr: Telefon **112**
Beide Rufnummern gelten fast im gesamten Bundesgebiet.

Notrufsäulen, über die man bei Unfällen oder Pannen Hilfe anfordern kann, stehen an allen Autobahnen sowie an verschiedenen Bundesstraßen.

Reiserufe im Radio
In sehr dringenden Fällen werden Reiserufe im Rundfunk durchgegeben. Auskunft erteilen die Automobilclubs und die Polizei.

DRK-Flugdienst Bonn
Telefon **(0 22 21) 23 32 32**

Deutsche Rettungsflugwacht Stuttgart
Telefon **(07 11) 70 10 70**

Pannendienst

Die Automobilclubs unterhalten in verschiedenen Großstädten der Bundesrepublik einen Pannenservice von 0 bis 24 Uhr.

Club	Stadt	Telefon
ACE	Stuttgart	(07 11) 53 44 44
ADAC	Berlin	(0 30) 86 86 86
	Bremen	(04 21) 44 62 62
	Dortmund	(02 31) 52 30 52
	Düsseldorf	(02 11) 43 43 41
	Frankfurt/ Main	(06 11) 77 22 22 7 43 06
	Hamburg	(0 40) 2 89 99
	Hannover	(05 11) 8 50 02 22
	München	(0 89) 76 76 76
	Nürnberg	(09 11) 55 14 14
	Stuttgart	(07 11) 23 33 33
AvD	Berlin	(0 30) 2 61 60 84
	Frankfurt/ Main	(06 11) 6 60 63 00
	München	(0 89) 5 98 1 26
DTC	München	(0 89) 8 11 12 12

Baedekers Allianz-Reiseführer

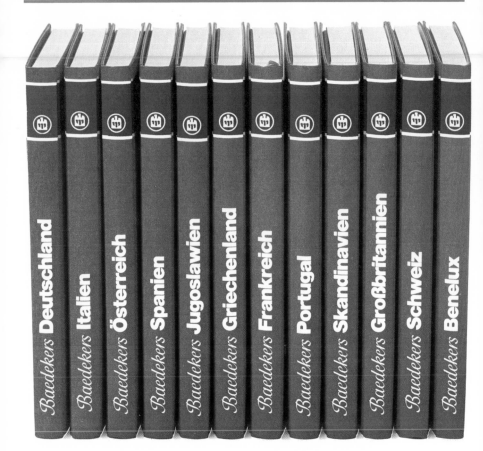

**Benelux · Deutschland · Frankreich
Griechenland · Großbritannien · Italien
Jugoslawien · Österreich · Portugal
Schweiz · Skandinavien · Spanien**

Baedekers Allianz-Reiseführer

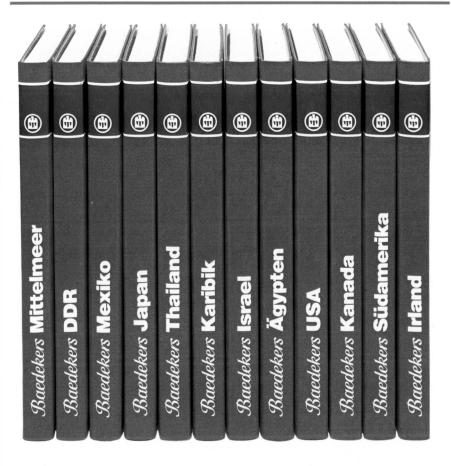

Ägypten · DDR · Irland · Israel
Japan · Kanada · Karibik
Mexiko · Mittelmeer · Südamerika
Thailand · USA

Kompakt-Reiseführer

Bodensee
Ceylon
Dänemark
Französische Riviera
Griechische Inseln
Griechisches Festland
Italienische Riviera
Kärnten
Mallorca / Balearen
Schwarzwald
Südtirol / Dolomiten
Vogesen / Elsaß

Athen
Hongkong
London
New York
Paris
Prag
Rom